A
RESPOSTA

Kathryn Stockett

A RESPOSTA

Tradução
Caroline Chang

11ª edição

Título original: *The Help*

Capa: Silvana Mattievich
Foto da Autora: Kem Lee

Editoração: DFL

Texto revisado segundo o novo
Acordo Ortográfico da Língua Portuguesa

2024
Impresso no Brasil
Printed in Brazil

CIP-Brasil. Catalogação na fonte
Sindicato Nacional dos Editores de Livros, RJ

S88r
11ª ed.

Stockett, Kathryn
A resposta/Kathryn Stockett; tradução Caroline Chang. – 11ª ed. – Rio de Janeiro: Bertrand Brasil, 2024.
574p.

Tradução de: The help
ISBN 978-85-286-1461-9

1. Movimentos pelos direitos humanos – Estados Unidos – Ficção. 2. Negras – Estados Unidos – Ficção. 3. Romance americano. I. Chang, Caroline. II. Título.

CDD – 813
10-4988
CDU – 821.111(73)-3

EDITORA BERTRAND BRASIL LTDA.
Rua Argentina, 171 – 3º andar – São Cristóvão
20921-380 – Rio de Janeiro – RJ
Tel.: (0xx21) 2585-2070 – Fax: (0xx21) 2585-2087

Atendimento e venda direto ao leitor:
sac@record.com.br

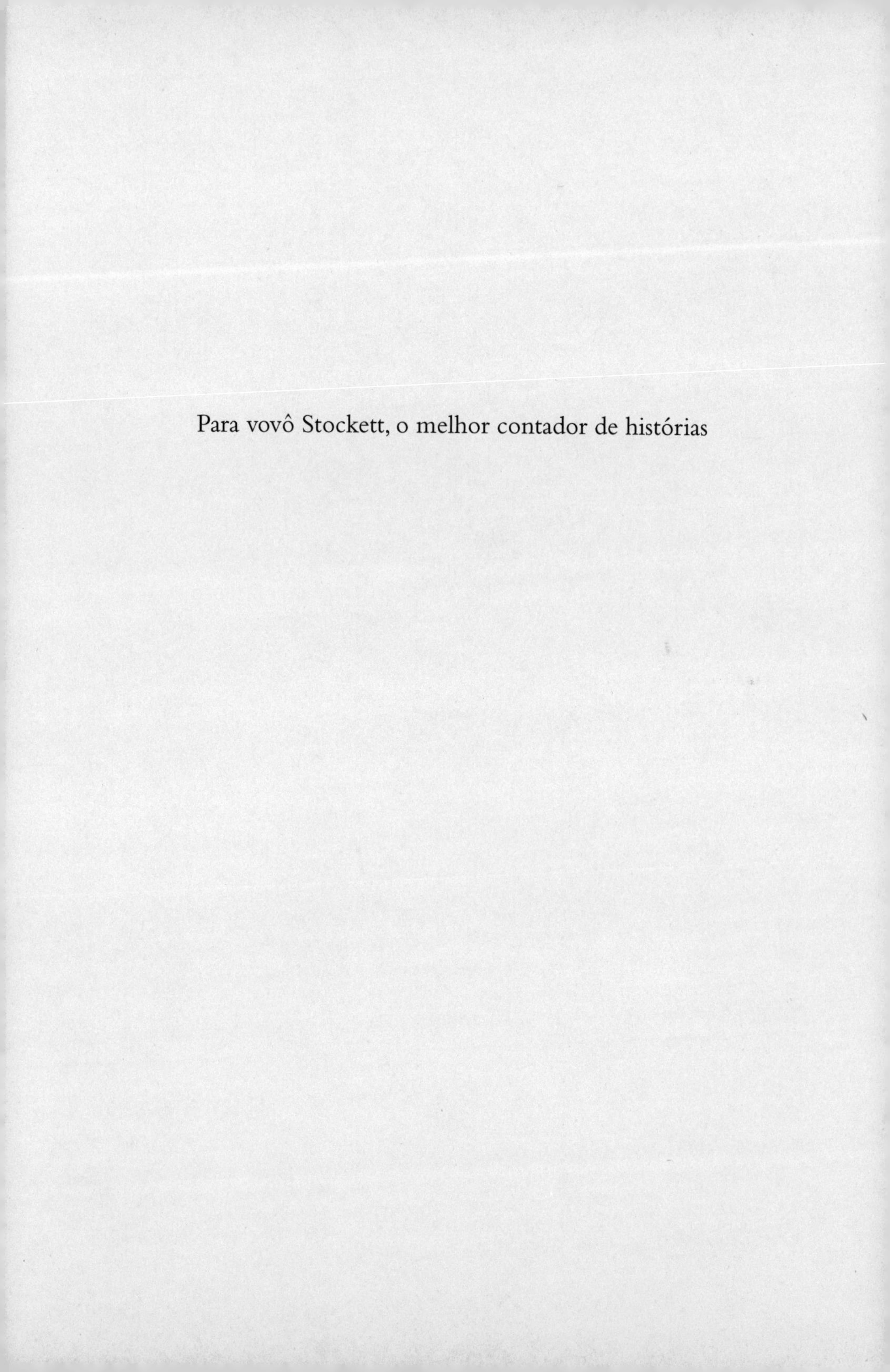

Para vovô Stockett, o melhor contador de histórias

AIBILEEN

CAPÍTULO I

Agosto de 1962

Mae Mobley nasceu num domingo de manhãzinha, em agosto de 1960. Um bebê de igreja,* como gostamos de dizer. Cuidar de nenês brancos, é isso que eu faço, e tudo mais que tem a ver com cozinha e limpeza. Em toda a minha vida, criei dezessete crianças. Sei fazer os bebês dormir, parar de chorar e usar a privada muito antes das mães deles saírem da cama de manhã.

Mas nunca tinha visto um bebê gritar como Mae Mobley Leefolt. No primeiro dia, passo pela porta, e lá está ela, vermelha como uma pimenta e gemendo de cólica, brigando com a mamadeira como se fosse um nabo podre. Dona Leefolt, essa olhando apavorada pra filha. "O que eu estou fazendo de errado? Por que não consigo fazer isso parar?"

Isso? Essa foi a minha primeira dica: tem alguma coisa errada aqui.

Então, peguei aquele bebê cor-de-rosa e barulhento nos braços. Embalei ele no meu quadril pra soltar os gases, e não levou dois minutos

---

* *Church baby*, em inglês — bonequinho de pano que costumava ser dado para brincar aos bebês que acompanhavam os pais aos cultos na igreja. Confeccionados com lenços, esses bonequinhos não faziam barulho ao cair no chão e, assim, não interrompiam os sermões. (N.T.)

pra Nenezinha parar de gritar, começar a sorrir pra mim do seu jeitinho. Mas dona Leefolt, bem, ela não pegou mais a filhinha no colo aquele dia. Já vi um monte de mulher ficar triste depois de dar à luz. Acho que pensei que era isso.

Uma coisa sobre a dona Leefolt: além de fazer cara feia o tempo todo, ela é magricela. As pernas dela são tão raquíticas que parece que começaram a crescer na semana passada. Vinte e três anos, e é seca como um moleque de quatorze. Até o cabelo dela é fino, castanho, ralinho. Bem que ela tenta dar um trato nele, mas só consegue deixar ele ainda mais fino. O rosto dela tem o formato igual ao daquele diabo vermelho na caixa de balas de canela, queixo pontudo e tudo mais. É verdade: com o corpo tão ossudo e cheio de pontas, não é de admirar que não consiga acalmar o bebê. Bebês gostam de gordura. Gostam de enterrar a cara no sovaco da gente e pegar no sono. Gostam também de pernas grandes e grossas. Isso eu sei.

Quando tinha um aninho, Mae Mobley não parava de me seguir aonde quer que eu fosse. Batia cinco horas, e lá tava ela, pendurada no meu sapato Dr. Scholl, se arrastando pelo chão, gritando como se eu não fosse voltar nunca mais. Dona Leefolt, ela olhava com o olho apertado pra mim, parecia até que eu tinha feito alguma coisa errada, e desgrudava o bebê chorão do meu pé. Acho que é o risco que se corre, quando deixamos outra pessoa criar os nossos filhos.

Agora Mae Mobley está com dois anos. Seus olhos são grandes e castanhos, e os cabelos, cacheados da cor do mel. Mas a careca na parte de trás da cabeça meio que estraga tudo. Quando tá incomodada, ela tem o mesmo vinco da mãe entre as sobrancelhas. Elas são bem parecidas, exceto que Mae Mobley é muito gorda. Não vai ser nenhuma rainha da belezura, não. Acho que isso incomoda a dona Leefolt, mas Mae Mobley é o meu bebê preferido.

PERDI MEU MENINO, Treelore, logo antes de começar a trabalhar pra dona Leefolt. Ele tinha vinte e quatro anos. A melhor época da vida de uma pessoa. Foi muito pouco tempo nesse mundo.

Ele tinha um apartamentozinho lá na Foley Street. Namorava uma moça muito boazinha chamada Frances, e desconfio que iam se casar, mas ele era devagar com esse tipo de coisa. Não porque tava procurando coisa melhor, mas porque era do tipo que gosta de pensar. Usava uns óculos grandes e lia o tempo todo. Até começou a escrever um livro sobre como é ser um homem de cor que vive e trabalha no Mississippi. Senhor, como isso me deixava orgulhosa. Mas uma noite ele tava trabalhando até tarde no moinho Scanlon-Taylor, carregando toras de madeira pro caminhão, as lascas e os espinhos furando as luvas dele até a carne. Ele era franzino demais pra esse tipo de serviço, magrinho demais, mas precisava do trabalho. Tava cansado. Chovia. Ele escorregou na plataforma de carregamento e caiu na pista. O motorista do trator não viu e esmagou os pulmões dele, sem dar tempo dele se mexer. Quando fiquei sabendo, ele tava morto.

Foi nesse dia que todo o meu mundo ficou preto. O ar parecia preto, o sol parecia preto. Fiquei deitada na cama, olhando pras paredes pretas da minha casa. Minny vinha todo santo dia ver se eu ainda tava respirando, me dava comida pra me manter viva. Levei três meses pra olhar de novo pela janela, pra ver se o mundo ainda tava no lugar. Fiquei surpresa quando vi que a vida do meu filho tinha parado, mas o mundo não.

Cinco meses depois do enterro, eu me arrastei pra fora da cama. Vesti meu uniforme branco e coloquei minha pequena cruz de ouro no pescoço e fui trabalhar na casa da dona Leefolt, pois ela tinha acabado de ganhar uma nenezinha. Mas não demorou pra eu ver que uma coisa em mim tinha mudado. Uma semente amarga tinha sido plantada dentro de mim. E eu não me sentia mais tão mansa.

— AGORA ARRUME A CASA e depois prepare um pouco daquele salpicão de frango — disse dona Leefolt.

É dia do clube do bridge. Toda última quarta-feira do mês. Claro que eu já deixei tudo pronto — fiz o salpicão de manhã, passei a toalha de mesa ontem. Dona Leefolt também viu eu fazendo isso. Ela só tem vinte e três anos e já gosta de ouvir o som da própria voz me dizendo o que fazer.

Ela já tá vestida com o vestido azul que passei hoje de manhã, aquele que tem *sessenta e cinco* pregas na cintura, tão pequenininhas que preciso apertar os olhos por trás dos óculos pra conseguir passar direito. Não odeio muita coisa na vida, mas eu e aquele vestido, a gente *não* se dá bem.

— E não permita que Mae Mobley apareça na sala. Vou lhe dizer uma coisa, estou furiosa com ela: rasgou meus papéis de carta em cinco mil pedacinhos, e preciso fazer quinze bilhetes de agradecimento para a Liga Júnior...

Arrumo isso e aquilo pras madames amigas dela. Coloco na mesa os cristais finos, depois os talheres de prata. Dona Leefolt não monta uma mesinha pequena de jogo que nem as outras madames. A gente arruma tudo na mesa de jantar. Coloco uma toalha na mesa pra tapar a rachadura em formato de L, levo aquele centro de mesa com flores vermelhas pro aparador do lado, pra esconder onde a madeira tá toda arranhada. Dona Leefolt gosta das coisas finas quando dá um almoço. Vai ver quer compensar a casa pequena. Eles não são gente rica, isso eu sei. Gente rica não se esforça tanto.

Estou acostumada a trabalhar pra casais jovens, mas acho que essa é a menor casa onde já trabalhei. Só tem um andar. O quarto dela e do seu Leefolt, nos fundos, tem um tamanho bom, mas o quarto da Nenezinha é minúsculo. A sala de jantar e a sala de estar meio que se juntam. Só tem dois banheiros, o que é um alívio, porque já trabalhei em casas onde eram cinco ou seis. Levava um dia inteiro só pra limpar os banheiros. Dona Leefolt só me paga noventa e cinco centavos a hora, há anos eu não recebia tão pouco. Mas depois que Treelore morreu, peguei a primeira coisa que apareceu pela frente. Meu senhorio não ia esperar muito mais. Mas mesmo sendo pequena, dona Leefolt arrumou a casa no capricho. Ela é boa com a máquina de costura. Aquilo que não pode comprar novo, ela compra só um pouco de material e costura ela mesma uma cópia.

A campainha toca e eu atendo.

— Olá, Aibileen — diz dona Skeeter, pois ela é o tipo de pessoa que fala com as empregadas. — Como vai?

— Olá, dona Skeeter. Vou bem. Nossa, tá quente aí fora.

Dona Skeeter é mesmo alta e magra. O cabelo dela é loiro e cortado curto, acima dos ombros, porque ela passa o ano todo fazendo permanente. Tem vinte e três anos ou perto disso, o mesmo que a minha patroa e as outras. Ela coloca sua agenda sobre a cadeira por um instante, meio incomodada com as próprias roupas. Tá usando uma blusa branca de renda abotoada como uma freira, sapatos baixos, acho que pra não parecer ainda mais alta. Sua saia azul está um pouco folgada na cintura. Sempre parece que alguém diz pra dona Skeeter o que vestir.

Ouço a dona Hilly e a mãe dela, a dona Walter, estacionando e beliscando a buzina. Dona Hilly mora a dez passos daqui, mas vem sempre de carro. Abro a porta, e ela passa por mim sem dizer uma palavra, e então sei que está na hora de acordar Mae Mobley da sua soneca.

Assim que entro no quartinho dela, Mae Mobley sorri pra mim e estica os bracinhos gorduchos.

— Já tá de pé, Nenezinha? Por que não gritou por mim?

Ela ri, se sacode um pouco, feliz, enquanto espera eu tirá-la dali. Dou um abraço apertado nela. Acho que não recebe muitos abraços apertados como esse depois que vou pra casa. Volta e meia, eu chego pra trabalhar e encontro ela aos gritos no berço, a dona Leefolt ocupada na máquina de costura, revirando os olhos como se um gato vadio estivesse miando na porta de tela. Ora, a dona Leefolt se veste bem todos os dias. Sempre tá maquiada, tem uma garagem coberta, uma Frigidaire de duas portas com um congelador embutido. Se alguém vê ela no mercadinho Jitney 14, não imagina que ela sai e deixa a filha gritando no berço desse jeito. Mas a empregada sempre sabe.

Hoje é um bom dia. E essa menina é só sorriso.

Eu digo:

— Aibileen.

Ela diz:

— Ai-bee.

Eu digo:

— Amor.

Ela diz:

— Amor.

Eu digo:

— Mae Mobley.

Ela diz:

— Ai-bee.

E, então, ela ri sem parar. Ela se diverte muito falando, e, preciso dizer, já tá mais do que na hora. Treelore também não falou nada até os dois anos. Mas quando ele entrou na terceira série, começou a falar melhor que o presidente dos Estados Unidos, voltava pra casa e usava palavras como *conjugação* e *parlamentar.* Ele entrou na sétima série e a gente começou a jogar um jogo que era assim: eu falava uma palavra simples e ele precisava dizer a mesma palavra, só que de maneira difícil. Eu dizia *gato*, ele dizia *felino doméstico*, eu dizia liquidificador, ele dizia *rotunda motorizada*. Um dia, eu disse *Crisco.** Ele coçou a cabeça. Não conseguia acreditar que eu tinha ganhado o jogo com uma palavra simples como *Crisco*. Acabou virando uma brincadeira secreta entre a gente, querendo dizer alguma coisa que você não pode fazer parecer melhor, por mais que tente. Começamos a chamar o pai dele de *Crisco*,

---

* Marca americana de gordura à base de óleo vegetal. (N.T.)

pois não tem como fazer parecer melhor um homem que abandonou a família. Além do quê, ele era o maior inútil que já se viu.

Carrego Mae Mobley no colo até a cozinha e coloco ela na cadeirinha alta, pensando nas duas tarefas que preciso fazer hoje, antes da dona Leefolt ter um ataque: separar os guardanapos que começaram a puir e arrumar a prataria no armário. Nossa, vou precisar fazer isso enquanto as madames tão aqui, acho.

Levo a bandeja com ovos recheados até a sala de jantar. A dona Leefolt tá sentada na cabeceira da mesa, e no lado esquerdo dela tá a dona Hilly Holbrook e a mãe da dona Hilly, a dona Walter, que a dona Hilly trata sem nenhum respeito. E então, no lado direito da dona Leefolt, tá a dona Skeeter.

Passo os ovos, começando com a velha dona Walter porque ela tem mais idade. Tá quente aqui, mas ela tá com uma blusa marrom grossa jogada nos ombros. Ela pesca um ovo e quase deixa ele cair, porque tá ficando com tremedeira. Então, vou até a dona Hilly, e ela sorri e pega dois. A dona Hilly tem um rosto redondo e cabelo castanho-escuro penteado como uma colmeia. A pele dela é morena, com sardas e pintas. Ela usa muito xadrez vermelho. E tá ficando com um traseiro e tanto. Hoje, já que tá tão quente, ela tá com um vestido vermelho sem manga, largo na cintura. Ela é uma dessas mulheres adultas que ainda se vestem como uma menininha, com laços e chapéus combinando e coisas do tipo. Não é a minha favorita.

Eu me aproximo da dona Skeeter, mas ela torce o nariz pra mim e diz "Não, obrigada", pois ela não come ovos. Digo isso pra dona Leefolt todas as vezes que ela vai receber o clube do bridge, e mesmo assim ela manda eu fazer os ovos. Ela tem medo que a dona Hilly fique decepcionada.

Finalmente é a vez da dona Leefolt. Ela é quem tá recebendo, então ela se serve por último. Assim que termino, a dona Hilly diz: — Com licença... — e pega mais dois ovos pra ela, o que não me surpreende.

— Adivinhem quem eu encontrei no salão de beleza? — diz a dona Hilly pras outras.

— Quem? — pergunta a dona Leefolt.

— Celia Foote. E sabem o que foi que ela me perguntou? Se ela podia ajudar com o Baile este ano.

— Que bom — diz a dona Skeeter. — Bem que precisamos.

— Não é para tanto, não precisamos, não. Eu disse a ela: "Celia, para participar é preciso ser membro da Liga ou uma patrocinadora". O que ela acha que a Liga Jackson é? A "Casa da Mãe Joana"?

— Não vamos aceitar não filiados este ano? Mas com um evento tão grande? — pergunta a dona Skeeter.

— Bem, sim — diz a dona Hilly. — Mas eu não ia dizer isso para *ela*.

— Não posso acreditar que Johnny se casou com uma moça tão cafona — diz a dona Leefolt, e a dona Hilly concorda. Ela começa a distribuir as cartas do bridge.

Sirvo colheradas do salpicão e sanduíches de presunto, não dá pra não ouvir a conversa. Só tem três coisas que são assunto pras madames: seus filhos, suas roupas e suas amigas. Eu ouço a palavra *Kennedy* e sei que não tão discutindo política. Tão falando sobre o que a dona Jackie tava vestindo na televisão.

Quando chego na dona Walter, ela pega só metade de um sanduíche.

— Mamãe — grita a dona Hilly pra ela —, pegue mais um sanduíche. A senhora está magra como um poste telefônico. — A dona Hilly olha pro restante da mesa: — Vivo dizendo para a mamãe: se aquela Minny não sabe cozinhar, simplesmente a demita.

Nisso, minhas orelhas ficam em pé. Tão falando da empregada. Eu sou a melhor amiga da Minny.

— Minny cozinha bem — diz a velha dona Walter. — Eu é que não tenho mais tanta fome quanto antes.

Minny é praticamente a melhor cozinheira do condado de Hinds, talvez até de todo o Mississippi. O Baile Beneficente da Liga Júnior acontece todo outono, e elas pedem pra ela fazer dez tortas de caramelo pra vender. Ela devia ser a empregada mais preciosa do Estado. O problema é: Minny adora bater boca. Sempre retruca. Um dia é o gerente branco no mercadinho Jitney Jungle, no dia seguinte é o marido dela, e uma hora acaba que é a madame branca pra quem ela trabalha. A única razão por que ela trabalha com a dona Walter há tanto tempo é que a dona Walter é surda como uma cabeça de veado empalhada.

— Acho que a senhora está desnutrida, mamãe — grita a dona Hilly. — Aquela Minny não está alimentando a senhora direito para poder roubar o pouco que me resta de herança. — A sra. Hilly se levanta da cadeira resmungando. — Vou até o banheiro. Cuidem dela, caso ela caia morta de fome.

Quando a dona Hilly sai, a dona Walter diz, bem baixinho:

— Aposto que você ia adorar.

Todo mundo faz de conta que não ouviu nada. Melhor eu ligar pra Minny hoje à noite e contar pra ela o que a dona Hilly disse.

Na cozinha, a Nenezinha tá de pé na cadeirinha, com a cara toda lambuzada de suco. Assim que apareço, ela sorri. Ela não se incomoda de ficar sozinha, mas detesto deixar ela ali muito tempo. Sei que ela fica olhando pra porta, quietinha, até eu voltar.

Acaricio a cabecinha macia dela e volto pra servir o chá gelado. A dona Hilly tá de volta no seu lugar, parecendo toda entretida com outras coisas agora.

— Oh, Hilly, eu preferia que você usasse o lavabo — diz dona Leefolt, arrumando as cartas na mão. — Aibileen só limpa o banheiro de trás depois do almoço.

Hilly empina o queixo. Então, ela dá um dos seus "hum-hums". Ela tem um jeito muito delicado de limpar a garganta sem ninguém perceber o que ela fez.

— Mas o lavabo é onde a criada vai — diz a dona Hilly.

Ninguém diz nada por um segundo. Então, a dona Walter balança a cabeça pra cima e pra baixo, como que explicando tudo.

— Ela está chateada porque a negra usa aquele banheiro e nós também.

Senhor, essa confusão de novo não. Todas elas olham pra mim enquanto tou arrumando a gaveta das pratarias no aparador auxiliar, e eu sei que é hora de dar no pé. Mas, antes de eu conseguir colocar ali a última colher, a dona Leefolt me olha e diz:

— Vá pegar mais chá, Aibileen.

Faço como ela diz, mesmo se as xícaras delas tão cheias até a borda.

Fico em pé na cozinha um minuto, mas não tenho mais nada pra fazer ali. Preciso ficar na sala de jantar pra poder terminar de ajeitar a prataria. E ainda tenho que ver o armário dos guardanapos hoje, mas ele fica no corredor, bem perto de onde elas tão sentadas. Não quero ter que ficar até mais tarde só porque a dona Leefolt tá jogando carta.

Espero uns minutos, limpo uma bancada. Dou mais presunto pra Nenezinha e ela engole tudo. Finalmente, vou pé ante pé pro corredor, rezando pra ninguém me ver.

Todas as quatro tão com um cigarro numa mão e as cartas na outra.

— Elizabeth, se você pudesse escolher — ouço a dona Hilly dizer —, você não preferiria que elas fizessem as necessidades fora da casa?

Sem fazer barulho, abro a gaveta dos guardanapos, mais preocupada com a possibilidade da dona Leefolt me ver do que com o que elas tão falando. Essa conversa não é nenhuma novidade pra mim. Em tudo que é lugar da cidade tem um banheiro pra gente de cor, e na maior parte das casas também. Mas olho pra lá e a dona Skeeter tá olhando pra mim, e eu congelo, achando que vou me meter em encrenca.

— Um de copas — diz a dona Walter.

— Não sei — diz a dona Leefolt, franzindo a testa pras suas cartas. — Raleigh está começando o próprio negócio, e as declarações de imposto de renda só vão começar a ser feitas daqui a seis meses... as coisas estão bem apertadas para nós agora.

Dona Hilly fala devagar, parece que tá espalhando uma cobertura num bolo.

— Diga a Raleigh que todo centavo que ele gastar nesse banheiro ele vai recuperar quando vocês venderem a casa. — E balança a cabeça, concordando com ela mesma. — E todas essas casas que estão sendo construídas sem dependências de empregada? É simplesmente um perigo. Todo mundo sabe que elas transmitem doenças diferentes das nossas. Eu dobro.

Pego uma pilha de guardanapos. Não sei por quê, mas de repente quero ouvir o que a dona Leefolt tem a dizer sobre o assunto. Ela é minha patroa. Acho que todo mundo se pergunta o que a patroa pensa da gente.

— Seria bom — diz dona Leefolt, dando uma tragada no cigarro — que ela não precisasse usar o banheiro da casa. Três de espadas para mim.

— Foi exatamente por isso que criei o Projeto de Higiene para Empregadas Domésticas — diz dona Hilly. — Uma medida para prevenir doenças.

Fico surpresa de ver como minha garganta se aperta. É uma vergonha eu ter aprendido a me manter submissa há tanto tempo.

A dona Skeeter parece realmente atrapalhada.

— Projeto... o quê?

— Um projeto de lei que prevê que toda casa branca tenha um banheiro separado para as empregadas de cor. Até notifiquei o secretário de saúde do Mississippi para ver se ele apoia a ideia. Eu passo.

Dona Skeeter, ela tá olhando torto pra dona Hilly. Ela coloca as cartas sobre a mesa, viradas pra cima, e lasca:

— Talvez a gente devesse simplesmente construir um banheiro lá fora para você, Hilly.

E, Senhor, a sala fica em silêncio.

A dona Hilly diz:

— Não acho apropriado você fazer brincadeiras sobre a situação das pessoas de cor. Não, se quiser continuar como editora da Liga, Skeeter Phelan.

Dona Skeeter esboça um sorriso, mas dá pra ver que ela não tá achando nada engraçado.

— O quê? Você... me expulsaria? Por discordar de você?

Dona Hilly levanta uma sobrancelha:

— Faço o que for preciso para proteger a nossa cidade. É a senhora, mamãe.

Eu vou pra cozinha e só saio de lá quando ouço a porta da frente se fechar atrás do traseiro da dona Hilly.

QUANDO VEJO QUE A DONA HILLY já foi, coloco Mae Mobley no cercadinho, arrasto a lata de lixo até a rua porque hoje é dia do caminhão de lixo passar. Na entrada de carros, dona Hilly e a louca da mãe dela dão ré e quase passam com o carro por cima de mim, então pedem desculpas, todas boazinhas. Entro na casa, feliz por não estar com duas pernas quebradas.

Quando chego na cozinha, a dona Skeeter tá ali. Tá debruçada sobre a bancada, com o rosto sério, mais sério até do que o normal.

— Olá, dona Skeeter. Precisa de alguma coisa?

Ela olha lá pra fora, onde dona Leefolt tá conversando com dona Hilly pela janela do carro.

— Não, estou só... esperando.

Seco uma bandeja com um pano de prato. Quando dou uma olhada, ela ainda tá com os olhos preocupados fixos naquela janela. Ela não parece com as outras madames, por ser tão alta. Ela tem as maçãs do rosto bem salientes. Olhos azuis que olham pra baixo, o que deixa ela com um ar meio tímido. Não tem barulho nenhum aqui, a não ser o radinho na bancada, tocando a estação de músicas gospel. Eu queria que ela fosse embora.

— É o sermão do reverendo Green que você está ouvindo? — pergunta ela.

— Sim, senhorita, é.

Dona Skeeter sorri.

— Isso me lembra muito a babá que eu tinha quando criança.

— Oh, eu conhecia Constantine — falei.

Dona Skeeter traz os olhos da janela pra mim.

— Ela que me criou, sabia?

Fiz que sim, arrependida de não ter ficado de boca calada. Conheço bem esse tipo de situação.

— Tenho tentado conseguir o endereço da família dela em Chicago — diz ela —, mas ninguém sabe me informar nada.

— Eu também não sei, senhorita.

Dona Skeeter leva os olhos de volta pra janela, pro Buick da dona Hilly. Balança a cabeça, só um pouco.

— Aibileen, aquela conversa lá dentro... a conversa da Hilly, quero dizer...

Pego uma xícara de café, começo a secar ela com muita força com o meu pano de prato.

— Você, às vezes, deseja que fosse possível... mudar as coisas? — pergunta ela.

E eu não consigo me segurar. Olho pra cara dela. Porque essa é uma das perguntas mais idiotas que eu já ouvi na vida. Ela faz uma cara confusa, desgostosa, como quem colocou sal no café em vez de açúcar.

Volto pra minha louça suja, pra ela não ver que tou revirando os olhos.

— Oh, não, senhorita, tá tudo bem.

— Mas aquela conversa lá sobre o *banheiro*... — E bem nessa palavra a dona Leefolt entra na cozinha.

— Oh, aí está você, Skeeter. — Ela olha pra nós duas de um jeito meio estranho. — Desculpe... interrompi algo? — Nós duas ficamos quietas, nos perguntando o que será que ela ouviu.

— Preciso correr — diz dona Skeeter. — Vejo você amanhã, Elizabeth. — Ela abre a porta dos fundos e diz: — Obrigada, Aibileen, pelo almoço. — E se vai.

Eu vou até a sala de jantar, começo a limpar a mesa do bridge. E bem como eu sabia que ela ia fazer, a dona Leefolt chega por trás de mim, com seu sorriso de quem tá chateada. O pescoço dela tá esticado, parece que ela tá se preparando pra me perguntar uma coisa. Ela não gosta de me ver falando com as amigas quando não tá por perto, nunca gostou. Sempre quer saber o que a gente tava falando. Passo direto por ela na direção da cozinha. Coloco a Nenezinha na cadeira alta e começo a limpar o fogão.

Dona Leefolt vem atrás de mim, examina um pote de Crisco, larga ele de novo. A Nenezinha estica os braços pra mãe, mas a dona Leefolt abre um armário, faz que não vê. Então, ela bate a porta do armário, abre outra. Até que só fica ali, parada. Eu tou no chão, de quatro. Não demora, a minha cabeça tá tão enfiada no forno que parece que tou tentando me matar com gás.

— Parece que você e a srta. Skeeter estavam falando muito a sério sobre alguma coisa.

— Não, madame, ela só... me perguntou se eu queria umas roupas velhas — digo, e pelo som parece que tou num poço. Meus braços já tão sujos de gordura. Tem cheiro de sovaco aqui. Não demora tem suor correndo embaixo do meu nariz, e, cada vez que eu coço, fico com um pouco de sujeira no rosto. Deve ser o pior lugar do mundo, dentro de um forno. Se você tá aqui, é porque você tá limpando ou sendo assada. Hoje à noite, eu sei que vou ter aquele sonho em que tou presa aqui dentro e alguém acende o gás. Mas continuo com a minha cabeça naquele lugar horrível porque prefiro estar em qualquer lugar do que respondendo às perguntas da dona Leefolt sobre o que a dona Skeeter tava querendo me dizer. Perguntando se eu queria *mudar* as coisas.

Depois de um tempo, dona Leefolt resmunga e sai pra garagem. Imagino que tá olhando pra ver onde vai construir meu novo banheiro pra gente de cor.

CAPÍTULO 2

NINGUÉM NUNCA SABERIA só de viver aqui, mas Jackson, no Mississippi, está infestado por duzentas mil pessoas. Vejo esses números nos jornais e me pergunto: onde é que mora toda essa gente? Embaixo da terra? Porque eu conheço todo mundo do meu lado da ponte e também um monte de famílias brancas, e isso, eu garanto, não chega a dar duzentos mil.

Seis dias por semana, pego o ônibus e atravesso a ponte Woodrow Wilson pra onde a dona Leefolt e todas as amigas dela moram, um bairro chamado Belhaven. No ladinho de Belhaven fica o Centro e a sede do governo. O Capitólio é mesmo grande, bonito por fora, mas nunca entrei lá. Me pergunto quanto dinheiro pagam pra limpar aquele lugar.

Descendo de Belhaven fica a Woodland Hills, um bairro branco, e então Sherwood Forest, quilômetros e quilômetros de carvalhos grandes, cheios de musgo dependurado. Ninguém mora lá ainda, mas tá lá pra quando os brancos estiverem prontos pra se mudar pra um bairro novo. Depois, tem o campo, lá onde dona Skeeter mora, perto da plantação de algodão Longleaf. Ela não sabe, mas eu colhi algodão lá em 1931, durante a Depressão, na época em que a gente não tinha nada pra comer, a não ser a ração de queijo distribuída pelo governo.

Então, Jackson é mais um dos bairros brancos depois de outro, com outros tantos brotando do chão mais adiante. Mas a parte negra da cidade, bem, a gente é como um grande formigueiro, cercado por terras do governo que não tão à venda. Os nossos números só aumentam, mas a gente não tem pra onde se espalhar. A nossa parte da cidade tá ficando cada vez mais cheia.

Nessa tarde, subo no ônibus número 6, que vai de Belhaven até a Farish Street. O ônibus hoje tá cheio de empregadas domésticas indo pra casa, vestidas com seus uniformes brancos. Todas sorridentes e conversadeiras, até parece que o ônibus é nosso — não que a gente dê bola se tem gente branca aqui, a gente senta onde bem entende, graças à dona Parks* — só porque o ambiente é caloroso.

Vejo Minny sentada no banco de trás. Minny é baixinha e gorda, tem cachos pretos e lustrosos. Ela tá sentada com as pernas abertas e os braços gordos cruzados. Tem dezessete anos a menos que eu. Minny provavelmente conseguiria levantar esse ônibus em cima da cabeça se quisesse. Uma velha senhora como eu tem sorte de ter uma amiga como ela.

Pego o lugar na frente dela, me viro e ouço. Todo mundo gosta de ouvir o que a Minny diz.

— ... então eu disse, dona Walters, assim como ninguém no mundo tá interessado no meu traseiro preto, também não tem ninguém interessado em ver a sua bunda branca pelada. Entre já em casa e trate de colocar a calcinha e de se vestir.

— No portão da frente? Pelada? — perguntou Kiki Brown.

— Com a bunda caindo até quase os joelhos.

O ônibus inteiro ri e gargalha e balança a cabeça.

---

* Referência a Rosa Parks, que se recusou a sair de um lugar no ônibus destinado a brancos. (N.T.)

— Senhor, a mulher é louca — Kiki diz. — Não sei como é que você sempre arranja essas patroas doidas, Minny.

— Ah, e por acaso a dona Patterson não é louca? — diz Minny para Kiki. — Diacho, a mulher é a presidente do clube das doidas. — O ônibus inteiro continua rindo, pois Minny não gosta que ninguém além dela fale mal da sua patroa branca. O serviço é dela e só ela tem o direito.

O ônibus cruza a ponte e faz a primeira parada na parte negra da cidade. Mais ou menos uma dúzia de empregadas descem. Aproveito pra me sentar no lugar livre ao lado de Minny. Ela sorri, me cumprimenta com uma cotovelada carinhosa. Então se encosta no banco e relaxa, porque pra mim ela não precisa dar espetáculo.

— Como você anda? Teve que passar pregas hoje de manhã?

Eu rio, faço que sim com a cabeça:

— Levei uma hora e meia.

— O que você deu pra dona Walters no clube do bridge hoje? Trabalhei a manhã inteira pra fazer um bolo de caramelo pra aquela mulher boba e depois ela não queria saber de comer nenhuma migalha.

Isso faz eu lembrar do que a dona Hilly disse na mesa hoje. Se fosse qualquer uma das outras patroas brancas, ninguém daria bola, mas todo mundo quer saber se a dona Hilly tá pegando no nosso pé. Não sei bem como contar.

Olho pra fora da janela e vejo o hospital de negros passar, a banca de frutas.

— Acho que ouvi a dona Hilly falar alguma coisa, que a mãe dela tá ficando muito magra. — Digo isso com todo o cuidado. — Disse que acha que ela tá desnutrida.

Minny olha pra mim:

— Ela disse, é? — Só o nome já deixa os olhos dela furiosos. — O que mais a dona Hilly disse?

É melhor eu falar de uma vez.

— Acho que ela tá de olho em você, Minny. É melhor... você ter muito cuidado com ela.

— A dona Hilly é que tem que ter muito cuidado *comigo*. O que ela disse, que eu não sei cozinhar? Disse que aquele saco de ossos não tá comendo porque eu não dou comida pra ela? — Minny fica de pé e engancha a bolsa no braço.

— Desculpe, Minny, eu só falei pra você ficar de olho...

— Se algum dia ela diz isso pra mim, ela vai ter que se ver comigo. — E desce do ônibus, bufando.

Olho Minny pela janela, marchando na direção da sua casa. Não se deve provocar a dona Hilly. Senhor, será que eu devia ter guardado isso pra mim?

UNS DOIS DIAS DEPOIS, desço do ônibus de manhã, caminho uma quadra até a casa da dona Leefolt. Na frente tá estacionado um velho caminhão carregado de tábuas de madeira. Tem dois homens de cor dentro dele, um bebendo uma xícara de café, outro dormindo sentado. Passo por eles e entro na cozinha.

Seu Raleigh Leefolt ainda tá em casa, coisa muito estranha. Sempre que ele tá aqui, parece que tá contando os minutos pra voltar pro escritório de contabilidade. Até mesmo nos sábados. Mas hoje ele tá falando sobre alguma coisa.

— Essa maldita casa é minha e eu pago por tudo que tem nela! — grita seu Leefolt.

Dona Leefolt vai atrás dele com aquele sorriso que quer dizer que ela não tá contente. Eu me escondo no banheiro. Faz dois dias desde aquela conversa sobre o banheiro, e eu tava com esperanças que tudo tivesse terminado. Seu Leefolt abre a porta dos fundos pra olhar pro caminhão parado ali, bate e fecha a porta de novo.

— Eu tolero as roupas novas, todas as malditas viagens para Nova Orleans com as suas amigas da irmandade de mulheres, mas isso já é demais.

— Mas vai aumentar o valor da casa. A Hilly disse!

Ainda tou no banheiro, mas quase posso ouvir a dona Leefolt tentando manter aquele sorriso no rosto.

— Não podemos pagar! E não recebemos ordens dos Holbrook!

Tudo fica muito quieto durante um tempo. Então, ouço o *pap-pap* de pequenos pés protegidos por um macacão.

— Pa-pai?

Saio do banheiro e entro na cozinha, porque Mae Mobley é problema meu.

Seu Leefolt já tá se ajoelhando na frente dela. O sorriso dele parece que é feito de borracha:

— Adivinha, meu amor?

Ela também sorri. Ela tá esperando uma boa surpresa.

— Sabe por que você não vai para a faculdade? Para as amigas da sua mãe não precisarem usar o mesmo banheiro que a empregada.

Ele sai pisando fundo e bate a porta com tanta força que a Nenezinha toma um susto.

Dona Leefolt olha pra baixo, pra filha, e começa a agitar o dedo no ar:

— Mae Mobley, você sabe que não deve sair do berço!

A Nenezinha fica olhando pra porta que o pai bateu com força, depois olha pra mãe, que tá fazendo cara feia pra ela. Minha pobre nenê engole com força, parece que tá fazendo um enorme esforço pra não chorar.

Passo direto pela dona Leefolt e pego a Nenezinha no colo:

— Vamos pra sala brincar com o boneco que fala? O que é que o burro diz?

— Ela não para de sair sozinha do berço. Coloquei ela de volta na cama três vezes hoje de manhã.

— Porque alguém tá precisando ser trocada. Uuuuuuuu...

Dona Leefolt faz cara de quem comeu e não gostou, e diz:

— Bem, eu não percebi... — Mas logo já está olhando pela janela, pro caminhão carregado de madeira.

Vou pro quarto, tão furiosa que também saio pisando duro. A Nenezinha tá naquele berço desde as oito horas de ontem, é claro que precisa trocar as fraldas! Queria ver a dona Leefolt ficar sentada em cima de doze horas de merda, sem se levantar!

Deito a Nenezinha no trocador e tento guardar a minha raiva pra mim. Ela olha pra mim enquanto eu tiro a fralda. Então, ela estica a mãozinha. Toca a minha boca bem devagarinho.

— Mae Mo má — diz.

— Não, nenê, você não é má — digo, acariciando o cabelinho dela. — Você é boazinha. Muito boazinha.

EU MORO DE ALUGUEL NA GESSUM AVENUE, desde 1942. Dá pra dizer que a Gessum tem personalidade. Todas as casas são pequenas, mas cada jardim é de um jeito — uns são malcuidados e sem grama como a careca de um velho. Outros têm azaleias e rosas e um gramado verde e forte. Meu jardim, bem, acho que ele fica nem tanto no céu, nem tanto na terra.

Eu tenho uns pés de camélia lá fora na frente da casa. Meu gramado é meio falhado, e ainda tem uma marca amarela onde a picape do Treelore ficou estacionada durante três meses depois do acidente. Não tenho árvore nenhuma. Mas o quintal dos fundos, bem, esse parece o Jardim do Éden. É lá que a minha vizinha de porta, Ida Peek, cuida de uma pequena horta.

Ida não tem praticamente quintal nenhum, só toda aquela tralha que o marido dela junta — motores de carro e refrigeradores e pneus velhos. Coisas que ele diz que vai consertar, mas nunca conserta. Então, eu disse pra Ida plantar no meu lado. Desse jeito, eu não preciso cortar grama nenhuma e ela me deixa pegar o que eu quiser, e assim economizo dois ou três dólares por semana. O que não conseguimos comer ela guarda, me dá potes de conserva pro inverno. Broto de nabo, berinjela, quiabo aos montes, todo tipo de abóbora. Não sei como ela faz pros insetos não comerem os tomates, mas algum jeito ela dá. E são bem bons.

Nesse dia à tardinha, chove forte lá fora. Pego um pote de conserva de repolho da Ida Peek e também tomates, é como o último pedaço que sobrou de um pão de milho. Então me sento pra ver as minhas contas, porque aconteceram duas coisas: a passagem de ônibus subiu pra quinze centavos e o meu aluguel subiu pra vinte e nove dólares por mês. Trabalho pra dona Leefolt das oito às quatro, seis dias por semana, menos nos sábados. Recebo quarenta e três dólares toda sexta-feira, o que dá 172 dólares por mês. Isso quer dizer que, depois de pagar a minha conta de luz, a conta de água, a conta de gás, a conta de telefone, fico com treze dólares e cinquenta centavos por semana pra comprar comida, roupa, arrumar o cabelo e pagar o dízimo da igreja. Isso pra não falar que o custo pra colocar essas contas no correio subiu pra um níquel. E os meus sapatos de trabalhar tão tão gastos que parecem que tão morrendo de fome. Mas um par novo custa sete dólares, o que quer dizer que vou ter que comer repolho e tomate até virar o Coelho Quincas. Agradeço a Deus por Ida Peek existir, senão eu não ia comer nada.

Meu telefone toca e eu dou um pulo. Antes de eu dizer alô, ouço a voz de Minny. Tá trabalhando até tarde hoje.

— A dona Hilly vai mandar a dona Walters pra casa de velhas. Preciso encontrar um serviço novo pra mim. E sabe quando é que ela vai? Na próxima *semana*.

— Oh, *não*, Minny.

— Já estou procurando, visitei dez madames hoje. Ninguém se interessou.

Lamento dizer, mas não fiquei surpresa.

— Logo que chegar lá amanhã, pergunto pra dona Leefolt se ela sabe de alguém que tá precisando de uma empregada.

— Espera — diz Minny. Ouço a velha dona Walter falando e Minny dizendo: "O que a senhora acha que eu sou? Motorista? Não vou levar a senhora pra country club coisíssima nenhuma nessa chuva."

Depois de roubar, a pior coisa que você pode fazer pra sua carreira como empregada doméstica é ter a língua afiada. Ainda assim, ela cozinha tão bem que, às vezes, compensa.

— Não se preocupe, Minny. A gente vai encontrar uma patroa surda como uma porta pra você, que nem a dona Walter.

— A dona Hilly tá me cantando pra eu voltar a trabalhar com ela.

— O quê? — pergunto, com a voz mais dura que consigo: — Escute aqui, Minny, eu mesma sustento você, se for pra não deixar você trabalhar pra aquela coisa ruim.

— Com quem você acha que tá falando, Aibileen? Com um macaco? Prefiro trabalhar pra KKK. E você sabe que eu nunca roubaria o serviço de Yule May.

— Desculpe, Deus Nosso Senhor. — Fico tão nervosa quando alguém fala na dona Hilly. — Vou ligar pra dona Caroline lá em Honeysuckle, pra ver se ela sabe de alguém. E vou ligar pra dona Ruth, ela é tão querida que chega a partir o coração. Ela mesma limpava a casa toda manhã, então eu não tinha nada pra fazer além de fazer companhia pra ela. O marido dela morreu de febre escarlatina, isso mesmo.

— Obrigada, A. Agora, vamos lá, dona Walters, come uma ervilha por mim, vai. — Minny diz tchau e desliga o telefone.

NA MANHÃ DO DIA SEGUINTE, o caminhão verde carregado de tábuas tá lá de novo. A bateção já começou, mas seu Leefolt não tá batendo pé pela casa hoje. Acho que ele entendeu que tinha perdido essa parada já de saída.

Dona Leefolt tá sentada na mesa da cozinha com o seu roupão de banho azul acolchoado, conversando no telefone. A Nenezinha tá com uma gosma vermelha em toda a cara, agarrada nos joelhos da mãe, tentando fazer a mãe olhar pra ela.

— Bom dia, Nenezinha — digo.

— Mamãe! Mamãe! — diz ela, tentando subir no colo da dona Leefolt.

— Não, Mae Mobley. — Dona Leefolt empurra ela de leve pro chão. — A mamãe está ao telefone. Deixa a mamãe falar.

— Mamãe, me pega — Mae Mobley choraminga e estende os braços pra mãe. — Pega a Mae Mo.

— Psiu — sussurra dona Leefolt.

Pesco a Nenezinha rapidinho e levo ela até a pia, mas ela não para de esticar o pescoço de um lado pro outro, choramingando "mamã, *mamã*", tentando chamar a atenção.

— Exatamente como você disse para eu falar. — A dona Leefolt acena a cabeça para o telefone. — "Um dia, quando a gente se mudar, isso vai valorizar o preço da casa."

— Vamos lá, Nenezinha. Põe as mãos aqui embaixo d'água.

Mas a Nenezinha está se debatendo. Estou tentando passar o sabonete nos dedinhos dela, mas ela continua se contorcendo até que consegue fugir dos meus braços. Corre direto pra mãe e aponta o queixo e então puxa o fio do telefone com toda a força. O fone voa da mão da dona Leefolt e cai no chão.

— Mae Mobley! — digo.

Corro pra pegar ela, mas dona Leefolt chega antes. Os lábios dela tão repuxados, os dentes à mostra, num sorriso assustador. Dona Leefolt dá um tapa tão forte nas perninhas nuas da Nenezinha que dou um pulo, de susto.

Então, ela agarra Mae Mobley pelo braço e o torce.

— Não toque nesse telefone de novo, Mae Mobley! — diz ela. — Aibileen, quantas vezes preciso dizer para você mantê-la longe quando estou ao telefone!

— Desculpe, madame — digo e pego Mae Mobley; tento abraçá-la, mas ela tá chorando e seu rosto tá vermelho e ela me empurra.

— Calma, Nenezinha, tá tudo bem, tudo...

Mae Mobley faz uma cara bem feia pra mim e então ela se inclina um pouco pra trás, e *poft!* Ela me dá um tapão bem na orelha.

Dona Leefolt aponta pra porta e grita:

— Aibileen, vocês duas, saiam *já*!

Levo ela pra fora da cozinha. Estou com tanta raiva da dona Leefolt que preciso morder a língua. Se a idiota, pelo menos, desse um pouco de atenção pra filha, nada disso aconteceria! Quando a gente chega no quarto de Mae Mobley, eu me sento na cadeira de balanço. Ela soluça no meu ombro e eu esfrego as costinhas dela, feliz por ela não poder ver a raiva na minha cara. Não quero que pense que é com ela.

— Você tá bem, Nenezinha? — sussurro. Minha orelha tá ardendo por causa da mãozinha dela. Ainda bem que ela bateu em mim, e não na mãe, porque sabe-se lá o que aquela mulher podia fazer. Olho pra baixo e vejo marcas vermelhas de dedos na parte de trás das suas perninhas.

— Tou aqui, nenê. Aibee tá aqui — embalo e acalmo ela, embalo e acalmo.

Mas a Nenezinha só quer saber de chorar.

PERTO DA HORA DO ALMOÇO, quando as minhas novelas passam na tevê, fica tudo quieto na garagem. Mae Mobley tá no meu colo, me ajudando a debulhar vagem. Ela ainda tá meio agitada por causa de hoje de manhã. Acho que eu também, mas consegui enfiar tudo aquilo em algum lugar onde não preciso me preocupar.

Entramos na cozinha e faço pra ela um sanduichinho. Na entrada da casa, os operários tão sentados no caminhão, comendo suas marmitas. Dou graças a Deus por esse tantinho de paz. Rio pra Nenezinha, dou um morango pra ela, grata porque eu tava aqui quando aconteceu o problema com a mãe dela. Odeio pensar no que podia ter acontecido se eu não tivesse aqui. Ela enfia o morango na boca, sorri de volta. Acho que ela também dá graças a Deus.

Dona Leefolt não tá aqui, e eu penso em telefonar pra Minny na casa da dona Walter e ver se ela já encontrou algum trabalho. Mas antes de eu chegar a telefonar, alguém bate na porta dos fundos. Abro a porta e vejo um dos operários parado ali. É muito velho. Tá de macacão por cima de uma camiseta branca.

— Olá, senhora. Pode me arrumar um pouco d'água? — pergunta ele. Não conheço ele. Deve morar em algum lugar no sul da cidade.

— Claro — digo.

Pego um copo de papel do armário. Tem balões de aniversário dentro do copo, de quando Mae Mobley fez dois anos. Sei que a dona Leefolt não ia gostar de eu dar um dos copos de verdade pra ele.

Ele bebe a água num gole só e me devolve o copo de papel. Seu rosto parece muito cansado. Tem uns olhos solitários.

— Como vocês tão indo? — pergunto.

— É trabalho — diz ele. — Ainda não tem água. Acho que vamos puxar um cano lá adiante, da estrada.

— O outro companheiro precisa de uma água? — pergunto.

— Pode ser uma boa.

Ele balança a cabeça. Eu pego pro colega dele outro copo engraçado e encho com água da pia.

Ele não leva pro colega logo logo.

— A senhora me desculpe perguntar — diz ele —, mas onde... — Ele fica ali parado um minuto, olhando pra ponta dos pés. — Onde posso tirar água do joelho?

Ele levanta os olhos e eu olho pra ele, e por um minuto a gente fica ali parado, se olhando. Quero dizer, que coisa engraçada. Não engraçada de dobrar de rir, mas engraçada do tipo que faz a gente pensar: Ãrrã. Aqui tá a gente, com dois banheiros dentro de casa e um sendo construído, e mesmo assim não tem lugar pra esse homem se aliviar.

— Bem... — Nunca tinha passado por isso antes. Aquele jovenzinho, Robert, que cuida do jardim a cada duas semanas, acho que ele faz o que tem que fazer antes de vir pra cá. Mas esse sujeito, ele é um velho. Tem as mãos pesadas e cheias de vincos. Setenta anos de preocupação colocaram muitas rugas na cara dele, ela parece um mapa rodoviário.

— Acho que o senhor vai ter que ir nos arbustos, nos fundos da casa — ouço a minha voz dizer, mas preferia que não fosse eu. — O cachorro tá lá atrás, mas ele não vai incomodar o senhor.

— Tudo bem, então — diz ele. — Obrigado.

Vejo ele sair bem devagarinho, com o copo de água pro colega.

As marteladas e as escavações continuam toda a tarde.

TODO O DIA SEGUINTE, eles passam martelando e cavando no quintal da frente. Não faço nenhuma pergunta pra dona Leefolt sobre isso e a dona Leefolt também não fala nada. Ela só espia pela porta dos fundos de hora em hora pra ver o que tá acontecendo.

Às três horas, a barulheira para e os homens entram na caminhonete pra ir embora. A dona Leefolt, ela fica observando quando eles vão embora, dá um suspiro. Então, ela entra no carro e sai pra fazer seja lá o que for que ela faz quando não tá nervosa com dois homens de cor andando pela casa dela.

Depois de um tempo, o telefone toca.

— Residência da dona Lee...

— Ela tá dizendo pra todo mundo na cidade que eu roubo! É por isso que eu não tou conseguindo trabalho! Aquela bruxa me transformou na Empregada Criminosa de Língua Afiada do Condado de Hinds!

— Calma, Minny, respira um pouco...

— Hoje de manhã, antes do trabalho, fui no Renfroe's, lá na Sycamore, e a dona Renfroe quase me expulsou de lá. Disse que a dona Hilly contou tudo de mim pra ela, que todo mundo sabe que eu roubei um candelabro da dona Walters!

Quase dá pra ouvir ela apertar o telefone, o som é como se ela tivesse tentando esmagar ele com as mãos. Ouço os patins de Kindra e me pergunto por que Minny já tá em casa. Ela normalmente não sai do trabalho antes das quatro.

— A única coisa que eu fiz foi alimentar bem aquela velha e cuidar dela!

— Minny, eu sei que você é honesta. Deus sabe que você é honesta.

A voz dela fica mais grave, como abelhas numa colmeia.

— Quando entrei na casa da dona Walters, a dona Hilly tava lá e ela tentou me dar vinte dólares. Ela disse, "Pode pegar, eu sei que você precisa", e eu quase cuspi na cara dela. Mas não cuspi. Não, senhor. — Ela começa a ficar ofegante e diz: — Eu fiz *pior*.

— O que você fez?

— Não conto. Não conto pra ninguém daquela torta. Mas ela teve o que merece! — Ela tá com uma voz chorosa agora, e eu fico com muito medo. Não é bom deixar a dona Hilly brava. — Eu nunca mais vou conseguir serviço, o Leroy vai me matar...

Kindra começa a chorar no fundo. Minny desliga sem nem se despedir. Não sei de que torta ela tá falando. Mas, Senhor, conhecendo a Minny, não pode ser coisa boa.

À NOITE, pego pra mim um pouco de fitolaca e um tomate da horta da Ida. Frito umas fatias de presunto, faço um molho pra pôr no pão. A minha peruca foi escovada e arrumada, tou com os bobes cor-de-rosa, já espalhei laquê Good Nuff no meu cabelo. Passei toda a tarde preocupada, pensando na Minny. Preciso tirar isso da minha cabeça, se quiser dormir um pouco hoje.

Sento na mesa pra comer e ligo o rádio da cozinha. O pequeno Stevie Wonder tá cantando "Fingertips". Ser de cor não é problema pra esse garoto. Ele tem doze anos, é cego e uma música dele tá tocando no rádio. Quando ele termina, passo pelo reverendo Green dando o seu sermão e sintonizo a WBLA. Eles tocam blues.

Gosto de ouvir esses sons esfumaçados, que lembram gente bebendo álcool, quando anoitece. Parece que toda a minha casa tá cheia de gente. Quase posso enxergar essas pessoas balançando aqui na minha cozinha, dançando os blues. Quando desligo a luz do teto, faço de conta que tou no The Raven. As mesas de lá são pequenas, com abajures cobertos com tecido vermelho. É maio ou junho, e tá quente. Meu amor, o Clyde, me lança um dos seus sorrisos cheios de dentes e diz

Querida, quer um drinque? E eu digo, *Black Mary, pode encher*, e então começo a rir de mim mesma, sentada na minha cozinha, sonhando desse jeito, porque a coisa mais forte que já bebi na vida foi o refrigerante Nehi de uva.

Memphis Minny começa a cantar no rádio, dizendo que carne magra não frita direito, que é como dizer que o amor não dura. De tempos em tempos, penso que eu podia arranjar outro homem pra mim, um da minha igreja. O problema é: mesmo amando muito o Senhor, homem que vai na igreja nunca me atraiu muito. O tipo de homem que eu gosto não é o que fica com a gente depois de gastar todo o nosso dinheiro. Cometi esse erro vinte anos atrás. Quando meu marido Clyde me deixou por aquela vadia da Farish Street, uma que chamavam de Cocoa, achei que era melhor eu fechar a porta pra sempre pra esse tipo de problema.

Um carro começa a cantar pneu lá fora e me traz de volta pra minha cozinha. Desligo o rádio e acendo de novo a luz, pego meu livro de orações da minha bolsa. Meu livro de orações é só um bloco de papel azul que comprei na loja Ben Franklin. Uso lápis pra poder apagar até conseguir escrever direito. Anoto as minhas rezas desde que tava na escola. Quando eu disse pra minha professora da sétima série que não ia voltar pra escola porque precisava ajudar a minha mãe, dona Ross quase chorou.

"Você é a mais esperta da turma, Aibileen", disse ela. "E o único jeito de você continuar esperta é ler *e escrever* todos os dias."

Então, comecei a anotar as minhas orações, em vez de dizer elas em voz alta. Mas ninguém mais me chamou de esperta.

Viro as páginas do meu livro de orações pra ver o que tenho pra hoje à noite. Umas vezes essa semana, pensei em talvez colocar a dona Skeeter na minha lista. Não sei bem por quê. Ela sempre é muito simpática quando aparece. Isso me deixa nervosa, mas não posso deixar de me imaginar o que ela queria me perguntar na cozinha da dona Leefolt, sobre se eu quero mudar as coisas. Isso pra não falar nela me perguntando do paradeiro de Constantine, a empregada que criou ela. Eu sei o que aconteceu com Constantine e a mãe da dona Skeeter, e de jeito nenhum quero contar pra ela essa história.

Só que o negócio é que, se começo a rezar pela dona Skeeter, sei que, na próxima vez que a gente se encontrar, a conversa vai continuar. E em todas as outras vezes. Porque é isso que a reza faz. É como a eletricidade: aviva as coisas. E aquele negócio do banheiro simplesmente é uma coisa sobre a qual eu não quero conversar.

Dou uma olhada na minha lista de rezas. A minha Mae Mobley ficou com a primeira linha, depois tem a Fanny Lou da igreja, que está se curando do reumatismo. Minhas irmãs Inez e Mable, lá em Port Gibson, que têm dezoito filhos somando os das duas e seis tão doentes com a gripe. Quando a lista tá curta, coloco também aquele branquelo fedorento que mora atrás do armazém, o que enlouqueceu de tanto beber cera líquida pra sapato. Mas a lista tá bem cheia hoje.

E olha só quem mais eu coloco nessa lista. Bertrina Bessemer, justo ela! Todo mundo sabe que Bertrina e eu não nos damos desde aquela vez que ela me chamou de negra burra por ter me casado com o Clyde, há anos e anos atrás.

"Minny", disse eu, no último domingo, "por que Bertrina pediu pra *eu* rezar por ela?"

A gente tava voltando pra casa do culto da uma hora. Minny disse:

"Dizem que você tem um tipo de reza milagrosa, que consegue um resultado melhor do que as rezas comuns."

"Dizem o quê?"

"Eudora Green, quando quebrou a bacia, foi parar na sua lista e voltou a andar em uma semana. Isaiah caiu do caminhão de algodão, entrou pra sua lista de rezas daquela noite e voltou pro trabalho no dia seguinte."

Ouvir isso me fez pensar que nem tive a chance de rezar por Treelore. Vai ver foi por isso que Deus levou ele tão rápido. Decerto não queria ter que discutir comigo.

"Snuff Washington", diz Minny, "Lolly Jackson... Nossa, Lolly entrou na sua lista e dois dias depois se levantou da cadeira de rodas como se Jesus em pessoa tivesse tocado ela. Todo mundo no condado de Hinds sabe dessa história."

"Mas não sou eu", digo. "É só uma reza."

"Mas a Bertrina...", Minny começa a rir. Diz: "Sabe Cocoa, aquela com quem o Clyde fugiu?"

"Você sabe que eu nunca vou me esquecer dela."

"Uma semana depois do Clyde deixar você, ouvi falar que Cocoa acordou e viu que a xoxota dela tava que nem uma ostra estragada. Demorou três meses pra melhorar. Bertrina, ela é bem amiga de Cocoa. Ela *sabe* que as suas rezas funcionam."

Meu queixo caiu. Por que ela nunca tinha me contado isso antes?

"Você tá dizendo que as pessoas acham que eu faço magia negra?"

"Eu sabia que ia deixar você preocupada. As pessoas só acham que você tem uma ligação melhor que a maioria das pessoas. Todo mundo tá perto de Deus, mas você, você tá sentada bem do ladinho da orelha dele."

Minha chaleira começou a assobiar no fogo, me chamando de volta pra vida normal. Senhor, acho melhor eu colocar de uma vez a dona Skeeter na lista, mas não sei por quê. O que me faz lembrar de uma coisa em que não quero pensar: que a dona Leefolt tá construindo um banheiro pra mim porque acha que eu tenho doenças. E a dona Skeeter me pergunta se eu não quero mudar as coisas, como se mudar Jackson, Mississippi, fosse o mesmo que trocar uma lâmpada.

TOU CORTANDO VAGEM na cozinha da dona Leefolt e o telefone toca. Torço pra ser Minny, dizendo que encontrou algum serviço. Já liguei pra todo mundo pra quem eu já trabalhei e todo mundo me disse a mesma coisa: "Não estamos contratando". Mas o que queriam dizer, na verdade, era: "Não estamos contratando a *Minny*".

O último dia de trabalho da Minny foi antes de ontem, mas a dona Walter ligou pra ela escondido na noite passada, pedindo pra ela ir trabalhar hoje porque a casa tá vazia demais, ainda mais que a dona Hilly já levou todos os móveis. Ainda não descobri o que aconteceu entre a Minny e a dona Hilly. Acho que, na verdade, nem quero saber.

— Residência dos Leefolt.

— Ahn, oi. É... — A mulher fica em silêncio, pra limpar a garganta. — Olá, será que eu poderia... será que eu poderia falar com Elizabeth Leer-folt?

— Dona Leefolt não tá em casa. Quer deixar recado?

— Oh — diz ela, decepcionada.

— Quem está falando?

— É... Celia Foote. Meu marido me deu este número aqui, e eu não conheço Elizabeth, mas... bem, ele disse que ela sabe tudo sobre o Baile Beneficente e a Liga de Senhoras.

Já ouvi esse nome, mas não sei dizer onde. Pelo jeito de falar, a mulher parece ser do interior do interior, com espigas de milho crescendo nos sapatos. Mas a voz dela é agradável, aguda. De todo jeito, a voz dela não parece com a das outras madames daqui.

— Falo pra ela que a madame ligou — digo. — Qual o seu número?

— Sou meio nova aqui e, bem, não, não é verdade, já faz um bom tempo que estou aqui, nossa, mais de um ano já. Só que eu não conheço quase ninguém. Eu não... saio muito.

Ela limpa a garganta de novo e eu me pergunto por que ela tá me contando tudo isso. Sou a empregada, ela não vai fazer amizade nenhuma conversando comigo.

— Eu estava pensando que talvez eu poderia ajudar com o Baile Beneficente de casa — diz ela.

Então eu me lembro quem ela é. É aquela de quem a dona Hilly e a dona Leefolt tão sempre falando mal porque ela casou com o ex-namorado da dona Hilly.

— Vou dar seu recado pra ela. Como é mesmo seu telefone?

— Oh, mas eu estava me preparando para dar um pulo no mercado. Oh, talvez seja melhor eu ficar aqui esperando.

— Se ela não achar a madame, ela deixa um recado com a sua empregada.

— Eu não tenho empregada. Na verdade, eu estava pensando em perguntar para ela sobre isso também, se ela podia me indicar alguma pessoa boa.

— A madame tá procurando uma empregada?

— Estou cortando um dobrado, tentando encontrar uma pessoa disposta a vir até o condado de Madison.

Ora, ora, acertou na mosca.

— Eu sei de uma pessoa muito boa. Cozinha bem, todo mundo sabe, e pode cuidar das crianças, também. Ela tem até um carro próprio pra ir até a sua casa.

— Oh... mesmo assim eu gostaria de falar com Elizabeth sobre isso. Eu lhe dei meu número de telefone?

— Não, madame — suspiro. — Pode falar. — A dona Leefolt nunca vai recomendar a Minny, não com todas as mentiras da dona Hilly.

Ela diz:

— O nome é sr. Johnny Foote, Emerson, dois-meia-zero-meia-zero-nove.

Por via das dúvidas, eu digo:

— Ah, o nome dela é Minny, o telefone dela é Lakewood, oito-quatro-quatro-três-dois. Anotou?

A Nenezinha puxa o meu vestido e diz:

— Dodói na barriga. — E esfrega a barriguinha.

Tenho uma ideia. Digo:

— Espere um pouco. O que é, dona Leefolt? Ãrrã, eu digo pra ela. — Coloco o fone de novo no ouvido e digo: — Dona Celia, a dona Leefolt acabou de chegar e disse que não tá se sentindo bem, mas que é pra madame ligar pra Minny. Ela disse que liga pra madame, se precisar de ajuda com o Baile.

— Oh! Agradeça a ela. E que espero que ela melhore logo. E que é para ela me ligar uma hora dessas.

— É Minny Jackson, número Lakewood oito-quatro-quatro-três-dois. Espere, o quê? — Pego um biscoito e dou pra Mae Mobley. Fico feliz com o diabinho dentro de mim. Tou mentindo e não tou nem aí.

Digo pra dona Celia Foote:

— Ela pediu pra madame não comentar com ninguém que ela indicou a Minny, porque todas as amigas dela querem contratar a Minny e vão ficar muito chateadas se descobrirem que ela indicou a Minny pra outra pessoa.

— Não conto o segredo dela, se ela não contar o meu. Não quero que meu marido saiba que vou contratar uma empregada.

Bem, se isso não é perfeito, então não sei o que é.

Assim que a gente desliga, eu ligo pra Minny o mais rápido que posso. Mas, bem nesse momento, a dona Leefolt entra porta adentro.

Que situação, ora. Eu dei pra essa tal dona Celia o telefone da casa da Minny, mas a Minny tá trabalhando hoje, porque a dona Walter tava se sentindo sozinha. Então, quando ela ligar, Leroy, que é um bobalhão, vai dar pra ela o telefone da dona Walter. Se a dona Walter atender o telefone quando a dona Celia ligar, então tá armada a confusão. A dona Walter vai falar pra essa mulher tudo que a dona Hilly andou espalhando por aí. Preciso falar com a Minny ou com o Leroy antes.

Dona Leefolt vai pro quarto dela e, bem como eu imaginei, a primeira coisa que ela faz é ocupar o telefone. Primeiro ela liga pra dona Hilly. Depois ela liga pro cabeleireiro. Então ela liga pra loja, pra falar sobre um presente de casamento, aí fala, fala, fala. Assim que ela desliga, sai do quarto e pergunta o que eles vão comer essa semana no jantar. Eu pego o caderninho e percorro toda a lista. Não, ela não quer costelinhas de porco. Tá tentando fazer o marido perder peso. Ela quer bife e salada verde. E quantas calorias eu imagino que tem naquele negócio de merengue? E não dê mais biscoitos pra Mae Mobley porque ela tá gorda demais etc. etc.

Senhor! Pra uma mulher que nunca fala nada comigo a não ser faça isso e use aquele banheiro, de repente ela começa a falar de um jeito que até parece que sou a melhor amiga dela. Mae Mobley tá dançando, num passo rápido, pra ver se consegue chamar a atenção da mãe. E bem quando a dona Leefolt tá quase se abaixando e dando uma atenção pra ela, opa! Dona Leefolt sai correndo porta afora porque esqueceu que tinha uma coisa pra fazer e já passou mais de uma hora.

Meus dedos discam o mais rápido possível.

— Minny! Consegui um serviço. Mas você precisa ligar...

— Ela já ligou — a voz de Minny parece desanimada. — Leroy deu o número pra ela.

— E aí a dona Walter atendeu? — pergunto.

— É surda que nem uma porta e, de repente, num milagre de Deus, ela ouve o telefone tocar. Eu tava entrando e saindo da cozinha, sem prestar atenção, mas no final ouvi meu nome. Depois disso, o Leroy ligou, por isso eu sei o que que era. — Minny parecia derrotada, e ela é do tipo que nunca fica cansada.

— Bem, vai ver a dona Walter não contou pra ela as mentiras que a dona Hilly andou espalhando. Nunca se sabe. — Mas nem eu sou tão boba a ponto de acreditar nisso.

— Mesmo se ela não falou nada, a dona Walters sabe o que eu fiz quando voltei lá na dona Hilly. Você não sabe a Coisa Terrível que eu fiz. E nem quero que você saiba. Tenho certeza que a dona Walters disse pra essa mulher que eu sou pior que o diabo. — A voz dela parecia assustada. Como uma vitrola girando devagar demais.

— Desculpa. Eu queria ligar pra você antes, pra você atender esse telefone.

— Você fez o que podia. Agora ninguém mais pode me ajudar.

— Vou rezar por você.

— Obrigada — diz ela, e então a voz dela cede. — E obrigada também por tentar me ajudar.

A gente desliga, e eu trato de limpar o chão. A voz da Minny me deixou assustada.

Ela sempre foi uma mulher forte, batalhadora. Depois que o Treelore morreu, ela levava comida pra mim todas as noites, durante três meses seguidos. E todo dia ela dizia, "Nem pensar, você não vai me deixar nessa Terra de servidão sozinha", mas posso dizer: eu bem que tava pensando na ideia.

Eu já tinha dado o nó na corda quando Minny encontrou. Era de Treelore, de muito tempo atrás, de quando ele tava fazendo um projeto de ciência com roldanas e argolas. Não sei se eu ia mesmo usar aquilo, já que é um pecado contra Deus, mas eu tava fora de mim. Mas a Minny, bem, ela não fez pergunta nenhuma, só puxou de debaixo da cama, colocou na lixeira, levou pra rua. Quando ela voltou, bateu uma mão na outra pra tirar o pó, parecia que tava limpando as coisas de sempre. É bem prática, a Minny. Mas agora ela parecia mal. Também vou precisar olhar embaixo da cama dela, hoje à noite.

Derramo no chão um balde de desinfetante Sunshine, aquele que faz as madames sorrirem tanto na tevê. Preciso me sentar. Mae Mobley aparece, com a mão na barriga, e diz:

— Faz parar o dodói.

Ela encosta a cabecinha na minha perna. Aliso o cabelo dela até que ela praticamente começa a ronronar, sentindo o amor da minha mão. Penso em todas as minhas amigas, o que fizeram por mim. O que elas fazem todos os dias pelas patroas brancas pra quem trabalham. A dor na voz de Minny. Treelore morto, enterrado. Olho pra Nenezinha e eu sei, lá no fundo, que não tenho como fazer ela não ficar que nem a mãe. E tudo isso junto é demais pra mim. Fecho os olhos, digo a reza do Senhor pra mim mesma. Mas isso não faz eu me sentir melhor, nem um pouco.

Deus me livre e guarde, mas alguma coisa vai ter que ser feita.

A Nenezinha passou a tarde inteira pendurada nas minhas pernas, quase caí várias vezes. Não me importo. Dona Leefolt não falou comigo nem com Mae Mobley desde hoje de manhã. Ficou toda ocupada, trabalhando na máquina de costura, no quarto dela. Tentando disfarçar o jeitão de mais alguma coisa que ela não gosta na casa.

Depois de um tempo, Mae Mobley entra na sala de estar. Tenho um monte de camisas do seu Leefolt pra passar e depois preciso começar a fazer o assado. Já limpei o banheiro, troquei os lençóis, passei aspirador de pó nos tapetes. Sempre tento terminar tudo cedo pra Nenezinha e eu podermos sentar juntas e brincar.

Dona Leefolt entra e vê que tou passando roupa. Ela faz isso às vezes. Fica cheia de ruga na testa e me olhando. Então, ela sorri bem rápido quando eu levanto os olhos. Dá um tapinha no cabelo, atrás, tentando deixar ele com volume.

— Aibileen, tenho uma surpresa para você.

Ela tá sorrindo pra valer agora. Não tá mostrando os dentes, só um sorriso de lábios.

— O sr. Leefolt e eu decidimos construir um banheiro só para você. — Ela junta as mãos, aponta o queixo na minha direção. — Fica logo ali fora, na garagem.

— Sim, madame.

Onde ela pensa que eu tava esse tempo todo?

— Então, de agora em diante, em vez de usar o banheiro das visitas, você pode usar o banheiro que é só seu, logo ali fora. Não vai ser ótimo?

— Sim, madame.

Continuo passando roupa. A tevê tá ligada e o meu programa tá pra começar. Mas ela continua parada ali, olhando pra mim.

— Você usa aquele lá fora na garagem de agora em diante, entendeu?

Não olho pra ela. Não quero confusão, mas ela já disse o que tinha que dizer.

— Você não quer pegar um pouco de papel higiênico e ir lá fora e testá-lo?

— Dona Leefolt, eu não tou precisando ir no banheiro agora.

Mae Mobley aponta pra mim do cercadinho e diz:

— Suco pá Mae Mo?

— Eu pego um pouco de suco pra você, nenê.

— Oh. — Dona Leefolt lambe os beiços algumas vezes. — Mas, quando você precisar, você vai lá fora e usa aquele agora, quero dizer... só aquele, está bem?

Dona Leefolt usa muita maquiagem, um troço meio cremoso, grosso. Aquela maquiagem amarelada também tá espalhada na boca dela, então mal dá pra ver que ela tem uma boca. Eu digo o que eu sei que ela quer ouvir:

— Vou usar meu banheiro pra gente de cor de agora em diante. E depois eu vou lá e limpo o banheiro pra gente branca com Clorox, bem direitinho.

— Bem, não há pressa. Qualquer momento hoje está bem.

Mas, pelo jeito dela ficar ali parada, brincando com a aliança, na verdade ela quer dizer pra eu ir agora, já.

Largo o ferro de passar bem devagarinho, sinto uma semente amarga brotar dentro do meu peito, aquela que foi plantada depois que Treelore morreu. Meu rosto fica afogueado, minha língua coça. Não sei o que dizer pra ela. Só o que sei é que eu não vou dizer nada. E eu sei que ela não vai dizer o que quer dizer também e é uma coisa estranha o que acontece aqui, porque ninguém tá dizendo o que quer dizer e, mesmo assim, de algum jeito, é uma conversa que tá acontecendo.

MINNY

CAPÍTULO 3

De pé no lado do portão da casa daquela mulher, falei pra mim mesma: *Segura, Minny.* É pra segurar tudo que pode querer sair da minha boca e do meu bundão, também. É pra parecer uma empregada que faz o que mandam ela fazer. A verdade é que tou muito nervosa agora, eu nunca mais vou retrucar na vida, se conseguir esse serviço.

Dou um puxão nas minhas meias, que tão tudo torcidas desde os pés — o problema de todas as gordinhas baixinhas, no mundo inteiro. Então, ensaio o que dizer e o que guardar só pra mim. Vou em frente e toco a campainha.

A campainha toca um longo *blim-blom*, bonito e chique pra esse casarão de campo. Parece um castelo, com tijolos cinza se erguendo alto no céu, e pra esquerda e pra direita também. O gramado termina em bosque pra todos os lados. Se esse lugar estivesse num livro de histórias, ia ter bruxas morando nesses bosques. O tipo de bruxa que come crianças.

A porta dos fundos se abre, e quem tá ali é a dona Marilyn Monroe. Ou alguém que nem ela.

— Olá, você chegou bem na hora. Sou Celia. Celia Rae Foote.

A mulher branca estica a mão na minha direção, e eu estudo ela. Ela pode ter o corpo da Marilyn, mas não tá pronta pra nenhum teste de cinema. O penteado dela tá sujo de farinha. Tem farinha também nos cílios postiços. E farinha por todo aquele conjunto cafona e cor-de-rosa de calça e blusa. Ela tá no meio duma nuvem de poeira, e aquele conjunto é tão apertado que me pergunto como é que ela consegue respirar.

— Sim, madame. Sou Minny Jackson. — Em vez de apertar a mão dela, eu aliso meu uniforme branco. Não quero me sujar. — A senhora tá cozinhando alguma coisa?

— Uma daquelas tortas viradas de cabeça para baixo da revista, sabe? — Ela suspira. — Mas não está ficando muito boa.

Sigo ela pra dentro da casa e então vejo que a dona Celia Rae Foote mal se sujou na confusão de farinha. O resto da cozinha é que ficou sujo. A bancada, o refrigerador de duas portas, o liquidificador Kitchen Aid tão todos soterrados por quase um centímetro de uma neve de farinha. É bagunça o suficiente pra me enlouquecer. O serviço nem é meu ainda e já tou olhando pra pia, procurando uma esponja.

Dona Celia diz:

— Acho que tenho muito a aprender.

— Com certeza — digo. Mas em seguida mordo a língua com força. *Não vá infernizar essa patroa que nem você fez com a outra. Infernizou tanto que ela foi parar num asilo.*

Mas dona Celia só sorri, lava a farinha das mãos na pia cheia de pratos. Me pergunto se ela é surda que nem a dona Walters. Tomara que sim.

— Eu simplesmente não consigo pegar o jeito de fazer as coisas na cozinha — diz ela, e mesmo com a voz hollywoodiana macia e sussurrante da Marilyn, dá pra saber logo de cara que ela é dos cafundós do judas. Olho pra baixo e vejo que a abobada não tá usando sapato nenhum, como se fosse uma branca pobretona. As madames brancas decentes não andam por aí de pés descalços.

Ela deve ser uns dez ou quinze anos mais nova que eu, vinte e dois, vinte e três, e é bem bonita, mas por que ela tá usando toda essa gosma na cara? Aposto que ela tá com o dobro da maquiagem que as outras madames brancas usam. E ela também tem muito mais peito que as outras. Na verdade, ela é quase tão grande quanto eu, só que ela é magrinha em todos os lugares que eu não sou. Só espero que seja do tipo que come. Porque eu sou do tipo que cozinha, e é por isso que as pessoas me contratam.

— Você gostaria de beber alguma coisa gelada? — pergunta ela. — Sente-se e vou trazer algo para você.

E é aí que soa o alarme: alguma coisa estranha tá acontecendo aqui.

"Leroy, ela só pode ser louca", eu disse quando ela me ligou, dois dias atrás, perguntando se eu podia ir até a casa dela pra uma entrevista, "porque todo mundo na cidade acha que eu roubei a prataria da dona Walters. E eu sei que ela também acha, porque ela ligou pra dona Walters enquanto eu tava lá."

"Gente branca é estranha", disse Leroy. "Quem sabe, vai ver aquela velha falou bem de você."

Olho pra dona Celia Rae Foote com muita atenção. Nunca na minha vida vi uma branca me dizer pra sentar pra ela me servir um refresco. Diacho, agora tou achando que vai ver essa abobada nem quer contratar empregada nenhuma, e só me fez vir todo esse caminho até aqui pra se divertir.

— Acho que é melhor a gente continuar e ver a casa primeiro, madame.

Ela sorri como se a ideia nunca tivesse passado por aquela cabeça cheia de laquê: me mostrar a casa que é pra eu limpar.

— Oh, claro. Vamos entrando, Maxie. Vou mostrar a você a sala de jantar para festas.

— Meu nome — digo — é Minny.

Vai ver ela não é nem surda nem louca. Vai ver é só burra. Uma pequena esperança brota em mim de novo.

Ela caminha por todo aquele enorme casarão velho, falando, enquanto eu vou atrás. Tem dez cômodos no andar de baixo e um com um enorme urso marrom empalhado que parece que comeu a última empregada e tá só esperando pela próxima. Uma bandeira confederada meio queimada tá emoldurada na parede, e na mesa tem uma pistola de prata velha com o nome "General John Foote, das Forças Confederadas" gravado nela. Aposto que o bisavô Foote assustou vários escravos com aquilo.

Seguimos adiante, e a casa começa a parecer com qualquer casa boa de gente branca. Só que essa é a maior que eu já vi e tá cheia de sujeira no chão e tapetes empoeirados, do tipo que uma pessoa que não sabe das coisas ia dizer que tão puídos, mas eu sei reconhecer uma antiguidade quando vejo uma. Trabalhei em várias casas boas. Só espero que ela não seja tão jeca a ponto de não ter um aspirador de pó.

— A mãe do Johnny não deixou eu redecorar nada. Se fosse do meu jeito, teria carpete branco de uma parede a outra e acabamentos dourados e nada dessa velharia.

— De onde a senhora vem? — pergunto.

— Eu sou de... Sugar Ditch. — A voz dela parece que cai um pouco. Sugar Ditch é o pior lugar do Mississippi, talvez de todos os Estados Unidos. Fica lá no condado de Tunica, quase em Memphis. Vi imagens num jornal uma vez que tavam mostrando os barracos onde as pessoas moram. Até as crianças brancas tinham jeito de quem não comia há uma semana.

Dona Celia tenta sorrir. Diz:

— É a primeira vez que eu contrato uma empregada.

— Bem, com certeza a madame precisa de uma. — *Minny, cuidado...*

— Fiquei mesmo muito feliz de receber a indicação da sra. Walters. Ela me contou tudo sobre você. Disse que a sua comida é a melhor da cidade.

Isso não faz sentido nenhum pra mim. Depois do que eu fiz pra dona Hilly, debaixo do nariz da dona Walters, ainda por cima?

— Ela disse mais alguma coisa de mim?

Mas a dona Celia já tá lá adiante, subindo uma grande escada curva. Vou atrás dela, até um corredor comprido com sol entrando pelas janelas. Apesar de ter dois quartos amarelos pra meninas e um azul e um verde pra meninos, é claro que não tem criança nenhuma vivendo aqui. Só poeira.

— Temos cinco quartos e cinco banheiros aqui na ala principal da casa. — Ela aponta pra janela e vejo uma enorme piscina azul e, atrás dela, *outra* casa. Meu coração vira pedra.

— E também tem a casa da piscina, lá — suspira ela.

A essa altura, eu pegaria qualquer trabalho, mas uma casa grande dessas precisa pagar muito. E não me importo de ter serviço pra fazer. Não tenho medo de trabalho.

— Quando a senhora vai ter filhos, pra ocupar algumas dessas camas? — Tento sorrir, parecer amigável.

— Oh, nós vamos ter filhos. — Ela limpa a garganta, parece meio nervosa. — Quero dizer, crianças são a única coisa pela qual vale a pena viver. — Ela olha pra baixo, pros pés. Um segundo passa antes dela se voltar na direção da escada. Vou atrás e vejo que ela segura o corrimão da escada com força, na descida, como se tivesse medo de cair.

Quando a gente tá de volta na sala de jantar, a dona Celia começa a balançar a cabeça:

— É muita coisa para fazer — diz ela. — Todos os quartos, e os andares...

— Sim, madame, é grande mesmo — digo, pensando que se ela visse a minha casa com uma cama de armar no corredor e um banheiro pra seis traseiros, provavelmente ia sair correndo. — Mas eu tenho muita energia.

— ... e também tem toda essa prataria para limpar.

Ela abre uma gaveta de prataria do tamanho da minha sala de estar. Depois coloca no candelabro uma vela que ficou de um jeito todo estranho, e então entendo por que ela parece tão insegura.

Depois que a cidade ficou sabendo das mentiras da dona Hilly, três madames desligaram o telefone no minuto que eu disse o meu nome. Eu me preparo pro ataque. *Diga, senhora. Diga o que tá pensando sobre mim e a sua prataria.* Fico com vontade de chorar só de pensar como esse serviço cairia bem pra mim e o que será que a dona Hilly fez pra eu não ficar com ele. Fixo meus olhos na janela, esperando e rezando pra entrevista não terminar aqui.

— Eu sei, essas janelas são terrivelmente altas. Nunca tentei limpá-las.

Solto o ar que eu tava segurando. Janelas são um assunto muito mais agradável pra mim do que a prataria.

— Não tenho medo de janela nenhuma. Eu limpava as da dona Walters de cima a baixo a cada quatro semanas.

— Ela tinha uma casa de um ou dois andares?

— Bem, um só... mas tinha muita coisa lá. Casas velhas têm um monte de cantos e esconderijos, a madame sabe.

Finalmente a gente volta pra cozinha. Nós duas olhamos pra mesa de café da manhã, mas nenhuma de nós senta. Tou ficando tão nervosa de imaginar o que ela tá pensando que a minha cabeça começa a suar.

— Sua casa é grande e bonita — digo. — Afastada aqui no campo. Bastante trabalho.

Ela começa a brincar com a aliança:

— Imagino que a casa da sra. Walters era bem mais simples do que esta aqui. Quero dizer, agora somos só nós, mas quando começarmos a ter filhos...

— A senhora, ãhn, tem outras empregadas em vista?

Ela suspira.

— Várias vieram até aqui. Só que eu ainda não encontrei... a pessoa certa. — Ela mordisca as unhas, desvia os olhos.

Espero ela dizer que eu também não sou a pessoa certa, mas a gente fica ali, respirando farinha. Finalmente resolvo dar minha última cartada, pois é a última coisa que eu tenho.

— A senhora sabe, eu só deixei a dona Walters porque ela vai pra uma casa de velhas. Ela não me demitiu.

Mas ela fica só olhando pros próprios pés descalços, sujos porque o chão não foi escovado desde que ela se mudou pra essa casa velha, enorme e suja. E tá claro que essa dona não me quer.

— Bem — diz ela —, obrigada por ter vindo até aqui. Posso pelo menos lhe dar algum dinheiro para a gasolina?

Pego a minha bolsa e enfio embaixo do braço. Ela sorri um sorriso todo gentil que eu podia liquidar de uma só vez. *Maldita* Hilly Holbrook.

— Não, madame, não pode.

— Eu sabia que seria uma dificuldade encontrar alguém, mas...

Fico ali parada, ouvindo ela se desculpar, mas só penso: *Termine de uma vez, dona, pra eu poder falar pro Leroy que a gente precisa se mudar pro Polo Norte, pra perto do Papai Noel, onde ninguém ouviu as mentiras da Hilly sobre mim.*

— ... e se eu fosse você também não ia querer limpar esta casa.

Olho bem pra ela. Agora ela já tá indo longe demais nas desculpas, fazendo de conta que a Minny não vai ficar com o serviço porque a Minny não *quer* o serviço.

— Quando foi que a madame me ouviu dizer que não quero limpar esta casa?

— Não faz mal, cinco já me disseram que é trabalho demais.

Olho pra baixo, pra euzinha de 75 quilos, 1,52m, praticamente explodindo pra fora do meu uniforme:

— Trabalho demais pra mim?

Ela pisca os olhos pra mim um momento:

— Você... Você vai limpar?

— Por que acha que eu vim até aqui no fim do mundo, só pra queimar gasolina? — Eu trato de fechar a boca. *Não vá colocar tudo por água abaixo agora, ela tá te oferecendo ser-vi-ço.* — Dona Celia, eu ficaria feliz de trabalhar pra senhora.

Ela começa a rir, e a louca vem e me dá um abraço, mas eu dou um passinho pra trás, pra ela saber que não se faz esse tipo de coisa.

— Espera aí, a gente precisa falar de algumas coisas antes. A madame precisa me dizer que dias quer que eu venha e... e esse tipo de coisa. — *Tipo quanto você vai me pagar.*

— Acho... quando você quiser vir — diz ela.

— Pra dona Walters eu trabalhava de domingo até sexta-feira.

A dona Celia come mais um pouquinho das suas unhas rosas:

— Você não pode vir nos finais de semana.

— Tudo bem. — Eu preciso desses dias, mas talvez mais adiante ela deixe eu servir em festas ou coisas do tipo. — De segunda a sexta, então. Bem, e que horas a madame quer que eu chegue de manhã?

— Que horas você quer chegar?

Nunca tive essa escolha antes. Sinto meus olhos se estreitarem.

— Que tal às oito? Era quando a dona Walters costumava me receber.

— Muito bem, oito está ótimo. — Então, ela fica ali parada, como que esperando a minha próxima jogada.

— Agora a madame tem que me dizer que hora eu tenho que ir embora.

— A que hora? — pergunta Celia.

Reviro meus olhos.

— Dona Celia, é a madame que tem que me dizer isso. É assim que funciona.

Ela engole em seco, parece que tá se esforçando pra digerir a ideia. Eu só quero terminar logo com isso, antes que ela mude de ideia sobre eu trabalhar pra ela.

— Que tal às quatro? — pergunto. — Trabalho das oito às quatro, com uma folguinha para o almoço etc.

— Está ótimo.

— Agora... precisamos falar do pagamento — digo eu, e meus dedões começam a se retorcer no meu sapato. Não deve ser lá grande coisa, se cinco empregadas já disseram não.

Nenhuma das duas diz nada.

— Ora, vamos lá, dona Celia. Quanto o seu marido diz que pode pagar?

Ela olha para o processador Veg-O-Matic, que aposto que nem sabe usar, e diz:

— Johnny não sabe de nada.

— Muito bem, então. Pergunta pra ele hoje à noite quanto ele quer pagar.

— Não, Johnny não sabe que eu estou contratando alguém para me ajudar.

Meu queixo cai até o peito.

— Como assim, ele não sabe?

— Eu *não* vou contar para o Johnny. — Os olhos dela parecem grandes, como se morresse de medo dele.

— E o que o seu Johnny vai fazer se chegar em casa e encontrar uma mulher de cor na cozinha dele?

— Desculpe, é que eu não posso...

— Eu digo pra madame o que ele vai fazer: ele vai pegar a pistola e dar um tiro e matar a Minny aqui, bem no chão sem cera da casa dele.

Dona Celia balança a cabeça:

— Eu não vou contar a ele.

— Então eu preciso ir embora — digo. *Merda. Eu sabia. Eu sabia que ela era louca, assim que cruzei a porta...*

— Não é que eu vá enganar ele, eu só preciso de uma empregada...

— Claro que a madame precisa de uma empregada. A última levou um tiro na cabeça.

— Ele nunca vem para casa durante o dia. Só faça a limpeza pesada e me ensine a fazer o jantar, e só vai levar alguns meses...

Meu nariz sente o cheiro de alguma coisa queimando. Vejo uma lufada de fumaça saindo do forno.

— E então o que acontece? A madame vai me demitir depois de uns meses?

— Então eu... conto para ele — diz ela, mas a ideia deixa a testa dela toda franzida. — Por favor, eu quero que ele pense que sou capaz de fazer isso tudo sozinha. Quero que ele pense que eu... valho a pena.

— Dona Celia... — balanço a cabeça, sem acreditar que já tou discutindo com essa mulher e não faz nem dois minutos que trabalho aqui. — Acho que a madame conseguiu queimar o bolo.

Ela pega um pano e vai correndo até o forno. Abrindo ele com força, tenta tirar o bolo de lá:

— Oh! Inferno!

Eu largo minha bolsa e tiro a mulher da minha frente.

— A madame não pode usar toalha molhada numa forma quente.

Eu pego um pano seco e levo o bolo porta afora, coloco ele no chão, no degrau de concreto.

Dona Celia fica olhando, assustada, pra mão queimada.

— A sra. Walters disse que você cozinhava muito bem.

— Aquela velha come dois grãozinhos de fava e já diz que tá cheia. Eu não conseguia fazer ela comer nada.

— Quanto ela lhe pagava?

— Um dólar a hora — digo eu, com um pouco de vergonha. Cinco anos e nem o salário mínimo eu recebia.

— Então, eu pago dois.

Sinto todo o ar sair dos meus pulmões.

— Que horas o seu Johnny sai de casa, de manhã? — pergunto, limpando o tablete de manteiga que tá derretendo na bancada, não tem nem um prato embaixo.

— Às seis. Ele não suporta ficar de bobeira aqui durante muito tempo. E ele volta da agência imobiliária por volta das cinco horas.

Faço umas contas e, mesmo trabalhando menos horas, eu receberia mais dinheiro. Mas não posso receber dinheiro nenhum, se levar um tiro e for morta.

— Vou embora às três, então. Assim dá duas horas pra vir e duas horas pra voltar, pra eu ficar bem longe dele.

— Ótimo. — Ela acena a cabeça, concordando. — É melhor garantir.

No degrau junto da porta dos fundos, dona Celia vira o bolo dentro de um saco de papel.

— Vou ter que enfiar isso bem fundo no cesto de lixo para ele não ficar sabendo que queimei mais um bolo.

Pego o saco das mãos dela:

— Seu Johnny não vai ver nada. Eu jogo fora na minha casa.

— Oh, *muito* obrigada. — Dona Celia balança a cabeça como se aquilo fosse a melhor coisa que alguém já fez pra ela. Então ela fecha os dois punhos e apoia neles a cabeça. Caminho até o meu carro.

Eu me sento no Fordzinho pelo qual o Leroy ainda tá pagando pro chefe dele doze dólares toda semana. O alívio toma conta de mim. Finalmente encontrei um serviço. Não preciso me mudar pro Polo Norte. Papai Noel vai ficar decepcionado.

"FIQUE BEM SENTADA com a bunda na cadeira, Minny, pois vou explicar pra você as regras pra trabalhar na casa de uma Patroa Branca."

Eu tinha quatorze anos de idade nesse dia. Eu tava sentada na mesinha de madeira na cozinha da minha mãe, namorando aquele bolo de caramelo que tava esfriando sobre um descanso, esperando pra ir pro gelo. Os aniversários eram os únicos dias do ano em que me deixavam comer tanto quanto eu queria.

Eu estava prestes a deixar a escola e começar no meu primeiro trabalho de verdade. Mamãe queria que eu continuasse na escola até a nona série — ela sempre quis ser professora de colégio em vez de trabalhar na casa da dona Woodra. Mas com o problema de coração da minha irmã e o meu pai bêbado que não servia pra nada, sobrava tudo pra mim e pra mamãe. Eu já sabia cuidar da casa. Depois da escola, eu fazia a maior parte da comida e da limpeza. Mas, se eu ia trabalhar na casa de alguém, quem é que ia cuidar da nossa casa?

Mamãe colocou as mãos nos meus ombros e me virou, pra eu olhar pra ela em vez de pro bolo. Mamãe era linha-dura. Era limpa. Não pegava nada de ninguém. Balançou o dedo tão perto do meu rosto que me deixou vesga.

"Regra Número Um pra trabalhar pra uma Patroa Branca, Minny: Não se meta onde não é chamada. Mantenha o seu nariz bem longe dos problemas da sua patroa branca, e nada de reclamar pra ela dos seus problemas. Não consegue pagar a conta de luz? Seus pés tão doendo? Lembre sempre de uma coisa: gente branca não é nossa amiga. Não querem saber de nada disso. E quando a Dona Patroa Branca pega o homem dela com a vizinha, você fica longe disso, tá me ouvindo?

"Regra Número Dois: *Nunca* deixe a Patroa Branca pegar você sentada na privada dela. Não interessa se você tá tão apertada que tem xixi saindo das suas tranças. Se não tem um banheiro nos fundos da casa pras empregadas, dê um jeito de encontrar um tempo quando ela não estiver, em um banheiro que ela não usa.

"Regra Número Três..."

Mamãe puxou meu queixo de novo na direção dela porque o bolo tinha me enfeitiçado de novo.

"Regra Número Três: Quando cozinhar comida de gente branca, você pega uma colher limpa pra provar. Se você coloca a colher na boca, acha que ninguém tá olhando e coloca de volta na panela, é melhor jogar tudo fora.

"Regra Número Quatro: Você usa sempre a mesma xícara, o mesmo garfo e o mesmo prato todos os dias. Guarde tudo num armário separado e diga pra patroa que esses são os que você vai usar de agora em diante.

"Regra Número Cinco: Você come na cozinha.

"Regra Número Seis: Você não bate nas crianças dela. Os brancos gostam de bater eles mesmos.

"Regra Número Sete: Esta é a última, Minny. Você tá me ouvindo? Nada de retrucar e ficar resmungando."

"Mamãe, eu sei como..."

"Oh, eu ouço quando você acha que não tou ouvindo, resmungando porque tem que limpar a chaminé do fogão, porque sobrou um último pedacinho de galinha pra pobre da Minny. Você resmunga com uma patroa branca de manhã, à tarde você tá resmungando no olho da rua."

Eu via como a minha mãe agia quando a dona Woodra trazia ela pra casa, toda Sim, senhora, Não, senhora, Muito obrigada, senhora. *Por que eu preciso ser assim? Eu sei enfrentar as pessoas.*

"Agora venha aqui e dê um abraço na sua mãe, pelo seu aniversário. Nossa, você pesa mais que uma casa, Minny."

"Eu num comi nada o dia todo, quando posso comer o bolo?"

"Não diga 'num', fale direito de agora em diante. Não criei você pra falar que nem uma mula."

No primeiro dia na casa da minha Patroa Branca, comi meu sanduíche de presunto na cozinha, coloquei meu prato no meu lugarzinho no armário. Quando aquela pirralhinha roubou a minha bolsa e escondeu ela no fogão, não dei tapa nenhum no traseiro dela.

Mas quando a Patroa Branca disse: "Agora quero que você lave todas as roupas à mão primeiro, e então coloque na máquina de lavar para arrematar."

Eu disse: "Por que eu preciso lavar à mão se a máquina vai lavar? É a maior perda de tempo que já vi."

Aquela Patroa Branca sorriu pra mim, e, cinco minutos depois, eu tava no olho da rua.

TRABALHANDO PRA DONA CELIA, eu vou poder levar as crianças até o Colégio Spann de manhã e ainda estar em casa à tardinha e ter um tempo pra mim. Não tiro uma soneca desde que Kindra nasceu, em

1957, mas, com esse horário — das oito às três —, posso tirar uma soneca todos os dias, se me der vontade. Já que nenhum ônibus vai até a casa da dona Celia, eu preciso pegar o carro do Leroy.

— Você não vai pegar o meu carro todo dia, mulher, e se eu ficar com o turno do dia e precisar...

— Ela tá me pagando setenta dólares em dinheiro toda sexta-feira, Leroy.

— Bem, então eu posso pegar a bicicleta do Sugar.

Na terça-feira, um dia depois da entrevista, estaciono o carro lá na rua da casa da dona Celia, numa curva onde não dá pra ninguém ver ele. Ando rápido na estrada vazia e subo o caminho que leva até a casa. Nenhum outro carro passa por ali.

— Tou aqui, dona Celia. — Enfio a cabeça no quarto dela naquela primeira manhã, e lá tá ela, sentada no meio das cobertas, com a maquiagem perfeita e com seu conjunto apertado de usar sexta à noite, mesmo se só é terça, lendo porcaria no *Hollywood Digest* como se fosse a Bíblia Sagrada.

— Bom dia, Minny! Que bom ver você — diz ela, enquanto fico arrepiada de ouvir uma mulher branca sendo tão gentil.

Olho ao redor no quarto, avaliando o trabalho que me espera. É grande, com tapete creme, uma cama amarela grande com dossel, e duas poltronas amarelas e fofas. E tá tudo arrumado, nada de roupa jogada no chão. Embaixo da dona Celia, a cama tá arrumada. O cobertor tá dobrado com capricho sobre a cadeira. Mas eu observo, olho. Dá pra sentir. Tem alguma coisa errada.

— Quando podemos ter a nossa primeira aula de culinária? — pergunta ela. — Podemos começar hoje?

— Acho que daqui uns dias, depois que a senhora for na venda comprar o que a gente precisa.

Ela reflete um segundo e diz:

— Talvez seja melhor você ir, Minny, você sabe melhor o que comprar e tudo o mais.

Olho pra ela. A maior parte das brancas gostam de fazer as compras elas mesmas.

— Tudo bem, vou amanhã de manhã, então.

Vejo um tapetinho rosa amarfanhado que ela colocou em cima do carpete, perto da porta do banheiro. Meio na diagonal. Não sou nenhuma decoradora, mas sei que um tapete rosa não combina com um quarto amarelo.

— Dona Celia, antes de eu começar, preciso saber. Exatamente quando a senhora quer falar pro seu Johnny de mim?

Ela olha pra revista que tá no colo dela:

— Daqui a alguns meses, acho. Então já vou saber cozinhar e fazer as outras coisas.

— Alguns meses a senhora quer dizer dois?

Ela morde os lábios pintados de batom.

— Eu estava pensando mais para... quatro.

O que que eu digo? Não vou trabalhar quatro meses como uma criminosa que fugiu da prisão.

— Só vai contar pra ele em 1963? Não, senhora, *antes* do Natal.

Ela suspira.

— Está bem. Mas bem perto de antes.

Faço umas contas:

— São cento e... dezesseis dias. A senhora vai contar pra ele. Daqui a cento e dezesseis dias.

Ela olha pra mim com um jeito preocupado. Acho que ela não imaginou que a empregada era tão boa de conta. Finalmente ela diz:

— Tudo bem.

Então digo que ela precisa ir pra sala, pra deixar eu fazer o meu trabalho no quarto. Quando ela sai, corro meus olhos por todo o quarto e vejo como ele tá arrumado. Bem devagar eu abro o armário dela e, bem como eu tinha imaginado, quarenta e cinco coisas despencam na minha cabeça. Então, olho embaixo da cama e encontro meses de roupa suja pra lavar.

Cada gaveta é uma confusão, cada cantinho escondido tá cheio de roupa suja e meias enroladas. Encontro quinze caixas de camisas novas pro seu Johnny, pra ele não saber que ela não sabe lavar nem passar. Finalmente, levanto aquele tapetinho rosa amarrotado. Embaixo dele, uma enorme mancha cor de ferrugem. Suspiro.

NAQUELA TARDE, a dona Celia e eu fazemos uma lista do que cozinhar na semana, e na manhã seguinte eu faço as compras. Mas levo o dobro do tempo porque preciso dirigir até aquele Jitney Jungle de gente branca na cidade, em vez do Piggly Wiggly dos negros, sozinha, já que imagino que ela não deve comer comida de um mercado de cor e, pensando bem, não dá pra culpar ela, já que as batatas têm olhos de quase um centímetro de diâmetro e o leite é praticamente azedo. Quando chego pra trabalhar, tou armada pra discutir com ela sobre todas as razões que fizeram eu me atrasar, mas a dona Celia tá na cama como no outro dia, sorrindo sem se importar. Toda vestida, pra ir a lugar nenhum. Durante cinco horas ela fica sentada ali, lendo revistas. A única vez que vejo ela levantar é pra pegar um copo de leite ou pra fazer xixi. Mas não pergunto nada. Sou só a empregada.

Depois de limpar a cozinha, eu vou na sala de estar das visitas. Paro junto da porta e dou uma boa olhada naquele urso gigante. Ele tem mais de dois metros de altura e os dentes arreganhados. As unhas dele são compridas, curvadas, parecem de bruxa. Perto dos pés dele tem uma faca de caçador de cabo de osso. Chego mais perto e vejo que o pelo dele tá coberto de poeira. Tem uma teia de aranha entre os dentes dele.

Primeiro, tiro o pó com a vassoura, mas é uma camada grossa, entranhada nos pelos. A única coisa que acontece é a poeira mudar de lugar. Então pego um pedaço de pano e tento limpar a poeira, mas dou um pulo cada vez que aqueles pelos duros tocam a minha mão. Gente *branca*. Quero dizer, já limpei de tudo, de refrigeradores até traseiro de gente, mas por que essa mulher pensa que eu sei como se limpa um maldito urso?

Pego o aspirador. Aspiro toda a poeira e, a não ser por causa de alguns lugares onde aspirei demais e o pelo ficou mais ralo, acho que ficou bom.

Depois de terminar o urso, espano os livros bonitos que ninguém lê, os botões do casaco confederado, a pistola de prata. Sobre uma mesa tem um porta-retrato de moldura dourada com a dona Celia e o seu Johnny no altar, e eu olho bem de perto pra ver que tipo de homem ele é. Espero que ele seja gordo e tenha pernas curtas, caso algum dia eu tenha que fugir correndo, mas não, muito pelo contrário. Ele é forte, alto, parrudo. E não é nenhum estranho. Senhor. Ele é aquele que namorou firme com a dona Hilly todos aqueles anos quando eu tinha acabado de começar a trabalhar pra dona Walters. Nunca cheguei a falar com ele, mas vi ele várias vezes e tenho certeza. Tremo toda, e meus medos se triplicam. Porque só isso diz mais sobre esse homem do que qualquer outra coisa.

À UMA HORA, a dona Celia entra na cozinha e diz que tá pronta pra primeira aula de culinária. Ela se senta num banquinho. Tá vestindo um suéter vermelho justo e uma saia vermelha e maquiagem suficiente pra colocar uma prostituta pra correr.

— O que que a senhora já sabe cozinhar? — pergunto.

Ela pensa bem na pergunta e enruga a testa:

— Quem sabe a gente começa bem do início?

— Tem que ter alguma coisa que a senhora sabe. O que a sua mãe ensinou pra senhora?

Ela olha pra baixo, pros pés da sua meia arrastão. Diz:

— Sei fazer pão de milho.

Não consigo controlar o riso.

— O que mais a senhora sabe fazer, além de pão de milho?

— Sei ferver batata. — A voz dela fica ainda mais baixa. — E sei fazer mingau. Em um fogão a gás. Mas estou pronta para aprender tudo direitinho. Em um fogão de verdade.

Senhor. Nunca antes conheci um branco mais pobre do que eu, a não ser o louco do seu Wally, que mora atrás do mercado Canton e come ração de gato.

— A senhora tá alimentando o seu marido todos os dias com mingau e pão de milho?

A dona Celia faz que sim.

— Mas você vai me ensinar a cozinhar, não vai?

— Vou tentar — digo, apesar de eu nunca ter dito a uma patroa o que fazer e não sei bem como começar. Dou um puxão na minha meia, penso um bocado no assunto. Finalmente, aponto pra lata que tá em cima do balcão.

— Imagino que, se tem alguma coisa que a senhora sabe sobre cozinhar, é isso.

— Isso é só banha, não é?

— Não, não é só banha — digo. — É a invenção mais importante da cozinha desde a maionese em pote de vidro.

— O que tem de tão especial em — ela franze o nariz pra lata — gordura de porco?

— Não é de *porco*. É vegetal. — Quem nesse mundo não sabe o que é Crisco? — A senhora não faz ideia de tudo que dá pra fazer com essa lata aqui.

Ela dá de ombros:

— Fritar?

— Não é só pra fritar. Alguma vez a senhora já ficou com alguma coisa grudenta presa no cabelo, como chiclete? — Eu martelo a lata de Crisco com meu indicador. — Exatamente: Crisco. Espalhe isso na bunda de um nenê, e a senhora nem vai mais saber onde tava a assadura.

— Coloco três colheradas generosas na frigideira de ferro. — Por Deus, já vi patroas esfregarem isso embaixo dos olhos e nos pés rachados dos maridos.

— Olha só como é bonito — diz ela. — Parece cobertura de bolo.

— Limpa a cola das etiquetas de preço, tira o rangido das dobradiças. Se a luz é cortada, enfie um pedaço de corda nela, que vai queimar que nem uma vela.

Acendo a chama do fogão e a gente vê a gordura derreter na frigideira.

— E, depois disso tudo, ainda frita a sua galinha.

— Tudo bem — diz ela, concentrada. — Qual o próximo passo?

— A galinha tá mergulhada no creme de leite — digo. — Agora misture os ingredientes secos.

Coloco farinha, sal, mais sal, pimenta, páprica e uma pitada de pimenta caiena num saco duplo de papel.

— Agora a senhora coloca as partes da galinha no saco e sacode bem.

Dona Celia coloca dentro do saco uma coxa de galinha crua e sacode o saco.

— Assim? Que nem o comercial do Shake'n Bake* na tevê?

— É — digo e trato de enrolar a língua dentro da boca, porque, se isso não é um insulto, então não sei o que é. — Que nem o Shake'n Bake. — Mas, então, eu congelo. Ouço o barulho do motor de um carro lá na estrada. Fico parada e presto atenção. Vejo que os olhos da dona Celia tão escancarados e que ela também tá ouvindo. Ela tá pensando a mesma coisa que eu: E se for ele, onde vou me esconder?

O motor do carro se afasta. Nós duas respiramos de novo.

— Dona Celia — eu cerro os dentes. — Por que não pode falar de mim pro seu marido? Ele não vai se dar conta, quando a comida começar a ficar boa?

---

* Shake'n Bake — produto usado para substituir a fritura, deixando a galinha crocante, embora tenha sido cozida no forno. (N.T.)

— Oh, eu não tinha pensado nisso! Talvez seja melhor a gente deixar a galinha queimar um pouco.

Olho enviesado pra ela. Não vou queimar galinha nenhuma. Ela não respondeu a minha pergunta, mas vou dar um jeito de arrancar isso dela logo logo.

Com muito cuidado, coloco a carne escura na panela. Começa a borbulhar como uma música e a gente observa enquanto as coxas ficam douradas. Olho e vejo a dona Celia sorrindo pra mim.

— O que é? Tem alguma coisa na minha cara?

— Não — diz ela, com lágrimas nos olhos. Ela pega no meu braço. — É que estou muito contente de você estar aqui.

Tiro o meu braço da mão dela.

— Dona Celia, a senhora tem um monte de outras coisas pra ser agradecida.

— Eu sei. — Ela olha pra cozinha dela, toda bonita, como se fosse uma coisa de mau gosto. — Nunca sonhei em ter tanto assim.

— Bem, a senhora é muito sortuda.

— Nunca fui mais feliz em toda a minha vida.

Eu fico quieta. Por baixo de toda aquela felicidade, ela, com certeza, não parece nem um pouco feliz.

DE NOITE, TELEFONO PRA AIBILEEN.

— A dona Hilly teve lá na casa da dona Leefolt ontem — diz Aibileen. — Ela perguntou se alguém sabia onde você tava trabalhando.

— Senhor do céu, se ela me descobrir aqui, vai pôr tudo a perder, ah, vai. — Faz duas semanas que eu fiz a Coisa Terrível com aquela mulher. Sei muito bem que ela ia adorar me ver sendo despedida.

— O que Leroy disse quando você contou pra ele que conseguiu o emprego? — pergunta Aibileen.

— Ora! Ficou andando pela cozinha como um galo ouriçado porque tava na frente das crianças — digo. — Finge que é o único que sustenta a família e que eu só tou fazendo isso pra me distrair, coitadinha.

Mas mais tarde, a gente tava na cama, achei que o touro velho do meu marido fosse chorar.

Aibileen ri.

— Leroy é muito, muito orgulhoso.

— É, eu só preciso cuidar pro seu Johnny não cruzar comigo.

— E ela não disse por que não quer que ele saiba?

— Ela só diz que quer que ele pense que ela sabe cozinhar e fazer a limpeza. Mas não é por isso. Tá escondendo alguma coisa dele.

— Não é estranho como tudo isso aconteceu? A dona Celia não pode contar pra ninguém, senão a coisa pode chegar no seu Johnny. Então, a dona Hilly não vai descobrir nada, porque a dona Celia não pode contar pra ninguém. Você mesma não podia ter feito melhor.

— Ãrrã — é só o que eu digo. Não quero parecer ingrata, já que foi Aibileen quem me conseguiu o serviço. Mas não posso deixar de pensar que só dupliquei as minhas preocupações, com a dona Hilly e agora também com o seu Johnny.

— Minny, eu queria muito perguntar uma coisa. — Aibileen limpa a garganta. — Você conhece aquela dona Skeeter?

— Aquela alta, que vinha na casa da dona Walters pra jogar bridge?

— É, o que você acha dela?

— Não sei, é branca que nem as outras. Por quê? O que ela falou de mim?

— Nada de você — diz Aibileen. — Ela só... umas semanas atrás, não sei por que eu não paro de pensar nisso. Ela me perguntou uma coisa. Perguntou se eu queria mudar as coisas. Nenhuma branca nunca me perguntou...

Mas então Leroy aparece na porta do quarto, querendo seu café antes de ir pro turno da noite.

— Diacho, ele acordou — digo. — Fala rápido.

— Não, não tem importância. Não é nada — diz Aibileen.

— O quê? O que tá acontecendo? O que aquela mulher disse?

— Era só fofoca. Bobagem.

CAPÍTULO 4

NA MINHA PRIMEIRA SEMANA na casa da dona Celia, esfrego aquela casa até não ter mais nenhum pano de limpeza, nenhum pedaço de lençol rasgado, nem mesmo uma meia velha que não tenha sido usada. Na segunda semana, esfrego a casa de novo, pois parece que a sujeira tornou a crescer. Na terceira semana, já tou satisfeita e mais acostumada com tudo.

Todo dia, dona Celia parece que não consegue acreditar que eu voltei pra trabalhar. Eu sou a única coisa que interrompe todo aquele silêncio em volta dela. A minha casa tá sempre cheia, por causa das cinco crianças, e por causa dos vizinhos e do marido. Na maioria dos dias, quando chego na casa da dona Celia, dou graças a Deus pelo sossego.

Minhas tarefas domésticas são divididas por dia da semana: na segunda-feira, passo óleo nos móveis. Na terça, lavo e passo os malditos lençóis, é o dia que eu detesto. Quarta-feira é pra lavar bem a banheira, mesmo se dou uma limpada nela todas as manhãs. Quinta-feira é pra lustrar o piso e aspirar os tapetes, tratando dos mais antigos com uma escovinha de mão, para não se desfazerem. Sexta-feira é dia de cozinhar pesado pro final de semana e de passar camisas, pra elas não acumularem, e também de dar uma limpada geral. Prataria e janelas tão como devem. Já que não tem crianças pra cuidar, tem tempo de sobra pra tal aula de culinária da dona Celia.

A dona Celia nunca faz nada de interessante, então a gente simplesmente prepara seja lá o que for que ela e o seu Johnny vão comer no jantar: costeletas de porco, galinha frita, rosbife, torta de galinha, costela de cordeiro, presunto assado, tomates fritos, purê de batata, mais os legumes. Ou, pelo menos, eu cozinho e a dona Celia fica em volta de mim; ela parece mais uma criança de cinco anos de idade do que a senhora rica que paga o meu aluguel. Quando a aula termina, ela vai correndo se deitar de novo. Na verdade, a única vez que a dona Celia se dá ao trabalho de dar dez passos é pra vir até a cozinha pra aula ou pra se enfiar lá em cima, a cada dois ou três dias, naqueles quartos sinistros.

Não sei o que ela faz durante esses cinco minutos no andar de cima. Mas não gosto nada de lá. Aqueles quartos deviam estar entupidos de crianças rindo e gritando e animando o lugar. Mas não é da minha conta o que a dona Celia faz do dia dela, e, se alguém quiser saber, fico feliz dela não se meter nas minhas tarefas. Já segui várias patroas com a vassoura numa mão e uma lata de lixo na outra, tentando limpar a bagunça delas. Enquanto ela ficar naquela cama, eu tenho emprego. Apesar dela não ter criança nenhuma e nada pra fazer o dia inteiro, ela é a mulher mais preguiçosa que eu já vi na vida. *Mais* que a minha irmã Doreena, que nunca levantou um dedinho, que age que nem uma rainha, porque tinha uma problema no coração que, mais tarde a gente descobriu, na verdade, era uma mosca na máquina do raio X.

E não é só da cama que ela não sai. A dona Celia não sai da casa *a não ser* pra descolorir o cabelo e aparar as pontas. Por enquanto, só aconteceu uma vez, nas três semanas que tou trabalhando aqui. Trinta e seis anos e ainda ouço a minha mãe me dizendo: *Não se não meta onde não é chamada.* Mas eu preciso saber do que essa mulher tem tanto medo fora daqui.

TODO DIA DE PAGAMENTO, eu faço a conta pra dona Celia:

— Mais noventa e nove dias pra senhora contar ao seu Johnny de mim.

— Nossa mãe, o tempo está passando muito rápido — diz ela, com um olhar meio desanimado.

— Um gato chegou na varanda hoje de manhã, quase me matou do coração, achei que fosse o seu Johnny.

Como eu, a dona Celia tá ficando cada vez mais nervosa à medida que a gente se aproxima do prazo. Eu não sei o que aquele homem vai fazer quando ela contar a verdade. Talvez ele mande ela me mandar embora.

— Espero que seja tempo suficiente, Minny. Acha que estou melhorando com a parte da comida? — pergunta ela, e então eu olho pra ela. Ela tem um sorriso bonito, dentes brancos e retos, mas é a pior cozinheira que eu já vi.

Então, eu me acalmo e ensino pra ela as coisas mais simples, porque quero que ela aprenda, e aprenda rápido. É que eu preciso que ela explique pro marido por que uma mulher negra de setenta e cinco quilos tem a chave da casa deles. Preciso que ele saiba por que eu ponho todos os dias as minhas mãos nas pratarias finas dele e nos brincos de rubi de um zilhão de quilates da dona Celia. Eu *preciso* que ele saiba disso antes que apareça um belo dia e chame a polícia. Ou nem se dê ao trabalho e resolva ele mesmo o problema.

— A senhora pega o pernil do porco, não deixe de colocar bastante água, isso mesmo. Agora acende a boca. Tá vendo aquelas bolinhas ali? Isso significa que a água tá boa.

A dona Celia olha pra baixo, pra panela, parece que está tentando ler o futuro dela:

— Você é feliz, Minny?

— Por que a senhora tá me fazendo uma pergunta estranha dessas?

— Mas você é?

— Claro que sou feliz, ora. A senhora também é. Casa grande, jardim grande, um marido que cuida da senhora. — Faço uma cara bem séria e me certifico que ela veja. Porque assim é que são os brancos, sempre se perguntando se são felizes o *bastante*.

E quando a dona Celia deixa queimar as ervilhas, faço o possível pra usar aquele autocontrole que a minha mãe jurou que eu tinha nascido sem.

— Muito bem — digo, rangendo os dentes —, vamos fazer de novo antes do seu Johnny chegar.

Todas as outras mulheres pra quem eu trabalhei, bem, eu teria adorado ter uma hora que fosse pra mandar nelas, pra elas verem o que é bom pra tosse. Mas a dona Celia, o jeito dela me olhar com aqueles olhos enormes, como se eu fosse a melhor invenção desde o laquê em spray, eu quase prefiro que ela desse ordens pra mim, como devia ser. Começo a me perguntar se ela ficar deitada o tempo todo tem algo a ver com ela não contar pro seu Johnny sobre mim. Acho que ela vê a suspeita nos meus olhos também, porque um dia, do nada, ela falou:

— Tenho muitos pesadelos de que preciso voltar pra Sugar Ditch e morar lá. É por isso que eu passo tanto tempo deitada. — Então, ela dá um cochilo rapidíssimo, como se aquilo fosse ensaiado. — Porque não durmo direito à noite.

Dou um sorriso estúpido pra ela, fazendo de conta que acredito na história, e volto a limpar os espelhos.

— Não limpe bem demais. Deixe umas manchas.

É sempre alguma coisa, espelhos, assoalho, um copo sujo na pia ou a lixeira cheia.

— Tem que dar pra acreditar — diz ela, e eu fico cem vezes tentada a pegar aquele copo e lavar. Gosto das coisas limpinhas, guardadas nos devidos lugares.

— EU GOSTARIA DE PODER CUIDAR daquele arbusto de azaleias ali fora — diz dona Celia, um dia. Ela deu pra se deitar no sofá bem quando meus programas vão ao ar, interrompendo o tempo todo. Ouço a minha novela favorita *The Guiding Light*, que conta a história da vida e dos amores de um reverendo e sua filha há vinte e quatro anos, desde que eu tinha dez anos e ouvia o programa no rádio da minha mãe.

Então, entra um comercial do sabão líquido Dreft, e a dona Celia olha pra janela dos fundos, pro homem de cor que tá recolhendo as folhas secas do chão. Ela tem tantos arbustos de azaleias que, quando a primavera chegar, o jardim dela vai ficar parecendo o do *E o vento levou*... Eu não gosto de azaleias e, claro, não gostei desse filme, por causa do jeito que fizeram a escravidão parecer um grande e alegre chá das cinco. Se eu tivesse feito o papel da Mammy, eu teria mandado a Scarlett enfiar aquelas cortinas verdes no rabo branco dela. Fazer o seu próprio maldito vestido de caçar homem.

— E eu sei que podia fazer aquela roseira dar flores, se podasse ela um pouco — diz dona Celia. — Mas a primeira coisa que eu faria seria cortar essa árvore de mimosas.

— O que tem de errado com essa árvore? — Pressiono o cantinho do ferro na ponteira do colarinho do seu Johnny. Eu não tenho nem mesmo um arbusto, o que dirá uma árvore, no meu jardim.

— Não gosto dessas flores peludas. — Ela fica com o olhar longe, como se tivesse com o miolo mole. — Os pelos parecem cabelo de nenê.

Fico toda arrepiada de ouvir ela falar desse jeito.

— A senhora entende de flores?

Ela suspira:

— Eu adorava cuidar das minhas flores, lá em Sugar Ditch. Aprendi a cultivar plantas, na esperança de embelezar um pouco toda aquela feiura.

— Vá lá fora, então — digo eu, tentando não parecer muito entusiasmada. — Faça um pouco de exercício. Respire ar puro. — *Saia daqui.*

— Não — suspira a dona Celia. — Não devo sair correndo por aí. Preciso ficar quietinha.

Tá começando a me irritar de verdade ela nunca sair da casa assim, sorrindo como se a empregada que chega toda manhã fosse a melhor parte do seu dia. É como uma comichão. Todo dia eu tento, mas não consigo coçar direito. Todo dia a comichão piora um pouco. Todo dia ela tá *ali*.

— Talvez a senhora devesse sair e arranjar umas amigas — digo. — A cidade tá cheia de madames da sua idade.

Ela sorri pra mim.

— Já tentei. Não sei mais dizer quantas vezes já liguei para aquelas senhoras, para ver se eu podia ajudar com o Baile Beneficente, ou então fazer algo aqui em casa mesmo. Mas elas não me ligam de volta. Nenhuma delas.

Não digo nada, porque isso não é surpresa pra mim. Não com os peitos dela saindo pra fora da roupa e o cabelo da cor Pepita de Ouro.

— Vá fazer compras, então. Comprar umas roupas novas pra senhora. Vá fazer seja lá o que as patroas fazem quando a empregada tá em casa.

— Não, acho que vou descansar um pouco — diz ela, e dois minutos depois ouço os rangidos dela caminhando no andar de cima, nos quartos vazios.

O galho da mimosa bate contra a janela e eu levo um susto, queimo o dedão. Fecho os olhos com força, pra acalmar meu coração. Noventa e quatro dias dessa confusão ainda por vir e eu não sei como aguentar nem mais um minuto.

"MAMÃE, faz alguma coisa pra eu comer. Tou com fome." Foi isso o que a minha caçula, Kindra, que tem cinco anos, disse pra mim na noite passada. Com uma mão no quadril e batendo o pé.

Tenho cinco filhos e me orgulho de ter ensinado pra eles *sim senhora* e *por favor*, antes mesmo deles saberem dizer *bolacha*.

Pra todos, menos um.

"Você não vai comer nada até a hora do jantar", digo pra ela.

"Por que a senhora é tão má comigo? Eu a *odeio*", gritou ela e correu porta afora.

Levantei os olhos pro teto porque esse é um choque com o qual nunca vou me acostumar, mesmo com quatro filhos antes dela. O dia que seu filho diz que odeia você, e todos os filhos passam por essa fase, é como um chute no estômago.

Mas Kindra, Deus Nosso Senhor! Isso que eu tou vendo não é só uma fase. Essa menina tá me saindo igualzinha a mim.

Tou de pé na cozinha da dona Celia, pensando em ontem à noite, em Kindra e na boca suja dela, na asma do Benny, no meu marido Leroy voltando pra casa bêbado duas vezes na semana passada. Ele sabe que isso é a única coisa que não consigo suportar, depois de ter cuidado do bêbado do meu pai durante dez anos, eu e a minha mãe nos esfalfando pra ele gastar em bebida. Acho que eu devia ficar ainda mais chateada com tudo isso, mas ontem de noite, como mais um capítulo de *Me desculpe*, Leroy voltou pra casa com um saco de quiabos novinhos. Ele sabe que é a coisa que eu mais gosto de comer. Hoje vou fritar esses quiabos com farinha de milho e vou me fartar do jeito que a minha mãe nunca me deixou.

E esse também não é o único mimo do meu dia. É primeiro de outubro, e aqui estou eu, descascando pêssegos. A mãe do seu Johnny trouxe dois engradados do México, pesados como bolas de beisebol. Estão maduros e doces, fáceis de cortar que nem manteiga. Não aceito caridade de mulheres brancas porque eu *sei* que elas só querem que a gente fique devendo alguma coisa pra elas. Mas quando a dona Celia me disse pra pegar uma dúzia de pêssegos e levar pra casa, eu peguei um saco e tratei de enfiar doze pêssegos lá dentro. Quando eu chegar em casa hoje de noite, vou comer quiabo frito no jantar e torta de pêssego de sobremesa.

Fico vendo a casca, longa e torta, cair retorcida na bacia da dona Celia, sem prestar nenhuma atenção na entrada de carros. Normalmente, quando tou de pé na pia da cozinha, faço um mapa, na minha cabeça, de uma rota pra fugir do seu Johnny. A cozinha é o melhor cômodo pra isso, porque a janela da frente dá direto na rua. Tem uns arbustos altos de azaleias que escondem o meu rosto, mas consigo enxergar o suficiente pra detectar qualquer pessoa se aproximando. Se ele entrar pela porta da frente, a porta de trás me leva até a garagem. Se ele entrar pelos fundos, eu posso fugir pela frente. Outra porta da cozinha leva até o quintal, por via das dúvidas. Mas com suco escorrendo pelas minhas mãos e quase embriagada com o cheiro de manteiga, eu me perco num devaneio de cascas de pêssego. Nem mesmo vejo a caminhonete azul se aproximar.

O homem já fez metade do caminho até a entrada quando eu finalmente levanto os olhos. Vejo uma nesga de uma camisa branca, do tipo que tou acostumada a passar todos os dias, e um par de pernas de calça cáqui, como as que costumo pendurar no closet do seu Johnny. Engasgo um grito. Minha faca cai na pia e faz barulho.

— Dona Celia! — Vou correndo até o quarto dela. — O seu Johnny tá em *casa*!

A dona Celia pula da cama rápido como nunca. Eu ando de um lado pro outro, num círculo estúpido. *Onde tou indo? Pra onde ir? O que aconteceu com o meu plano de fuga?* E então, de repente, tomo uma decisão — o banheiro das visitas!

Eu me enfio lá dentro e trato de segurar a porta bem fechada. Me agacho em cima da privada, pra ele não ver os meus pés por baixo da porta. Tá escuro aqui, e quente. Parece que a minha cabeça tá pegando fogo. Fios de suor pingam do meu queixo pro chão. Fico enjoada por causa do cheiro forte dos sabonetes de gardênia na pia.

Ouço passos. Prendo a respiração.

Os passos param. Meu coração tá pulando como um gato numa secadora de roupas. E se a dona Celia fizer de conta que não me conhece, pra não se ver em maus lençóis? E se ela agir como se eu fosse uma ladra? *Oh, eu odeio ela! Odeio essa mulher imbecil!*

Presto atenção, mas só consigo ouvir a minha respiração. O tum-tum no meu peito. Meus tornozelos doem e estalam, de sustentar o meu corpo desse jeito.

Meus olhos se acostumam com a escuridão. Depois de um minuto, consigo ver a minha imagem no espelho da pia. Agachada como uma idiota, em cima da privada de uma mulher branca.

Olhe só pra mim. Olhe onde Minny Jackson chegou, pra ganhar o pão.

SRTA. SKEETER

CAPÍTULO 5

DIRIJO RÁPIDO O CADILLAC DA MAMÃE sobre o chão de cascalho, na direção de casa. Não dá nem mesmo para ouvir Patsy Cline no rádio, por causa de todos os pedriscos que se chocam na lateral dele. Mamãe ficaria furiosa, mas eu acelero ainda mais. Não consigo parar de pensar no que Hilly me disse hoje, no clube do bridge.

Hilly, Elizabeth e eu somos amigas desde a Escola Primária Power. Minha foto favorita é de nós três sentadas na arquibancada, num jogo de futebol americano, na escola secundária, espremidas umas contra as outras, bem juntinhas. O legal da foto, porém, é que a arquibancada está completamente vazia à nossa volta. Nós nos sentamos juntinhas porque éramos muito unidas.

Em Ole Miss, a Universidade do Mississippi, Hilly e eu dividimos um quarto durante dois anos, até que ela foi embora para se casar, e eu continuei, até me formar. Eu enrolava treze bobes no cabelo dela todas as noites no dormitório Chi Omega. Mas hoje ela ameaçou me expulsar da Liga. Não que eu dê lá muita bola para a Liga, mas fiquei magoada com a facilidade com que a minha amiga estaria disposta a me excluir.

Entro na alameda que leva até Longleaf, a plantação de algodão da minha família. O som do cascalho se abranda e agora é uma poeira amarelada. Vou mais devagar, antes que mamãe veja que estou a toda velocidade. Estaciono junto à casa e saio. Minha mãe está se embalando em uma cadeira de balanço, na varanda.

— Venha se sentar, minha querida — diz ela, indicando-me uma cadeira de balanço a seu lado. — Pascagoula acabou de passar cera no assoalho. Espere secar um pouco.

— Está bem, mamãe. — Dou um beijo na sua bochecha empoada. Mas não me sento. Debruço-me sobre o gradil da varanda, olho para os três carvalhos cobertos de musgo no jardim. Mesmo que a apenas cinco minutos da cidade, a maior parte das pessoas considera isto aqui área rural. Em volta do nosso jardim se estendem dez mil acres de campos de algodão do papai, os pés verdes e fortes chegando até a minha cintura. Alguns homens de cor estão sentados sob um abrigo distante, olhando para o calor. Todos à espera da mesma coisa: que as bolas de algodão se abram.

Penso em como as coisas são diferentes entre Hilly e eu, desde que voltei da faculdade para casa. Mas quem foi que mudou, ela ou eu?

— Falei para você? — pergunta mamãe. — Fanny Peatrow está noiva.

— Que bom para ela.

— Menos de um mês depois de ela conseguir aquele emprego de caixa no Farmer's Bank.

— Que ótimo, mamãe.

— *Eu* sei — diz ela, e me viro para ver mais um daqueles olhares "acabei de ter uma ideia brilhante" dela. — Por que você não vai até o banco e se candidata para a vaga de bancária?

— Não quero ser bancária, mamãe.

Mamãe suspira, estreita os olhos na direção do cocker spaniel, Shelby, que está lambendo suas partes íntimas. Olho para a porta de entrada, tentada a arruinar o assoalho impecável. Já tivemos essa conversa muitas outras vezes.

— Minha filha vai para a faculdade durante quatro anos e o que ela me traz de volta para casa? — pergunta ela.

— Um diploma?

— Um pedaço bonito de papel — responde ela.

— Já expliquei para a senhora. Não conheci ninguém com quem eu quisesse me casar — digo.

Mamãe se levanta da cadeira e se aproxima, para eu olhar para o seu rosto suave e belo. Está usando um vestido azul-marinho ajustado sobre seus ossos delicados. Como de costume, seu batom está do mesmo jeito, mas, quando ela se aproxima dos raios do sol da tarde, vejo manchas escuras, secas, na parte da frente da sua roupa. Aperto os olhos, tentando ver se as manchas estão mesmo lá.

— Mamãe, a senhora está se sentindo mal?

— Se você, pelo menos, demonstrasse um pouco de iniciativa, Eugenia...

— Seu vestido está todo sujo na frente.

Mamãe cruza os braços.

— Bem, falei com a mãe de Fanny e ela disse que Fanny estava sendo praticamente soterrada de pretendentes, desde que pegou aquele emprego.

Desisto do assunto do vestido. Nunca vou poder dizer à mamãe que quero ser escritora. Ela vai transformar isso em mais uma coisa que me diferencia das moças casadas. Também não posso contar a ela sobre Charles Gray, meu parceiro do grupo de estudos de matemática na primavera passada, em Ole Miss. Sobre como ele ficou bêbado no último ano e me beijou, e então apertou a minha mão tão forte que deveria ter doído mas não doeu, como foi maravilhoso o jeito dele segurar a minha mão e me olhar nos olhos. Mas então ele se casou com a baixinha da Jenny Sprig, de um metro e meio.

O que eu precisava fazer era encontrar um apartamento na cidade, no tipo de prédio onde morassem moças solteiras, simples, solteironas, secretárias, professoras. Mas a única vez que mencionei a possibilidade de usar algum dinheiro do meu fundo fiduciário, mamãe chorou lágrimas de verdade. "Não é para isso que serve o dinheiro, Eugenia. Para morar em uma pensão com cheiro de comida estranha e meias de seda penduradas na janela. E quando o dinheiro acabar? Do que você vai viver?" Então ela tratou de colocar um pano úmido sobre a cabeça e se retirar para a cama pelo resto do dia.

E agora ela está se segurando na cerca da varanda, esperando para ver se eu vou fazer o que aquela gorda da Fanny Peatrow fez para se salvar. Minha própria mãe me olha como se eu perturbasse sua mente com a minha aparência, a minha altura, o meu cabelo. Dizer que eu tenho cabelo crespo é um eufemismo. É arrepiado, mais púbico do que qualquer outra coisa, e de um loiro meio branco, se quebrando facilmente, como feno. Minha pele é lisa e branca e, apesar de algumas pessoas chamarem isso de sedosa, pode parecer extremamente pálida quando fico séria — o que significa o tempo todo. Além disso, tem uma pequena saliência de cartilagem no alto do meu nariz. Mas meus olhos são azuis da cor da centáurea, como os de mamãe. Dizem que é a minha melhor característica física.

— É só se colocar numa situação favorável para conhecer homens, em que você...

— Mamãe — digo, querendo simplesmente terminar essa conversa —, seria mesmo tão terrível se eu nunca encontrasse um marido?

Mamãe fecha os braços em torno do seu corpo, como se esse mero pensamento lhe causasse frio.

— Não. Não diga isso, Eugenia. Ora, toda semana vejo um homem na cidade com mais de um metro e oitenta, e penso: *Se Eugenia, pelo menos, tentasse...* — Ela pressiona o estômago com a mão, o simples pensamento piorando a sua úlcera.

Tiro minhas sapatilhas e desço os degraus da entrada, enquanto mamãe grita para eu colocar os sapatos de volta, me ameaçando com micoses, encefalite transmitida pelo mosquito. A inevitabilidade da morte por não se usar sapatos. A morte pela falta de marido. Dou de ombros com o mesmo sentimento de estar deixando algo para trás, que me acompanha desde que me formei na faculdade, há três meses. Fui largada num lugar que não é mais o meu. Com certeza, meu lugar não é mais aqui, com mamãe e papai, talvez nem mesmo com Hilly e Elizabeth.

— ... você está com vinte e três anos; na sua idade, eu já tinha Carlton Jr. — diz mamãe.

Fico parada sob a murta de flores cor-de-rosa, observando mamãe na varanda. Os lírios já perderam o vigor. Já é quase setembro.

NÃO FUI um bebê bonito. Quando nasci, meu irmão mais velho, Carlton, olhou para mim e anunciou para todo mundo no quarto do hospital:

— Não é um bebê, é um mosquito!*

E, a partir daí, o apelido pegou. Eu era comprida, tinha pernas longas, e era magra que nem um mosquito, um recorde de mais de sessenta centímetros no Hospital Batista. O apelido se tornou ainda mais preciso por causa do meu nariz pontudo, parecido com o bico de um pássaro, quando eu era pequena. Mamãe passou toda a minha vida tentando convencer as pessoas a me chamarem por meu nome de batismo: Eugenia.

A sra. Charlotte Boudreau Cantrelle Phelan não gosta de apelidos.

Aos dezesseis, eu não só não era bonita como era dolorosamente alta. Alta como as meninas que aparecem nas fileiras do fundo nas fotos escolares, junto com os meninos. Alta a ponto de fazer minha mãe passar noites desfazendo bainhas, espichando mangas de suéteres, achatando meu cabelo para bailes para aos quais ninguém me convidava, finalmente pressionando o topo da minha cabeça, como se ela pudesse me

* Skeeter, em inglês. (N.T.)

encolher de volta à época em que ela precisava chamar minha atenção para eu me sentar ereta. Quando fiz dezessete anos, mamãe preferia que eu sofresse de diarreia apoplética a me sentar ereta. Medindo um metro e sessenta e quatro centímetros, tinha sido a segunda colocada no concurso de Miss Carolina do Sul. Ela concluiu que, num caso como o meu, só havia uma coisa a fazer:

Manual da Caça ao Marido, da Sra. Charlotte Phelan. Regra Número Um: a beleza de uma moça bonita, mignon, deve ser ressaltada pela maquiagem e por uma boa postura. A de uma moça alta e sem atrativos, por um fundo fiduciário.

Eu tinha um metro e oitenta e dois centímetros, mas vinte e cinco mil dólares algodoeiros em meu nome, e se a beleza disso não era aparente, por Deus, então, de todo modo, o pretendente em questão não era esperto o suficiente para entrar para a família.

O QUARTO DE QUANDO EU ERA CRIANÇA fica no último andar da casa dos meus pais. Tem cadeiras de espaldar branco como chantilly e querubins róseos nas sancas do teto. É forrado de papel de parede com botões de rosa verde-menta. Na verdade é o sótão, com paredes altas, que se afunilam em cima, e em muitos lugares eu não consigo ficar em pé direito. As bay windows fazem o cômodo parecer redondo. Além de mamãe me importunar dia sim dia não sobre encontrar um marido, sou obrigada a dormir num bolo de casamento.

E, ainda assim, é o meu santuário. Aqui em cima, o calor se condensa e se adensa como um balão movido a ar quente, o que não deixa as visitas muito à vontade. As escadas são estreitas e difíceis para os pais subirem. Nossa empregada anterior, Constantine, costumava olhar desolada para essas escadas íngremes todos os dias, como uma batalha a ser travada. Esta era a única parte que eu não gostava em ter o último andar da casa: o fato de que me separava de Constantine.

Três dias depois da minha conversa na varanda com mamãe, abro sobre a minha mesa o caderno de anúncios de emprego do *Jackson*

Journal. Mamãe esteve me seguindo toda a manhã com um novo treco para alisar os cabelos, enquanto papai estava na varanda, resmungando e maldizendo os campos de algodão, porque estão derretendo como neve no verão. Além de gorgulho, chuva é a pior coisa que pode acontecer na época da colheita. Mal entramos em setembro, e as trombas d'água já começaram.

Com a caneta vermelha na mão, leio toda a espremida coluna sob o título OFERECE-SE SERVIÇO: MULHERES.

Loja de Depto. Kennington procura vendedora com boa apresentação, bons modos e sorriso!

Precisa-se de jovem secretária eficiente. Datilografia não necessária. Ligar sr. Sanders. Jesus, se ele não quer que a secretária datilografe, o que ele quer que ela faça?

Precisa-se de estenógrafa iniciante, Percy & Gray, LP, $1,25 a hora. Isso é novo. Faço um círculo ao redor.

Ninguém pode dizer que eu não estudava com afinco lá em Ole Miss. Enquanto minhas amigas estavam na rua bebendo rum com Coca-Cola nas festas da Phi Delta Theta e se apertando nos corpetes de suas mães, eu ficava sentada na sala de estudos e escrevia por horas a fio — na maior parte, redações para a faculdade, mas também contos, poesia de má qualidade, episódios de *Dr. Kildare*, jingles para Pall Mall, cartas de reclamações, anotações aleatórias, cartas de amor para rapazes que eu tinha visto em sala de aula, mas com os quais não tivera a coragem de falar, todas as quais nunca enviei. Claro, eu sonhava em ter encontros com rapazes do time de futebol americano, mas meu verdadeiro sonho era um dia escrever algo que as pessoas de fato lessem.

No quarto trimestre do meu último ano na escola, eu só me candidatei a um emprego, mas era um bom emprego, pois ficava a novecentos e cinquenta quilômetros do Mississippi. Colocando vinte e duas moedas de enfiada no telefone público de Oxford Mart, eu havia solicitado informações sobre uma vaga de editora na Harper & Row, na 33th Street em Manhattan. Eu tinha visto o anúncio no *The New York Times* da biblioteca de Ole Miss e então enviei a eles meu currículo naquele mesmo dia. Com um fio de esperança, cheguei a ligar para obter maiores informações sobre um apartamento de um quarto na East 85th Street, com uma chapa elétrica, por quarenta e cinco dólares por mês. A Delta Airlines me informou que um bilhete só de ida para o aeroporto Idlewild custaria setenta e três dólares. Não tive o bom senso de me candidatar a mais de um emprego por vez e nunca tive notícias deles.

Meus olhos descem um pouco, para onde diz OFERECE-SE SERVIÇO: HOMENS. Há, pelo menos, quatro colunas cheias de ofertas para gerentes de banco, contadores, agentes de empréstimo, operador de máquina de triagem de algodão. Neste lado da página, a mesma Percy & Gray, LP, oferece para estenógrafos iniciantes cinquenta centavos a mais por hora.

— DONA SKEETER, uma ligação pra senhorita — ouço Pascagoula gritar lá de baixo da escada.

Desço até o único telefone da casa. Pascagoula me estende o fone. Ela é pequena como uma criança, não tem nem mesmo um metro e meio, e é preta como a noite. Seu cabelo é todo crespo, e seu uniforme branco foi feito sob medida para seus braços e pernas curtas.

— A dona Hilly no telefone pra senhora — diz ela, e o entrega a mim com a mão molhada.

Sento junto à mesa de ferro branca. A cozinha é grande e quadrada, e está quente. Os quadrados de linóleo preto e branco do assoalho estão rachados em alguns lugares, finos de tão gastos na frente da pia. A nova máquina de lavar pratos, de inox, fica no meio do cômodo, ligada a uma mangueira que sai de uma torneira.

— Ele vem no próximo final de semana — diz Hilly. — No sábado à noite. Você está livre?

— Nossa, deixe eu conferir a minha agenda — digo. Na voz de Hilly não se percebe qualquer traço da nossa discussão no dia do clube do bridge. Fico desconfiada, mas aliviada.

— Não posso acreditar que isso *finalmente* vai acontecer — diz Hilly, pois há meses ela vem tentando arrumar um encontro para mim com o primo do marido dela. Ela está determinada, apesar de ele ser bonito demais para mim; isso para não falar no fato de ser filho de senador.

— Você não acha que a gente deveria... se conhecer antes? — pergunto. — Quero dizer, antes de sairmos juntos num encontro, quero dizer.

— Não fique nervosa. William e eu vamos estar bem do seu lado, todo o tempo.

Suspiro. O encontro já foi cancelado duas vezes. Só posso esperar que seja postergado mais uma vez. E, no entanto, me sinto lisonjeada que Hilly tenha tanta certeza de que alguém como ele se interessaria por alguém como eu.

— Oh, e preciso que você venha aqui, pegar aquelas anotações — diz Hilly. — Quero o meu projeto no próximo boletim, uma página inteira ao lado da coluna social.

Faço uma pausa.

— Aquele negócio do banheiro? — Apesar de terem se passado apenas alguns dias desde que ela trouxe à baila o assunto no clube do bridge, eu esperava que ele tivesse sido esquecido.

— Chama-se Projeto de Higiene para Empregadas Domésticas — *William Junior, desça já senão vou confiscar isso aí. Yule May, venha cá* — e quero que saia esta semana.

Sou editora do boletim da Liga. Mas Hilly é presidente. E ela está tentando me dizer o que publicar.

— Vou ver. Não sei se tem espaço — minto.

Junto da pia, Pascagoula lança um olhar de soslaio para mim, como se tivesse ouvido o que Hilly acabou de dizer. A porta da cozinha está entreaberta, e posso ver um quartinho minúsculo com um banheiro, um fio de puxar a descarga logo acima, uma lâmpada num lustre amarelado. Na pequena pia de canto, mal cabe um copo d'água. Nunca entrei ali. Quando éramos crianças, mamãe dizia que nos surraria se entrássemos no banheiro de Constantine. Tenho mais saudades de Constantine do que de qualquer outra coisa na vida.

— Então arranje espaço — diz Hilly —, pois isso é muito, muito importante.

CONSTANTINE MORAVA A MAIS OU MENOS um quilômetro e meio de nossa casa, em um pequeno bairro negro chamado Hotstack, que recebeu esse nome por causa da fábrica de alcatrão que costumava funcionar ali. A estrada que leva até Hotstack fica ao norte da nossa fazenda, e, desde que consigo me lembrar, crianças negras caminhavam e brincavam naquele pedaço da estrada, levantando poeira avermelhada, percorrendo o caminho até a rodovia 47 do condado para pegar uma carona.

Eu mesma costumava caminhar naquele quilômetro e meio de estrada, quando menina. Se eu implorasse e estudasse meu catecismo direitinho, mamãe, às vezes, me deixava ir para a casa de Constantine, sexta-feira à tardinha. Depois de vinte minutos de uma caminhada lenta, passávamos pelo armarinho dos negros, depois por uma mercearia com um galinheiro nos fundos, e, em todo o trajeto, por dúzias de casas de beira de estrada que mais pareciam barracos, com telhados de folhas de zinco e portões tortos, além de um barraco amarelo que todo mundo dizia que comercializava uísque pela porta dos fundos. Era excitante estar num mundo tão diferente, e eu tomava incomodamente consciência de quão bons eram os meus sapatos, de quão branco era o meu vestido munido de avental que Constantine havia passado a ferro para mim. Quanto mais nos aproximávamos da casa de Constantine, mais ela sorria.

"Olá, Carl Bird", Constantine costumava gritar para o vendedor de tubérculos que ficava sentado na cadeira de balanço, na caçamba da sua caminhonete. Sacas de sassafrás e raízes de alcaçuz ficavam expostas, prontas para serem negociadas, e era só a gente ficar olhando os produtos um minuto que logo o corpo de Constantine não parava de se mexer, estalando as juntas. Constantine não era só alta, ela era parruda. Também tinha quadris largos, e seus joelhos sempre a incomodavam. Sentada no tronco de árvore cortada que ficava no seu cantinho, ela colocava um tanto de rapé Happy Days na boca e cuspia forte como uma seta. Ela deixava eu olhar o pó escuro na latinha redonda, mas dizia "não vá falar pra sua mãe".

Havia sempre cachorros esquálidos e sarnentos deitados pela estrada. De uma varanda, uma moça negra chamada Cat-Bite gritava: "Senhorita Skeeter! Diga oi pro seu pai pra mim. Diz pra ele que eu vou bem." Havia sido o meu pai quem lhe dera esse nome, anos antes. Ele vinha passando por ali de carro quando viu um gato raivoso atacando uma garotinha negra. "Aquele gato quase comeu ela viva", papai me contou mais tarde. Ele matou o gato, levou a menina para o médico e pagou pelos vinte e um dias de injeções antirrábicas.

Um pouco mais adiante, chegávamos à casa de Constantine. Tinha três quartos, nenhum tapete, e eu costumava olhar para a única fotografia que ela tinha, de uma menina branca de quem, segundo me contou, ela havia cuidado, durante vinte anos, lá em Port Gibson. Eu tinha bastante certeza de que sabia tudo sobre Constantine — que tinha uma irmã e havia crescido em uma fazenda arrendada em Corinth, Mississippi. Seu pai e sua mãe já haviam morrido. Ela observava a regra de não comer porco e usava vestido tamanho cinquenta e sapatos tamanho quarenta. Mas eu costumava olhar o sorriso cheio de dentes daquela criança na fotografia, um pouco com ciúmes, me perguntando por que ela também não tinha ali pendurada uma foto minha.

Às vezes, duas meninas que moravam na casa ao lado vinham brincar comigo; seus nomes eram Mary Nell e Mary Roan. Eram tão pretas que eu não conseguia distinguir uma da outra, e simplesmente chamava as duas de Mary.

"Seja boazinha com as meninas negras quando estiver lá", disse mamãe uma vez para mim, e me lembro de ter olhado para ela, achando aquilo estranho e dizendo: "Por que eu não seria?". Mas minha mãe nunca se explicou.

Depois de mais ou menos uma hora, papai estacionava em frente à casa de Constantine, saía do carro e dava um dólar para ela. Constantine nunca o convidou para entrar, nem uma única vez. Mesmo naquela época, entendi que estávamos nos domínios de Constantine e que ela não precisava ser gentil com ninguém na sua própria casa. Em seguida, papai deixava eu entrar no armazém dos negros para tomar um refresco e comprar um pirulito.

"Não diga à sua mãe que eu dei um dinheirinho extra para Constantine."

"Está bem, papai", dizia eu. E esse foi o único segredo que eu e meu pai algum dia tivemos.

NA PRIMEIRA VEZ em que fui chamada de feia, eu tinha treze anos. Foi o amigo rico do meu irmão, Carlton, que tinha ido praticar tiro no campo.

"Por que você tá chorando, menina?", perguntou-me Constantine, na cozinha.

Contei a ela o que o menino me havia dito, com lágrimas escorrendo pelo rosto.

"E daí? Você, por acaso, é?"

Pisquei, parei de chorar.

"Eu sou o quê?"

"Olhe aqui, Eugenia", pois Constantine era a única que ocasionalmente seguia a orientação de mamãe. "Feiúra é uma coisa que existe dentro das pessoas. Feia é uma pessoa má, que faz mal aos outros. Você, por acaso, é uma dessas pessoas?"

"Não sei. Acho que não", solucei.

Constantine sentou-se ao meu lado, na mesa da cozinha. Ouvi o estalar das suas juntas inchadas. Ela apertou o dedão bem forte na palma da minha mão, algo que nós duas sabíamos que significava *Atenção. Ouça o que estou dizendo.*

"Toda manhã, até estar morta e enterrada, você vai ter que tomar essa decisão." Constantine estava tão próxima de mim que dava para ver suas gengivas escuras. "Você vai ter que se perguntar: *Vou acreditar no que esses tolos vão falar de mim hoje?*"

Ela manteve o dedão pressionado contra a minha mão. Fiz sinal com a cabeça de que havia entendido. Eu era inteligente o suficiente para entender que ela se referia às pessoas brancas. E, apesar de eu ainda me sentir mal e saber que, muito provavelmente, era feia, essa foi a primeira vez que ela falou comigo como se eu fosse algo além da filha branca da minha mãe. Toda a minha vida me disseram no que acreditar, em termos de política, sobre os negros, já que nasci menina. Mas, com o dedão de Constantine pressionado contra a minha mão, compreendi que, na verdade, eu podia escolher no que acreditar.

CONSTANTINE CHEGAVA PARA TRABALHAR na nossa casa às seis da manhã, e na época da colheita ela chegava às cinco. Assim, podia fazer os pãezinhos e o mingau de que papai gostava, antes de ele sair para a lavoura. Quase todos os dias eu acordava, e a primeira coisa que via era ela na cozinha, ouvindo o reverendo Green no rádio que ficava sobre a mesa do café. No instante em que me via, ela sorria.

"Bom dia, menina linda!", e eu sentava à mesa e contava a ela com o que eu tinha sonhado. Ela dizia que os sonhos prediziam o futuro.

"Eu estava no sótão, olhando para baixo, para a fazenda", eu contava. "Dava para ver a copa das árvores."

"Você vai ser cirurgiã de cérebro! O topo de uma casa quer dizer a cabeça."

Mamãe tomava o café da manhã bem cedo na sala de jantar, então se mudava para a sala de estar íntima para bordar ou para escrever cartas para missionários na África. Da sua grande poltrona verde, ela podia ver praticamente qualquer pessoa se dirigindo para qualquer canto da casa. Era chocante o que ela conseguia processar de informação sobre a minha aparência no instante que eu levava para passar por aquela porta. Eu costumava passar bem rápido, me sentindo um alvo, um alvo vermelho bem grande no qual mamãe atirava seus dardos.

"Eugenia, você sabe que não se masca chiclete nesta casa."

"Eugenia, vá tirar essa mancha com um pouco de álcool."

"Eugenia, suba já e trate de escovar o cabelo. E se recebermos uma visita inesperada?"

Foi assim que descobri que meias são mais silenciosas do que sapatos. Aprendi a usar a porta dos fundos. Aprendi a usar chapéus, a esconder o meu rosto com as mãos ao passar. Mas aprendi, sobretudo, a ficar na cozinha.

UM MÊS DE VERÃO podia parecer anos, lá em Longleaf. Eu não tinha amigos que me visitassem todos os dias — morávamos longe demais da cidade para ter qualquer vizinho branco. Na cidade, Hilly e Elizabeth passavam todo o final de semana indo da casa de uma para a da outra, enquanto, para mim, só era permitido dormir fora ou trazer alguma amiga para casa um final de semana sim, outro não. Reclamei muito disso. Às vezes, eu não dava o devido valor a Constantine, mas acho que, no geral, eu sabia como era sortuda por tê-la ali.

Com quatorze anos, comecei a fumar cigarros. Eu os roubava do maço de Marlboro que meu irmão mantinha na gaveta da sua cômoda. Ele tinha quase dezoito anos e ninguém dava bola se ele fumava há tempos, onde quisesse, na casa ou nos campos, com papai. Às vezes, papai fumava um cachimbo, mas ele não era chegado a cigarros, e mamãe não fumava absolutamente nada, apesar de a maior parte das suas amigas fumar. Mamãe me dizia que até os dezessete eu não tinha permissão para fumar.

Então, eu fugia para o quintal atrás da casa e sentava no balanço feito de pneu, com aquele enorme e velho carvalho me escondendo. Ou então, tarde da noite, eu me empoleirava na janela do meu quarto e fumava. Mamãe tinha olhos de águia, mas quase não tinha olfato. Constantine, entretanto, soube imediatamente. Ela apertou os olhos, deu um sorrisinho e não disse nada. Se mamãe começava a se dirigir para a varanda nos fundos da casa enquanto eu estava atrás da árvore, Constantine saía correndo e batia o cabo da vassoura no corrimão de ferro da escada.

"Constantine, o que você está fazendo?", perguntava mamãe, mas a essa altura eu já tinha apagado o cigarro e jogado a guimba no buraco de uma árvore.

"Só tou limpando essa vassoura velha, dona Charlotte."

"Bem, encontre uma maneira de fazer isso sem tanto barulho, por favor. Oh, Eugenia, o que foi, será que você cresceu mais três centímetros durante a noite? O que vou fazer? Vá... colocar um vestido que lhe sirva."

"Sim, senhora", dizíamos Constantine e eu ao mesmo tempo, e então trocávamos um sorrisinho cúmplice.

Oh, era uma delícia ter alguém com quem compartilhar segredos. Se eu tivesse uma irmã ou um irmão em idade mais próxima da minha, acho que seria assim. Mas não era só uma questão de fumar e de escapar da vigilância da minha mãe. Era ter alguém cuidando de você depois de sua mãe quase morrer num faniquito porque você é anormalmente alta e crespa e estranha. Alguém cujos olhos simplesmente diziam, sem palavras: *Você tá segura comigo.*

Ainda assim, as coisas com Constantine não eram só lisonjas. Quando eu tinha quinze anos, uma garota apontou para mim e perguntou: "Quem é essa cegonha?". Até mesmo Hilly precisou conter um sorriso antes de me levar para longe, como se não a tivéssemos ouvido.

"Que altura você tem, Constantine?", perguntei, sem conseguir disfarçar as lágrimas.

Constantine me olhou séria.

"Que altura você tem?"

"Um e oitenta e dois", choraminguei. "Já sou mais alta do que o treinador de basquete dos meninos."

"Bem, eu tenho um e oitenta e oito, então pode parar de ter pena de si mesma."

Constantine é a única mulher da minha vida a quem eu pude olhar com admiração, olhar direto nos olhos.

A primeira coisa que qualquer pessoa percebia em Constantine, além da sua altura, eram seus olhos. Castanho-claros, incrivelmente da cor de mel, contra sua pele escura. Eu nunca tinha visto olhos cor-de-mel numa pessoa negra. Na verdade, os tons de marrom de Constantine eram infinitos. Seus cotovelos eram completamente pretos, com uma aparência seca de poeira no inverno. A pele dos braços, do pescoço e do rosto era da cor do ébano. As palmas das mãos eram de um bronzeado meio alaranjado, o que fazia eu me perguntar se as solas dos seus pés também tinham essa cor, mas nunca a vi de pés descalços.

"Só você e eu esse final de semana", disse ela com um sorriso.

Foi o final de semana em que mamãe e papai iam levar Carlton para visitar a Universidade da Louisiana e a Universidade de Tulane. Meu irmão ia para a faculdade no ano seguinte. Naquela manhã, papai levara a cama de armar para a cozinha, para junto do banheiro de Constantine. Era nessa cama que ela dormia quando passava a noite na nossa casa.

"Vem ver o que eu trouxe", disse ela, apontando para o armário das vassouras. Fui até lá e o abri, e vi, enfiado na bolsa dela, um quebra-cabeça de quinhentas peças com a imagem do monte Rushmore. Era o nosso passatempo preferido, quando ela dormia lá em casa.

Naquela noite, ficamos sentadas durante horas, mordiscando amendoins, catando as peças espalhadas na mesa da cozinha. Lá fora caía uma tempestade, tornando o pequeno cômodo aconchegante enquanto procurávamos as bordas. A lâmpada da cozinha falhava, depois acendia de novo.

"Qual é esse?", perguntava Constantine, estudando a caixa de quebra-cabeça através dos óculos de aros pretos.

"Esse é Jefferson."

"Oh, claro. E esse?"

"Esse é...", me debrucei para olhar. "Acho que é... Roosevelt."

"O único que eu conheço é o Lincoln. Ele parece o meu pai."

Fiquei imóvel, com uma peça na mão. Eu tinha quatorze anos e nunca havia tirado uma nota mais baixa que A. Era inteligente, mas ingênua como só. Constantine largou a tampa da caixa e começou a percorrer as peças de novo.

"Porque o seu pai era assim... alto?", perguntei.

Ela riu.

"Porque o meu pai era branco. A altura é do lado da mãe."

Coloquei a peça sobre a mesa.

"O... seu pai era branco e a sua mãe era... negra?"

"É isso aí", disse ela, sorrindo e juntando duas pecinhas. "Olhe só, encaixei duas."

Eu tinha tantas perguntas — *Quem* era ele? *Onde* ele estava? Eu sabia que ele não era casado com a mãe de Constantine, porque isso era contra a lei. Peguei um cigarro do meu maço, que eu havia trazido para a mesa. Eu tinha quatorze anos, mas, sentindo-me muito adulta, eu acendi. Enquanto acendia o cigarro, a luz acima das nossas cabeças enfraqueceu até ficar amarronzada, com um leve zumbido.

"Oh, meu pai me adoraaaava. Sempre dizia que eu era a favorita dele." Ela se reclinou na cadeira. "Ele vinha na nossa casa todo sábado à tarde, e uma vez ele me deu um conjunto de dez fitas diferentes pro cabelo, de dez cores diferentes. Trouxe as fitas de Paris, feitas de seda japonesa. Sentei no colo dele do minuto em que ele chegou até ele ter que ir embora, e mamãe tocava Bessie Smith na vitrola que ele trouxe para ela, e eu e ele cantávamos:

It's mighty strange, without a doubt
Nobody knows you when you're down and out"*

Fiquei ouvindo, de olhos esbodegados, estupidificada. Excitada à voz dela, na luz fraca. Se chocolate fosse um som, seria a voz de Constantine cantando. Se cantar fosse uma cor, teria sido a cor daquele chocolate.

"Uma vez eu tava chorando as pitangas, acho que eu tinha uma lista de coisas que tavam me chateando, ser pobre, banho frio, dentes estragados, sei lá. Mas ele segurou a minha cabeça nas mãos e me abraçou junto do peito dele por muito, muito tempo. Quando levantei os olhos, ele também tava chorando, e ele... fez aquilo que eu faço com você, pra você saber exatamente do que eu tou falando. Apertou o dedão na minha mão e disse... que sentia muito."

Ficamos ali sentadas, olhando para o quebra-cabeça. Minha mãe não ia querer que eu soubesse disso, que o pai de Constantine era branco, que ele pedira desculpas a ela por causa de como as coisas eram. Era algo que eu não devia ficar sabendo. Eu me senti como se Constantine tivesse me dado um presente.

Terminei meu cigarro, apaguei-o no cinzeiro de prata das visitas. A luz voltou. Constantine sorriu para mim e eu sorri de volta.

"Por que você nunca me contou isso?", perguntei, olhando bem nos seus olhos castanho-claros.

"Não posso contar tudo pra você, Skeeter."

"Mas, por quê?" Ela sabia tudo sobre mim, tudo sobre a minha família. Por que eu esconderia dela algum segredo?

---

* "É muito estranho, sem dúvida / Ninguém te conhece quando você está na pior". (N.T.)

Ela olhou para mim fixamente, e vi uma profunda e sombria tristeza ali, dentro dela. Depois de algum tempo, ela disse:

"Tem certas coisas que eu preciso guardar pra mim mesma."

QUANDO FOI A MINHA VEZ DE IR para a faculdade, mamãe chorou tudo que podia enquanto papai e eu nos afastávamos na caminhonete. Mas eu me senti livre. Eu estava fora da fazenda, fora do alcance da sua crítica. Eu gostaria de perguntar à mamãe: *Não está feliz? Não está aliviada por não precisar mais se incomodar por minha causa todos os dias?* Mas mamãe parecia péssima.

Eu era a pessoa mais feliz do meu dormitório de calouros. Eu escrevia a Constantine uma carta por semana, contando sobre o meu quarto, sobre a irmandade de alunas. Eu precisava enviar as cartas dela para a fazenda, já que o correio não entregava em Hotstack, e confiar que mamãe não as abriria. Duas vezes por mês, Constantine me respondia num papel-manteiga que se dobrava formando um envelope. Sua caligrafia era graúda e adorável, apesar de cair num ângulo torto em relação à página. Ela me escrevia contando sobre todo e qualquer detalhe mundano de Longleaf: *A minha dor nas costas vai mal, mas os pés é que tão me matando* ou *As pás da batedeira se separaram da tigela e voaram enlouquecidas pela cozinha. A gata soltou um miado agudo e deu no pé. Desde então não vi mais a bichana.* Ela me contava que o papai estava resfriado e que Rosa Parks iria até a igreja dela fazer um pronunciamento. Frequentemente ela perguntava se eu estava feliz e pedia detalhes. Nossas cartas eram como uma conversa que durava um ano inteiro, respondendo a perguntas alternadas, continuando cara a cara no Natal ou nas férias de verão.

As cartas de mamãe diziam *Não se esqueça de rezar* e *Não use sapatos de salto alto porque eles a deixam alta demais*, junto a um cheque de trinta e cinco dólares.

No mês de abril do meu último ano na faculdade, chegou uma carta de Constantine que dizia: *Tenho uma surpresa pra você, Skeeter. Tou tão entusiasmada que quase não me aguento. E não me venha com perguntas. Você vai ver quando vier pra casa.*

Isso era perto das provas finais, e a formatura seria dali a um mês. E essa foi a última carta que recebi de Constantine.

NÃO COMPARECI À MINHA CERIMÔNIA de formatura em Ole Miss. Todas as minhas amigas mais próximas haviam largado o curso para se casar, e eu não via sentido em fazer mamãe e papai dirigirem três horas só para me ver atravessar um palco, quando o que mamãe queria, na verdade, era me ver atravessar a nave de uma igreja. Eu ainda não tinha recebido notícias da Harper & Row, então, em vez de comprar uma passagem de avião para Nova York, voltei para Jackson, para casa, no Buick de Kay Turner, que estava então no segundo ano da faculdade, espremida no banco da frente com a minha máquina de escrever junto aos meus pés e o vestido de casamento dela entre nós duas. Kay Turner ia se casar com Percy Stanhope no mês seguinte. Durante três horas ouvi suas ponderações sobre sabores de bolo.

Quando cheguei em casa, mamãe deu um passo para trás a fim de dar uma boa olhada em mim.

"Bem, a sua pele está linda", disse ela, "mas o cabelo...", ela suspirou, balançando a cabeça.

"Onde está Constantine?", perguntei. "Na cozinha?"

E, como estivesse fazendo uma previsão meteorológica, mamãe disse:

"Constantine não trabalha mais para nós. Bem, vamos desfazer todas essas malas antes que suas roupas se estraguem."

Eu me virei e pisquei. Achei que não tinha ouvido direito.

"O que a senhora disse?"

Mamãe se empertigou, alisando o próprio vestido.

"Constantine foi embora, Skeeter. Foi viver com a família dela em Chicago."

"Mas... o quê? Ela não falou nada sobre Chicago nas cartas." Eu sabia que não podia ser essa a surpresa que ela tinha para mim. Uma notícia terrível assim ela teria me contado imediatamente.

Mamãe respirou fundo, endireitou as costas.

"Eu disse para Constantine não escrever a você contando que estava indo embora. Não no meio das provas finais. E se você fosse mal e tivesse de ficar mais um ano na faculdade? Deus sabe que quatro anos de faculdade são mais do que suficiente."

"E ela... concordou com isso? Não me escrever para contar que estava indo embora?"

Mamãe desviou o olhar, suspirou.

"Vamos falar sobre isso mais tarde, Eugenia. Venha até a cozinha, vou lhe apresentar a nova empregada, Pascagoula."

Mas não segui mamãe até a cozinha. Fiquei olhando para os meus baús da faculdade, aterrorizada com a ideia de desfazê-los naquele lugar. A casa parecia enorme, vazia. No lado de fora, uma colheitadeira avançava sobre a lavoura de algodão.

Em setembro, não apenas eu havia desistido da esperança de algum dia receber uma resposta por parte da Harper & Row, como também desistira de encontrar Constantine. Ninguém parecia saber nada, nem mesmo como eu podia chegar até ela. Finalmente parei de perguntar às pessoas por que Constantine havia ido embora. Era como se ela tivesse simplesmente desaparecido. Eu tinha de aceitar que Constantine, minha única verdadeira aliada, havia me abandonado, deixando-me sozinha para me defender daquelas pessoas.

CAPÍTULO 6

NUMA MANHÃ QUENTE DE SETEMBRO, acordo na cama da minha infância, calço as sandálias de couro que meu irmão, Carlton, me trouxe do México. Um par masculino, já que, evidentemente, os pés das moças mexicanas não chegam ao tamanho quarenta. Mamãe detesta essas sandálias, diz que são vulgares.

Sobre a minha camisola, coloco uma das camisas velhas de papai e saio pela porta da frente. Mamãe está na varanda atrás da casa, com Pascagoula e Jameso, enquanto eles limpam ostras.

"Não se pode deixar um negro e uma negra sozinhos juntos sem vigilância", mamãe cochichou para mim, há muito tempo. "Não é culpa deles: simplesmente não conseguem evitar."

Desço os degraus para ver se o exemplar de *O apanhador no campo de centeio*, de J. D. Salinger, que encomendei por reembolso postal está na caixa de correio. Sempre encomendo os livros banidos com um comerciante do mercado negro da Califórnia, imaginando que, se o estado do Mississippi os proibiu, é porque devem ser bons. Quando chego próximo à saída de carros, minhas sandálias e meus tornozelos estão cobertos pela fina poeira amarela.

Para ambos os lados, os campos de algodoeiros são de um verde radiante, prenhes de bolas de algodão. Papai perdeu os campos dos fundos para a chuva no mês passado, mas a maior parte dos pés floresceu sem problemas. As folhas estão começando a ficar manchadas de marrom, por causa do desfolhante, e ainda consigo sentir o cheiro amargo do produto químico no ar. Não há carro nenhum na estrada estadual. Abro a caixa de correio.

E lá, embaixo do *Ladie's Home Journal* da mamãe, há uma carta endereçada à srta. Eugenia Phelan. As letras vermelhas em alto-relevo no canto dizem Harper & Row Editores. Rasgo o envelope ali mesmo na alameda, vestida com nada além da minha longa camisola e a camisa velha do papai da Brooks Brothers.

4 de setembro de 1962

Prezada srta. Phelan,

Estou respondendo pessoalmente ao seu currículo porque achei admirável que uma jovem sem qualquer experiência profissional se candidatasse a uma vaga de editor numa editora tão prestigiosa como a nossa. Pelo menos, cinco anos de experiência são essenciais para tal vaga. Você saberia disso se tivesse feito alguma pesquisa sobre o ramo editorial.

Entretanto, tendo eu mesma sido uma jovem ambiciosa, decidi lhe oferecer alguns conselhos: abra o jornal local e arranje um emprego de nível iniciante. Você disse na sua carta "adoro escrever". Quando não estiver fazendo cópias mimeográficas ou providenciando o café do seu chefe, olhe ao redor, investigue e escreva. *Não perca tempo com as coisas óbvias. Escreva sobre aquilo que a incomoda, sobretudo se isso não incomoda a mais ninguém.*

Sinceramente,

Elaine Stein, editora sênior

Abaixo dos caracteres datilografados há uma anotação feita à mão, em um garrancho azul cheio de riscos verticais:

> *P.S.: Se você está realmente falando sério, eu estaria disposta a examinar alguma das suas* melhores *ideias e dar a minha opinião. A razão da minha oferta, srta. Phelan, é que certa vez uma pessoa me ofereceu o mesmo.*

Um caminhão cheio de algodão sacoleja pela estrada. O homem negro que está sentado no lugar do passageiro se debruça para fora e olha. Esqueci que sou uma moça branca que está vestida com uma camisola de dormir muito fina. Acabo de receber uma correspondência, talvez um incentivo, da cidade de Nova York e pronuncio o nome em voz alta: "Elaine Stein". Nunca conheci uma pessoa judia.

Percorro o caminho de volta na alameda, tentando evitar que a carta se dobre para trás na minha mão. Não quero que fique amassada. Subo correndo as escadas, com mamãe gritando para eu tirar essas sandálias mexicanas deselegantes de homem e começo a trabalhar, escrevendo sobre toda e qualquer coisa que me incomoda na vida, particularmente aquelas que parecem não irritar a mais ninguém. As palavras de Elaine Stein correm como prata fundida nas minhas veias, e escrevo à máquina o mais rápido que posso. Acaba que a lista é espetacularmente longa.

No dia seguinte, estou pronta para colocar no correio a minha primeira carta para Elaine Stein, listando as ideias que julguei serem bons materiais jornalísticos: a prevalência do analfabetismo no Mississippi; o alto número de acidentes de carro causados por motoristas embriagados no nosso país; as limitadas oportunidades de trabalho para as mulheres.

Só depois de colocar a carta no correio me dou conta de que provavelmente escolhi as ideias que lhe causariam alguma impressão, em vez das ideias em que eu realmente estava interessada.

RESPIRO FUNDO e abro a pesada porta de vidro. Então soa uma campainha delicada, feminina. Uma recepcionista nem tão feminina assim me observa. Ela é enorme e parece desconfortável na pequena cadeira de madeira.

— Bem-vinda ao *Jackson Journal*. Posso ajudá-la?

Marquei a hora anteontem, nem uma hora depois de ter recebido a carta de Elaine Stein. Solicitei uma entrevista para qualquer vaga que tivessem disponível. Fiquei surpresa quando me disseram que me receberiam assim tão cedo.

— Estou aqui para ver o sr. Golden, por favor.

A recepcionista vai, em passos arrastados, até os fundos, no seu vestido sem cintura. Tento acalmar as minhas mãos, que insistem em tremer. Por uma porta aberta, olho para uma sala pequena, forrada de lambris, lá no fundo. Quatro homens de terno trabalham furiosamente em máquinas de escrever e fazem rabiscos de lápis. Estão debruçados sobre o trabalho, concentrados, três deles carecas, tendo apenas uma ferradura de cabelos ao redor da cabeça. O cômodo está esfumaçado por causa dos cigarros.

A recepcionista reaparece, faz sinal com o dedão para eu segui-la, com um cigarro pendurado displicentemente na mão.

—Venha até aqui.

Apesar do meu estado de nervos, só consigo pensar na velha regra da faculdade: *Uma garota Chi Omega nunca caminha com um cigarro na mão.* Sigo-a por entre as escrivaninhas de homens que nos olham, pelo labirinto de fumaça, até uma salinha interna.

— Fecha logo isso aí — grita o sr. Golden assim que abro a porta e entro na sala. — Não deixe essa maldita fumaça entrar aqui.

O sr. Golden fica de pé atrás da sua mesa. Ele deve ser uns quinze centímetros mais baixo do que eu, está em boa forma física, e é mais novo que os meus pais. Tem dentes longos e um sorrisinho maroto, e o cabelo preto ensebado de um homem mau.

— Não ficou sabendo? — perguntou ele. — Na semana passada noticiaram que cigarro mata.

— Não fiquei sabendo, não. — Só espero que a notícia não tenha saído na primeira página do jornal dele.

— Ora, sei que pretos de cem anos de idade parecem mais jovens do que esses palermas aí fora.

Ele volta a se sentar, mas eu continuo de pé, pois não há outra cadeira na sala.

— Muito bem, vamos ver o que você tem a oferecer. — Entrego a ele meu currículo e alguns textos que escrevi na faculdade. Cresci com o *Journal* sobre a mesa da nossa cozinha, aberto na seção de assuntos agrícolas ou na página de esportes local. Raras vezes tive tempo de lê-lo.

O sr. Golden não se limita a ler meus papéis: ele os edita com um lápis vermelho.

— Editora do jornal da escola Murrah High, três anos; editora da *Rebel Rouser,* dois anos; editora da Chi Omega, três anos; diploma em inglês e jornalismo, quarta melhor aluna da classe... Menina, *que diabos* — murmura ele. —Você não se divertiu *nem um pouco*?

Limpo a garganta com um pigarro.

— Isso... é importante?

Ele levanta os olhos para mim.

—Você é alta como poucas, mas eu imaginaria que uma moça bonita como você passaria a faculdade namorando todo o time de basquete.

Fico olhando para ele, sem saber se está gozando da minha cara ou me fazendo um elogio.

— Imagino que você saiba como limpar... — Ele volta a olhar os meus textos, golpeia-os com violentas marcas vermelhas.

Meu rosto se enrubesce num segundo.

— Limpar? Não estou aqui para limpar. Estou aqui para *escrever.*

A fumaça de cigarro está vazando por debaixo da porta. É como se todo o prédio estivesse em chamas. Me sinto tão idiota por ter pensado que poderia simplesmente entrar ali e conseguir um emprego como jornalista.

Ele suspira sonoramente e me entrega uma pasta grossa de papéis.

— Acho que você serve. A sra. Myrna endoidou, bebeu spray de cabelo ou algo assim. Leia os textos, escreva as respostas que nem as dela, ninguém vai perceber a diferença.

— Eu... o quê? — E pego a pasta, pois não sei o que fazer. Não tenho ideia de quem seja essa sra. Myrna. Faço a única pergunta segura em que consigo pensar. — Quanto... mesmo o senhor disse que é o salário?

Ele então me lança um olhar surpreendentemente inquisidor, dos meus sapatos baixos até o meu penteado simples. Algum instinto adormecido me manda sorrir e passar a mão pelo cabelo. Sinto-me ridícula, mas faço isso.

— Oito dólares, todas as segundas-feiras.

Aceno com a cabeça, concordando e tentando pensar em como perguntar a ele qual é o trabalho, sem me trair.

Ele se debruça para a frente.

— A senhorita sabe quem é a sra. Myrna, não?

— Claro. Nós... moças a lemos o tempo todo — digo, e mais uma vez ficamos olhando um para o outro por tempo suficiente para que um telefone ao longe toque três vezes.

— Então, o quê? Oito não está bom? Por Deus, mulher, vá, então, limpar o banheiro do seu marido de graça.

Mordo o lábio. Mas antes de eu conseguir pronunciar qualquer coisa, ele revira os olhos.

— Está bem, *dez*. O texto tem que estar pronto nas quintas-feiras. E, se eu não gostar do seu estilo, não uso o texto e nem lhe pago nada.

Pego a pasta, agradeço mais do que provavelmente eu deveria. Ele me ignora, pegando o telefone e fazendo uma ligação antes mesmo de eu sair. Quando chego ao meu carro, afundo no couro macio do Cadillac. Fico ali sentada, sorrindo, lendo as folhas da pasta.

Acabo de conseguir um *emprego*.

VOLTO PARA CASA mais empertigada e ereta do que jamais estive desde os doze anos, quando se deu meu estirão. Estou explodindo de orgulho. Apesar de todas as células do meu cérebro dizerem para não fazêlo, de alguma maneira não consigo resistir à ideia de contar a minha mamãe. Vou correndo para a sala de estar íntima e lhe explico como consegui um emprego para escrever a coluna da sra. Myrna, a coluna semanal de conselhos de limpeza.

— Oh, que ironia. — Ela dá um suspiro que quer dizer que a vida mal vale a pena ser vivida, em tais circunstâncias. Pascagoula lhe serve mais chá gelado.

— Pelo menos, é um começo — digo.

— Um começo do quê? Dar conselho sobre como cuidar de uma casa quando... — ela suspira novamente, longa e lentamente como um pneu furado.

Olho para outro lado, me perguntando se todo mundo na cidade vai pensar a mesma coisa. A alegria já está se esvaecendo.

— Eugenia, você não sabe nem polir prataria, como vai dar conselhos sobre como manter uma casa limpa?

Abraço a pasta contra o peito. Ela tem razão, não sei responder a nenhuma das perguntas. Ainda assim, pensei que, pelo menos, ela ficaria orgulhosa de mim.

— E, sentada na frente de uma máquina de escrever, você nunca vai conhecer ninguém. Eugenia, tenha bom-senso.

A raiva se insinua, sobe pelos meus braços. Fico ereta novamente.

— Acha que eu *quero* morar aqui? Com *a senhora*? — Rio de uma maneira que, espero, vá feri-la.

Vejo a dor rápida em seus olhos. Ao golpe, ela pressiona os lábios um contra o outro. Ainda assim, não tenho vontade nenhuma de retirar o que disse, porque, finalmente, *finalmente*, eu disse alguma coisa na qual ela prestou atenção.

Fico ali em pé, me recusando a ir embora. Quero ouvir o que ela vai dizer quanto a isso. Quero ouvi-la dizer que sente muito.

— Eu preciso... lhe perguntar uma coisa, Eugenia. — Ela torce o lenço, faz uma careta. — Li outro dia que algumas... algumas moças ficam desequilibradas, e começam a ter esses... bem, pensamentos que *não* são naturais.

Não faço ideia do que ela está falando. Levanto os olhos até o ventilador de teto. Alguém o colocou numa velocidade alta demais. *Clac, clac, clac.*

— Você é... você... acha os homens atraentes? Você está tendo pensamentos sobre... — Ela fecha os olhos com força. — Moças ou... mulheres?

Olho atônita para ela, desejando que o ventilador de teto alce voo e esmague a nós duas.

— Porque o artigo dizia que há uma cura, o chá de uma raiz especial...

— Mamãe — digo, fechando os olhos com toda força. — Eu quero ficar com moças tanto quanto a senhora gostaria de ficar com... *Jameso.* — Dirijo-me para a porta. Mas volto a me virar e olhar para trás. — Quer dizer, a menos, é claro, que a senhora goste da ideia.

Mamãe se mexe na cadeira, engasga. Subo as escadas, pisando firme.

NO DIA SEGUINTE, organizo as cartas da sra. Myrna numa pilha. Tenho trinta e cinco dólares na bolsa, a mesada que mamãe ainda me dá. Desço para o andar de baixo vestindo um sorriso muito cristão. Já que moro na casa dos meus pais, sempre que quero sair de Longleaf preciso pedir o carro de mamãe emprestado. O que significa que ela vai perguntar aonde eu vou. O que significa que vou ter que mentir para ela diariamente, o que em si é agradável, mas, ao mesmo tempo, um pouco degradante.

—Vou até a igreja ver se precisam de ajuda para preparar a aula de domingo.

— Oh, querida, que ótimo. Fique com o carro o tempo que precisar.

Decidi, na noite passada, que o que eu preciso é de um profissional que me ajude com a coluna. Minha primeira ideia foi falar com Pascagoula, mas eu mal a conheço. Além do mais, não suporto nem pensar na ideia de mamãe se intrometer e me criticar novamente. A empregada de Hilly, Yule May, é tão tímida que duvido que queira me ajudar. A única outra empregada que vejo com alguma frequência é a de Elizabeth, Aibileen. Aibileen me lembra, de certa forma, Constantine. Além do quê, ela é mais velha e parece ter muita experiência.

No caminho até a casa de Elizabeth, entro na loja Ben Franklin e compro uma prancheta, uma caixa de lápis número dois, um caderno forrado de tecido azul. A minha primeira coluna deve ser entregue amanhã, na mesa do sr. Golden, às duas da tarde.

— Skeeter, entre. — A própria Elizabeth abre a porta da frente da sua casa e fico com medo de que Aibileen não esteja trabalhando hoje. Ela está usando uma saída de banho azul e bobes enormes, o que faz a cabeça dela parecer gigantesca, e o seu corpo, ainda mais frágil do que é. Elizabeth geralmente usa bobes o dia inteiro, nunca consegue dar volume ao cabelo, que é muito fino.

— Desculpe a confusão. Mae Mobley não me deixou dormir metade da noite, e agora, ainda por cima, nem sei onde Aibileen se meteu.

Estou no pequeno hall de entrada. É uma casa de pé direito baixo, com quartos pequenos. Tudo tem um aspecto de coisa usada — as cortinas florais de um azul desbotado, a manta desengonçada sobre o sofá. Fico sabendo que o novo negócio de contabilidade de Raleigh não está indo muito bem. Talvez em Nova York ou em outro lugar seja uma boa ideia, mas em Jackson, Mississippi, as pessoas simplesmente não se interessam em fazer negócio com um idiota grosso e pretensioso.

O carro de Hilly está ali na frente, mas ela não se encontra em nenhum lugar visível. Elizabeth senta à máquina de costura que mantém na sala de jantar.

— Estou quase terminando — diz ela. — Só preciso finalizar este último ponto... — Elizabeth se levanta, segura à sua frente um vestido verde comportado com uma gola careca branca. — Agora, diga a verdade — sussurra ela, com uma expressão no olhar que suplica que eu faça tudo, menos isso. — Parece que foi costurado por mim?

A bainha está mais comprida num dos lados. O vestido, um pouco enrugado, e uma das mangas, ligeiramente puída.

— Cem por cento comprado fora. Direto da Maison Blanche — digo, pois essa é a loja dos sonhos de Elizabeth. São cinco andares de roupas caras na Canal Street de Nova Orleans, roupas que jamais poderiam ser encontradas em Jackson. Elizabeth me olha com gratidão.

— Mae Mobley está dormindo? — pergunto.

— Finalmente. — Elizabeth manuseia a mecha de cabelo que se soltou de um dos bobes, faz uma careta obstinada. Às vezes, a voz dela se torna ríspida, quando fala na filhinha.

A porta do banheiro de visitas se abre, e Hilly sai de lá falando:

— ... tão melhor. Todo mundo tem o seu lugar, agora.

Elizabeth mexe na agulha da máquina, parece preocupada.

— Diga a Raleigh que eu disse *De nada* — acrescenta Hilly, e então percebo do que elas estão falando. Aibileen, agora, tem um banheiro só dela na garagem.

Hilly sorri para mim e percebo que ela vai falar do seu projeto.

— Como está sua mãe? — pergunto, apesar de saber que esse é o assunto de que ela menos gosta. — Ela está se acostumando direitinho com a casa de repouso?

— Acho que sim. — Hilly puxa o suéter vermelho sobre a barriga, bem onde ela tem um pneuzinho. Ela está vestindo calça xadrez vermelho e verde que parece aumentar seu traseiro, deixando-o mais rechonchudo e poderoso do que nunca. — Claro que ela não gosta de nada que eu faço. Tive que demitir aquela empregada da minha mãe, peguei ela tentando roubar a prataria, bem embaixo do meu nariz. — Hilly estreita um pouco os olhos. — Vocês sabem, por acaso, se aquela Minny Jackson está trabalhando em algum lugar?

Fazemos que não com a cabeça.

— Duvido que ela encontre trabalho de novo nesta cidade — diz Elizabeth.

Hilly concorda, refletindo sobre a questão. Respiro fundo, ansiosa para contar a elas a minha novidade.

— Consegui um emprego no *Jackson Journal* — digo.

O cômodo fica em silêncio. De repente, Elizabeth dá um gritinho. Hilly sorri para mim, tão orgulhosa que fico vermelha e dou de ombros, como se não se tratasse de grande coisa.

— Eles seriam tolos se não contratassem você, Skeeter Phelan — diz Hilly, erguendo o copo de chá gelado num brinde.

— Bem... ãhn, alguma de vocês já leu a sra. Myrna? — pergunto.

— Ora, não — diz Hilly. — Mas as brancas pobretonas de South Jackson leem como se fosse a Bíblia do rei James.

Elizabeth concorda.

— Todas aquelas pobres moças que não têm criadas, aposto que elas leem.

— Você se importaria se eu falasse com Aibileen? — pergunto a Elizabeth. — Para me ajudar a responder algumas das cartas?

Elizabeth fica imóvel por um segundo.

— Aibileen? A *minha* Aibileen?

— *Eu* é que não sei as respostas para as perguntas.

— Bem... quero dizer, desde que não atrapalhe o trabalho dela.

Fico sem dizer nada, surpresa com a atitude dela. Mas trato de me lembrar de que é Elizabeth quem está pagando o salário dela, afinal de contas.

— Mas não hoje, com Mae Mobley prestes a acordar, senão eu mesma vou ter que cuidar dela.

— Tudo bem. Talvez... quem sabe, eu volto amanhã de manhã, então? — Conto as horas na minha mão. Se eu terminar de conversar com Aibileen por volta do meio da manhã, terei tempo de correr para casa para datilografar a resposta, e então estar de volta na cidade às duas horas.

Elizabeth faz uma careta enquanto olha para seu carretel de linha verde.

— E só por uns minutos. Amanhã é dia de polir a prataria.

— Não vou demorar, prometo — digo.

Elizabeth está começando a parecer a minha mãe.

Na manhã seguinte, às dez, Elizabeth abre a porta e faz um sinal para mim como se fosse uma professora de escola:

— Muito bem. Entre. E não demore muito. Mae Mobley vai acordar a qualquer minuto.

Vou até a cozinha, com a minha caderneta de anotações e meus papéis embaixo do braço. Junto da pia, Aibileen sorri para mim com o dente de ouro brilhando. Ela é meio rechonchuda na metade do corpo, mas de um jeito que não fica feio. E é muito mais baixa do que eu, mas quem não é? Sua pele é marrom-escuro e reluz contra o uniforme, branco como farinha. Suas sobrancelhas são grisalhas, apesar de seu cabelo ser preto.

— Oi, dona Skeeter. A dona Leefolt ainda tá na máquina?

— Sim. — É estranho, mesmo após tantos meses estando de volta em casa, ouvir Elizabeth ser chamada de dona Leefolt, e não Elizabeth, ou por seu nome de solteira, Fredericks.

— Posso? — Aponto para o refrigerador. Mas, antes que eu consiga abri-lo, Aibileen já o fez para mim.

— O que quer? Uma Co-Cola?

Faço que sim, e ela abre a tampa com o abridor, preso na bancada, e serve num copo.

— Aibileen... — respiro fundo —, será que você pode me ajudar numa coisa?

Então, conto a ela sobre a coluna, sentindo-me grata quando ela faz sinal de que sabe quem é a sra. Myrna.

— Então, talvez eu possa ler para você algumas das cartas e você... possa me ajudar com as respostas. Depois de um tempo, talvez eu aprenda... — Paro. Em nenhuma hipótese, algum dia terei condições de responder eu mesma a perguntas sobre limpeza. — Não parece muito justo, não é? Eu usar as suas respostas e fazer de conta que são minhas. Ou da sra. Myrna, quero dizer — suspiro.

Aibileen balança a cabeça:

— Não me importo com isso. Só não sei se a dona Leefolt vai deixar.

— Ela disse que tudo bem.

— Enquanto eu trabalho pra ela?

Faço que sim, lembrando o tom de proprietária da voz de Elizabeth.

— Tá bem, então. — Aibileen dá de ombros. Ela olha para o relógio sobre a pia. — Acho que vou ter que parar quando Mae Mobley acordar.

— Vamos nos sentar? — Aponto a mesa da cozinha.

Aibileen lança um olhar para a porta vaivém que dá para o resto da casa.

— A senhorita senta. Eu tou bem de pé.

Eu havia passado a noite anterior lendo todos os artigos da sra. Myrna dos cinco anos anteriores, mas ainda não tivera tempo de selecionar as cartas não respondidas. Ajeito a minha prancheta, segurando o lápis:

— Aqui temos uma carta do condado de Rankin. *Prezada sra. Myrna* — leio —, *como faço para tirar o encardido das camisas do meu marido gordo e desleixado, sendo ele o porco que é e... e suando como um, também...*

Que maravilha. Uma coluna sobre limpeza e relacionamentos. *Duas* coisas sobre as quais não sei absolutamente nada.

— Do que ela quer se livrar? — pergunta Aibileen. — Do encardido ou do marido?

Fico olhando para a folha. Eu não saberia instruí-la sobre como fazer nenhum dos dois.

— Diga pra ela colocar de molho em vinagre e Pinho Sol. E deixar quarar no sol um pouquinho.

Escrevo rápido na minha caderneta.

— Quanto tempo no sol?

— Uma hora, mais ou menos. Até secar.

Puxo a próxima carta, e ela também responde rápido. Depois de quatro ou cinco, eu respiro, aliviada.

— Obrigada, Aibileen. Você não faz ideia de como isso vai me ajudar.

— Não tem problema. Desde que a dona Leefolt não precise de mim.

Junto os meus papéis e tomo um último gole da minha Coca, permitindo-me relaxar por cinco segundos antes de ir escrever o artigo. Aibileen começa a escolher um saco de brotos de samambaia. O cômodo fica em silêncio, exceto pelo som do rádio, baixinho. O pastor Green, de novo.

— Como você conhecia Constantine? Vocês eram parentas?

— Nós... do mesmo grupo da igreja. — Na frente da pia, Aibileen remexe os pés.

Sinto o que se tornou uma ferroada familiar.

— Ela nem ao menos deixou um endereço. Eu... não consigo acreditar que ela foi embora desse jeito.

Aibileen continua olhando para baixo. Parece estar estudando os brotos de samambaia com muito cuidado.

— Não, tenho certeza que mandaram ela embora.

— Não, a minha mãe disse que ela pediu para ir embora. Em abril. Foi viver em Chicago com os parentes.

Aibileen pega outro broto de samambaia, começa a lavar o caule longo, as protuberâncias curvas.

— Não, senhorita — diz ela, depois de uma pausa.

Demoro alguns segundos para entender do que estamos falando.

— Aibileen — digo, tentando olhá-la nos olhos. — Você acha mesmo que Constantine foi despedida?

Mas o rosto de Aibileen tornou-se tão inexpressivo quanto o céu azul.

— Vai ver tou confundindo as coisas — diz ela, e está na cara que está pensando que falou demais para uma branca.

Ouvimos Mae Mobley chorar. Aibileen pede licença e desaparece pela porta vaivém. Alguns segundos se passam até que eu caia em mim e vá para casa.

QUANDO ENTRO EM CASA dez minutos depois, mamãe está lendo, na sala de jantar.

— Mãe — digo, abraçando minha caderneta contra o peito —, a senhora *demitiu* Constantine?

— Eu... *o quê*? — pergunta mamãe. Mas eu sei que ela me ouviu, pois largou o boletim do DAR.* É preciso uma pergunta e tanto para tirar os olhos dela desse material eletrizante.

— Eugenia, falei para você: a irmã dela estava doente, então ela foi para Chicago, viver com os familiares — diz ela. — Por quê? Quem lhe falou outra coisa?

Nunca, nem em um milhão de anos, eu diria que foi Aibileen.

— Ouvi hoje à tarde. Na cidade.

— Quem falaria uma coisa dessas? — Mamãe aperta os olhos, por trás dos óculos de leitura. — Deve ter sido uma das outras pretas.

---

* Daughters of American Revolution, ou Filhas da Revolução Americana. Organização patriótica fundada por mulheres descendentes de heróis da Guerra de Independência Americana. (N.T.)

— O que a senhora *fez* com ela, mamãe?

Minha mãe passa a língua nos lábios e me lança um longo olhar por cima de suas lentes bifocais:

— Você não entenderia, Eugenia. Não até que você contrate uma empregada você mesma.

— A senhora... *demitiu* ela? Por quê?

— Não importa. Já passou e não vou pensar nisso nem mais um minuto.

— Mamãe, foi ela quem me criou. Me conte agora mesmo o que aconteceu! — Não gosto do tom agudo e desesperado da minha voz, do som infantil das minhas súplicas.

Ela ergue as sobrancelhas ao ouvir meu tom e tira os óculos.

— Foi só uma coisa de gente de cor. E isso é tudo que vou dizer. — Ela volta a pôr os óculos e levanta o boletim da DAR até a altura dos olhos.

Estou tremendo, estou furiosa. Subo as escadas pisando forte. Sento à máquina de escrever, estupefata que minha mãe tenha podido mandar embora alguém que lhe fez o maior favor da sua vida: criar os filhos dela, me ensinar bondade e a ter respeito por mim mesma. Olho ao redor no meu quarto, para o papel de parede de rosas, para as cortinas, quase fechadas, as fotografias amareladas tão familiares que são quase desprezíveis. Constantine trabalhou para a nossa família durante vinte e nove anos.

DURANTE A SEMANA SEGUINTE, papai se levanta antes do amanhecer. Acordo ao som do motor de caminhões, ao barulho dos camponeses colhendo algodão, aos gritos que urgem os trabalhadores a se apressarem. Os campos estão marrons e secos, com caules mortos de algodão, desfolhados para que as máquinas possam chegar até as bolas. A colheita do algodão iniciou.

Na época da colheita, papai não para nem mesmo para ir à igreja, mas domingo à noite eu o pego no corredor escuro, entre o jantar e a hora de dormir.

— Papai — pergunto. — O senhor vai me contar o que aconteceu com Constantine?

Ele está tão exausto que suspira antes de responder.

— Como é que a mamãe pôde demiti-la, papai?

— O quê? Querida, Constantine pediu demissão. Você sabe que sua mãe jamais a demitiria. — Ele parece desapontado por eu ter feito tal pergunta.

— O senhor sabe para onde ela foi? Ou tem o endereço dela?

Ele faz que não:

— Pergunte à sua mãe, ela deve saber. — Ele dá um tapinha no meu ombro. — As pessoas seguem suas vidas, Skeeter. Mas eu bem que gostaria que ela tivesse ficado aqui conosco.

Ele caminha pelo corredor, em direção à cama. Ele é um homem honesto demais para esconder qualquer coisa, de forma que sei que não tem mais informações do que eu.

Naquela semana e em todas as semanas que se seguem, passo uma vez na casa de Elizabeth, às vezes duas, para falar com Aibileen. Elizabeth parece sempre um pouco mais desconfiada. Quanto mais eu fico na cozinha, maior o número de tarefas que Elizabeth arranja até a hora de eu ir embora: as maçanetas precisam ser polidas, o topo da geladeira precisa ser espanado, as unhas de Mae Mobley até que podiam ser aparadas. Aibileen não é mais que cordial comigo. Nervosa, fica junto à pia da cozinha e não para de trabalhar. Não demora até que meus textos dispensem o copidesque e o sr. Golden pareça satisfeito com a coluna, embora as duas primeiras tenham me custado só vinte minutos para serem escritas.

E toda semana pergunto a Aibileen sobre Constantine. Será que Aibileen não pode conseguir o endereço dela para mim? Não sabe me dizer alguma coisa sobre por que ela foi demitida? Houve um grande escarcéu? Pois simplesmente não consigo imaginar Constantine dizendo *sim, senhora* e saindo pela porta dos fundos. Quando mamãe ficava irritada com ela por causa de uma colher manchada, Constantine lhe servia torradas queimadas durante uma semana. Imagino como deve ter sido a demissão.

Mas não faz diferença, pois tudo que Aibileen faz é dar de ombros para mim e dizer que não sabe de nada.

Uma tarde, depois de perguntar a Aibileen como remover manchas ao redor da banheira (sem nunca ter escovado uma banheira na minha vida), volto para casa. Passo pela sala de estar íntima. O aparelho de televisão está ligado, e dou uma olhada para aquele lado. Pascagoula está parada, de pé, a cerca de quinze centímetros da tela. Ouço as palavras *Ole Miss* e, na imagem indefinida da tela, vejo homens brancos vestindo ternos escuros, ocupando toda a câmera, com suor escorrendo de suas cabeças raspadas. Chego mais perto e vejo um negro, mais ou menos da minha idade, em pé no meio dos brancos, com homens do exército atrás dele. A imagem melhora, e vejo um velho prédio administrativo. O governador Ross Barnett está em pé, de braços cruzados, encarando o homem negro e alto. Ao lado do governador está nosso senador Whitworth, com cujo filho Hilly quer que eu me encontre.

Assisto à televisão, enfeitiçada. No entanto, não estou nem entusiasmada nem desapontada pela notícia de que podem admitir um homem de cor na Ole Miss, apenas surpresa. Pascagoula, porém, está respirando de forma tal que consigo ouvi-la. Ela continua imóvel, sem perceber que estou logo atrás. Roger Sticker, nosso repórter local, está nervoso, sorrindo, falando rápido.

— O presidente Kennedy ordenou que o governador abra caminho para James Meredith,* eu repito, o presidente dos Estados Unidos...

---

* James Meredith foi o primeiro negro a inscrever-se para a Universidade Mississippi. O campus foi invadido, duas pessoas morreram nos protestos, mas ele conseguiu se matricular com proteção federal. O livro *The Band Played Dixie*, de Nadine Cohodas, conta o que Meredith passou na Ole Miss. (N.T.)

— Eugenia, Pascagoula! Desliguem esse aparelho agora mesmo!

Pascagoula dá um pulo, se vira e vê a mim e a mamãe. Sai do cômodo correndo, os olhos grudados no chão.

— Ora, não vou tolerar isso, Eugenia — sussurra mamãe. — Não vou tolerar que você os incentive desse jeito.

— Incentivar? É uma notícia nacional, mamãe.

Mamãe bufa:

— Não é apropriado que vocês duas assistam juntas. — E muda o canal, parando numa reprise vespertina do Lawrence Welk Show. — Olhe, isso não é muito mais agradável?

EM UM SÁBADO QUENTE de setembro, com os campos de algodão devidamente colhidos e limpos, papai traz um novo aparelho de televisão RCA, em cores, para casa. Ele leva o aparelho preto e branco para a cozinha. Sorrindo e orgulhoso, conecta a nova televisão à parede da sala de estar íntima. O jogo de futebol americano entre Ole Miss e a Universidade da Louisiana ressoa por toda a casa pelo resto da tarde.

Mamãe, é claro, fica grudada na tevê em cores, emitindo ohs e ahs para os vermelhos e azuis vibrantes do time. Ela e papai vivem para acompanhar os jogos de futebol americano do Rebel. Ela está vestida com calça de lã vermelha, apesar do calor escaldante, e está com a velha manta Kappa Alpha de papai estendida sobre a cadeira. Ninguém menciona James Meredith, o estudante de cor que eles admitiram.

Pego o Cadillac e me dirijo à cidade. Mamãe acha inexplicável eu não querer ver o time da minha universidade jogar. Mas Elizabeth e sua família estão na casa de Hilly, vendo o jogo, de forma que Aibileen está sozinha trabalhando na casa. Espero que seja um pouco mais tranquilo para Aibileen se Elizabeth não estiver. A verdade é que espero que ela me diga algo, qualquer coisa, sobre Constantine.

Aibileen me deixa entrar, e eu a sigo até a cozinha. Ela não parece muito mais relaxada na casa vazia de Elizabeth. Olha para a mesa da cozinha, como se quisesse sentar. Mas, quando a convido a fazê-lo, ela responde:

— Não, tou bem. Sente a senhorita. — Ela pega um tomate de uma panela sobre a pia e começa a descascá-lo com uma faca.

Então, eu me reclino sobre o balcão e apresento o último mistério: como evitar que os cachorros revirem sua lata de lixo da rua, atrás de comida? Pois seu marido preguiçoso nunca lembra de levar o lixo para fora no dia certo. Já que ele bebe toda aquela maldita cerveja.

— É só colocar um pouco de maníaco no lixo. Os cachorros não vão nem chegar perto das latas. — Eu trato de anotar, corrigindo para amoníaco, e pego a próxima carta. Quando levanto os olhos, Aibileen está sorrindo para mim.

— Não quero faltar com o respeito, dona Skeeter, mas... não é um pouco estranho a senhorita ser a nova sra. Myrna, se não sabe nada de cuidar de uma casa?

Ela não falou isso do mesmo modo que mamãe, um mês antes. Eu me pego rindo, e conto a ela o que eu não contei a ninguém mais, sobre os telefonemas e o currículo que mandei para a Harper & Row. Que quero ser escritora. O conselho que recebi de Elaine Stein. É bom contar para alguém.

Aibileen balança a cabeça afirmativamente e passa a faca noutro tomate vermelho e macio.

— Meu menino, Treelore, ele gostava de escrever.

— Eu não sabia que você tinha um filho.

— Ele morreu. Tem dois anos.

— Oh, sinto muito — digo, e por um momento só se ouve o pastor Green no cômodo, o barulho suave de cascas de tomate caindo na pia.

— Só tirou A em todas as provas de inglês que fez. Então, mais tarde, quando cresceu, ele conseguiu uma máquina de escrever e começou a trabalhar numa ideia... — Os ombros pregueados do seu uniforme caem um pouco. — Disse que ia escrever um livro.

— Que tipo de ideia? — pergunto. — Quero dizer, se não se importa em contar...

Aibileen não diz nada durante um tempo. Continua girando tomates na mão e descascando-os.

— Ele leu um livro chamado *O homem invisível*, de H. G. Wells. Quando terminou, disse que ia escrever como era ser de cor e trabalhar pra um branco no Mississippi.

Desvio o olhar, sabendo que seria nesse ponto que minha mãe pararia a conversa. Esse é o ponto em que ela sorriria e mudaria de assunto para o preço do polidor de prata ou do arroz branco.

— Eu também li *O homem invisível*, depois que ele leu — diz Aibileen. — Gostei muito.

Concordo, mesmo sem nunca ter lido o livro. Eu nunca havia pensado em Aibileen como uma leitora.

— Ele escreveu quase cinquenta páginas — diz ela. — Deixei essa garota, Frances, ficar com elas.

Aibileen para de descascar. Vejo sua garganta se mexer enquanto ela engole.

— Por favor, não conte isso pra ninguém — diz ela, a voz mais macia agora —, sobre ele querer escrever sobre seu patrão branco. — Ela morde o lábio e me dou conta de que ela ainda receia por ele. Mesmo estando morto, o instinto de ter medo pelo filho ainda está lá.

— Não tem problema você ter me contado, Aibileen. Acho que era... uma ideia muito corajosa.

Aibileen sustenta meu olhar por um momento. Então, pega outro tomate e posiciona a faca contra a pele. Eu observo, espero o suco vermelho jorrar. Mas Aibileen para antes de cortar, lança um olhar para a porta da cozinha.

— Não acho justo a senhorita não saber o que aconteceu com Constantine. Eu só... desculpe. Não parece certo eu falar com a senhorita sobre isso.

Fico quieta, sem ter muita certeza do que causou esse desabafo, sem querer estragá-lo.

— Mas vou lhe contar, foi uma coisa que tinha que ver com a filha dela. Que foi falar com a senhora sua mãe.

— Filha? Constantine nunca me contou que tinha uma filha. — Conheci Constantine durante vinte e três anos. Por que ela esconderia isso de mim?

— Foi difícil pra ela. O nenê saiu bem... pálido.

Fico imóvel, lembrando o que Constantine me contara anos antes.

— Você quer dizer claro? Como... branco?

Aibileen faz que sim, prosseguindo na sua tarefa junto à pia.

— Teve que mandar ela pra longe, lá pro norte, acho.

— O pai de Constantine era branco — digo. — Oh... Aibileen... você acha... — Um pensamento horrível passa pela minha cabeça. Estou chocada demais para terminar a frase.

Aibileen balança a cabeça:

— Não, senhorita, não. Não... isso. O homem da Constantine, Conner, era de cor. Mas já que Constantine tinha o sangue do pai, o nenê saiu amarelo. Acontece...

Sinto vergonha por ter pensado o pior. Ainda assim, não entendo.

— Por que Constantine nunca me contou? — pergunto, sem, na verdade, esperar uma resposta. — Por que ela a mandou embora?

Aibileen balança a cabeça para si mesma, como se entendesse algo. Mas eu não entendo.

— Nunca vi ela tão mal. Constantine deve ter dito umas mil vezes que não podia esperar o dia de ter a filha de volta.

— Você quer dizer que a filha teve alguma coisa a ver com a demissão de Constantine? O que aconteceu?

Nesse ponto, o rosto de Aibileen torna-se inexpressivo. A cortina baixou. Ela faz sinal em direção às cartas enviadas para a sra. Myrna, deixando claro que isso é tudo que está disposta a falar. Pelo menos, por ora.

NESSE DIA, À TARDE, passo na festinha que Hilly organizou para assistir ao futebol americano. A rua está toda ladeada por caminhonetes e longos Buicks. Eu me forço a atravessar a porta, sabendo que vou ser a única solteira no lugar. Lá dentro, a sala de estar está repleta de casais sentados nos sofás, nas chaises, em braços de cadeiras. As esposas sentam-se eretas, com as pernas cruzadas, enquanto os maridos debruçam-se para a frente. Todos os olhos estão grudados no aparelho de televisão de madeira. Eu fico no fundo, troco alguns sorrisos e alôs em voz baixa. Exceto pelo locutor, o cômodo está silencioso.

— *Uáááááá* — todos eles gritam, e mãos voam para cima, e as mulheres ficam de pé e batem palmas. Eu mastigo minha cutícula.

— É isso, Rebels! Mostrem a esses Tigers!

— Vamos lá, Rebels! — encoraja Mary Frances Truly, pulando no seu conjuntinho de casaco e blusa. Olho para minha unha, de onde pende uma cutícula, latejante e rosa. O cômodo está pesado, com cheiro de bourbon e lã vermelha e anéis de diamantes. Eu me pergunto se as moças de fato dão bola para futebol americano ou se apenas agem desse modo para impressionar os maridos. Nos quatro meses que estou na Liga, nenhuma vez uma garota me perguntou "Você viu só os Rebs?".

Puxo papo com alguns casais, até que vou para a cozinha. A empregada alta e magra de Hilly, Yule May, está cobrindo de massa umas salsichas minúsculas. Outra moça de cor, mais nova, está lavando pratos na pia. Hilly acena para mim, para eu ir até onde ela está conversando com Deena Doran.

— ... melhor petit four que eu já comi! Deena, talvez você seja a cozinheira mais talentosa da Liga! — Hilly enfia o resto do biscoito na boca, reforçando o que acabou de dizer e fazendo hummm.

— Ora, obrigada, Hilly, são difíceis de fazer, mas acho que vale a pena. — Deena está boquiaberta, parece que está prestes a chorar de adoração por Hilly.

— Então, você vai fazer? Oh, fico tão contente. O comitê de pães e doces *realmente* precisa de alguém como você.

— E de quantos você precisava mesmo?

— Quinhentos, para amanhã à tarde.

O sorriso de Deena congela:

— Tudo bem. Acho que posso... trabalhar durante a noite.

— Skeeter, você veio — diz Hilly, e Deena sai da cozinha.

— Não posso ficar muito — digo, provavelmente rápido demais.

— Bem, descobri tudo. — Hilly guincha. — Desta vez ele realmente vem. Daqui a três semanas.

Vejo os longos dedos de Yule May tirando a massa de uma faca, e suspiro, sabendo imediatamente a quem ela se refere.

— Não sei, Hilly. Você já tentou tantas vezes. Talvez isso seja um sinal. — No mês anterior, quando ele cancelou um dia antes do encontro, eu havia me permitido um pouco de entusiasmo. Realmente não estou disposta a passar por tudo de novo.

— O quê? Não me diga isso.

— Hilly — trinco os dentes, pois está na hora de eu dizer o que me passa na cabeça —, você sabe que não vou ser o tipo dele.

— Olhe para mim — diz ela. E faço como sou mandada. Pois é isso o que se faz perto de Hilly.

— Hilly, você não pode me obrigar...

— É *a sua vez*, Skeeter. — Ela se reclina na minha direção e pega a minha mão, aperta o dedão e os demais dedos tanto quanto Constantine fazia. — É a sua vez. E, droga, não vou deixar você perder essa só porque sua mãe a convenceu de que não é boa o suficiente para um cara como ele.

Sou atingida pelas suas palavras amargas, verdadeiras. E, ainda assim, fico admirada com a minha amiga, por sua tenacidade por mim. Hilly e eu sempre fomos incondicionalmente honestas uma com a outra, mesmo quanto às pequenas coisas. Com outras pessoas, Hilly distribui mentiras, assim como os presbiterianos distribuem culpa, mas é nosso acordo tácito, essa estrita honestidade, talvez a única coisa que tenha nos mantido amigas.

Elizabeth entra na cozinha, carregando um prato vazio. Ela sorri, então para, e nós três olhamos umas para as outras.

— O que foi? — diz Elizabeth. Dá para ver que ela está pensando que estávamos falando nela.

— Daqui a três semanas, então? — pergunta-me Hilly. — Você vem?

— Oh, sim, vai sim! Com certeza você vai! — diz Elizabeth.

Olho para seus rostos sorridentes, para a expressão de esperança que têm por mim. Não é como a ladainha de mamãe, mas uma esperança límpida, sem condições nem mágoas. Odeio que as minhas amigas tenham falado sobre isso — sobre o meu destino, ainda que só de uma noite — pelas minhas costas. Odeio e também adoro.

TRATO DE VOLTAR para a fazenda antes de o jogo terminar. Para além das janelas abertas do Cadillac, os campos estão colhidos e queimados. Papai terminou a última colheita algumas semanas atrás, mas o acostamento da estrada ainda está como que nevado, com algodão preso na grama. Chumaços brancos são levados pelo vento e flutuam no ar.

Sentada no lugar do motorista, verifico a caixa de correspondência. Lá dentro tem um *The Farmer's Almanac* e uma única carta. É da Harper & Row. Embico o carro na entrada e estaciono. A carta é escrita à mão, numa pequena folha de papel quadriculado.

Srta. Phelan,

Com certeza, você pode afiar suas habilidades de escrita com tais assuntos entediantes e desprovidos de paixão, como motoristas bêbados e analfabetismo. Esperei, no entanto, que você escolhesse assuntos que tivessem, de fato, alguma força. Continue procurando. Só me escreva novamente se encontrar algo original.

Passo despercebida por mamãe na sala de jantar, pela invisível Pascagoula espanando poeira no corredor, subo minhas íngremes e insalubres escadas. Meu rosto queima. Luto com as lágrimas provocadas pela carta da sra. Stein, digo a mim mesma para me recompor. A pior parte é: não tenho nenhuma ideia melhor.

Então me enterro no próximo artigo sobre cuidados domésticos, e, em seguida, no boletim informativo da Liga. Pela segunda semana consecutiva, deixo de fora o projeto higiênico de Hilly. Uma hora depois, me pego olhando pela janela. Minha cópia de *Elogiemos os homens ilustres** está em cima do parapeito da janela. Vou até lá e a pego, com receio de que a luz do sol vá fazer desbotar a sobrecapa, a foto em preto e branco da humilde e empobrecida família ali estampada. O livro está quente e pesado do sol. Me pergunto se algum dia chegarei a escrever alguma coisa de valor. Viro-me ao ouvir Pascagoula bater à minha porta. É então que me vem a ideia.

Não. Eu não poderia. Isso seria... passar dos limites.

A ideia se recusa a ir embora.

---

* *Let Us Now Praise Famous Men*, de James Agee e fotos de Walker Evans, retrata os efeitos da Depressão no Sul dos EUA. Eles conviveram durante três semanas com as famílias de meeiros pobres brancos do Alabama. (N.T.)

AIBILEEN

CAPÍTULO 7

A ONDA DE CALOR finalmente termina lá por meados de outubro e a gente fica então no fresquinho, um pouco mais de dez graus. De manhã, o assento daquela privada fica frio lá fora, me dá um arrepio quando sento nele. É só um quartinho bem pequenininho que eles construíram dentro da garagem. Tem uma privada e uma pia minúscula presa à parede. Uma cordinha pra acender a lâmpada. O papel higiênico tem que ficar no chão.

Quando eu cuidava da dona Caulier, a garagem era grudada na casa, então eu não precisava ir até lá fora. O lugar antes desse tinha dependência de empregada. Além de um quartinho pra mim, pra quando eu trabalhava até tarde. Agora preciso atravessar o frio pra chegar no banheiro.

Uma terça-feira, na hora do almoço, levo meu prato lá pros degraus nos fundos e coloco em cima do concreto frio. A grama da dona Leefolt não vai crescer nada bem aqui atrás. Uma enorme árvore de magnólias faz sombra em quase todo o jardim. Já sei que essa árvore vai ser o esconderijo de Mae Mobley. Em mais ou menos cinco anos, pra fugir da dona Leefolt.

Depois de um tempo, Mae Mobley aparece com seus passinhos de criança na escada que dá pros fundos da casa. Tá segurando metade de um hambúrguer na mão. Ela sorri pra mim e diz:

— Bom.

— Por que você não tá lá dentro com a mamãe? — pergunto, mas eu sei por quê. Ela prefere ficar sentada aqui fora com a empregada do que lá dentro, vendo a mãe olhar pra qualquer lugar, menos pra ela. É como um desses pintinhos que fica confuso e acaba indo atrás da pata em vez da galinha.

Mae Mobley aponta pros passarinhos se preparando pro inverno, gorjeando na pequena fonte cinza.

— Passainhos! — Ela aponta, e deixa cair o hambúrguer sobre o degrau. Sei lá de onde, aquele cachorro velhaco, o Aubie, pra quem eles nunca dão bola, vem e engole tudo. Não gosto de cachorro nenhum, mas esse aqui é de dar pena. Passo a mão na cabeça dele. Aposto que ninguém faz carinho nele desde o Natal.

Quando Mae Mobley vê o cachorro, ela dá um gritinho e agarra o rabo dele. O rabo bate no rosto dela algumas vezes até ela conseguir segurar. Coitadinho, ele uiva e olha pra ela com cara de cachorro, a cabeça virada de um jeito gozado, as sobrancelhas levantadas. Quase dá pra ouvir ele pedindo pra ela soltar ele. Ele não morde.

Então, ela solta, e eu pergunto:

— Mae Mobley, onde tá o seu rabo?

Ela para e se vira pra olhar pro traseiro dela. E fica de boca caída porque não consegue acreditar que não viu que tinha um rabo todo esse tempo. Girando em círculos, fica tentando ver o rabo.

— Você não tem rabo nenhum. — Eu rio e pego ela no colo antes que ela caia do degrau. O cachorro fareja ao redor, querendo mais hambúrguer.

Sempre fico admirada em ver que esses nenês acreditam em qualquer coisa que a gente fala pra eles. Tate Forrest, um dos meus ex-nenês, há muito tempo, me parou no caminho pro Jitney na semana passada e me deu um grande abraço, tão feliz em me ver. Tá um homem-feito agora. Eu precisava voltar pra dona Leefolt, mas ele começou a rir e a lembrar de como eu cuidava dele quando ele era um garoto. Da primeira vez que o pé dele ficou dormente, e ele disse que sentia uma comichão, e eu disse que o pé só tava roncando. E que eu dizia pra ele não beber café senão ia virar gente de cor. Ele disse que até hoje nunca bebeu uma xícara de café, e ele tem vinte e um anos. É sempre bom ver as crianças crescidas e bem na vida.

— Mae Mobley? Mae Mobley Leefolt!

Só agora a dona Leefolt reparou que a filha não tá sentada na mesma sala que ela.

— Tá aqui comigo, dona Leefolt — digo, pela porta de tela.

— Falei para você comer na sua cadeirinha, Mae Mobley. Simplesmente não sei como é que fui ter você, quando todas as minhas amigas têm anjinhos... — Mas então o telefone toca e ouço ela sair pisando firme para atender.

Olho pra Nenezinha, vejo que a testinha dela está toda franzida entre os olhos. Tá estudando alguma coisa muito séria.

Toco a bochecha dela:

— Você tá bem, nenê?

Ela diz:

— Mae Mo má.

O jeito dela dizer, como se fosse um fato, me dá uma dor lá dentro.

— Mae Mobley — digo, pois me vem a ideia de tentar uma coisa. — Você é uma menina esperta?

Ela fica olhando pra mim, parece que não sabe.

— Você é uma menina esperta — digo de novo.

Ela diz:

— Mae Mo esperta.

Digo:

— Você é uma menininha boazinha?

Ela só me olha. Tem dois anos. Ainda não sabe o que é.

Digo:

— Você é uma menininha boazinha. — E ela concorda, repetindo o que eu falei. Mas antes de eu poder continuar, ela se levanta e corre atrás daquele pobre cachorro pelo quintal e ri, e é então que me pergunto: o que acontece se eu falar pra ela que ela é boazinha todos os dias?

Perto da fonte dos passarinhos, ela se volta, sorri e grita:

— Oi, Aibee. Amo você, Aibee — E sinto um aperto, suave como o bater de asas de uma borboleta, vendo ela brincar ali fora. Como eu me sentia vendo Treelore. E lembrar disso me deixa um pouco triste.

Depois de um tempo, Mae Mobley se aproxima e aperta a bochecha dela contra a minha e fica ali parada, como que adivinhando em mim alguma dor. Seguro ela firme e sussurro:

— Você *é* uma menina *esperta*. Você é uma menina *boazinha*, Mae Mobley. Tá me ouvindo? — E continuo dizendo até ela repetir pra mim.

AS SEMANAS SEGUINTES são muito importantes pra Mae Mobley. Quando a gente pensa, provavelmente não lembra da primeira vez que fez as necessidades na privada, em vez de nas fraldas. Provavelmente a gente não dá crédito nenhum pra quem nos ensinou a fazer isso também. Nunca teve nenhum nenê criado por mim que chegou pra mim e disse: *Aibileen, gostaria de agradecer porque você me ensinou a usar a privada.*

É uma coisa complicada. Se você vai e tenta fazer uma criança usar a privada antes da hora, vai deixar ela enlouquecida. Não conseguem pegar o jeito e começam a ficar tristes consigo mesmas. A Nenezinha, porém, eu sei que ela tá pronta. E ela sabe que tá pronta. Mas, Senhor, ela tá me tirando o couro. Eu coloco ela naquele assento de madeira pra crianças pequenas, pro bumbum dela não entalar na privada, e, assim que viro as costas, ela sai correndo dali.

— Você precisa ficar aí, Mae Mobley!

— Não.

— Você bebeu dois copos de suco de uva, eu sei que você precisa fazer xixi.

— Nãão.

— Eu dou um biscoito, se você fizer por mim.

A gente fica um tempo olhando uma pra outra. Então, ela começa a olhar pra porta. Não ouço nada acontecer na privada. Normalmente, eles fazem as necessidades na privada depois de duas semanas. Mas isso, se tenho a mãe me ajudando. Os meninos precisam ver o pai fazendo, em pé, e as meninas precisam ver a mamãe fazendo, sentada. A dona Leefolt não deixa essa menina chegar perto dela quando tá na privada, e esse é o problema.

— Faz só um pouquinho pra mim, Nenezinha.

Ela coloca a língua pra fora, faz que não com a cabeça.

Dona Leefolt foi arrumar o cabelo, vou ter que pedir de novo pra ela dar o exemplo, mesmo se a mulher já disse *não* cinco vezes. Da última vez que ela disse não, eu tava me preparando pra dizer pra ela quantas crianças eu criei na vida e perguntar quantas ela tinha criado, mas acabei dizendo *tudo bem*, como sempre faço.

— Eu dou *dois* biscoitos pra você — digo, mesmo se a mãe dela tá sempre reclamando que eu tou deixando ela gorda.

Mae Mobley balança a cabeça e diz:

— Você faz.

Bem, não digo que nunca ouvi isso antes, mas normalmente consigo evitar. Sei que ela precisa ver como é que se faz a coisa, antes dela poder pôr mãos à obra. Digo:

— Eu não preciso fazer.

A gente fica olhando uma pra outra. Ela aponta de novo e diz:

— Você faz.

Então, ela começa a choramingar e a se remexer porque aquele assento tá fazendo uma marquinha no seu bumbum, e eu já sei o que eu vou ter que fazer. Só não sei bem como. Será que levo ela pra garagem, pro meu, ou faço aqui mesmo no banheiro? E se a dona Leefolt volta pra casa e eu tou sentada nessa privada? Ela tem um chilique.

Coloco de volta a fralda dela e a gente vai pra garagem. A chuva deixou o banheiro com cheiro de esgoto. Mesmo com a luz acesa, é escuro e não tem nenhum papel de parede bonito que nem dentro de casa. Na verdade, as paredes nem são paredes de verdade, são só chapas de compensado pregadas umas nas outras. Será que ela vai ficar com medo?

— Muito bem, Nenezinha, tá aqui, ó. O banheiro da Aibileen.

Ela enfia a cabeça lá dentro e sua boca fica do tamanho de um biscoito recheado. Ela diz:

— Óóóóó...

Baixo minha calça e faço xixi bem rápido, uso o papel, e visto tudo de novo antes dela, na verdade, conseguir ver qualquer coisa. Então, puxo a descarga.

— E é assim que a gente faz pipi — digo.

Bem, ela tá surpresa mesmo. Com a boca caída como quem acabou de ver um milagre. Saio do banheiro, e, antes de me dar conta, ela tira a fralda, e não é que a macaquinha sobe na privada, se segurando pra não cair e faz xixi sozinha?

— Mae Mobley! Você tá fazendo pipi! Que bom! — Ela sorri e eu seguro ela antes que caia dentro da privada. A gente volta correndo pra dentro e ela ganha os dois biscoitos.

Mais tarde, coloco ela na privada, em cima do assento dela, e ela faz mais uma vez pra eu ver. É a parte mais difícil, essas primeiras vezes. No final do dia, sinto que fiz uma coisa que vale mesmo a pena. Ela tá me saindo uma faladeira, e dá pra imaginar qual é a nova palavra do dia.

— O que a Nenezinha fez hoje?

Ela responde:

— Pipi.

Eu pergunto:

— A dona Hilly tem cheiro de quê?

— Pipi.

Mas então percebo que fiz besteira. Isso não foi uma coisa cristã que eu fiz, e, além do mais, tenho medo dela repetir.

MAIS À TARDINHA, a dona Leefolt volta pra casa com o cabelo todo emperiquitado. Fez um permanente e tá com cheiro de maníaco.

— Adivinha o que Mae Mobley fez hoje? — pergunto. — Fez pipi na privada.

— Oh, isso é maravilhoso! — Ela dá um abraço na filha, algo que não se vê muito por aqui. E sei que é verdadeiro, pois dona Leefolt não gosta *mesmo* de trocar fralda.

Eu digo:

— A senhora tem que fazer ela fazer na privada, de agora em diante. Fica muito confuso pra ela, se não for assim.

Dona Leefolt sorri e diz:

— Está bem.

— Vamos ver se ela faz mais uma vez antes de eu ir pra casa. — E a gente vai pro banheiro. Tiro a fralda dela e coloco ela no assento. Mas a Nenezinha só faz balançar a cabeça.

— Vamos lá, Mae Mobley, não pode fazer pipi pra mamãe?

— Nãããoo.

Então coloco ela em pé de novo.

— Não tem problema, você foi muito bem hoje.

Mas a dona Leefolt tá com a boca repuxada, fazendo cara feia e resmungando pra menina. Antes de eu conseguir colocar a fralda de volta nela, a Nenezinha sai correndo o mais rápido que pode. A Nenezinha branca e pelada correndo pela casa. Vai pra cozinha. Abre a porta dos fundos, tá na garagem, tentando alcançar a maçaneta do *meu* banheiro. A gente corre atrás dela, e a dona Leefolt já tá com o dedo em riste. A voz dela sobe umas dez notas:

— Esse não é o seu banheiro!

A Nenezinha balança a cabeça, sem entender.

— *Meu banheio!*

Dona Leefolt a pega num safanão, dá um tapa na perninha dela.

— Dona Leefolt, ela não sabe o que tá fazendo...

— Volte para dentro de casa, Aibileen!

Eu detesto, mas volto pra cozinha. Fico parada no meio do cômodo, deixo a porta aberta atrás de mim.

— Não criei você para usar o banheiro dos pretos! — Ouço ela sussurrando, pensando que não tou ouvindo, e penso: *Minha senhora, não foi a senhora quem criou a sua filha.*

— Aqui é sujo, Mae Mobley. Você vai pegar doença! Não, não, não! — E ouço ela bater novamente na menina, e de novo, e de novo, nas perninhas dela.

Depois de um segundo, a dona Leefolt traz ela pra dentro, como um saco de batatas. Não posso fazer nada, a não ser ficar olhando. Meu coração parece que tá se espremendo na minha garganta. A dona Leefolt larga Mae Mobley na frente da tevê e marcha pro quarto e bate a porta. Vou até lá dar um abraço na Nenezinha. Ela ainda tá chorando, e parece muito, muito confusa.

— Sinto muito, Mae Mobley — falo baixinho pra ela. Tou me amaldiçoando por ter levado ela lá fora. Mas não sei o que mais falar, então só abraço ela bem forte.

Ficamos sentadas ali, vendo *Os Batutinhas* até a dona Leefolt sair do quarto e perguntar se já não passou da hora de eu ir embora. Enfio a moeda pro ônibus no bolso. Abraço mais uma vez Mae Mobley e sussurro:

— Você é uma menina *esperta*. Você é uma menina *boazinha.*

No caminho pra casa, não vejo as mansões brancas que passam lá fora da janela. Não converso com as minhas colegas. Vejo a Nenezinha apanhando por minha causa. Vejo ela ouvindo a dona Leefolt me chamando de suja, de doente.

Na State Street, o ônibus acelera. Passamos pela ponte Woodrow Wilson, e minha mandíbula tá tão tensa que eu podia muito bem quebrar os dentes. Sinto aquela semente amarga brotando dentro de mim, aquela que foi plantada depois que Treelore morreu. Quero gritar alto pra Nenezinha me ouvir que sujo não é uma cor, que doença não é a parte negra da cidade. Quero não deixar chegar aquele momento — que chega na vida de qualquer criança branca — , quando elas começam a pensar que pessoas de cor não são tão boas quanto as pessoas brancas.

Entramos na Farish e me levanto, pois minha parada tá chegando. Rezo e peço que aquele não tenha sido o momento dela. Rezo e peço mais tempo pra mim.

NAS SEMANAS SEGUINTES, as coisas ficam realmente calmas. Mae Mobley tá usando calcinha de criança grande, agora. Quase nunca acontece um acidente. Depois do que se passou na garagem, a dona Leefolt começa a se interessar pelos hábitos de banheiro de Mae Mobley. Até deixa a filha ver ela na privada, pra ver o exemplo branco. Mas, algumas vezes, quando a dona Leefolt não tá, eu ainda pego ela tentando entrar no meu banheiro. Às vezes, ela entra antes de eu conseguir impedir.

— Olá, dona Clark. — Robert Brown, que cuida do jardim da dona Leefolt, sobe os degraus nos fundos da cozinha. Tá bonito e fresco lá fora. Abro a porta de tela.

— Como tá, filho? — pergunto, e dou um tapinha no braço dele. — Ouvi dizer que você tá cuidando de todos jardins da rua?

— Sim, senhora. Tou com dois caras trabalhando comigo. — Ele sorri. É um rapaz bonito, alto, com cabelo curto. Foi colega de Treelore nos últimos anos do colégio. Eles eram bons amigos, jogavam basquete juntos. Pego o braço dele de novo, precisando sentir mais uma vez o toque.

— Como tá a sua avó? — pergunto. Adoro a Louvenia, ela é a pessoa mais doce dessa Terra. Ela e Robert foram juntos ao funeral. Isso faz eu me lembrar do que tá se aproximando, na semana que vem. O pior dia do ano.

— A vó tá mais forte do que eu. — Ele sorri. — Eu vou na casa da senhora no sábado pra tirar as ervas daninhas.

Treelore sempre limpava o jardim pra mim. Agora é Robert quem limpa, eu nem preciso pedir, e ele nunca aceita dinheiro por isso.

— Obrigada, Robert. Fico feliz.

— Se a senhora precisar de qualquer coisa, a senhora me chama, tá bem, dona Clark?

— Obrigada, meu filho.

Ouço o barulho da campainha e vejo o carro da dona Skeeter. Ela veio aqui todas as semanas esse mês, pra me fazer as perguntas da sra. Myrna. Ela pergunta sobre manchas de água pesada e eu digo: cremor de tártaro. Ela pergunta como se faz pra tirar o resto de uma lâmpada que quebrou no bocal, e eu digo: uma batata crua. Ela pergunta o que aconteceu entre a antiga empregada dela, Constantine, e a mãe dela, e eu fico gelada. Pensei que, se contasse a ela um pouquinho, umas semanas atrás, sobre Constantine ter uma filha e tal, que ela me deixaria em paz depois disso. Mas a dona Skeeter não para de me fazer perguntas. Eu podia dizer que ela não entende por que uma mulher de cor não pode criar um nenê de pele branca no Mississippi. É uma vida difícil, solitária, não pertencer a nenhum lugar.

Sempre que a dona Skeeter termina as perguntas sobre como limpar isso ou consertar aquilo, ou sobre o paradeiro de Constantine, a gente fica conversando sobre outros assuntos também. Não é uma coisa que eu fiz muito com as minhas patroas nem com as amigas das minhas patroas. Quando vejo, tou contando pra ela que Treelore nunca tirou uma nota mais baixa do que B+ e que o novo pároco da igreja me dá nos nervos porque fala de um jeito que parece que tá assobiando. Migalhas, mas coisas que normalmente não conto pra um branco.

Hoje, tou tentando explicar pra ela a diferença entre dar brilho na prataria colocando ela de molho ou polindo, que só as casas mais descuidadas usam a imersão, pois é mais rápido, mas não fica tão bonito. A dona Skeeter pende a cabeça pro lado, deixa a testa cheia de rugas.

— Aibileen, lembra aquela... ideia que Treelore teve?

Faço que sim, sinto um arrepio. Eu nunca devia ter contado isso pra uma branca.

A dona Skeeter aperta um pouco os olhos, do mesmo jeito que ela fez quando tocou no assunto do banheiro, aquela vez.

— Tenho pensado naquela ideia. Eu queria conversar com você...

Mas, antes dela poder terminar, dona Leefolt entra na cozinha e pega a Nenezinha brincando com o meu pente, que tá no meu bolso, e diz pra Mae Mobley ir tomar seu banho mais cedo. Digo até logo pra dona Skeeter e vou preparar a banheira.

DEPOIS DE PASSAR UM ANO apreensiva, o dia 8 de novembro finalmente chega. Acho que dormi duas horas na noite anterior. Acordo assim que amanhece e coloco uma cafeteira cheia de café Community no fogo. Minhas costas doem quando eu me abaixo pra calçar as meias. Antes de eu chegar na porta, o telefone toca.

— Só pra conferir. Dormiu bem?

— Dormi, sim.

— Vou aí hoje à noite levar uma torta de caramelo. E não quero você fazendo nada além de ficar sentada na cozinha e comer a torta inteira no jantar. — Tento sorrir, mas não consigo. Agradeço a Minny.

Há três anos, nesse dia, Treelore morreu. Mas, pra dona Leefolt, ainda é dia de limpar o assoalho. O Dia de Ação de Graças chega em duas semanas e tenho muita coisa pra fazer, pra aprontar tudo. Passo toda a manhã esfregando o chão, até o noticiário do meio-dia. Sinto falta das notícias, pois as donas tão na sala de jantar, num encontro beneficente, e não tenho permissão pra ligar a tevê quando tem visita.

Tudo bem. Meus músculos tão tremendo, de tão cansados. Mas não quero parar de me mexer.

Perto das quatro, a dona Skeeter vem na cozinha. Antes mesmo de ela dizer oi, a dona Leefolt aparece correndo atrás dela.

— Aibileen, acabei de ficar sabendo que a sra. Fredericks está vindo de carro de Greenwood amanhã e vai ficar durante o feriado de Ação de Graças. Quero o faqueiro de prata polido e todas as toalhas de hóspedes lavadas. Amanhã lhe dou a lista das outras coisas.

Dona Leefolt balança a cabeça pra dona Skeeter, de um jeito meio desaprovador, como que criticando a vida fácil que ela leva. Eu vou e pego o faqueiro de prata na sala de jantar. Senhor, já estou cansada e preciso me aprontar pra trabalhar no Baile Beneficente no próximo sábado à noite. Minny não vai. Tá com muito medo de encontrar a dona Hilly.

Dona Skeeter ainda tá esperando por mim na cozinha quando eu volto. Tá segurando na mão uma carta pra sra. Myrna.

— A senhorita tem uma pergunta de limpeza? — suspiro. — Vamos lá.

— Na verdade, não. Eu só... queria lhe perguntar... no outro dia...

Pego um tantinho de Pine-Ola e começo a esfregar na prataria, passando o pano pela figura da rosa, pelo beiral e pelo cabo. Deus, faz amanhã chegar de uma vez. Não vou visitar o túmulo. Não posso, vai ser difícil demais...

— Aibileen? Está se sentindo bem?

Eu paro, levanto os olhos. Me dou conta de que a dona Skeeter tava falando comigo esse tempo todo.

— Desculpe, é que eu... tava pensando numa coisa.

— Você parecia tão triste.

— Dona Skeeter. — Sinto lágrimas encherem os meus olhos, pois três anos não é tempo suficiente. Cem anos não vai ser tempo suficiente. — A senhorita se importa se eu ajudar com as perguntas amanhã?

Ela começa a dizer alguma coisa, mas depois para.

— Claro. Espero que você melhore.

Termino o conjunto de prata e as toalhas e digo à dona Leefolt que preciso ir pra casa, apesar de ainda faltar meia hora pro meu horário e pra ela descontar do pagamento. Ela abre a boca como quem quer protestar e eu sussurro a minha mentira, *Vomitei*, e ela diz *vá*. Porque, além da mãe dela, não tem nada que dê mais medo na dona Leefolt do que doença de gente preta.

— MUITO BEM, ENTÃO. Estarei de volta em trinta minutos. Vou estacionar bem aqui às nove e quarenta e cinco — diz a dona Leefolt pela janela do acompanhante. A dona Leefolt me deixa no Jitney 14 pra comprar tudo que a gente precisa pro Dia de Ação de Graças, amanhã.

— Traga a nota — diz dona Fredericks, a mãe velha e malvada da dona Leefolt. Tão as três no banco da frente, Mae Mobley esmagada no meio, com uma expressão tão de coitadinha que até parece que tá indo tomar uma vacina de tétano. Pobre menina. A dona Fredericks deve ficar duas semanas, dessa vez.

— Não esqueça o peru, hein? — diz dona Leefolt. — E duas latas de molho cranberry.

Sorrio. Cozinho comida pra Ação de Graças dos brancos apenas desde que Calvin Coolidge* era presidente.

— Pare de ficar se mexendo, Mae Mobley — lasca dona Fredericks —, senão vou beliscar você.

— Dona Leefolt, deixa eu levar ela comigo pro mercado. Pra me ajudar nas compras.

Dona Fredericks se prepara pra protestar, mas a dona Leefolt diz:

— *Leve,* então. — E, antes de eu me dar conta, a Nenezinha deu um jeito de passar por cima do colo da avó e tá escalando a janela do carro na direção dos meus braços como se eu fosse o Messias. Puxo ela

* John Calvin Coolidge, Jr. — 30º presidente dos Estados Unidos, entre 1923 a 1929. (N.T.)

pra cima do meu quadril e elas vão embora, na direção da Fortification Street, e a Nenezinha e eu, nós rimos que nem duas meninas de escola.

Empurro a porta de metal, pego um carrinho e coloco Mae Mobley na frente dele, enfiando as perninhas dela pelos buracos. Desde que eu esteja vestindo meu uniforme branco, posso comprar nesse Jitney. Sinto falta dos velhos tempos, quando era só ir até a Fortification Street e lá ficavam os fazendeiros com seus carrinhos de mão, gritando "Batata-doce, fava, vagem, quiabo. Creme de leite, leitelho, queijo amarelo, ovos". Mas o Jitney não é tão ruim assim. Pelo menos, tem um bom ar-condicionado.

— Muito bem, Nenezinha. Vamos ver o que a gente precisa.

Na parte de hortifrúti, pego seis batatas-doce, três punhados de vagem. Pego um jarrete de presunto defumado no açougue. O mercado é claro, organizado. Bem diferente do Piggly Wiggly, pra negros, que tem serragem no chão. Aqui quase só dá mulheres brancas sorrindo, já com o cabelo arrumado e cheio de laquê pra amanhã. Quatro ou cinco empregadas tão fazendo compras, todas de uniformes brancos.

— Coisa roxa! — diz Mae Mobley, e eu deixo ela segurar a lata de cranberry. Ela sorri pra lata como se fosse um velho amigo. Ela adora a tal coisa roxa. Na parte dos secos, coloco o saco de um quilo de sal no carrinho, pra fazer uma salmoura pro peru. Conto as horas na minha mão: dez, onze, doze. Se preciso deixar a ave na salmoura por quatorze horas, vou colocar ela no balde por volta das três da tarde de hoje. Então, chego na dona Leefolt às cinco da manhã e asso o peru por cinco horas. Já fiz duas fornadas de pão de milho, deixei descansando sobre a bancada hoje pra ficar crocante. Tenho uma torta de maçã pronta pra assar, vou fazer os biscoitos amanhã de manhã.

— Pronta pra amanhã, Aibileen? — Eu me viro e vejo Franny Coots atrás de mim. Ela frequenta a minha igreja, trabalha pra dona Caroline. — Ei, belezinha, olha só essas pernocas gorduchas — diz ela pra Mae Mobley. Mae Mobley lambe a lata de cranberry.

Franny baixa um pouco a cabeça e diz:

— Você ficou sabendo o que aconteceu com o neto da Louvenia Brown hoje de manhã?

— Robert? — pergunto. — Que cuida dos jardins?

— Usou o banheiro dos brancos na Pinchman Lawn and Garden. Dizem que não tinha nenhuma placa avisando. Dois homens brancos foram atrás dele e espancaram ele com uma chave de biela.

Oh, não. *Robert* não.

— Ele... tá...?

Franny faz que não.

— Ainda não sabem. Ele tá no hospital. Ouvi dizer que tá cego.

— Deus, não. — Fecho meus olhos. Louvenia, ela é a pessoa mais pura, mais gentil que existe. Ela criou Robert depois que a filha dela morreu.

— Pobre Louvenia. Não entendo por que o mal tem que acontecer pras melhores pessoas — diz Franny.

NAQUELA TARDE, trabalho que nem uma louca, cortando cebola e aipo, mexendo o molho, fazendo purê de batata-doce, limpando as vagens, polindo a prataria. Ouvi dizer que o pessoal tá indo pra casa da Louvenia hoje às cinco e meia pra rezar por Robert, mas, depois de tirar aquele peru de doze quilos da salmoura, mal consigo levantar os braços.

Só termino de cozinhar às seis da tarde, duas horas mais tarde que o normal. Sei que não vou ter forças pra bater na casa da Louvenia. Vou precisar fazer isso amanhã, depois que terminar de desossar o peru. Eu me arrasto do ponto de ônibus, mal consigo manter os olhos abertos. Dobro a esquina na Gessum. Um grande Cadillac branco tá estacionado na frente de casa. E lá tá a dona Skeeter usando um vestido vermelho e sapatos vermelhos, sentada nos degraus da frente da minha casa.

Atravesso meu quintal bem devagar, me perguntando o que vai ser agora. A dona Skeeter se levanta, segurando a caderneta de anotações dela com força, como se alguém pudesse querer roubar. Gente branca só vem até o meu bairro pra trazer ou buscar as empregadas, o que por mim não tem problema. Passo o dia inteiro servindo gente branca. Não preciso que fiquem me vigiando também na minha casa.

— Espero que não se importe de eu vir até aqui — diz ela. — Eu... não sabia em que outro lugar poderíamos conversar.

Sento sobre um degrau, e todos os ossos da minha coluna doem. A Nenezinha fica tão nervosa perto da vó que fez xixi no meu colo, me molhou toda e agora eu tou fedendo. A rua tá cheia de gente caminhando até a casa da Louvenia querida pra rezar por Robert, crianças tão jogando bola na rua. Todo mundo tá olhando pra gente, pensando que eu tou sendo demitida ou algo assim.

— Pois não, senhorita — suspiro. — Em que posso ajudá-la?

— Eu tive uma ideia. Uma coisa sobre a qual quero escrever. Mas preciso da sua ajuda.

Não consigo evitar um suspiro. Gosto da dona Skeeter, mas haja paciência. Claro, era melhor que ela tivesse me telefonado antes. Ela nunca apareceria na casa de uma mulher branca sem ligar antes. Mas não, ela me aparece aqui como se tivesse todo o direito de vir me incomodar em casa.

— Quero entrevistar você. Sobre como é trabalhar como empregada doméstica.

Uma bola vermelha rola alguns metros pra dentro do meu quintal. O menino dos Jones corre, atravessando a rua, pra pegar ela. Quando vê a dona Skeeter, ele congela. Então, corre de novo e pega a bola. Se vira e sai correndo, parece que com medo de que ela vá atrás dele.

— Que nem a coluna da sra. Myrna? — pergunto, na lata. — Sobre limpeza?

— Não, não como a sra. Myrna. Estou falando de um livro — diz ela, e seus olhos parecem grandes. Tá entusiasmada. — Histórias sobre como é trabalhar para uma família branca. Histórias sobre como é trabalhar para, digamos... Elizabeth.

Eu me viro e olho pra ela. Era isso que ela tava tentando me perguntar nas duas últimas semanas, na cozinha da dona Leefolt.

— A senhorita acha que a dona Leefolt vai concordar com isso? Eu contando histórias sobre ela?

Os olhos da dona Skeeter se desanimam um pouco.

— Bem, não. Eu estava pensando em não contar a ela. Vou precisar dar um jeito para as outras empregadas concordarem em manter o sigilo, também.

Coço a cabeça, começando a entender o que ela tá querendo.

— Outras empregadas?

— Eu queria conseguir quatro ou cinco. Para mostrar como é ser uma empregada doméstica em Jackson.

Olho ao redor. Estamos no céu aberto. Será que ela não sabe que pode ser perigoso falar sobre isso enquanto o mundo todo pode estar nos vendo?

— Que histórias, exatamente, a senhorita acha que vai ouvir?

— Sobre quanto vocês recebem, como tratam vocês, os banheiros, os bebês, todas as coisas que você viu, boas e más.

Ela parece entusiasmada, como se fosse um tipo de jogo. Por um segundo, acho que posso estar mais louca do que cansada.

— Dona Skeeter — sussurro —, isso não parece perigoso pra senhorita?

— Não se formos cuidadosas...

— Psiu, por favor. Sabe o que vai acontecer comigo se a dona Leefolt descobrir que falei dela pelas costas?

— Não vamos contar a ela nem a ninguém. — Ela baixa um pouco a voz, mas não muito. — Vão ser entrevistas particulares.

Fico olhando pra ela. Será que é louca?

— A senhorita ficou sabendo do rapaz de cor essa manhã? Aquele que apanhou de chave de biela porque usou, *por acidente*, o banheiro dos brancos?

Ela fica olhando pra mim, pisca um pouco.

— Sei que as coisas estão instáveis, mas isso é...

— E a minha prima Shinelle, no condado Cauter? Queimaram o carro dela porque ela *foi* até o local de votação.

— Ninguém nunca escreveu um livro como esse — diz ela, finalmente falando baixinho, finalmente começando a entender, acho. — Estaríamos entrando numa área inexplorada. Trata-se de uma perspectiva totalmente nova.

Vejo um rebanho de empregadas uniformizadas caminhando perto da minha casa. Elas olham, me veem sentada com uma branca na entrada da casa. Cerro os dentes, já sei que hoje à noite meu telefone vai tocar.

— Dona Skeeter — e falo devagar, tentando fazer ela prestar atenção no que tou dizendo —, se faço isso com a senhorita, é a mesma coisa que pôr fogo na *minha* casa.

A dona Skeeter começa a mordiscar as unhas.

— Mas eu já... — Ela fecha os olhos com força. Penso em perguntar pra ela, *Já o quê?*, mas fico meio com medo de ouvir o que ela tem a dizer. Ela pega sua caderneta, rasga um pedaço de papel e escreve nele um número de telefone.

— Por favor, pelo menos pense no assunto?

Suspiro, olho pro quintal. Da forma mais gentil que consigo, respondo:

— Não, senhorita.

Ela coloca o pedaço de papel entre nós duas, no chão, e então entra no seu Cadillac. Tou cansada demais pra me levantar. Só fico ali, observando enquanto ela se afasta bem devagar pela rua. Os garotos que tão jogando bola abrem caminho, ficam parados ao lado, imóveis, como se fosse um rabecão passando.

SRTA. SKEETER

CAPÍTULO 8

PERCORRO A Gessum Avenue no Cadillac da mamãe. Lá adiante, um menino de cor, vestido num macacão, me observa de olhos esbugalhados, enquanto pega uma bola vermelha. Olho no retrovisor. Aibileen ainda está nos degraus da entrada da sua casa, de uniforme branco. Ela sequer olhou para mim quando disse *Não, senhorita*. Ficou só fitando aquela porção de grama amarelada do seu quintal.

Acho que pensei que seria como visitar Constantine, com pessoas de cor, amigáveis, acenando e sorrindo, felizes em ver a menininha cujo pai era dono da grande fazenda. Mas ali, olhos desconfiados me observavam passar. Quando meu carro se aproxima dele, o menininho de cor se vira e foge para trás de uma casa próxima à de Aibileen. Meia dúzia de pessoas de cor estão reunidas no jardim na frente de uma casa, segurando bandejas e sacolas. Esfrego as têmporas. Tento pensar em alguma coisa que possa convencer Aibileen.

UMA SEMANA ATRÁS, Pascagoula bateu à porta do meu quarto.

— Tem uma ligação interurbana pra senhorita, dona Skeeter. De uma senhorita... Stern, acho que é isso?

— Stern? — penso em voz alta. Então fico em estado de alerta. — Você quer dizer... *Stein*?

— Eu... eu acho que pode ser Stein. Ela fala de um jeito meio duro.

Passo correndo por Pascagoula, desço as escadas. Por alguma razão idiota, fiquei alisando o cabelo com a mão, como se se tratasse de uma reunião, e não de uma ligação telefônica. Na cozinha, apanho o fone, balançando contra a parede.

Três semanas antes, eu havia datilografado a carta em papel Strathmore branco. Três páginas delineando a ideia, os detalhes e a mentira: que uma empregada doméstica de cor e trabalhadora havia concordado em me deixar entrevistá-la e em descrever, tintim por tintim, como é trabalhar para as mulheres brancas da nossa cidade. Pesando isso e a alternativa — de que eu *planejava* pedir ajuda a uma mulher de cor —, dizer que ela já havia concordado com a ideia parecia infinitamente mais atraente.

Levei o fone até a despensa, puxei a corda da única lâmpada nua do cômodo. A despensa é cheia de prateleiras, do chão ao teto, com picles e potes de sopa, melado e compotas. Na época do colégio, esse era o meu truque para conseguir um pouco de privacidade.

— Alô? É Eugenia quem fala.

— Por favor, aguarde. Vou passar a ligação. — Ouvi vários cliques e, então, uma voz que soava muito, muito longe, quase tão grave quanto a de um homem, dizer:

— Elaine Stein.

— Olá. Aqui é Skee... Eugenia Phelan, falando do Mississippi.

— Eu sei, srta. Phelan. Fui eu que liguei para você. — Ouvi o barulho de um fósforo sendo riscado e uma tragada curta, forte. — Recebi sua carta na semana passada. Tenho alguns comentários a fazer.

— Sim, senhora. — Afundei sobre uma lata alta de farinha King Biscuit. Meu coração estava batendo forte enquanto eu me esforçava para ouvi-la. Uma ligação telefônica de Nova York realmente soava tão entrecortada quanto mil e quinhentos quilômetros deveriam soar.

— O que foi que lhe deu essa ideia? De entrevistar empregadas domésticas. Estou curiosa.

Fiquei paralisada por um segundo. Ela não demonstrou nenhuma disposição em jogar conversa fora, nem mesmo oi, nenhuma apresentação. Percebi que era melhor responder sem rodeios.

— Eu fui... bem, eu fui criada por uma mulher de cor. Vi como isso pode ser simples e... como também pode ser complexo, entre as famílias e as empregadas. — Limpei a garganta. O som da minha voz era tenso, como se eu estivesse falando com um professor.

— Prossiga.

— Bem — respirei fundo. — Eu gostaria de escrever sobre isso, mostrando o ponto de vista das empregadas. As mulheres de cor daqui. — Tentei imaginar o rosto de Constantine, o de Aibileen. — Elas criam uma criança branca, então, vinte anos depois, a criança se torna seu empregador. É essa ironia, nós as amamos e elas nos amam, e ainda assim... — Engoli a saliva, com a voz tremendo. — Sequer permitimos que usem o banheiro da casa.

Mais uma vez, silêncio.

— E — me senti compelida a continuar — todo mundo sabe o que pensam os brancos, a figura glorificada de Mammy, que dedica toda a vida a uma família branca. Margaret Mitchell já fez isso. Mas ninguém nunca perguntou a Mammy o que ela pensava disso tudo. — Suor escorria pelo meu peito, molhando minha blusa de algodão.

— Então você quer mostrar um lado que nunca foi examinado — disse a sra. Stein.

— Sim. Porque ninguém nunca fala a respeito disso. Ninguém nunca fala sobre nada, aqui.

Elaine Stein deu uma risada que mais parecia um rosnar. O sotaque dela era tenso, ianque.

— Srta. Phelan, eu vivi em Atlanta. Durante seis anos, com meu primeiro marido.

Eu me agarrei a essa pequena conexão.

— Então... a senhora sabe como é.

— O suficiente para eu ter saído correndo de lá — disse ela, e ouvi outra tragada. — Olhe, li a sua proposta. É, com certeza... original, mas não vai funcionar. Que empregada, em sã consciência, ousaria contar a verdade a você?

Pude ver os sapatos cor-de-rosa da mamãe passando junto à porta. Tentei ignorá-los. Eu não podia acreditar que a sra. Stein já estava percebendo o meu blefe.

— A primeira entrevistada está... ansiosa para contar sua história.

— Srta. Phelan — disse Elaine Stein, e eu vi que não se tratava de uma pergunta —, essa mulher negra, de fato, concordou candidamente em falar com você? Sobre trabalhar para uma família branca? Porque isso me parece um risco e tanto para um lugar como Jackson, Mississippi.

Pisquei. Senti os primeiros raios de preocupação, de que talvez convencer Aibileen não seria tão fácil como eu havia imaginado. Mal sabia eu o que ela me diria, na entrada da sua casa, na semana seguinte.

— Vi, no noticiário, eles tentarem integralizar a rodoviária de vocês — continuou a sra. Stein. — Enfiaram cinquenta e cinco negros em uma cela de prisão projetada para quatro pessoas.

Apertei os lábios:

— Ela concordou. Sim, concordou.

— Bem. Isso é impressionante. Mas, depois dela, você realmente acha que outras empregadas vão falar com você? E se os patrões delas descobrirem?

— As entrevistas serão realizadas em segredo. Já que, como a senhora sabe, as coisas estão um pouco perigosas aqui, no momento.

A verdade era que eu fazia muito pouca ideia de quão perigosas poderiam ser as coisas. Eu havia passado os últimos quatro anos isolada no quieto quarto da faculdade, lendo Keats e Eudora Welty, e preocupada com trabalhos finais.

— Perigosas? — Ela riu. — Os protestos em Birmingham, Martin Luther King. Cachorros atacando crianças de cor. Querida, é o assunto da hora para toda a nação. Mas, lamento, isso nunca vai funcionar. Não como um artigo, pois nenhum jornal do Sul o publicaria. E certamente não como um livro. Um livro de *entrevistas* nunca venderia.

— Oh — eu me ouvi dizer. Fechei os olhos, sentindo todo o entusiasmo se esvaindo. Mais uma vez, me ouvi dizer: — Oh.

— Liguei porque, francamente, é uma boa ideia. Mas... não há como levar isso até a publicação.

— Mas... e se... — Meus olhos começaram a passear pela despensa, buscando algo que pudesse reavivar o interesse da sra. Stein. Talvez eu devesse, de fato, tratar do assunto em um artigo, talvez numa revista, mas ela disse que não...

— Eugenia, com quem você está falando aí dentro? — a voz da minha mãe penetrou a despensa. Ela abriu uma nesga da porta e eu a bati, fechando-a novamente. Tapei o bocal do fone e sussurrei:

— Estou falando com a *Hilly*, mamãe...

— Na despensa? Você parece uma adolescente de novo...

— Quero dizer... — a sra. Stein deixou escapar um ríspido *tsc*. — Acho que posso ler o que você conseguir escrever. Sabe Deus, o mercado de livros bem que precisa ser chacoalhado.

— A senhora faria isso? Oh, sra. Stein...

— Não digo que vou considerar para publicação. Mas... faça a entrevista e eu lhe direi se vale a pena prosseguir.

Gaguejei alguns sons ininteligíveis, finalmente conseguindo dizer:

— *Muito* obrigada. Sra. Stein, a senhora não sabe o quanto a sua ajuda é importante para mim.

— Não me agradeça ainda. Ligue para a Ruth, minha secretária, se precisar falar comigo. — E desligou.

EU ME PARAMENTEI com uma grande bolsa velha para o clube do bridge, na casa de Elizabeth, na quarta-feira. É vermelha. É feia. E hoje, pelo menos, é parte de um disfarce.

É a única bolsa grande o suficiente para carregar as cartas da sra. Myrna que consegui encontrar na casa de mamãe. O couro está seco e quebradiço, a alça — larga — deixa uma marca marrom na minha blusa, onde ele está se desfazendo. Era a bolsa de jardinagem da minha avó Claire. Ela costumava carregar nela as ferramentas de jardim pelo quintal, e o fundo da bolsa ainda contém sementes de girassol. Não combina com absolutamente nenhuma roupa minha, e não me importo com isso.

— Daqui a duas semanas — me diz Hilly, levantando dois dedos à minha frente. — Ele vem. — Ela sorri, e eu retribuo o sorriso.

— Já volto — digo, e desapareço cozinha adentro, carregando comigo o bolsão.

Aibileen está de pé junto à pia.

— Tarde — diz ela, em voz baixa. Faz uma semana que a visitei em sua casa.

Fico ali parada um minuto, observando enquanto ela mexe o chá gelado, sentindo o desconforto na sua atitude, seu pavor de que eu esteja prestes a pedir de novo sua ajuda para o livro. Tiro da bolsa algumas cartas sobre cuidados domésticos e, vendo isso, os ombros de Aibileen relaxam um pouco. Enquanto leio para ela uma pergunta sobre manchas de bolor, ela serve um pouco de chá num copo e prova. Com uma colher, coloca mais açúcar na jarra.

— Oh, antes que me esqueça, consegui a resposta pra aquela pergunta sobre as marcas de copos na madeira. A Minny disse que é só esfregar um pouco de maionese. — Aibileen espreme meio limão no chá. — Depois pegue esse marido que não serve pra nada e jogue porta afora. — Ela mexe, prova de novo. — A Minny não é muito chegada a maridos.

— Obrigada, vou anotar — digo. Tão casualmente quanto possível, puxo um envelope da minha bolsa. — Isto é para você. Há algum tempo quero lhe dar isto.

Aibileen se empertiga de novo na sua atitude cautelosa, do jeito que estava quando entrei.

— O que é? — pergunta ela, sem pegar o envelope.

— Pela sua ajuda — digo, baixinho. — Eu separei cinco dólares por artigo. Já são trinta e cinco dólares agora.

Os olhos de Aibileen se movem rapidamente para o chá.

— Não, obrigada, senhorita.

— Por favor, aceite, você fez por merecer.

Ouço barulho de cadeiras sendo arrastadas sobre o assoalho de madeira da sala de jantar e a voz de Elizabeth.

— Por favor, dona Skeeter. A dona Leefolt vai ter um ataque se descobrir que a senhorita tá me dando dinheiro — sussurra Aibileen.

— Ela não precisa saber.

Aibileen volta seu olhar para mim. A esclerótica dos seus olhos está amarela, cansada. Sei o que ela está pensando.

— Eu já disse pra senhorita, lamento, não posso ajudar com aquele livro, dona Skeeter.

Coloco o envelope sobre a bancada, sabendo que cometi um erro terrível...

— Por favor. Encontre outra empregada de cor. Alguém mais jovem. Alguém... que não seja eu.

— Mas eu não conheço nenhuma outra bem o suficiente. — Fico tentada a usar a palavra *amiga*, mas não sou assim tão ingênua. Sei que não somos amigas.

A cabeça de Hilly surge na porta.

— Venha, Skeeter, vou dar as cartas. — E ela desaparece.

— Tou implorando pra senhorita — diz Aibileen —, guarde esse dinheiro pra dona Leefolt não ver.

Aquiesço, constrangida. Enfio o envelope na minha bolsa, sabendo que a situação entre nós é a pior possível. Trata-se de uma propina, ela pensa, para convencê-la a se deixar entrevistar. Uma propina disfarçada de boa-fé e de agradecimento. De qualquer modo, eu estava esperando para dar a ela o dinheiro quando chegasse a um valor razoável, mas é verdade: fazê-lo hoje era algo que havia sido deliberadamente planejado. E agora eu a afugentei de vez.

— QUERIDA, coloque isto no cabelo. Custou onze dólares. Deve ser bom.

Mamãe me encurralou na cozinha. Lanço um olhar para a porta que dá para o corredor, a porta para a varanda lateral. Mamãe se aproxima ainda mais com aquilo na mão, e a magreza do seu pulso me distrai: como seus braços parecem frágeis, carregando a máquina cinza e pesada. Ela faz eu me sentar numa cadeira, não está tão frágil, afinal de contas, e espreme na minha cabeça um tubo de gel que faz um barulho flatulento. Já faz dois dias que minha mãe está me caçando, com o Brilho Mágico Macio & Sedoso.

Ela esfrega o creme no meu cabelo com as mãos. Posso praticamente sentir a esperança na ponta dos seus dedos. Um creme não vai endireitar meu nariz nem reduzir a minha altura. Não vai dar nitidez às minhas sobrancelhas quase translúcidas, nem dar mais peso à minha compleição ossuda. E meus dentes já são perfeitamente retos. Então, isto é tudo que ela ainda pode consertar: meu cabelo.

Mamãe tapa minha cabeça melecada com uma touca plástica. Ela conecta uma mangueira da touca até uma máquina quadrada.

— Quanto tempo isso demora, mamãe?

Com um dedo pegajoso, ela pega o manual de instruções.

— Aqui diz, "Cubra com a Touca Alisadora Milagrosa, então ligue a máquina e espere pelo milagroso"...

— Dez? Quinze minutos?

Ouço um clique, um ronco cada vez mais forte, então sinto um calor lento, porém intenso, na cabeça. Mas, de repente, faz-se um *pop*! O tubo se solta da máquina e se agita no ar como uma mangueira de incêndio enlouquecida. Mamãe dá um gritinho, agarra a mangueira, mas a perde de novo. Finalmente, ela segura a mangueira e a reconecta.

Respirando fundo, pega mais uma vez o manual de instruções.

— A Touca Milagrosa deve permanecer na cabeça durante duas horas ininterruptamente, senão os resultados...

— Duas *horas*?

—Vou mandar Pascagoula providenciar um copo de chá para você, querida. — Mamãe me dá um tapinha amigável no ombro e desaparece pela porta da cozinha.

Durante duas horas, fumo cigarros e leio a revista *Life*. Termino *O sol é para todos*.* Finalmente, pego o *Jackson Journal*, folheio todo ele. É sexta-feira, então não vai ter a coluna da sra. Myrna. Na página 4, leio: *Rapaz perde a visão por causa de banheiros segregados. Suspeitos são interrogados*. Isso me soa... familiar. Então me lembro. Deve ser o vizinho de Aibileen.

Duas vezes nessa semana fui até a casa de Elizabeth, esperando que ela não estivesse lá, para que eu pudesse falar com Aibileen, tentar encontrar alguma maneira de convencê-la a me ajudar. Elizabeth estava debruçada sobre a máquina de costura, determinada a aprontar um vestido novo para o Natal, e é mais um camisolão verde, barato e sem

---

* *To Kill a Mockingbird*, de Harper Lee, foi o romance vencedor do Prêmio Pulitzer em 1960. Tornou-se um clássico da literatura norte-americana moderna. (N.T.)

graça. Ela deve ter comprado o tecido na caixa de promoções de materiais verdes. Eu bem que gostaria de ir até a Kennington's e comprar algo novo para ela, mas o mero presente a constrangeria à morte.

"E então, já sabe o que vai vestir no dia do encontro?", perguntou Hilly na segunda vez que fui lá. "No próximo sábado?"

Dei de ombros.

"Acho que preciso comprar alguma coisa."

Bem nesse instante, Aibileen trouxe uma bandeja com café e colocou sobre a mesa.

"Obrigada." Elizabeth acenou a cabeça para ela.

"Ora, obrigada, Aibileen", disse Hilly, adoçando a sua xícara. "Você faz o melhor café de cor da cidade."

"Obrigada, madame."

"Aibileen", continuou Hilly, "o que está achando do seu banheiro novo, lá fora? É bom ter um lugar só para você, não é?"

Aibileen fixou o olhar na rachadura na mesa de jantar.

"Sim, madame."

"Sabe, o sr. Holbrook é que providenciou esse banheiro, Aibileen. Mandou os rapazes e também o equipamento." Hilly sorriu.

Aibileen ficou ali parada, e eu desejei não estar naquele cômodo. *Por favor*, pensei, *por favor, não diga obrigada*.

"Sim, madame." Aibileen abriu uma gaveta e buscou algo lá dentro, mas Hilly continuava olhando para ela. Era óbvio o que ela queria.

Outro segundo se passou sem que ninguém se mexesse. Hilly limpou a garganta e finalmente Aibileen baixou a cabeça.

"Obrigada, madame", sussurrou ela. Voltou para a cozinha. Não é à toa que ela não quer falar comigo.

Ao meio-dia, mamãe remove a touca vibradora da minha cabeça, lava a gosma do meu cabelo enquanto eu me reclino contra a pia da cozinha. Ela rapidamente enrola meu cabelo numa dúzia de bobes e me coloca sob o secador de cabelos no seu banheiro.

Uma hora mais tarde, saio de lá afogueada, com a cabeça doendo e morta de sede. Mamãe me coloca de pé na frente do espelho e tira os bobes. Ela escova as mechas gigantes e volumosas da minha cabeça.

Ficamos olhando, mudas.

— Puta merda — digo. Só o que eu penso é: *O encontro. O encontro às cegas é no próximo final de semana.*

Mamãe sorri, chocada. Ela nem reclama por eu falar um palavrão. Meu cabelo está ótimo. O Brilho Mágico funcionou.

CAPÍTULO 9

NO SÁBADO, dia do meu encontro com Stuart Whitworth, fico duas horas sentada com o Brilho Mágico na cabeça (o resultado, parece, só dura até a lavagem seguinte). Depois de secar, vou até a Kennington's e compro os sapatos mais baixos que consigo encontrar e um vestido retinho de crepe. Detesto fazer compras, mas dou graças a Deus pela distração, por não ter que me preocupar com a sra. Stein ou com Aibileen por uma tarde. Coloco os oitenta e cinco dólares na conta da minha mãe, já que ela está sempre implorando para eu ir comprar roupas novas. ("Algo bonito para o seu *tamanho*.") Sei que mamãe desaprovaria inteiramente o decote do vestido. Nunca tive um vestido como esse.

No estacionamento da Kennington's, dou a partida no carro, mas não consigo dirigir, por causa de uma dor súbita no estômago. Seguro com força a direção forrada de branco, dizendo para mim mesma pela décima vez que é ridículo desejar uma coisa que nunca vou ter. E pensar que sei que os olhos dele são azuis por causa de uma fotografia em preto e branco. Considerar uma oportunidade algo que não é nada mais que fibra de papel e jantares adiados. Mas o vestido, com meu cabelo novo, realmente me cai bem. E não posso deixar de ter esperanças.

FOI QUATRO MESES ATRÁS, quando Hilly me mostrou a foto, junto da piscina dela. Hilly estava se bronzeando no sol, eu estava me abanando no calor da sombra. A onda de calor havia começado em julho e ainda não tinha amainado.

— Estou ocupada — falei. Hilly estava sentada na beira da piscina, flácida e ainda gordinha da gravidez, inexplicavelmente confiante no seu maiô preto. Sua barriga continuava meio fofinha, mas suas pernas, como sempre, estavam magras e bonitas.

— Eu nem falei ainda para você quando ele vem — disse ela. — E ele é de uma família muito boa. — Ela se referia, é claro, à sua própria família. Ele era primo de segundo grau de William. — Apenas deixe eu apresentar você a ele e veja o que acha.

Olhei para a foto novamente. Ele tinha olhos francos e límpidos, cabelos encaracolados castanho-claros, era o mais alto de um grupo de homens junto a um lago. Mas seu corpo estava semiescondido pelos outros. Com certeza, não tinha todos os membros.

— Não tem nada de *errado* com ele — disse Hilly. — Pergunte a Elizabeth, ela o conheceu no Baile do ano passado, enquanto você estava na faculdade. Isso para não mencionar o fato de que ele namorou Patricia van Devender desde sempre.

— Patricia van Devender? — A mais bonita da Ole Miss, dois anos seguidos?

— E ele começou seu próprio negócio de petróleo em Vicksburg. Então, se não funcionar, você não vai encontrá-lo todos os dias na cidade.

— Tudo bem — finalmente concordei suspirando, mais do que qualquer coisa, para tirar Hilly do meu pé.

JÁ SÃO MAIS DE TRÊS HORAS quando chego em casa depois de comprar o vestido. Fiquei de chegar na casa de Hilly às seis para conhecer Stuart. Olho no espelho. Os cachos estão começando a se levantar nas pontas, mas o resto do cabelo ainda está liso. Mamãe ficou excitadíssima quando lhe disse que eu queria tentar o Brilho Mágico de novo, e nem me perguntou por quê. Ela não sabe do meu encontro hoje à noite, e se ela de alguma maneira descobrir, os próximos três meses serão cheios de perguntas excruciantes como "Ele ligou?" e "O que foi que você fez errado?", se a coisa não funcionar.

Mamãe está lá embaixo na sala de estar íntima com papai, gritando para o time de basquete dos Rebels. Meu irmão, Carlton, está no sofá com a namorada novinha em folha. Vieram dirigindo esta tarde da Universidade da Louisiana. Ela está com o cabelo preso num rabo de cavalo escuro e liso, e usa uma blusa vermelha.

Quando pego Carlton sozinho na cozinha, ele ri, puxa o meu cabelo como se fôssemos crianças novamente.

— Então, como você está, minha irmãzinha?

Conto a ele sobre o emprego no jornal, que sou editora do boletim da Liga. Também digo que é melhor ele voltar para casa depois da faculdade de direito.

— Você também merece um pouco do tempo da mamãe. Eu estou aguentando muito além da minha cota aqui — digo entredentes.

Ele ri como se entendesse, mas como ele poderia entender, na verdade? Ele é três anos mais velho do que eu e bonito, alto, com cabelos loiros ondulados, está terminando a faculdade de direito na Universidade da Louisiana, protegido por mais de duzentos e setenta quilômetros de estradas pessimamente pavimentadas.

Quando ele volta para ficar com a namorada, procuro as chaves do carro da mamãe, mas não consigo encontrá-las em nenhum lugar. Já são quinze para as cinco. Fico parada na porta, tento atrair a atenção de mamãe. Preciso esperar que ela termine o interrogatório com a Moça-do-rabo-de-cavalo sobre a família dela e de onde ela é, mas mamãe não vai largar o osso, até encontrar pelo menos um conhecido em comum. Afinal de contas, qual era mesmo a irmandade feminina da qual ela fazia parte em Vanderbilt?, e ela finalmente conclui perguntando qual é o estilo da prataria da família dela. É melhor do que horóscopo, mamãe sempre diz.

A Moça-do-rabo-de-cavalo diz que o estilo da prataria da sua família é o Chantilly, mas ela vai escolher outro quando casar.

— Já que me considero uma pessoa com opiniões próprias e tudo o mais. — Carlton lhe faz um carinho na cabeça e ela se acomoda contra a mão dele como um gatinho. Ambos olham para mim e sorriem.

— Skeeter — diz a Moça-do-rabo-de-cavalo para mim, do outro lado do cômodo —, você tem tanta sorte de vir de uma família com prataria estilo Francisco I. Você vai mantê-lo quando se casar?

— Francisco I é um sonho — digo, admirada. — Ora, pego esses garfos o tempo todo, só para admirá-los.

Mamãe me olha desconfiada. Faço sinal para ela vir à cozinha, mas se passam mais dez minutos até ela aparecer.

— Onde é que a senhora enfiou as chaves do carro, mamãe? Estou atrasada para ir à casa de Hilly. Vou dormir lá hoje.

— O quê? Mas Carlton está em casa. O que a nova namorada dele vai pensar, se você sair para fazer alguma coisa mais interessante?

Demorei para contar a ela porque eu sabia, estivesse Carlton em casa ou não, que a coisa evoluiria para uma discussão.

— E Pascagoula fez um assado e papai preparou a lenha para acender a lareira da sala.

— Está quase trinta graus lá fora, mamãe.

— Veja bem. Seu irmão está em casa, e espero que você se comporte como uma boa irmã. Não quero que você saia até ter tido uma boa e longa conversa com essa moça. — Ela está olhando para o relógio, enquanto eu lembro a mim mesma que tenho 23 anos de idade. — Por favor, querida — diz ela, e eu suspiro e levo uma maldita bandeja de mint juleps para os outros.

— Mamãe — digo, de volta à cozinha, às cinco e vinte e cinco. — Preciso ir. Onde estão as suas chaves? Hilly está esperando por mim.

— Mas nós nem comemos ainda os cachorrinhos-quentes.

— Hilly está com um... problema no estômago — sussurro. — E a empregada dela não vai lá amanhã. Ela precisa que eu cuide das crianças.

Mamãe suspira.

— Suponho que isso significa que você vai à igreja com eles também. E pensei que amanhã todos nós poderíamos ir juntos, como uma família. Almoçar juntos no domingo.

— Mamãe, por favor — digo, vasculhando uma cestinha onde ela costuma guardar as chaves. — Não encontro as chaves em *nenhum* lugar.

— Você não pode ficar com o Cadillac de hoje para amanhã. É o nosso carro de ir à igreja aos domingos.

Ele vai estar na casa de Hilly em trinta minutos. Devo me vestir e me arrumar na casa de Hilly, para minha mãe não suspeitar de nada. Não posso levar a caminhonete nova do papai. Está carregada de fertilizantes e sei que ele vai precisar dela amanhã de manhã, ao amanhecer.

— Tudo bem, vou pegar a caminhonete velha, então.

— Acho que está com um reboque. Pergunte ao seu pai.

Mas não posso perguntar ao papai, porque não posso falar nisso na frente de outras três pessoas que vão ficar magoadas por eu ir embora, então pego as chaves da caminhonete velha e digo:

— Não faz mal. Vou direto para a casa de Hilly. — E saio esbaforida, apenas para descobrir que não apenas a caminhonete velha tem um reboque atrelado a ela, como há um trator de meia tonelada em cima desse reboque.

De forma que vou até a cidade para meu primeiro encontro em dois anos dirigindo um Chevrolet 1941, quatro por quatro, e rebocando um trator John Deere. O motor engasga e tosse, e me pergunto se a caminhonete vai aguentar. Torrões de lama voam dos pneus, atrás de mim. O motor afoga na estrada principal, e meu vestido e minha bolsa caem no chão sujo da caminhonete. Preciso tornar a ligar o motor duas vezes.

Às cinco e quarenta e cinco, uma coisa preta passa como um raio na minha frente e sinto um baque. Tento parar, mas frear não é algo que se consiga fazer muito rápido com um implemento agrícola de meia tonelada atrás de você. Dou um grunhido e estaciono. Preciso ver do que se trata. Inacreditavelmente, o gato se levanta, olha ao redor, apavorado, e volta correndo para o meio das árvores, tão rápido quanto dali saíra.

Faltando três minutos para as seis horas, depois de ir a trinta quilômetros por hora numa estrada com limite de oitenta, com buzinas nos meus ouvidos e adolescentes gritando comigo, estaciono bem além da casa de Hilly, já que a entrada de carros dela não é um estacionamento adequado para tratores. Pego minha bolsa e corro para dentro, sem sequer bater à porta, esbaforida e suada e com o cabelo todo arrepiado por causa do vento, e lá estão eles, os três, incluindo meu acompanhante. Bebendo uísque com soda na sala de estar.

Congelo no saguão de entrada, com os três olhando para mim. William e Stuart se levantam. Deus, ele é alto, tem pelo menos dez centímetros a mais do que eu. Os olhos de Hilly estão enormes quando ela me pega pelo braço.

— Meninos, já voltamos. Fiquem aí sentados conversando sobre futebol americano ou algo do tipo.

Hilly me empurra até seu quarto de vestir e ambas começamos a nos lamuriar. É terrível demais.

— Skeeter, nem de batom você está! Seu cabelo está parecendo um ninho de rato!

— Eu sei, olhe só para mim! —Todos os traços do Brilho Mágico se foram. — Não tem ar-condicionado na caminhonete. Tive que vir com as malditas janelas abertas.

Esfrego meu rosto e Hilly faz eu me sentar à penteadeira. Ela começa a escovar meu cabelo do mesmo jeito que minha mãe costumava fazer, enrolando as mechas nuns bobes gigantes, pulverizando tudo com o spray Final Net.

— E então? O que você achou dele? — pergunta ela.

Eu suspiro e fecho os olhos, ainda sem rímel.

— Ele é bonito.

Espalho a maquiagem, algo que mal sei fazer. Hilly olha para mim, limpa tudo com um lenço e aplica novamente. Enfio o vestido preto com o grande decote em V na frente, os sapatos baixos da marca Delman. Hilly rapidamente escova mais uma vez o meu cabelo. Lavo as axilas com uma toalha molhada e ela revira os olhos para mim.

— Atropelei um gato — digo.

— Ele já bebeu dois drinques enquanto esperava você.

Eu me levanto e aliso o vestido.

— Muito bem — digo. — Pode me falar. De um a dez.

Hilly me olha da cabeça aos pés, para no decote do vestido. Levanta as sobrancelhas. Nunca na minha vida eu vestira um decote insinuante; acho que esqueci que era possível.

— Seis — diz ela, parecendo surpresa.

Por um segundo, ficamos olhando uma para a outra. Hilly não consegue reprimir um gritinho e eu respondo com um sorriso. Ela nunca me deu mais do que quatro.

Quando voltamos para a sala de estar, William está de dedo em riste na direção de Stuart.

— Eu vou me candidatar e, por Deus, com o seu pai...

— Stuart Whitworth — anuncia Hilly —, eu gostaria de lhe apresentar Skeeter Phelan.

Ele se levanta, e, por um minuto, há um total silêncio na minha mente. Eu me forço a olhar, como uma tortura autoinflingida, enquanto ele me avalia.

— Stuart aqui cursou a Universidade do Alabama — diz William, acrescentando —, Roll Tide.*

* "Roll Tide": grito de guerra dos times esportivos da referida universidade. (N.T.)

— Prazer em conhecê-la. — Stuart sorri brevemente para mim e toma um grande gole do drinque, até que ouço o barulho do gelo batendo contra seus dentes. — Então, aonde vamos? — pergunta ele a William.

Levamos o Oldsmobile de William até o Robert E. Lee Hotel. Stuart abre a porta para mim e se senta ao meu lado no banco de trás, mas se inclina para a frente e passa o resto da viagem falando com William sobre caça de veados.

Na mesa, ele puxa a cadeira para eu sentar e eu sento, sorrio, digo muito obrigada.

— Você gostaria de beber algo? — pergunta ele, sem olhar na minha direção.

— Não, obrigada. Só água, por favor.

Ele se vira para o garçom e diz:

— Uma dose dupla de Old Kentucky sem gelo e um copo d'água.

Acho que, em algum momento depois do quinto bourbon dele, eu digo:

— Hilly me disse que você trabalha com petróleo. Deve ser interessante.

— Dá dinheiro. Se é isso que você realmente quer saber.

— Oh, eu não... — Mas paro, pois ele está esticando o pescoço para olhar alguma coisa. Procuro ver o que é, e ele está olhando para uma mulher próxima à porta, uma loira de cabelos acinzentados com batom vermelho e um vestido verde justo.

William se vira para ver o que Stuart está olhando, mas torna a se virar rapidamente. Ele faz que não com a cabeça, muito sutilmente, para Stuart, e eu vejo, dirigindo-se para a porta, o ex-namorado de Hilly, Johnny Foote, com a mulher, Celia. Eles vão embora, e William e eu olhamos por um momento um para o outro, partilhando o alívio por Hilly não tê-los visto.

— Deus, aquela moça é mais quente que o asfalto lá de Tunica — diz Stuart, meio sem fôlego, e acho que foi aí que parei de me importar completamente.

Em algum ponto, Hilly olha para mim, para ver o que está acontecendo. Sorrio, como se tudo estivesse bem, e ela sorri de volta, feliz em ver que tudo está indo conforme o planejado.

— William! O vice-governador acabou de entrar. Vamos falar com ele antes que sente.

Eles saem juntos da mesa, deixando-nos, os dois pombinhos, sentados do mesmo lado da mesa, olhando para todos os casais felizes do restaurante.

— Então — diz ele, quase sem virar a cabeça —, você alguma vez vai a algum jogo de futebol americano do Alabama?

Nem até o estádio Colonel Field cheguei a ir, e olha que ficava a menos de cinco mil metros da minha cama.

— Não, não sou uma grande fã de futebol americano. — Consulto o relógio. Não são nem sete e quinze.

— É mesmo? — Ele olha para o drinque que o garçom lhe trouxe como se realmente fosse adorar beber tudo numa tragada só. — Bem, e o que você faz com seu tempo livre?

— Eu escrevo... uma coluna sobre cuidados domésticos para o *Jackson Journal*.

Ele franze as sobrancelhas, então ri.

— Cuidados domésticos. Você quer dizer... como cuidar de uma casa?

Faço que sim.

— Jesus. — Ele mexe o drinque. — Não consigo pensar em nada pior do que ler uma coluna sobre como limpar a casa — diz ele, e percebo que o seu dente da frente é levemente trincado. Fico com vontade de apontar para ele essa imperfeição, mas ele conclui o pensamento com: — Exceto, talvez, escrever uma coluna dessas.

Fico olhando para a cara ele.

— Para mim, parece uma estratégia para encontrar marido. Se tornar uma expert em cuidar da casa.

— Bem, você deve ser mesmo um gênio. Desvendou todo o meu plano.

— Não é nisso que vocês, garotas da Ole Miss, se formam? Caça profissional a marido?

Olho para ele, incrédula. Mesmo que eu não tenha tido nenhum encontro em anos, quem ele pensa que é?

— Desculpe-me a pergunta. Será que o deixaram cair no chão quando era bebê e você bateu a cabeça?

Ele pisca para mim, então ri pela primeira vez na noite.

— Não que seja da sua conta — digo —, mas precisei começar em algum lugar, se quero ser jornalista. — Acho que causei, de fato, uma impressão forte. Mas então ele engole o drinque todo e o olhar se vai de novo.

Jantamos, e de lado posso ver que seu nariz é um pouco pontudo. Suas sobrancelhas são grossas demais, e seu cabelo castanho-claro, meio duro. Falamos pouco, pelo menos um para o outro. Hilly joga conversa fora, puxando assunto:

— Stuart, Skeeter mora numa fazenda, logo ao norte da cidade. O senador não cresceu numa fazenda de amendoins?

Stuart pede mais um drinque.

Quando Hilly e eu vamos ao banheiro, ela me lança um sorriso cheio de esperança.

— O que você acha?

— Ele é... alto — digo, surpresa por ela não ter percebido que não só meu acompanhante é inexplicavelmente rude, como também está caindo de bêbado.

Finalmente chega o fim da refeição, e ele e William dividem a conta. Stuart se levanta e me ajuda a vestir o casaco. Pelo menos. ele tem boas maneiras.

— Jesus, nunca conheci uma mulher com braços tão longos — diz ele.

— Bem, nunca conheci ninguém com um problema tão sério de bebida.

— Seu casaco tem cheiro de... — Ele se reclina e fareja, fazendo uma careta. — *Fertilizante*.

Ele sai se arrastando até o banheiro dos homens, e só penso em desaparecer.

A viagem no carro, todos os três minutos dela, é absolutamente silenciosa. E longa.

Voltamos para a casa de Hilly. Yule May aparece, em seu uniforme branco, e diz:

— Eles tavam tudo bem, foram pra cama direitinho. — E desaparece pela porta que dá para a cozinha. Peço licença e vou ao banheiro.

— Skeeter, por que você não leva Stuart para casa? — sugere William quando volto do banheiro. — Estou pregado, você não, Hilly?

Hilly olha para mim como se tentando adivinhar o que quero fazer. Pensei que eu havia deixado claro, tendo ficado no banheiro durante dez minutos.

— Seu... carro não está aqui? — lanço a pergunta para o lado da sala onde está Stuart.

— Acho que meu primo não está em condições de dirigir. — William ri. Todo mundo fica calado de novo.

— Vim numa caminhonete — falo. — Eu detestaria que você...

— Que nada — diz William, dando um tapa nas costas de Stuart. — Stuart não se importa de andar numa caminhonete, não é, meu chapa?

— William — diz Hilly —, por que você não dirige, e, Skeeter, você pode ir junto.

— Não, também estou alto demais — diz William, apesar de ter acabado de dirigir até em casa.

Por fim, simplesmente saio porta afora. Stuart me segue, não comenta sobre eu não ter estacionado na frente da casa nem na garagem de Hilly. Quando chegamos à caminhonete, ambos paramos, olhamos para o trator de meia tonelada que está atracado à parte traseira do meu veículo.

— Você rebocou essa coisa sozinha?

Suspiro. Acho que é porque sou grandona e nunca me senti pequena nem particularmente feminina nem coquete, mas aquele trator... parece resumir tanta coisa.

— Essa é a coisa mais engraçada que eu já vi na vida — diz ele.

Eu me afasto.

— Hilly pode levar você para casa — digo. — Hilly vai levar você.

Ele se vira e foca a atenção em mim pela — tenho certeza — primeira vez na noite. Depois de um longo momento ali em pé sendo encarada, meus olhos se enchem de lágrimas. Estou muito, muito exausta.

— Ah, merda — diz ele, e relaxa o corpo. — Olha, eu disse para a Hilly que eu não estava pronto para nenhuma droga de encontro.

— Não fale nada... — digo, dando um passo para trás e me afastando dele, e volto até a casa.

NO DOMINGO DE MANHÃ, LEVANTO CEDO, antes de Hilly e William, antes das crianças e do movimento em direção à igreja. Dirijo para casa, com o trator chacoalhando atrás de mim. O cheiro de adubo me deixa de ressaca, apesar de eu não ter bebido nada a não ser água na noite passada.

Eu voltara para a casa de Hilly, com Stuart me seguindo. Batendo à porta do quarto, perguntei a William, que já estava com a boca cheia de pasta de dente, se ele se importaria em levar Stuart para casa. Tratei de subir para o quarto de hóspedes antes mesmo de ele responder.

Passo por cima do cachorro do papai na varanda, entro na casa dos meus pais. Assim que vejo a mamãe, dou um abraço nela. Quando ela tenta se afastar, eu não deixo.

— O que foi, Skeeter? Você não pegou a infecção da Hilly, pegou?

— Não, estou bem. — Gostaria de poder contar a ela sobre a minha noite. Sinto-me culpada por não ser mais legal com ela, por só precisar dela quando algo na minha vida dá errado. Sinto-me mal por desejar que Constantine estivesse aqui no lugar dela.

Mamãe passa a mão no meu cabelo bagunçado pelo vento, já que ele deve estar acrescentando uns cinco centímetros à minha altura.

— Tem certeza de que não está se sentindo mal?

— Estou bem, mamãe. — Estou cansada demais para resistir. Parece que alguém chutou meu estômago. De botas. A sensação não vai embora.

— Sabe — diz ela, sorrindo —, acho que essa pode ser a moça certa para o Carlton.

— Que bom, mamãe — digo. — Fico feliz por ele.

ÀS ONZE HORAS na manhã seguinte, o telefone toca. Por sorte, estou na cozinha e atendo.

— Dona Skeeter?

Eu me aprumo, então olho para mamãe, que está examinando seu talão de cheques na mesa da sala de jantar. Pascagoula acabou de tirar um assado do forno. Vou até a despensa e fecho a porta.

— Aibileen? — sussurro.

Ela fica quieta por um segundo e então cospe tudo.

— E se... e se a senhorita não gostar do que eu tenho pra dizer? Quero dizer, sobre os brancos.

— Eu... eu... não se trata da minha opinião — digo. — Não faz diferença o que eu penso.

— Mas como é que eu vou saber que a senhorita não vai ficar braba, que não vai ficar contra mim?

— Eu não... acho que você vai ter que confiar em mim. — Seguro meu fôlego, expectante, ansiosa. Há uma longa pausa.

— Deus, misericórdia. Acho que vou fazer.

— *Aibileen.* — Meu coração está batendo forte. — Você não faz ideia de como isso é...

— Dona Skeeter, a gente vai precisar ter muito cuidado.

— Nós teremos, *prometo*.

— E a senhorita vai ter que mudar o meu nome. O meu, o da dona Leefolt, de todo mundo.

— Claro. — Eu devia ter mencionado isso. — Quando podemos nos encontrar? *Onde* podemos nos encontrar?

— Não pode ser no bairro branco, isso é certo. Acho... que a gente vai ter que fazer isso lá na minha casa.

— Você conhece outras empregadas que possam estar interessadas em participar? — pergunto, apesar de a sra. Stein só ter concordado em ler uma entrevista. Mas preciso estar pronta, para o caso de, milagrosamente, ela gostar.

Aibileen fica quieta durante um tempo.

— Acho que posso perguntar pra Minny. Mas ela não gosta muito de falar de gente branca.

— Minny? Você quer dizer... a antiga empregada da sra. Walters — digo, percebendo de repente o quanto isso está se tornando incestuoso. Eu não estaria espionando apenas a vida de Elizabeth, mas a de Hilly também.

— Minny tem coisas pra contar. Com certeza tem.

— Aibileen — digo. — Obrigada. Oh, muito obrigada.

— Sim, senhorita.

— Eu só... preciso lhe perguntar. O que fez você mudar de ideia?

Aibileen nem faz uma pausa.

— A dona Hilly — diz ela.

Fico quieta, pensando no projeto de Hilly para os banheiros e na acusação de que a empregada roubava e em todo o papo de doenças. O nome é pronunciado como um soco, e é amargo como uma noz-pecã podre.

MINNY

CAPÍTULO 10

CHEGO PRA TRABALHAR e só penso numa coisa. Hoje é primeiro de dezembro, e, enquanto o resto dos Estados Unidos tá tirando a poeira dos presépios e pendurando meias velhas e fedorentas, eu tenho outro homem pra servir. E não é o Papai Noel, e não é o menino Jesus. É o seu Johnny Foote, Jr., que vai descobrir que Minny Jackson é sua empregada na véspera de Natal.

Tou esperando pelo dia 24 como se fosse um dia de julgamento. Não sei o que o seu Johnny vai fazer quando descobrir que trabalho pra ele. Talvez ele diga, Que bom! Venha limpar minha cozinha à hora que quiser! Aqui está um pouco de dinheiro! Mas não sou assim tão burra. Esse negócio de segredo é estranho demais pra ele ser um branquelo sorridente que vai querer me dar um aumento. Tem uma boa chance de eu não ter mais emprego quando chegar o Natal.

Isso de não saber tá me roendo, mas o que eu sei é que, um mês atrás, decidi que tinha que existir um jeito mais digno de morrer do que de ataque cardíaco agachada em cima da tampa da privada de uma branca. E, afinal de contas, não era o seu Johnny chegando em casa, era só o maldito homem da companhia de luz pra medir o gasto do mês.

Mas não fiquei aliviada quando a coisa toda acabou. O que mais me assustou foi a dona Celia. Depois, na aula de culinária, ela ainda tremia tanto que não conseguiu nem medir o sal numa colher.

SEGUNDA-FEIRA CHEGA e eu não consigo parar de pensar no neto da Louvenia Brown, o Robert. Ele saiu do hospital esse final de semana, foi morar com Louvenia, porque os pais dele já morreram e tudo mais. Na noite passada, quando fui até lá pra levar um bolo de caramelo pra eles, Robert tava com um braço engessado e curativos sobre os olhos.

— Oh, Louvenia — foi só o que consegui dizer quando vi ele. Robert estava deitado no sofá, dormindo. Eles tiveram que raspar metade da cabeça dele, pra operar. Louvenia, com todos os seus problemas, ainda assim quis saber como tava cada pessoa da minha família. E, quando Robert começou a se mexer, ela perguntou se eu não me importava de ir pra casa, pois Robert acorda gritando. Aterrorizado por se lembrar mais uma vez que tá cego. Ela pensou que eu podia ficar incomodada. Não consigo parar de pensar nisso.

— Logo logo vou até a venda — digo pra dona Celia. Seguro a lista de compras pra ela ver. Todas as segundas-feiras a gente faz isso. Ela me dá o dinheiro pras compras e, quando chego em casa, eu esfrego o recibo na cara dela. Quero que ela veja que todo e qualquer centavo de troco fecha com a conta do papel. A dona Celia nem olha, mas eu guardo esses recibos numa gaveta, caso algum dia alguém levante alguma dúvida.

Pratos da Minny:

1. Presunto com abacaxi
2. Feijão-fradinho
3. Batata-doce

4. Torta de maçã
5. Biscoitos

Pratos da dona Celia:
1. Fava

— Mas eu fiz favas na semana passada.

— A senhora aprende a fazer isso, e o resto vem fácil.

— Acho que é melhor mesmo — diz ela. — Posso sentar e ficar quietinha enquanto tiro as cascas.

Quase três meses, e a abobada ainda não sabe fazer um café. Começo a minha massa pra torta, quero deixar ela pronta quando sair pro mercado.

— Podemos fazer uma torta de chocolate desta vez? Adoro torta de chocolate.

Trinco os dentes.

— Não sei fazer torta de chocolate nenhuma — minto. *Nunca. Nunca mais, depois da dona Hilly.*

— Não sabe? Nossa, achei que você sabia cozinhar qualquer coisa. Talvez a gente possa conseguir uma receita.

— Em que outro tipo de torta a senhora tá pensando?

— Bem, que tal aquela torta de pêssego que você fez aquela vez? — diz ela, servindo um copo de leite. — Aquela lá era muito boa.

— Os pêssegos eram do México. Ainda não é época de pêssego aqui.

— Mas eu vi um anúncio de pêssego no jornal.

Suspiro. Nada é fácil com ela, mas pelo menos ela esqueceu do chocolate.

— Uma coisa que a senhora precisa saber é que as coisas são melhores quando são da estação. Ninguém cozinha abóbora no verão, e ninguém cozinha pêssegos no outono. Se não tá à venda na beira da estrada, é porque não é época. Vamos fazer uma boa torta de nozes, em vez disso.

— E Johnny adorou aquelas nozes glaçadas que você fez. Ele achou que eu era a moça mais esperta que ele já conheceu, quando dei as nozes para ele.

Eu me viro pra minha massa de torta, pra ela não enxergar o meu rosto. Duas vezes num minuto, ela conseguiu me irritar.

— Mais alguma coisa que a senhora quer que o seu Johnny pense que a senhora fez? — Além do fato de que tou assustada e fora de mim, não aguento mais fazer minha comida passar pela comida de outra pessoa. Além dos meus filhos, minha comida é a única coisa que me dá orgulho.

— Não, é só isso. — A dona Celia sorri, não percebe que abri a massa até cinco buracos se abrirem nela. Só mais vinte e quatro dias dessa merda. Tou pedindo ao Senhor e a Satanás também que o seu Johnny não volte pra casa antes disso.

DIA SIM, DIA NÃO, ouço a dona Celia falar no telefone no quarto, ligando sem parar pras senhoras da sociedade. O Baile Beneficente foi há três semanas, e aqui tá ela, se esforçando pra participar no ano que vem. Ela e o seu Johnny não foram no Baile, senão eu ia ter ouvido falar muito sobre isso.

Não trabalhei no Baile Beneficente esse ano, pela primeira vez em uma década. O pagamento é bom, mas eu não podia correr o risco de dar de cara com a dona Hilly.

— Será que você podia dizer para ela que Celia Foote ligou de novo? Deixei um recado há alguns dias...

A voz da dona Celia tá quebradiça, suplicante, parece que ela tá vendendo alguma coisa na tevê. Cada vez que eu ouço, me dá vontade de tirar o telefone da mão dela, dizer pra ela parar de perder tempo. Pois não faz diferença se ela parece uma mulher vulgar. Tem uma razão maior que essa pra dona Celia não ter nenhuma amiga, e eu soube disso no minuto que vi a foto do seu Johnny. Já servi almoços suficientes em clubes de bridge pra saber um pouco sobre todas as mulheres brancas dessa cidade. O seu Johnny largou a dona Hilly pra ficar com a dona Celia, lá na época da faculdade, e a dona Hilly nunca perdoou ele.

ENTRO NA IGREJA quarta-feira à noite. Só metade dos lugares tão tomados, já que são só quinze pras sete e o coro não começa a cantar antes das sete e meia. Mas Aibileen pediu pra eu vir cedo, então tou aqui. Tou curiosa pra saber o que é que ela tem pra me dizer. Além disso, Leroy tava de bom humor e brincando com as crianças, então pensei: quer ficar com os filhos? Que fique.

Vejo Aibileen no nosso banco de sempre, no lado esquerdo, o quarto contando do altar, bem do lado do exaustor. Nós duas somos membros importantes da igreja e merecemos um lugar importante. Ela tá com o cabelo todo penteado pra trás, com umas trancinhas caindo no lado do pescoço. Tá usando um vestido azul com botões brancos que eu nunca tinha visto antes. Aibileen tem roupas de mulher branca demais. As mulheres brancas adoram dar roupa velha pra ela. Como sempre, ela parece cheinha e respeitável, mas, mesmo com todo o capricho e a limpeza, Aibileen sabe contar uma piada sacana que faz a gente se mijar nas calças.

Caminho entre as fileiras de bancos, e vejo Aibileen fazer uma careta pra alguma coisa, com a testa toda enrugada. Por um segundo, vejo os quinze anos ou mais que a gente tem de diferença. Mas então ela sorri e seu rosto fica jovem e gordo de novo.

— Senhor! — digo, assim que me instalo.

— Eu sei. Alguém precisa dizer pra ela. — Aibileen abana o rosto com o lenço. Era a manhã de Kiki Brown limpar, e toda a igreja tá empestada do aromatizante de limão que ela faz e que ela tenta vender por vinte e cinco centavos o frasco. A gente tem uma folha com assinaturas pra controlar quem limpa a igreja. Se me perguntassem, eu diria que Kiki Brown deveria assinar um pouco menos, e os homens, bem mais. Pelo que eu sei, nunca nenhum homem assinou a lista.

Fora o cheiro, a igreja tá bem bonita. Kiki lustrou os bancos até deixar eles de tal jeito que dá pra palitar os dentes olhando pra eles. A árvore de Natal já tá montada próxima do altar, cheia de guirlandas e com uma estrela reluzente no topo. Três janelas da igreja têm vitrais — o nascimento de Cristo, Lázaro ressurgindo dos mortos e os ensinamentos dos tolos daqueles fariseus. As outras sete são preenchidas por vidros normais. A gente ainda tá levantando dinheiro pra essas.

— Como vai a asma de Benny? — pergunta Aibileen.

— Teve um ataquezinho ontem. Leroy vai deixar ele e as outras crianças aqui daqui a pouco. Tomara que o cheiro de limão não mate ele.

— Leroy. — Aibileen balança a cabeça e sorri. — Diga que mandei ele se comportar. Senão vou colocar ele na minha lista de rezas.

— Bem que eu gostaria que você colocasse. Oh, Senhor, esconda a comida.

A frívola Bertrina Bessemer vem vindo lentamente na nossa direção. Ela se debruça sobre o banco na nossa frente, sorri embaixo de um chapéu azulão enorme e cafona. Bertrina, é ela que chama Aibileen de boba há tantos anos.

— Minny — diz Bertrina —, como fiquei feliz de saber do seu novo emprego.

— Obrigada, Bertrina.

— E, Aibileen, muito obrigada por me colocar na sua lista de rezas. Minha angina tá muito melhor agora. Vou ligar pra você esse final de semana pra gente colocar o papo em dia.

Aibileen sorri e concorda. Bertrina se afasta devagar, pro seu banco.

— Acho que você devia escolher com mais cuidado por quem você reza — digo.

— Ah, não tou mais braba com ela — diz Aibileen. — E olha só, ela conseguiu perder um pouco de peso.

— Ela tá contando pra todo mundo que perdeu vinte quilos — digo.

— Deus misericordioso.

— Só faltam mais uns cem.

Aibileen tenta não sorrir, faz de conta que tá abanando pra longe o cheiro de limão.

— Então, pra que você pediu pra eu vir cedo? — pergunto. — Tá com saudade de mim?

— Não é nada demais. Só uma coisa que uma pessoa me falou.

— O quê?

Aibileen respira fundo, olha ao redor pra ver se não tem ninguém ouvindo. Somos como rainhas aqui. As pessoas tão sempre nos cercando.

— Sabe a dona Skeeter? — pergunta ela.

— Eu já disse que sim, no outro dia.

Ela baixa ainda mais a voz e diz:

— Bem, lembra que eu dei com a língua nos dentes e contei pra ela que Treelore tava escrevendo coisas sobre os negros?

— Lembro. Ela quer processar você por isso?

— Não, não. Ela é boazinha. Mas ela teve a petulância de perguntar se eu e algumas das minhas amigas empregadas gostaríamos de deixar registrado no papel como é servir gente branca. Diz que tá escrevendo um livro.

— Diz o quê?

Aibileen faz sinal de que é isso mesmo, levanta as sobrancelhas.

— Hum-hum.

— Pss... Bem, diz pra ela que é um verdadeiro piquenique de quatro de Julho. É o que a gente passa todo o final de semana sonhando em fazer: voltar pra casa deles pra polir a prataria — digo.

— Eu disse pra ela: deixe os velhos livros de história contarem como é. Os brancos escrevem sobre a opinião dos negros desde o início dos tempos.

— É isso mesmo. Diz pra ela.

— Eu disse. Falei que ela é louca — diz Aibileen. — Perguntei pra ela: e se a gente disser a verdade? Que a gente tem medo demais pra exigir o salário mínimo. Que ninguém paga os encargos sociais dos negros. Como é quando sua própria patroa chama você de... — Aibileen balança a cabeça. Fico feliz por ela não falar.

— Que a gente ama os filhos deles quando são pequenos... — diz ela, e vejo que a boca de Aibileen treme um pouco. — E então eles crescem e ficam que nem as mães.

Olho pra baixo e vejo Aibileen segurando a bolsa com força, como se fosse a última coisa que lhe restasse nesse mundo. Aibileen, ela muda de emprego quando os nenês crescem e começam a ver cores. A gente não fala sobre isso.

— Mesmo se ela quer mudar todos os nomes das empregadas e das patroas. — Ela dá uma fungada.

— Ela é louca se acha que a gente vai fazer uma coisa perigosa dessas. Por *ela*.

— A gente não quer levantar toda essa sujeira. — Aibileen limpa o nariz com um lenço. — Dizer a verdade pras pessoas.

— Não, a gente não quer — digo, mas paro. Tem alguma coisa nessa palavra, *verdade*. Tento falar a verdade pras mulheres brancas sobre trabalhar pra elas desde que eu tenho quatorze anos de idade.

— A gente não quer mudar nada por aqui — diz Aibileen, e ficamos as duas quietas, pensando em todas as coisas que a gente não quer mudar. Mas então Aibileen aperta os olhos e me pergunta: — Então? Você não acha que é uma loucura?

— Acho, mas... — E é aí que eu vejo tudo. Somos amigas há dezesseis anos, desde o dia que me mudei de Greenwood pra Jackson e a gente se conheceu na parada do ônibus. Posso ler a mente de Aibileen que nem o jornal de domingo. — Você tá pensando seriamente nisso, não tá? — pergunto. — Você quer falar com a dona Skeeter.

Ela dá de ombros, e eu sei que tou certa. Mas antes que Aibileen possa admitir qualquer coisa, o reverendo Johnson vem e se senta num banco próximo, se reclina pra perto de nós duas.

— Minny, desculpe, ainda não tive tempo de lhe dar os parabéns pelo novo emprego.

Eu aliso o meu vestido.

— Ora, obrigada, reverendo.

— Você deve ter entrado na lista de rezas da Aibileen — diz ele, dando um tapinha amigável no ombro de Aibileen.

— Com certeza. Falei pra ela que já tá na hora de começar a cobrar.

O reverendo ri. Ele se levanta e se dirige lentamente pro púlpito. Todos ficam em silêncio. Não posso acreditar que Aibileen quer contar a verdade pra dona Skeeter.

A verdade.

A sensação é fresca, como água correndo sobre meu corpo grudento de suor. Resfriando um coração que a vida inteira me queimou por dentro.

Verdade, digo pra mim mesma outra vez, só pra sentir aquilo de novo.

O reverendo Johnson levanta a mão e fala numa voz aveludada, grave. O coro atrás dele começa a cantarolar "Talking to Jesus", e todo mundo fica de pé. Em meio minuto, já tou suando.

— Você se interessa, talvez? Em falar com a dona Skeeter? — sussurra Aibileen pra mim.

Olho pra trás e lá tá Leroy com as crianças, atrasado como sempre.

— Quem, eu? — pergunto, e a minha voz sai alta, saliente contra o fundo suave de música. Baixo a voz, mas não muito.

— De jeito nenhum eu faço uma loucura dessas.

Sem nenhuma razão a não ser pra me irritar, acontece uma onda de calor em pleno mês de dezembro. Com quase quarenta graus, eu suo como um copo de chá gelado em agosto, e na hora de acordar já tá marcando quase trinta graus. Passei metade da vida tentando não suar tanto: creme antitranspirante Dainty Lady, batatas congeladas nos meus bolsos, uma bolsa de gelo presa na cabeça (cheguei a pagar um médico por esse negócio ridículo), e ainda assim encharco meus absorventes de axila em cinco minutos. Levo meu leque da funerária Farley pra todo lugar que eu vou. Funciona bem e não me custou nada.

Mas a dona Celia gosta dessa semana de calor, e chega a ir sentar lá fora na beira da piscina com aqueles óculos escuros cafonas de armação branca e um maiô espalhafatoso. Graças ao Senhor, ela saiu de dentro de casa. Primeiro pensei que ela tava com alguma doença no corpo, mas agora me pergunto se ela não tá com alguma doença na cabeça. Não tou falando do tipo de doença de ficar conversando sozinha, que se vê nas mulheres mais velhas, como a dona Walters, que se sabe que é só doença de velho, mas do L maiúsculo de louca que faz as pessoas serem levadas pra Whitfield numa camisa-de-força.

Vejo ela subir pros quartos vazios quase todos os dias agora. Ouço seus passinhos irritantes no corredor, pisando naquela tábua do chão que range. Não dou muita bola pra isso — diabos, é a casa dela. Mas aí ela faz isso de novo, e de novo, e a verdade é que ela faz *escondido*, até espera eu ligar o aspirador de pó ou me ocupar fazendo um bolo, isso é que me deixa ressabiada. Ela passa uns sete ou oito minutos lá e então enfia a cabeça pra fora pra ter certeza que não tou vendo quando ela desce de novo.

— Não se meta nas coisas dela — diz Leroy. — Você só tem que fazer ela dizer pro marido que você tá limpando a casa. — Leroy passou as últimas noites no maldito Crow, bebendo atrás da usina elétrica depois do trabalho. Ele não é bobo. Sabe que, se eu morrer, meu salário não vai vir bater na nossa porta sozinho.

Depois de subir de novo lá pra cima, a dona Celia vem até a mesa da cozinha em vez de voltar pra cama. Bem que eu queria que ela desse no pé. Tou desossando galinha. Tou com o caldo no fogo e os bolinhos já prontos. Não quero que ela venha tentar me ajudar.

— Só faltam mais treze dias pra senhora contar de mim pro seu Johnny — digo, e, como eu sabia que ia acontecer, a dona Celia se levanta da mesa da cozinha e vai pro quarto. Mas, antes de chegar na porta, ela resmunga:

— Você precisa me lembrar disso todos os dias da minha vida?

Eu me endireito. É a primeira vez que a dona Celia fica brava comigo.

— Hum-hum — digo, sem sequer levantar os olhos, pois vou lembrar ela disso até o seu Johnny apertar a minha mão e dizer prazer em conhecê-la, Minny.

Mas então olho e vejo que a dona Celia ainda tá parada lá. Tá se segurando no portal. O rosto dela tá mais branco que tinta vagabunda.

— A senhora andou mexendo com galinha crua de novo?

— Não, eu só estou... cansada.

Mas os fios de suor na maquiagem dela — que agora ficou cinza — me dizem que ela não tá nada bem. Ajudo ela a ir até a cama e levo um Lady-a-Pinkam* pra ela beber. O rótulo rosa tem a imagem de uma senhora de verdade, com um turbante na cabeça, sorrindo como quem tá se sentindo melhor. Entrego pra dona Celia a colher de medir o remédio, mas essa mulher mal-educada simplesmente bebe direto do frasco.

Depois, lavo minhas mãos. Seja o que for que ela tem, tomara que não seja contagioso.

UM DIA DEPOIS DO ROSTO DA DONA CELIA ter ficado todo estranho é o maldito-dia-de-trocar-os-lençóis, e o dia que eu mais detesto. Lençóis

---

* Conjunto fitoterápico desenvolvido por Lydia E. Pinkham. Recomendado para doenças femininas, problemas menstruais, fertilidade etc. (N.T.)

são coisas pessoais demais pra outras pessoas que não são íntimas mexer com eles. Ficam cheios de cabelos, pelos, sujeiras, meleca de nariz e farelos de comida. Mas são as manchas de sangue que são o pior. Esfregando essas manchas com as mãos, fico enjoada na frente do tanque. Isso vale pra sangue em qualquer lugar e pra qualquer coisa com uma aparência suspeita. Um morango pisado por alguém pode me fazer passar o resto do dia com a cabeça enfiada na privada.

A dona Celia sabe sobre as terças-feiras e normalmente ela se muda pro sofá pra eu poder fazer o meu trabalho. Uma frente fria começou hoje de manhã, então ela não pode ir lá pra fora na piscina, e dizem que o frio vai piorar mais ainda. Mas às nove, às dez e então às onze, a porta do quarto dela ainda tá fechada. Finalmente, eu bato.

— Sim? — diz ela.

Abro a porta.

— Bom dia, dona Celia.

— Oi, Minny.

— Hoje é terça-feira.

Não só a dona Celia ainda tá na cama como tá toda encolhida em cima das cobertas, de camisola, sem nem um pingo de maquiagem.

— Preciso lavar e passar os lençóis, e depois tenho que pegar essa cômoda velha que a senhora deixou sem lustrar e ficou mais seca que o Texas. E então a gente vai cozinhar...

— Sem aulas hoje, Minny. — E ela também não tá sorrindo, como faz normalmente quando me vê.

— A senhora tá se sentindo mal?

— Pegue um pouco de água para mim, por favor?

— Sim, madame. —Vou até a cozinha e encho um copo com água da pia. Ela deve estar se sentindo mal mesmo, pois nunca pediu pra eu lhe servir nada.

Mas, quando volto pro quarto, a dona Celia não tá mais na cama e a porta do banheiro tá fechada. Mas por que ela me pediu pra pegar água pra ela se consegue se levantar e ir até o banheiro? Bem, pelo menos ela não tá mais no meu caminho. Junto as calças do seu Johnny do chão e atiro elas por cima do meu ombro. Se alguém perguntasse a minha opinião, eu diria que essa mulher não se exercita o suficiente, sentada em casa o dia todo. Minny, Minny, não comece. Se ela tá doente, tá doente.

— A senhora tá doente? — grito do lado de fora do banheiro.

— Estou... bem.

— Enquanto a senhora tá aí dentro, vou aproveitar pra trocar os lençóis.

— Não, quero que você vá — diz ela, de porta fechada. — Vá para casa por hoje, Minny.

Fico ali de pé, batendo o pé no tapete amarelo dela. Não quero ir pra casa. É terça-feira, maldito-dia-de-trocar-os-lençóis. Se não faço isso hoje, amanhã, quarta-feira, também vai ser o maldito-dia-de-trocar-os-lençóis.

— O que o seu Johnny vai fazer se ele chegar em casa e encontrar tudo uma bagunça?

— Ele vai caçar veados hoje à noite. Minny, você precisa trazer o telefone para mim... — e a voz dela se desfaz num lamento entrecortado. — Traga ele até aqui e pegue a minha agenda de telefones que está na cozinha.

— A senhora tá doente, dona Celia?

Mas ela não responde, então eu vou pegar a agenda e estico o telefone até a porta do banheiro e bato, de leve.

— Deixe ele aí. — A dona Celia parece que tá chorando agora. — Quero que você vá para casa agora.

— Mas eu preciso...

— Eu falei vá para casa, Minny!

Dou um passo para trás diante daquela porta fechada. Meu rosto fica afogueado. E sinto uma aguilhoada, não porque ninguém nunca tenha gritado comigo antes. Mas não a dona Celia, ainda não.

Na manhã seguinte, Woody Asap, no Canal 12, tá passando as mãos brancas e grossas sobre o mapa do Estado. Jackson, Mississippi, tá congelado que nem um picolé. Primeiro choveu, depois tudo congelou. E hoje de manhã, qualquer coisa com mais de dois centímetros foi pro chão. Galhos de árvores, fios elétricos, coberturas de varandas entraram em colapso como se tivessem cansado de resistir. Lá fora parece que tudo foi imerso num balde de goma-laca reluzente.

Meus filhos grudam os rostos, felizes, no rádio, e quando a caixa de madeira diz que as estradas tão congeladas e que as escolas foram fechadas, todos eles saem pulando, assobiando e gritando, e correm pra fora pra ver o gelo, vestindo só seus macacões-pijamas.

— Entrem já e calcem um sapato! — grito porta afora. Ninguém me obedece. Ligo pra dona Celia pra dizer pra ela que não posso dirigir no gelo e também pra saber se ela tem luz lá. Depois dela gritar comigo ontem como se eu fosse uma neguinha qualquer, era de se imaginar que eu nunca mais ia dar bola pra ela.

Quando ligo, ouço:

— Alô.

Meu coração pula.

— Quem é? Quem é que está falando?

Com cuidado, desligo o telefone. Acho que o seu Johnny também não foi trabalhar hoje. Não sei como ele fez pra conseguir chegar em casa com a tempestade. Só o que eu sei é que, mesmo num dia de folga, não consigo fugir do medo que tenho desse homem. Mas, em onze dias, tudo vai estar terminado.

A maior parte da cidade degela em um dia. A dona Celia não tá na cama quando chego. Tá sentada na cozinha branca, olhando pra fora da janela com uma expressão bem feia no rosto, como se a pobre vidinha inútil dela fosse um inferno insuportável. É pra árvore de mimosas que ela tá olhando. Levou um golpe e tanto do gelo. Metade dos galhos se quebraram e todas as longas folhas tão marrons e murchas.

— Bom dia, Minny — diz ela, sem nem olhar pra mim.

Mas eu só faço um movimento de cabeça. Não tenho nada pra dizer a ela, não depois de como ela me tratou, anteontem.

— Agora a gente pode finalmente derrubar aquela coisa feia — diz a dona Celia.

— Vá em frente. Derrube tudo. — Que nem eu, pode me derrubar sem razão nenhuma.

A dona Celia se levanta e se aproxima da pia, onde estou. Ela segura meu braço.

— Me desculpe por ter gritado com você. — Lágrimas enchem os olhos dela enquanto ela fala.

— Hum-hum.

— Eu estava doente, e sei que isso não é justificativa, mas eu estava me sentindo muito mal mesmo e... — Então ela começa a soluçar, como se gritar com a empregada fosse a pior coisa que ela já fez na vida.

— Tudo bem — digo. — Não tem problema.

Então, ela me abraça forte, com os braços ao redor do meu pescoço, até que eu meio que dou uns tapinhas nas costas dela e desgrudo ela de mim.

— Vamos lá, senta aqui — digo. — Vou preparar um café pra senhora.

Acho que todo mundo fica um pouco irritado quando não tá se sentindo bem.

NA SEGUNDA-FEIRA SEGUINTE, as folhas daquela mimosa tão pretas como se tivessem sido queimadas, em vez de congeladas. Entro na cozinha preparada pra lembrar a ela de quantos dias a gente ainda tem, mas a dona Celia tá olhando pra árvore, e tem ódio saindo do seu olhar, do mesmo jeito que ela odeia o fogão. Tá pálida, não quer comer nada que eu coloco na frente dela.

Durante todo o dia, em vez de ficar na cama, ela trabalha na decoração do pinheiro de Natal de três metros de altura que tá no hall de entrada, infernizando a minha vida com todas aquelas agulhas caindo por todo lado. Então, ela vai pro quintal atrás da casa, começa a podar os arbustos de rosas e a cavoucar os bulbos de tulipas. Nunca vi ela se movimentar tanto. Mais tarde, ela entra pra aula de culinária, com as unhas sujas de terra, mas ainda não tá sorrindo.

— Só mais seis dias até a gente contar pro seu Johnny — digo.

Ela não diz nada por um bom tempo, até que a voz dela sai sem hesitação, de uma só vez.

— Tem certeza de que preciso contar a ele? Eu estava pensando que talvez a gente pudesse esperar.

Paro exatamente onde tou, com leitelho escorrendo das mãos.

— Me pergunta de novo.

— Está bem, está bem. — Então, ela vai pra fora novamente, pra retomar o novo passatempo preferido dela: ficar olhando pra aquela árvore de mimosas com o machado na mão. Mas ela nunca dá uma machadada.

Na noite de quarta-feira, não consigo pensar noutra coisa a não ser que só faltam noventa e seis horas. Pensar que talvez no Natal eu não tenha mais emprego corrói o meu estômago. Vou ter muito mais com que me preocupar, além de levar um tiro e ser morta. A dona Celia ficou de contar pra ele na véspera de Natal, depois que eu for embora, antes de irem pra casa da mãe do seu Johnny. Mas a dona Celia tem estado tão estranha que fico me perguntando se ela vai dar pra trás. Não, senhora, digo pra mim mesma todo o dia. Vou ficar em cima dela que nem cabelo grudado no sabonete.

Mas, quando chego pra trabalhar na quinta-feira, dona Celia nem tá em casa. Não posso acreditar que ela finalmente saiu. Sento na mesa e me sirvo uma xícara de café.

Olho pra fora, pro quintal. Tá um dia bonito, ensolarado. Aquela árvore preta de mimosas é feia mesmo. Me pergunto por que o seu Johnny simplesmente não corta aquela coisa.

Me reclino pra mais perto do parapeito da janela.

— Ora, ora, olhe só.

Bem na parte de baixo, uns brotinhos verdes ainda tão se aguentando, se animando um pouco no sol.

— Essa árvore velha tá se fazendo de morta.

Tiro do bolso uma cadernetinha onde tenho uma lista do que precisa ser feito, não pra dona Celia, mas as minhas compras, presentes de Natal, coisas pros meus filhos. A asma do Benny melhorou um pouco, mas Leroy chegou em casa ontem à noite cheirando a Old Crow de novo. Ele me empurrou com força e eu bati a perna na mesa da cozinha. Se ele chegar em casa daquele jeito hoje, vou lhe dar uns tabefes de jantar.

Suspiro. Mais setenta e duas horas e sou uma mulher livre. Talvez demitida, talvez morta depois que seu Johnny descobrir, mas livre.

Tento me concentrar na semana. Amanhã é dia de cozinhar pra valer, e tenho o jantar da igreja no sábado à noite e o culto no domingo. Quando é que vou limpar a minha casa? Lavar as roupas das crianças? A minha mais velha, Sugar, tá com dezesseis anos e já sabe manter as coisas arrumadas, mas gosto de ajudar ela nos finais de semana, como a minha mãe nunca me ajudou. E Aibileen. Ela me ligou de novo na noite passada, pra perguntar se eu podia ajudar ela e a dona Skeeter com aquelas histórias. Adoro a Aibileen, adoro mesmo. Mas acho que ela tá cometendo um erro tamanho família confiando numa mulher branca. E eu disse isso pra ela. Tá arriscando o emprego dela, a segurança dela. Isso pra não perguntar por que alguém ia querer ajudar uma amiga da dona Hilly.

Senhor, melhor eu começar a trabalhar.

Enfeito o presunto com um abacaxi e coloco no forno. Depois, tiro a poeira das prateleiras do quarto de troféus de caça, passo o aspirador no urso enquanto ele me olha como se eu fosse um lanche.

— Só você e eu hoje — digo pra ele. Como sempre, ele não fala muito. Pego um trapo e o sabão e lavo toda a escadaria, de baixo pra cima, esfregando toda manchinha que aparece no corrimão enquanto vou subindo. Quando chego lá em cima, entro no primeiro quarto de dormir.

Limpo o andar de cima durante mais ou menos uma hora. Tá frio aqui em cima, sem nenhum corpo humano pra esquentar o ambiente. Meu braço vai e vem, vai e vem, em tudo que é de madeira. Entre o segundo e o terceiro quarto, desço até o quarto da dona Celia, antes que ela volte.

Me dá um calafrio arrepiante estar numa casa tão vazia. Onde é que ela pode ter ido? Depois de ter trabalhado aqui todo esse tempo e ela só ter saído três vezes e sempre me dizer quando e pra onde e por que tá indo, como se eu desse bola pra isso, agora ela se foi, levada pelo vento. Eu devia ficar contente. Devia ficar satisfeita que aquela tola não tá me atrapalhando. Mas ficar aqui sozinha faz eu me sentir uma intrusa. Olho pra baixo, pro tapetinho rosa que tapa a mancha de sangue no banheiro. Hoje eu ia tentar limpar de novo aquela mancha. Um pé de vento sopra no quarto, parece um fantasma passando. Eu tremo.

Acho que não vou limpar aquela mancha de sangue hoje.

Na cama, as cobertas, pra variar, tão todas bagunçadas. Os lençóis tão revirados e virados pro lado errado. Sempre parece que teve uma luta aqui. Digo pra mim mesma parar de imaginar coisas. Você começa a se perguntar sobre as pessoas nos seus quartos e, antes de se dar conta, tá toda envolvida nos problemas delas.

Tiro uma das fronhas. O rímel da dona Celia borrou toda a fronha, desenhando umas borboletinhas de carvão por tudo. As roupas jogadas no chão eu enfio dentro da fronha, pra ser mais fácil de carregar. Apanho a calça dobrada do seu Johnny de cima do sofá amarelo.

— Como é que é eu adivinho se isso aqui tá limpo ou sujo? — Enfio ela na fronha, assim mesmo. Meu lema ao cuidar de uma casa: na dúvida, lave.

Levo a trouxa de roupas pra junto da escrivaninha. O machucado na minha perna dói quando eu me abaixo pra apanhar um par de meias de seda da dona Celia.

— Quem é *você*?

Deixo o saco cair.

Devagar, recuo, até que a minha bunda encosta na escrivaninha. Ele tá parado no portal, com um olhar suspeito. Bem devagar, olho pro machado que pende da mão dele.

Oh, Senhor. Não posso ir pro banheiro porque ele tá perto demais e iria atrás de mim. Não posso passar por ele pra chegar na porta de saída, a menos que eu dê uma certeira nele, e o homem tem um machado. Meu coração quase salta do peito, tão grande é o meu pânico. *Tou encurralada.*

O seu Johnny fica olhando pra mim. Balança o machado um pouquinho. Inclina a cabeça e sorri.

Faço a única coisa que posso. Faço a cara mais feia que consigo, abro a boca e grito:

— *É melhor o senhor e o seu machado saírem do meu caminho!*

O seu Johnny olha pro machado, como se tivesse esquecido dele. Então, olha de novo pra mim. A gente fica olhando um pro outro por um momento. Não me mexo e não respiro.

Ele lança um olhar pra trouxa que eu tinha deixado cair, pra ver o que eu tou roubando. A perna da calça cáqui dele tá saindo pra fora.

— Veja bem — digo, e lágrimas começam a sair dos meus olhos. — Seu Johnny, eu disse pra dona Celia contar pro senhor de mim. Devo ter pedido pra ela umas mil vezes...

Mas ele só ri. Balança a cabeça. Ele acha engraçado estar prestes a me cortar em pedacinhos.

— *Ouça o que eu tou falando*, eu disse pra ela...

Mas ele ainda tá rindo.

— Se acalme, moça. Não vou machucar você — diz ele. — Fiquei surpreso em encontrar você aqui, só isso.

Tou ofegante, tentando ir na direção do banheiro. Ele ainda está com o machado na mão, balançando levemente.

— Como é o seu nome, afinal?

— Minny — sussurro. Ainda falta um metro e meio até o banheiro.

— Há quanto tempo você vem aqui, Minny?

— Não faz muito, não. — Eu balanço a cabeça pros lados.

— *Quanto* tempo?

— Algumas... semanas — digo. Mordo os lábios. *Três meses.*

Ele balança a cabeça.

— Ora, eu sei que faz mais que isso.

Olho pra porta do banheiro. De que adiantaria entrar num banheiro, se a porta dele não tranca? E quando o homem tem um machado pra derrubar a porta?

— Juro que não sou louco — ele diz.

— E esse machado? — digo, entredentes.

Ele revira os olhos, então larga o machado em cima do carpete, chuta pro lado.

— Venha, vamos conversar na cozinha.

Ele dá as costas e sai caminhando. Olho pro machado, me perguntando se deveria pegar ele. Só de olhar, já fico assustada. Empurro pra baixo da cama e sigo o homem.

Na cozinha, fico perto da porta dos fundos e mexo na maçaneta pra ter certeza que não tá trancada.

— Minny, juro. Não tem problema você estar aqui — diz ele.

Observo os olhos dele, tentando ver se tá mentindo. Ele é um homem grande, pelo menos um metro e oitenta. Com uma barriguinha, mas, de resto, bem forte.

— Imagino que o senhor vai me demitir.

— Demitir você? — Ele ri. — Você é a melhor cozinheira que eu já vi. Olhe só o que você fez comigo. — Ele olha pra baixo, pra barriga, e faz uma careta. — Nossa, não como assim desde os tempos de Cora Blue. Ela me criou, praticamente.

Respiro fundo, aliviada, pois ele conhecer Cora Blue parece deixar tudo mais seguro.

— Os filhos dela iam na mesma igreja que eu. Eu conhecia ela.

— Sinto muita falta dela, sabe? — Ele se vira, abre o refrigerador, olha pra dentro, fecha.

— Quando é que a Celia vai voltar? Você sabe? — pergunta seu Johnny.

— Não sei. Acho que deve ter ido arrumar o cabelo.

— Por um tempo, até pensei, quando estávamos comendo a sua comida, que ela tinha mesmo aprendido a cozinhar. Até um sábado, quando você não estava aqui, em que ela tentou fazer hambúrgueres.

Ele se reclina sobre a bancada da pia e suspira.

— Por que ela não quer que eu saiba sobre você?

— Eu não sei. Ela não me diz.

Ele balança a cabeça, olha pra cima, pra mancha escura no teto de quando a dona Celia deixou queimar aquele peru.

— Minny, eu não me importo se a Celia nunca mais na vida levantar um dedo. Mas ela insiste que quer fazer ela mesma as coisas para mim. — Ele levanta as sobrancelhas um pouco. — Quero dizer, você entende o que eu estava comendo antes de você vir para cá?

— Ela tá aprendendo. Pelo menos ela... tá tentando aprender — Mas eu torço o nariz pro que eu mesma falo. Sobre algumas coisas é difícil mentir.

— Eu não me importo se ela sabe ou não cozinhar. Eu só quero ter ela aqui — ele dá de ombros —, comigo.

O seu Johnny esfrega as sobrancelhas com a manga da camisa branca e entendo por que as camisas dele tão sempre tão sujas. E ele é meio bonito *mesmo*. Pra um branco.

— Mas ela simplesmente não parece feliz — diz ele. — Será que sou eu? Será que é a casa? Será que estamos longe demais da cidade?

— Não sei, seu Johnny.

— Então, o que está acontecendo? — Seu Johnny apoia as mãos na bancada atrás dele e segura firme. — Me diga. Ela... — ele engole em seco — está tendo algo com outra pessoa?

Tento evitar, mas fico com um pouco de pena dele, vendo que ele tá tão confuso quanto eu com toda essa bagunça.

— Seu Johnny, isso não é da minha conta. Mas posso lhe dizer que a dona Celia não tá tendo nada com ninguém fora dessa casa.

Ele balança a cabeça.

— Você tem razão. Foi uma pergunta idiota.

Olho pra porta, me perguntando quando a dona Celia vai chegar em casa. Não sei o que ela vai fazer, se encontrar o seu Johnny aqui.

— Olhe — diz ele —, não diga nada a ela sobre ter me encontrado. Vou deixar que ela me conte, quando ela quiser.

Sai o meu primeiro sorriso de verdade.

— Então, o senhor quer que eu continue fazendo o que eu tava fazendo?

— Cuide dela. Não gosto que ela fique sozinha nesta casa enorme.

— Sim, senhor. Como o senhor quiser.

— Vim até aqui hoje para fazer uma surpresa para ela. Eu ia cortar aquela mimosa que ela odeia tanto, depois levá-la para almoçar na cidade. Escolher uma joia de presente de Natal para ela. — O seu Johnny vai até a janela, olha para fora e suspira. — Acho que vou almoçar em algum lugar na cidade.

— Eu faço alguma coisa pro senhor comer. O que o senhor quer?

Ele se vira, sorrindo que nem uma criança. Começo a revirar o refrigerador, tiro as coisas pra fora.

— Lembra aquelas costelas de porco que a gente comeu? — Ele começa a mordiscar as unhas. — Você pode fazer aquelas costelas para nós essa semana?

— Faço pro jantar de hoje. Tem costela no freezer. E amanhã de noite vocês vão comer galinha com bolinhos recheados.

— Oh, Cora Blue fazia isso para nós.

— Senta ali na mesa que vou fazer um bom sanduíche de bacon, alface e tomate pro senhor levar pra caminhonete.

— E você vai tostar o pão?

— Claro. Não dá pra comer um sanduíche decente se for feito num pão sem tostar. E hoje à tarde vou fazer um dos famosos bolos de caramelo da Minny. E na semana que vem vou fazer um badejo frito pra vocês...

Tiro do refrigerador o bacon pro almoço do seu Johnny, pego a frigideira pra fritar. Os olhos do seu Johnny agora tão bem alertas e límpidos. Todo o rosto dele tá sorrindo. Faço o sanduíche e enrolo em papel laminado. Finalmente alguém que dá gosto de alimentar.

— Minny, preciso lhe perguntar uma coisa. Se *você* está aqui... o que é que a Celia faz o dia todo?

Dou de ombros.

— Nunca vi uma branca ficar tanto tempo sentada que nem ela. A maioria delas é superocupada, sempre saindo pra fazer coisas, tentando parecer que são mais ocupadas do que eu.

— Ela precisa de algumas amigas. Perguntei ao meu amigo Will se a mulher dele não poderia vir até aqui e ensiná-la a jogar bridge, apresentá-la a um grupo. Sei que Hilly é a líder desse tipo de coisa.

Fico olhando pra cara dele. Finalmente pergunto:

— É da dona Hilly Holbrook que o senhor tá falando?

— Você a conhece ? — pergunta ele.

— Ãrrã. — Engulo a chave de biela que sobe pela minha garganta, só de pensar na dona Hilly andando aqui por essa casa. A dona Celia vai descobrir a verdade sobre a Coisa Terrível. Essas duas não podem ser amigas, de jeito nenhum. Mas aposto que a dona Hilly faria qualquer coisa pelo seu Johnny.

— Vou ligar para Will hoje à noite e pedir a ele novamente. — Ele dá um tapinha amigável no meu ombro e me pego pensando de novo naquela palavra: *verdade*. E Aibileen vai contar tudo à dona Skeeter. Mas se a minha verdade vier à tona, tou acabada. Briguei com a pessoa errada, e isso basta. — Vou deixar para você o meu telefone do escritório. Me ligue se algum dia tiver algum problema, está bem?

— Sim, senhor — digo, sentindo meu pavor apagar qualquer alívio que poderia recair sobre mim hoje.

SRTA. SKEETER

CAPÍTULO 11

TECNICAMENTE, É INVERNO em quase todo o país, mas na casa da minha mãe já se ouvem rangidos nervosos de dentes e o esfregar de mãos. Os sinais da primavera vieram cedo demais. Papai está num frenesi por causa do plantio do algodão, precisou contratar dez trabalhadores extras para o campo: para trabalhar a terra e dirigir os tratores que farão a semeadura. Mamãe está estudando o *Almanaque do Fazendeiro*, mas ela não tem muito interesse em cultivo. Ela me dá a notícia ruim com a mão sobre a testa.

— Estão dizendo que esse vai ser o ano mais úmido em muito tempo. — Ela suspira. O Brilho Mágico não se mostrou muito eficiente depois daquelas poucas primeiras vezes. — É melhor pegar mais algumas latas de laquê lá na Beemon's, do tipo novo, extraforte.

Ela levanta os olhos do *Almanaque* e me olha com cara feia.

— Por que você está vestida desse jeito?

Estou usando meu vestido mais escuro, meias-calças escuras. A echarpe preta sobre meu cabelo provavelmente me faz parecer mais com o Peter O'Toole em *Lawrence da Arábia* do que com a Marlene

Dietrich. A bolsa grande feia e vermelha está pendurada no meu ombro.

— Tenho algumas coisas para fazer hoje à noite. E depois vou me encontrar com... umas moças. Na igreja.

— Sábado à noite?

— Mamãe, Deus não se importa com que dia da semana é — digo e me dirijo para o carro, antes que ela possa fazer mais alguma pergunta. Hoje à noite vou à casa de Aibileen, para a primeira entrevista.

Com o coração acelerado, dirijo rápido nas ruas pavimentadas da cidade, em direção ao bairro negro. Nunca sequer me sentei na mesma mesa com um negro que não tivesse sido pago para isso. A entrevista foi postergada por mais de um mês. Primeiro, vieram as festas de final de ano e Aibileen precisou trabalhar até tarde quase todas as noites, empacotando presentes e preparando a comida para a ceia de Natal de Elizabeth. Em janeiro, comecei a entrar em pânico quando Aibileen ficou gripada. Fiquei com medo de ter demorado tanto que a sra. Stein tivesse perdido o interesse ou mesmo esquecido que havia concordado em ler o material.

Dirijo o Cadillac noite adentro, dobrando na Gessum Avenue, onde fica a casa de Aibileen. Eu preferiria usar a caminhonete velha, mas mamãe teria suspeitado e papai a estava usando nos campos. Paro na frente de uma casa abandonada, com jeito de assombrada, mais além da casa de Aibileen, conforme combinamos. A varanda na frente da casa mal-assombrada está toda deteriorada, as janelas não têm vidros. Saio para a escuridão, tranco as portas e caminho rápido. Mantenho a cabeça abaixada, ao som dos meus saltos altos fazendo claque-claque no chão.

Um cachorro late, derrubo minhas chaves, que caem com barulho no chão. Olho ao redor, me abaixo para pegá-las. Dois grupos de negros estão sentados em alpendres, observando, se movimentando em cadeiras de balanço. Não há iluminação nas ruas, então é difícil dizer quem é que está me vendo. Continuo caminhando, me sentindo tão chamativa quanto o veículo que me trouxe até aqui: branco e enorme.

Chego no número 25, a casa de Aibileen. Dou outra olhada ao redor, desejando que eu não estivesse dez minutos adiantada. O bairro negro da cidade parece tão distante, ao passo que, evidentemente, fica a poucos quilômetros da parte branca da cidade.

Bato de leve à porta. Ouço passos e o barulho de algo sendo fechado lá dentro. Aibileen abre a porta.

— Entre — sussurra ela, rapidamente fechando e trancando a porta atrás de mim.

Nunca vi Aibileen vestindo outra coisa que não seu uniforme branco. Hoje ela está usando um vestido verde com detalhes pretos. Não posso deixar de notar que ela parece mais ereta, mais alta na sua própria casa.

— Fique à vontade. Volto num instante.

Mesmo com a única lâmpada acesa, a sala está escura, cheia de sombras e zonas de pouca claridade. As cortinas estão fechadas e presas uma à outra, de forma que não há fenda alguma entre elas. Não sei se ficam assim o tempo todo, ou só por minha causa. Eu me abaixo para sentar no sofá, que é estreito. Há uma mesinha de café de madeira enfeitada com laços entalhados à mão, no topo. O assoalho é nu. Eu gostaria de não ter escolhido um vestido tão caro.

Alguns minutos depois, Aibileen volta com uma bandeja contendo uma chaleira e duas xícaras de jogos diferentes, guardanapos de papel dobrados em triângulos. Sinto o cheiro dos biscoitos de canela que ela fez. Enquanto ela serve o chá e a tampa da chaleira sai do lugar.

— Desculpe — diz ela, e torna a tapar a chaleira. — Nunca recebi uma pessoa branca na minha casa antes.

Sorrio, apesar de saber que isso não foi dito para ser engraçado. Bebo um gole do chá. É amargo e forte.

— Obrigada — digo. — O chá está bom.

Ela senta e fecha as mãos sobre o colo, olhando para mim com expectativa.

— Pensei em primeiro trabalharmos um pouco a contextualização e, depois, passar direto para as perguntas — digo. Puxo a minha caderneta e dou uma passada de olhos nas perguntas que preparei. De repente, parecem óbvias, perguntas amadoras.

— Tudo bem — diz ela. Aibileen está sentada bem empertigada no sofá, virada na minha direção.

— Bem, para começar, hum, quando e onde você nasceu?

Ela engole, faz um sinal de concordância com a cabeça.

— Mil novecentos e nove. Fazenda Piedmont, no condado de Cherokee.

— Quando era criança, você sabia que, quando crescesse, seria empregada doméstica?

— Sim, senhorita, eu sabia.

Sorrio e espero que ela desenvolva a ideia. Mas nada mais é dito.

— E você sabia disso porque...?

— Minha mãe era empregada doméstica. Minha avó era escrava doméstica.

— Escrava doméstica. Ãrrã — digo, mas ela só confirma com um sinal. Suas mãos permanecem fechadas sobre o colo. Ela está observando as palavras que eu escrevo no papel.

— Você... alguma vez sonhou em ser outra coisa?

— Não — diz ela. — Não, senhorita, nunca. — O silêncio é tamanho que posso ouvir o som das nossas respirações.

— Muito bem. Então... como é criar uma criança branca quando seu próprio filho fica em casa, sendo... — engulo em seco, constrangida pela pergunta — ... cuidado por outra pessoa?

— Bem, é... — Ela ainda está sentada tão empertigada que parece doer. — Hum, talvez... a gente pode ir pra próxima pergunta.

— Oh. Está bem. — Olho para as perguntas. — O que você mais gosta em ser empregada doméstica e o que você menos gosta?

Ela fica olhando para mim, como se eu tivesse pedido para ela definir o significado de um palavrão.

— Eu... acho que cuidar das crianças é a melhor parte — responde ela, baixinho.

— Alguma coisa... que você queira... acrescentar?

— Não, senhorita.

— Aibileen, você não precisa me chamar de "senhorita", não aqui.

— Sim, senhorita. Oh, desculpe. — Ela cobre a boca com a mão.

Vozes altas se ouvem na rua, e nossos olhos se lançam na direção da janela. Ficamos quietas, imóveis. O que aconteceria se um branco me descobrisse ali num sábado à noite, falando com Aibileen, vestida com suas roupas normais? Será que chamariam a polícia, para relatar uma reunião suspeita? Subitamente, tenho certeza de que seria isso que aconteceria. Seríamos presas, porque é isso que eles fazem. Eles nos acusariam de violação integracionista — leio sobre isso no jornal o tempo todo —, eles desprezam os brancos que se reúnem com pessoas de cor para ajudar no movimento de direitos civis. O que estamos fazendo não tem nada a ver com integração, mas por que outra razão estaríamos nos encontrando? Eu nem sequer trouxe algumas cartas da sra. Myrna como disfarce.

Vejo um medo inequívoco, honesto, no rosto de Aibileen. Lentamente as vozes se dissipam lá fora, na rua. Respiro aliviada, mas Aibileen continua tensa. Ela mantém os olhos fixos nas cortinas.

Olho para a lista de perguntas, procurando algo que possa tirá-la desse estado de nervos, tirar a mim desse estado de nervos. Não consigo parar de pensar em quanto tempo já perdi.

— E o que... você disse que não gostava no seu trabalho?

Aibileen engole em seco.

— Quero dizer, você gostaria de falar sobre o banheiro? Ou sobre Eliz... a sra. Leefolt? Alguma coisa sobre como ela paga a você? Alguma vez ela gritou com você na frente de Mae Mobley?

Aibileen pega um guardanapo e o pressiona delicadamente sobre a testa. Começa a falar, mas para.

— Já conversamos um monte de vezes, Aibileen...

Ela cobre a boca com a mão.

— Sinto muito, eu... — Ela se levanta e atravessa rapidamente o estreito corredor. Uma porta se fecha, barulho da chaleira e das xícaras sobre a bandeja.

Passam-se cinco minutos. Quando ela volta, está segurando uma toalha junto à testa, como vi mamãe fazer depois de vomitar, quando não consegue chegar a tempo ao banheiro.

— Desculpe. Achei... que eu estava pronta pra falar.

Faço sinal com a cabeça, sem saber muito bem que atitude tomar.

— Eu... eu sei que você já falou pra aquela senhora em Nova York que eu vou fazer isso, mas... — Ela fecha os olhos. — Desculpe. Acho que não consigo. Acho que preciso me deitar.

— Amanhã à noite. Vou... pensar num jeito melhor. Vamos tentar de novo e...

Ela balança a cabeça negativamente, se agarra à toalha.

No trajeto para casa, quero chutar a mim mesma. Por pensar que eu podia simplesmente entrar na casa dela e exigir respostas. Por pensar que ela deixaria de ver a si mesma como a empregada só porque estávamos na casa dela, só porque ela não estava usando um uniforme.

Olho para minha caderneta de notas sobre o banco de couro branco. Além do lugar onde ela cresceu, tenho um total de doze palavras. E quatro delas são *sim, madame* e *não, madame.*

A VOZ DE PATSY CLINE soa no rádio quando sintoniza a WJDX. Enquanto dirijo pela estrada do condado, eles estão tocando "Walking After Midnight". Quando estaciono na entrada de carros de Hilly, estou ouvindo "Three Cigarettes in an Ashtray". O avião dela caiu hoje de manhã, e todo mundo, de Nova York ao Mississippi e Seattle, está de luto, cantando suas músicas. Estaciono o Cadillac e olho para fora, para a casa reluzentemente branca de Hilly. Faz quatro dias que Aibileen vomitou no meio da nossa entrevista, e ainda não tive notícias dela.

Entro. A mesa de bridge está montada na sala de visitas estilo pré-Guerra Civil de Hilly, com o ensurdecedor relógio de parede antigo e cortinas com brocados dourados. Todo mundo já está sentado — Hilly, Elizabeth e Lou Anne Templeton, que substituiu a sra. Walters. Lou Anne é uma daquelas moças que sorriem de orelha a orelha — *todo* o tempo, incessantemente. Dá vontade de prender sua boca com um alfinete. E, quando você não está olhando, ela encara a pessoa com aquele sorriso insípido e cheio de dentes. E concorda com toda e qualquer coisinha que Hilly diz.

Hilly mostra uma revista *Life*, aponta para uma foto em página dupla de uma casa na Califórnia.

— Um covil, é como estão chamando, como se animais selvagens vivessem aí.

— Oh, não é horrível? — pergunta Lou Anne.

A foto mostra tapetes felpudos que vão de uma parede a outra e sofás baixos, de linhas retas, cadeiras no formato de ovos e televisões que parecem discos voadores. Na sala de visita de Hilly, um retrato de um general confederado está pendurado a mais de dois metros de altura do chão. Tão proeminente que até parece o retrato de um avô, e não de um primo em terceiro grau.

— É isso. A casa de Trudy é exatamente assim — diz Elizabeth. Fiquei tão enrolada com a entrevista de Aibileen que quase esqueci da viagem de Elizabeth, na semana passada, para visitar a irmã mais velha. Trudy se casou com um banqueiro, e eles se mudaram para Hollywood. Elizabeth foi passar quatro dias lá para conhecer a casa nova da irmã.

— Bem, isso é de mau gosto, isso sim — diz Hilly. — Sem querer ofender a sua família, Elizabeth.

— Como é Hollywood? — pergunta Lou Anne.

— Oh, um sonho. E a casa da Trudy tem aparelhos de tevê em todos os cômodos. Desse mesmo estilo louco de móveis da era espacial nos quais você mal pode se sentar. Fomos a todos os restaurantes chiques, onde as estrelas de cinema vão comer, e bebemos martínis e vinho da Borgonha. E uma noite o próprio Max Factor em pessoa veio até a nossa mesa, falou com Trudy como se fossem velhos amigos — ela balança a cabeça —, como se tivessem se cruzado no mercado. — Elizabeth suspira.

— Bem, se quer saber a minha opinião, você ainda é a mais bonita da família — diz Hilly. — Não que Trudy não seja atraente, mas você é que tem elegância e estilo de verdade.

Elizabeth sorri ao ouvir isso, mas volta a franzir o cenho:

— Sem falar que ela tem criadas à disposição *todos* os dias, *todas* as horas. Mal precisei me ocupar com Mae Mobley.

Estremeço a esse comentário, mas ninguém mais parece percebê-lo. Hilly está de olho na sua empregada, Yule May, que serve mais chá nos nossos copos. Ela é alta, esguia, quase majestática, e tem um corpo muito mais bonito que Hilly. Vê-la faz eu me preocupar com Aibileen. Essa semana liguei para a casa dela duas vezes, mas ninguém atendeu. Tenho certeza de que ela está me evitando. Acho que precisarei ir até a casa de Elizabeth para falar com ela, quer Elizabeth goste, quer não.

— Eu estava pensando que no ano que vem nós podíamos usar o tema de *E o vento levou...* para o Baile — diz Hilly —, talvez alugar a velha Mansão Fairview?

— Que boa ideia! — diz Lou Anne.

— Oh, Skeeter — diz Hilly —, sei que você odiou não ter ido ao Baile deste ano. — Eu concordo, faço uma careta de piedade. Menti que estava gripada, para evitar ter de ir sozinha ao Baile.

— Vou dizer uma coisa para vocês — avisa Hilly —, não vou contratar aquela banda de rock and roll de novo, com todas aquelas músicas que nos obrigam a dançar rápido.

Elizabeth dá um tapinha no meu braço. Ela está com a bolsa sobre o colo.

— Quase esqueci de lhe entregar isto. Aibileen mandou, aquele negócio da sra. Myrna. Mas falei para ela: vocês não vão poder ficar de conversa sobre isso hoje, não depois de todo o tempo que ela perdeu em janeiro.

Abri o bilhete. As palavras estão escritas em tinta azul, com uma caligrafia adorável.

Sei como fazer para a tampa da chaleira não cair.

— E quem diabos se importa em como fazer para a tampa de uma chaleira não cair? — pergunta Elizabeth. Porque é claro que ela leu o bilhete.

Demoro dois segundos e tomo um gole de chá gelado para entender.

— Você não acreditaria como é difícil — digo a ela.

DOIS DIAS MAIS TARDE, estou sentada na cozinha da casa dos meus pais, esperando que o sol se ponha. Desisto de resistir e acendo outro cigarro, apesar de ontem à noite o secretário de Saúde ter aparecido na televisão e balançado o dedo para todo mundo, tentando nos convencer de que fumar vai nos matar. Mas a mamãe uma vez me disse que beijo de língua me deixaria cega, e estou começando a pensar que é tudo um grande complô entre o secretário da Saúde e a minha mãe para fazer com que ninguém mais se divirta.

Às oito em ponto da mesma noite, desço a pé a rua de Aibileen, tão discretamente quanto possível quando se está carregando uma máquina de escrever Corona de mais de vinte quilos. Bato à porta, fraquinho, louca por outro cigarro que me acalme os nervos. Aibileen responde, e me esgueiro porta adentro. Ela está usando o mesmo vestido verde e os mesmos sapatos pretos sóbrios da outra vez.

Tento sorrir, aparentando confiança de que desta vez vai funcionar, apesar da ideia que ela me explicou ao telefone.

— Será que... poderíamos nos sentar na cozinha desta vez? Você se importa? — pergunto.

— Não tem problema. Não tem nada para olhar, mas venha.

A cozinha tem cerca de metade do tamanho da sala de estar, e é mais quente. Cheira a chá e a limão. O linóleo preto e branco do chão é fino, de tanto ter sido escovado. O tamanho da bancada é suficiente apenas para o jogo de porcelana.

Coloco a máquina de escrever em uma mesa vermelha arranhada, abaixo da janela. Aibileen começa a verter água quente no bule de chá.

— Oh, para mim não precisa, obrigada — digo, e pego minha bolsa. — Eu trouxe umas garrafas de Coca-Cola, quer uma? — Tentei pensar em maneiras de fazer Aibileen se sentir mais confortável. Número um: não fazê-la sentir que precisa me servir.

— Ora, que gentil. De todo jeito, normalmente só bebo chá mais tarde. — Ela traz o abridor de garrafas e dois copos.

Bebo a minha direto da garrafa, e, vendo isso, ela afasta os copos e faz o mesmo.

Depois que Elizabeth me entregou o bilhete, liguei para Aibileen e escutei, cheia de esperança, ela me contar sua ideia — de que ela escreveria com suas próprias palavras, e então me mostraria o que escreveu. Tentei mostrar entusiasmo. Mas sei que vou precisar reescrever tudo que ela registrar, gastando ainda mais tempo. Pensei que podia facilitar as coisas se ela pudesse ver seu texto datilografado, em vez de eu ler e dizer a ela que não vai funcionar desse jeito.

Sorrimos uma para a outra. Tomo um gole da minha Coca-Cola e aliso minha blusa.

— Bem... — digo.

Aibileen tem um caderno espiral à sua frente.

— Quer que eu... comece a ler?

— Claro — digo.

Nós duas respiramos fundo e ela começa a ler, com uma voz lenta, estável.

— O primeiro nenê branco que cuidei se chamava Alton Carrington Speers. Era 1924 e eu tinha acabado de fazer quinze anos. Alton era um nenê comprido, magrinho, com cabelo fino que nem cabelo de milho...

Começo a digitar, enquanto ela lê as palavras ritmadamente, pronunciando-as com mais clareza do que o normal.

— Todas as janelas daquela casa imunda foram pintadas fechadas por dentro, embora fosse a casa grande, com um gramado grande. Eu sabia que o ar era ruim, eu mesma me sentia mal...

— Espere — digo. Escrevi *gramado gande*. Assopro o corretivo, datilografo novamente. — Tudo bem, pode continuar.

— Quando a mãe morreu, seis meses depois — lê ela — de doença nos pulmões, eles quiseram continuar comigo, pra criar o Alton, até que eles se mudaram pra Memphis. Eu amava aquele nenê e ele me amava, e foi aí que descobri que eu sabia como fazer as crianças terem orgulho delas mesmas...

Quando ela me contou a ideia, eu não quis insultá-la. Tinha tentado dissuadi-la ao telefone. "Escrever não é tão fácil assim. E você não teria tempo para isso, de qualquer forma, Aibileen, não com um emprego de tempo integral."

"Não pode ser muito diferente de escrever as minhas rezas todas as noites."

Essa era a primeira coisa interessante que ela me contava sobre ela mesma desde que havíamos começado o projeto, então agarrei a oportunidade ali mesmo: "Então você não *diz* as suas rezas?"

"Nunca contei isso pra ninguém antes. Nem pra Minny. Acho que consigo explicar melhor as coisas quando escrevo."

"Então isso é que você faz nos finais de semana?", perguntei. "No seu tempo livre?" Gostei da ideia de capturar a vida dela fora do trabalho, quando ela não ficava sob a vigilância de Elizabeth Leefolt.

"Oh, não, escrevo uma hora por dia, às vezes duas. Muita cura pra pedir, muita gente doente na cidade."

Fiquei impressionada. Era mais do que eu escrevia, alguns dias. Acabei falando para ela que devíamos fazer a mesma coisa, o projeto só para retomar.

Aibileen faz uma pausa para respirar, toma um gole de Coca-Cola e continua lendo.

Ela recua até seu primeiro emprego, aos treze anos, limpando o serviço de prata estilo Francisco I na mansão do governador. Ela lê que, na primeira manhã de trabalho, cometeu um erro no quadro onde se anotava o número de peças do faqueiro para que se soubesse que ela não havia roubado nada.

— Voltei pra casa aquela manhã, depois de ter sido despedida, e fiquei parada do lado de fora de casa, usando meus sapatos novos de trabalho. Os sapatos pelos quais minha mãe tinha pago o valor de um mês de conta de luz. Acho que foi aí que entendi o que era vergonha, e também a cor da vergonha. Vergonha não é escura, como pó, como eu sempre pensei que fosse. A vergonha é da cor do seu uniforme branco novo em folha que sua mãe pagou com o suor de noites a fio passando roupas pra fora, branco sem nenhuma mancha de sujeira deixada pelo trabalho.

Aibileen levanta os olhos para ver o que eu penso. Paro de datilografar. Eu tinha imaginado que as histórias seriam melosas, dramáticas. Então me dou conta de que as coisas estão saindo melhor do que a encomenda. Ela continua lendo.

— ... então eu vou lá e arrumo o armário e, antes de eu me dar conta, aquele menininho conseguiu machucar os dedos naquele exaustor que eu tinha pedido dez vezes pra ela mandar consertar. Nunca vi tanto sangue sair de uma pessoa, então peguei o menino, peguei os quatro dedinhos dele. Levei ele até o hospital dos negros porque eu não sabia onde ficava o hospital dos brancos. Mas, quando cheguei lá, um negro me parou e perguntou: *Esse menino é branco?* — As teclas da máquina de escrever soam como granizo num telhado. Aibileen está lendo mais rápido, e eu ignoro os erros que cometo, pedindo para ela parar apenas quando preciso trocar de página. A cada oito segundos, eu empurro o carro da máquina para a direita. — E eu digo: *Sim, senhor*, e ele pergunta: *Isso são os dedos brancos dele?* E eu respondo: *Sim, senhor*, e ele diz, *Bem, é melhor você dizer pra eles que ele é amarelo, pois aquele médico de cor não vai operar um menino branco num hospital de pretos*. Então, um policial branco me para e diz: *Ei, olhe aqui...*

Ela para. Levanta os olhos. O claque-claque da máquina cessa.

— O quê? O policial disse *olhe aqui* o quê?

— Bem, foi só isso que eu escrevi. Precisei sair pra pegar o ônibus pra ir pro trabalho hoje de manhã.

Aperto a tecla de retorno, e soa a campainha da máquina de escrever. Aibileen e eu olhamos nos olhos uma da outra. Acho que, no final das contas, isso pode funcionar.

CAPÍTULO 12

DURANTE DUAS SEMANAS, uma noite sim, outra não, digo a mamãe que estou saindo para dar comida aos pobres na Igreja Presbiteriana de Canton, onde nós, felizmente, não conhecemos uma só alma. É claro que ela preferiria que eu fosse à Primeira Igreja Presbiteriana, mas mamãe não discute quando se trata de ações cristãs e concorda, aprovadoramente, dizendo, inclusive, para eu me certificar de lavar bem as mãos com sabão, depois.

Hora após hora, na cozinha de Aibileen, ela lê seus escritos e eu datilografo, os detalhes se avolumam, os rostos dos bebês entram em foco. De início, fico desapontada que Aibileen esteja fazendo a maior parte da escrita, e eu apenas editando. Mas, se a sra. Stein gostar, vou escrever as histórias das outras empregadas, e isso vai ser trabalho mais que suficiente. *Se ela gostar...* Eu me pego repetindo isso sem parar para mim mesma, esperando transformar a ideia em realidade, à força da repetição.

A escrita de Aibileen é limpa, honesta. Digo isso a ela.

— Bem, olhe só pra quem eu costumo escrever. — Ela ri. — Pra Deus não se pode mentir.

Antes de eu nascer, ela chegou a colher algodão durante uma semana em Longleaf, na fazenda da minha própria família. Certa feita, ela começa a falar em Constantine sem eu pedir.

— Senhor, aquela Constantine sabia cantar. Como um anjo puro-sangue na frente da igreja. Dava arrepios em todo mundo, ouvir aquela voz sedosa dela, e, quando ela parou de cantar, quando teve que dar o nenê dela pra... — Aqui ela para. Olha para mim.

Retoma:

— Bem, assim são as coisas.

Digo para mim mesma: *não a pressione*. Eu queria poder ouvir tudo que ela sabe sobre Constantine, mas vou esperar até que tenhamos terminado essas entrevistas. Não quero colocar nada entre nós agora.

— Alguma notícia de Minny? — pergunto. — Se a sra. Stein gostar — digo, praticamente cantarolando as palavras já familiares —, quero ter a próxima entrevista já acertada.

Aibileen balança a cabeça.

— Perguntei a ela três vezes, e ela ainda diz que não vai fazer. Acho que tá na hora de eu acreditar nela.

Tento não demonstrar minha inquietação.

— Talvez você possa convidar outras pessoas? Ver se alguém se interessa? — Tenho certeza de que Aibileen teria melhores chances do que eu de convencer alguém.

Aibileen faz que sim.

— Tenho mais umas pra convidar. Mas quanto tempo você acha que vai demorar pra essa senhora dizer se gostou?

Encolho os ombros.

— Não sei. Se colocarmos no correio na semana que vem, talvez tenhamos alguma notícia dela lá pela metade de fevereiro. Mas não posso garantir.

Aibileen aperta os lábios, olha para baixo, para suas páginas. Vejo algo em que eu não havia reparado antes. Expectativa, uma faísca de excitação. Fiquei tão envolvida comigo mesma que não me ocorreu que Aibileen pudesse estar tão entusiasmada quanto eu com o fato de que uma editora de Nova York vai ler a sua história. Sorrio e respiro fundo, minha esperança se fortalecendo.

Na nossa quinta sessão, Aibileen lê para mim sobre o dia em que Treelore morreu. Ela lê sobre como o corpo quebrado de Treelore foi jogado na caçamba de uma picape pelo mestre de obras.

— E então largaram ele no hospital dos negros. Foi isso que a enfermeira me contou, a enfermeira que tava lá fora na hora. Rolaram ele pra fora da caçamba e os brancos foram embora. — Aibileen não chora, apenas deixa um tempo se passar enquanto eu olho para a máquina de escrever, e ela, para as lajotas escuras e gastas.

Na sexta sessão, Aibileen diz:

— Fui trabalhar pra dona Leefolt em 1960. Quando Mae Mobley tinha duas semanas. — E sinto que atravessei um pesado umbral de confiança. Ela descreve a construção do banheiro da garagem, admite que agora gosta que ele esteja lá. É mais fácil do que ouvir Hilly reclamar sobre ter que dividir o banheiro com a empregada. Ela me diz que uma vez eu comentei que pessoas de cor vão muito à igreja. Ela não esqueceu isso. Estremeço, me perguntando o que mais eu disse sem nunca ter suspeitado que a empregada estivesse ouvindo, ou que desse bola.

Uma noite ela diz:

— Eu tava pensando... — Mas então ela para.

Levanto os olhos da máquina de escrever e espero. Foi necessário Aibileen vomitar para eu aprender a lhe dar o tempo de que ela precisa.

— Eu tava pensando que eu devia ler um pouco. Pode me ajudar com a minha escrita.

— Vá até a biblioteca da State Street. Eles têm uma sala cheia de escritores sulistas. Faulkner, Eudora Welty...

Aibileen limpa a garganta.

— Você sabe que pessoas de cor não podem entrar naquela biblioteca.

Fico ali sentada por um segundo, me sentindo uma idiota.

— Não posso acreditar que me esqueci disso. — A biblioteca dos negros deve ser muito ruim. Alguns anos atrás houve um protesto na biblioteca dos brancos que saiu nos jornais. Quando a multidão de negros apareceu para a manifestação, a polícia simplesmente recuou e soltou os pastores-alemães. Olho para Aibileen e me lembro, mais uma vez, do risco que ela está correndo ao falar comigo. — Eu pego os livros para você, com todo o prazer — digo.

Aibileen vai correndo até o quarto e volta com uma lista:

— Melhor eu marcar aqueles que eu quero ler antes. Estou na fila de espera pra *O sol é para todos* na Biblioteca Carver há quase três meses. Vamos ver...

Observo enquanto ela vai marcando os títulos dos livros: *As almas da gente negra*, de W. E. B. Du Bois, poemas de Emily Dickinson (qualquer livro), *As aventuras de Huckleberry Finn*.

— Li alguns desses na escola, mas não cheguei a terminar. — Aibileen continua marcando, parando para pensar qual ela quer ler a seguir.

— Você quer um livro de... Sigmund Freud?

— Oh, as pessoas são loucas. — Ela acena a cabeça, afirmativamente. — Adoro ler sobre como a cabeça funciona. Você já sonhou alguma vez que tava caindo num lago? Ele diz que você tá sonhando com o seu próprio nascimento. A dona Francis, pra quem eu trabalhei em 1957, ela tinha todos os livros dele.

No décimo segundo título, eu preciso saber:

— Aibileen, há quanto tempo você vem querendo me pedir isso? Se eu pegaria esses livros para você?

— Há um tempo. — Ela encolhe os ombros. — Acho que tenho medo de falar nisso.

— Você.. achou que eu iria recusar?

— Essas são as regras brancas. Não sei qual das regras você tá seguindo e quais não tá.

Olhamos uma para a outra durante um momento.

— Estou cansada de regras — digo.

Aibileen ri e olha para fora da janela. Percebo, então, quão débil essa revelação deve lhe parecer.

DURANTE QUATRO DIAS SEGUIDOS, eu me sento à máquina de escrever, no meu quarto. Vinte das minhas páginas datilografadas, cheias de palavras riscadas e circuladas a caneta vermelha, se tornam trinta e uma páginas em papel Strathmore branco. Redijo uma curta biografia de Sarah Ross, o nome que Aibileen usou, em homenagem à sua professora da sexta série que morreu há dois anos. Coloco sua idade, a profissão de seus pais. Em seguida vêm as histórias de Aibileen, exatamente como ela as escreveu, simples, diretas.

No terceiro dia, mamãe grita da escada para perguntar o que diabos estou fazendo ali em cima o dia todo, e eu grito, respondendo lá para baixo: *Só estou datilografando algumas anotações sobre a Bíblia. Estou anotando todas as coisas que eu adoro em Jesus.* Ouço ela dizer para o papai, na cozinha, depois do jantar:

— Ela está aprontando alguma.

Carrego pela casa a pequena Bíblia branca que ganhei de batismo, para tornar tudo mais verossímil.

Leio e releio, e então levo as páginas para Aibileen, à tardinha, e ela faz o mesmo. Ela sorri e acena afirmativamente nas partes boas, em que todo mundo se dá bem, mas nas partes ruins ela tira os óculos de leitura e diz:

— Sei que fui eu que escrevi, mas você quer mesmo incluir a parte sobre o...

E eu digo:

— Sim, quero.

Mas eu mesma estou surpresa com o conteúdo dessas histórias, sobre refrigeradores separados para os negros na mansão do governador, sobre mulheres brancas tendo ataques com os filhos de dois anos por causa de um guardanapo amassado, sobre bebês brancos chamando Aibileen de "mamãe".

Às três da manhã, com apenas duas marcações de correção no que são agora vinte e sete páginas, enfio o manuscrito em um envelope amarelo. Ontem fiz um telefonema interurbano para o escritório da sra. Stein. A secretária dela, Ruth, disse que ela estava numa reunião. Ela anotou o meu recado, de que a entrevista está a caminho. Hoje, a sra. Stein não me retornou a ligação.

Seguro o envelope grudado ao coração e quase choro de cansaço, de dúvida. Posto o envelope na agência dos correios de Canton, na manhã seguinte. Volto para casa e me deito na minha velha cama de ferro, preocupada com o que vai acontecer... *se ela gostar.* E se Elizabeth ou Hilly descobrirem o que estamos fazendo? E se Aibileen for demitida, ou mandada para a prisão? Sinto como se eu estivesse caindo num longo túnel em formato de espiral. Deus, será que a espancariam, como espancaram o rapaz negro que usou o banheiro dos brancos? O que estou fazendo? Por que estou fazendo ela correr esse risco?

Pego no sono. Tenho pesadelos incessantes nas quinze horas seguintes.

É UMA E QUINZE, e Hilly, Elizabeth e eu estamos sentadas à mesa da sala de jantar de Elizabeth, esperando Lou Anne aparecer. Não comi nada hoje, exceto o chá de correção sexual da mamãe e estou me sentindo enjoada, nervosa. Meu pé bate no chão sem parar embaixo da mesa. Estou assim faz dez dias, desde que mandei as histórias de Aibileen para a sra. Stein. Liguei uma vez, e Ruth me disse que havia entregue o manuscrito para ela quatro dias antes, mas ainda não tive notícias.

— Essa não é simplesmente a coisa mais rude que você já viu? — Hilly olha para o seu relógio e pragueja. É a segunda vez que Lou Anne se atrasa. Ela não vai durar muito no nosso grupo, com Hilly por perto.

Aibileen entra na sala de jantar, e me esforço ao máximo para não olhar para ela durante mais tempo do que o normal. Tenho medo de que Hilly ou Elizabeth leiam alguma coisa nos meus olhos.

— Pare de bater o pé, Skeeter. Você está sacudindo a mesa — diz Hilly.

Aibileen se movimenta pelo cômodo no seu passo suave, de uniforme branco, sem evidenciar qualquer traço do que fizemos. Acho que ela acabou se tornando hábil em esconder os sentimentos.

Hilly se vira e dá as cartas para uma partida de gin rummy. Tento me concentrar no jogo, mas pequenos fatos insistem em saltar aos meus olhos toda vez que encaro Elizabeth. Sobre Mae Mobley ter usado o banheiro da garagem, sobre Aibileen não ter autorização para guardar seu almoço na geladeira dos Leefolt. Pequenos detalhes dos quais agora estou a par.

Aibileen me oferece um biscoito de uma bandeja de prata. Ela torna a encher meu copo de chá gelado como se fôssemos, uma para a outra, as estranhas que deveríamos ser. Estive duas vezes na sua casa desde que coloquei no correio o pacote para Nova York, nas duas vezes para trocar os livros que peguei para ela na biblioteca. Ela ainda usa o vestido verde com brocado preto toda vez que vou lá. Às vezes, ela tira os sapatos embaixo da mesa. Na última vez, ela puxou um maço de Montclairs e fumou ali mesmo, comigo no cômodo, e foi um avanço e tanto a casualidade de tudo. Eu também fumei um cigarro. Agora ela está limpando meus farelos com a escovinha de mesa de prata que eu dei a Elizabeth e a Raleigh de presente de casamento.

— Bem, enquanto esperamos, tenho novidades — diz Elizabeth, e reconheço na sua cara do que se trata, um aceno ínfimo, a mão sobre a barriga. — Estou grávida. — Ela sorri, a boca tremendo um pouco.

— Que maravilha — digo. Coloco as cartas sobre a mesa e toco seu braço. Ela realmente parece prestes a chorar. — Para quando é?

— Outubro.

— Bem, estava na hora — diz Hilly, abraçando Elizabeth. — Mae Mobley já está bem crescidinha.

Elizabeth acende um cigarro e suspira. Ela olha para baixo, para as cartas:

— Estamos muito felizes.

Enquanto jogamos algumas rodadas para nos exercitar, Hilly e Elizabeth conversam sobre nomes de bebês. Tento contribuir para a conversa.

— Com certeza Raleigh, se for menino — acrescento.

Hilly fala sobre a campanha eleitoral de William. Ele está concorrendo ao Senado do Estado do Mississippi no próximo ano, apesar de não ter experiência em política. Dou graças a Deus quando Elizabeth diz para Aibileen servir o almoço.

Quando Aibileen volta com as galantinas, Hilly se empertiga na cadeira.

— Aibileen, tenho um casaco velho para você e um saco de roupas da casa da sra. Walters. — Ela limpa suavemente a boca com o guardanapo. — Então, depois do almoço, você vai lá fora e pega dentro do carro, está bem?

— Sim, madame.

— Não se esqueça. Não posso me preocupar em trazê-los de novo.

— Oh, que gentil, não, Aibileen? — diz Elizabeth, de modo aprovador. — Vá lá e pegue as roupas assim que terminarmos o almoço.

— Sim, madame.

Hilly levanta a voz umas três oitavas quando fala com gente de cor. Elizabeth sorri como se estivesse falando com uma criança, embora certamente não como se estivesse falando com a sua filha. Estou começando a perceber certas coisas.

Quando Lou Anne Templeton aparece, já terminamos nossos camarões e o purê de milho, e estamos começando a sobremesa. Hilly revela uma inclinação surpreendentemente magnânima. Lou Anne estava atrasada, afinal das contas, por causa de uma tarefa que tinha de fazer para a Liga.

Em seguida, dou parabéns a Elizabeth de novo e vou até o carro. Aibileen está lá fora, apanhando um casaco ligeiramente usado de 1942 e roupas velhas que, por alguma razão, Hilly não dá para sua própria empregada, Yule May. Hilly caminha até onde estou e me entrega um envelope.

— Para o boletim da próxima semana. Você dá um jeito de incluir isso para mim?

Faço que sim, e Hilly caminha de novo até o carro. Assim que Aibileen abre a porta da frente para entrar de novo na casa, ela olha na minha direção. Balanço a cabeça, digo silenciosamente: *Não é nada*. Ela compreende e entra.

Nessa noite, trabalho no boletim, desejando trabalhar nas histórias. Repasso as notas da última reunião da Liga e encontro o envelope de Hilly. Abro. É uma página, escrita na caligrafia generosamente arredondada e cheia de voltas de Hilly:

> *Hilly Holbrook apresenta o Projeto de Higiene para Empregadas Domésticas. Uma medida que visa prevenir a disseminação de doenças. Instalação a baixo custo na sua garagem ou depósito, para lares que ainda não têm tão importante infraestrutura.*
>
> *Senhoras, saibam que:*
>
> - *99% das doenças de cor são transmitidas pela urina*
> - *Brancos podem ficar com sequelas permanentes em função de quase todas essas doenças porque não temos as imunidades que os negros possuem na sua pigmentação escura*
> - *Alguns germes dos brancos também podem ser nocivos aos negros*
>
> *Protejam-se. Protejam suas crianças. Protejam suas empregadas.*
>
> *Em nome dos Holbrook: De nada!*

O TELEFONE TOCA na cozinha, e eu quase caio enquanto corro, tentando atendê-lo. Mas Pascagoula já chegou antes de mim.

— Residência da dona Charlotte.

Olho para o rosto dela e observo enquanto a pequena Pascagoula balança a cabeça afirmativamente, dizendo:

— Sim, madame, ela está aqui. — E me passa o telefone.

— É Eugenia quem está falando — digo rápido. Papai está no campo, e mamãe numa consulta médica na cidade, então estico o fio preto e espiralado do telefone até a mesa da cozinha.

— Elaine Stein falando.

Respiro fundo.

— Sim, senhora. A senhora recebeu meu pacote?

— Recebi — diz ela, e então respira no bocal do telefone durante alguns segundos.

— Essa Sarah Ross. Gostei das histórias dela. Ela gosta de cavaquear sem reclamar demais.

Balanço a cabeça. Não sei o que significa *cavaquear*, mas imagino que seja algo bom.

— Mas continuo com a opinião de que um livro de entrevistas... normalmente não funcionaria. Não é ficção, mas também não é não ficção. Talvez seja um relato antropológico, mas essa é uma categoria terrível.

— Mas a senhora... gostou?

— Eugenia — diz ela, baforando o cigarro no telefone. — Você viu a capa da revista *Life* desta semana?

Faz um mês que não vejo a capa da revista *Life*, tão ocupada tenho estado.

— Martin Luther King, querida. Ele acabou de anunciar uma marcha até a capital federal e convocou todos os negros dos Estados Unidos a se juntarem a ele. E todos os brancos, também. Desde *E o vento levou...* não acontece de tantos negros e brancos trabalharem juntos.

— Sim, eu ouvi falar sobre... essa marcha — minto. Fecho meus olhos, desejando ter lido o jornal esta semana. Pareço idiota.

— Meu conselho a você é: escreva e escreva rápido. A marcha será em agosto. Você vai precisar terminar tudo até o Ano-novo.

Engulo em seco. Ela está dizendo para eu escrever! Está dizendo para eu...

— A senhora está dizendo que vai publicá-lo? Se eu escrever até...

— Eu absolutamente não disse isso — lasca ela. — Vou ler o manuscrito. Leio centenas de manuscritos por mês e rejeito a maioria deles.

— Desculpe, eu só... vou escrever, sim — digo. — Estarei com ele pronto em janeiro.

— E quatro ou cinco entrevistas não serão suficientes para um livro. Você vai precisar de uma dúzia, talvez mais. Você tem outras entrevistas engatilhadas, imagino?

Aperto os lábios.

— Sim... algumas...

— Ótimo. Então, ao trabalho. Antes que essa confusão de direitos civis pegue fogo.

NAQUELA NOITE, vou até a casa de Aibileen. Entrego a ela mais três livros da sua lista. Minhas costas doem de ficar muito tempo reclinada sobre a máquina de escrever. Hoje à tarde, fiz uma lista de todo mundo que conheço que tem uma empregada (o que significa todo mundo que eu conheço), e o nome da empregada. Mas não consigo me lembrar de alguns nomes.

— Obrigada, oh, Senhor, olhe só pra isso. — Ela sorri e folheia até a primeira página de *Walden**; parece disposta a começar a leitura ali mesmo.

— Falei com a sra. Stein hoje à tarde — digo.

---

* *Walden*, de Henry David Thoreau. (N.T.)

As mãos de Aibileen se congelam sobre o livro.

— Eu sabia que tinha alguma coisa errada, vi no seu rosto.

Respiro fundo.

— Ela disse que gostou muito das suas histórias. Mas... só vai poder dizer se vai publicar ou não depois que a gente escrever todo o livro. — Tento parecer otimista. — Precisamos ter tudo pronto logo depois do Ano-novo.

— Mas essa é uma notícia boa, não?

Faço que sim, tento sorrir.

— *Janeiro* — sussurra Aibileen, depois se levanta e sai da cozinha. Ela volta com um calendário de parede da loja Tom's Candy. Ela o coloca em cima da mesa e folheia os meses.

— Parece longe, mas até janeiro são só... dois... quatro... seis... daqui a dez folhas. Vai chegar antes mesmo da gente se dar conta. — Ela sorri.

— Ela disse que precisamos entrevistar pelo menos dez empregadas para ela pensar em publicar — digo. A tensão da minha voz está começando a se mostrar.

— Mas... você não tem nenhuma outra pra entrevistar, senhorita Skeeter.

Entrelaço os dedos. Fecho os olhos.

— Não tenho ninguém a quem pedir, Aibileen — digo, minha voz mais aguda. Passei as últimas quatro horas ponderando sobre esse fato. — Quero dizer, com quem eu poderia falar? Pascagoula? Se eu falar com ela, minha mãe vai descobrir. Não sou eu quem conhece outras empregadas.

Os olhos de Aibileen abandonam os meus tão rápido que fico com vontade de chorar. *Merda, Skeeter.* Qualquer barreira entre nós que tenha sido derrubada nos últimos meses eu acabei de reconstruir em questão de segundos.

— Desculpe — apresso-me em dizer. — Me desculpe por ter levantado a voz.

— Não, não, não tem problema. Essa era minha tarefa, conseguir outras empregadas.

— E... a de Lou Anne — digo, em voz baixa, sacando minha lista. — Como é o nome dela?... Louvenia? Você a conhece?

Aibileen faz que sim.

— Perguntei a ela. — Seus olhos ainda estão olhando para o próprio colo. — O neto dela é aquele que ficou cego. Ela diz que sente muito, mas que precisa se concentrar em cuidar dele.

— E a empregada de Hilly, Yule May? Você perguntou a ela?

— Ela disse que tá ocupada demais tentando fazer os filhos entrarem na faculdade no ano que vem.

— Tem algumas outras empregadas que vão à sua igreja? Você perguntou a elas?

Aibileen faz que sim.

— Todas têm uma desculpa. A verdade é que tão com medo.

— Mas quantas? Para quantas você perguntou?

Aibileen pega seu caderno e folheia algumas páginas. Seus lábios se movem, contando em voz baixa.

— Trinta e uma — diz Aibileen.

Solto a respiração. Nem havia me dado conta de que a estava segurando.

— É... um monte — digo.

Aibileen finalmente olha para mim.

— Eu não queria contar pra você — diz ela, e rugas tomam conta da sua testa. — Não antes da gente ter notícia da senhora... — Ela tira os óculos. Dá para ver a profunda preocupação no seu rosto. Ela tenta escondê-la com um sorriso trêmulo.

— Vou perguntar de novo pra elas — diz, reclinando-se à frente.

— Está bem — suspiro.

Ela engole em seco, balança a cabeça afirmativamente para me fazer entender que está falando sério:

— Por favor, não desiste de mim. Deixa eu continuar junto no projeto.

Fecho os olhos. Preciso não olhar para o seu rosto inquieto por um momento. Como pude levantar a voz para ela?

— Aibileen, está tudo bem. Nós... estamos juntas nisso.

ALGUNS DIAS DEPOIS, estou sentada na cozinha, onde está quente, entediada, fumando um cigarro, algo que aparentemente não consigo parar de fazer nos últimos tempos. Acho que posso estar "viciada". O sr. Golden gosta de usar essa palavra. *Esses idiotas são todos viciados.* Ele me chama no escritório dele de vez em quando, passa pelos artigos daquele mês com um lápis vermelho, marcando e riscando e grunhindo.

— Esse material está bom — diz ele. — Você está bem?

— Estou bem — respondo.

— Ótimo, então. — Antes de eu sair, a recepcionista gorda me entrega meu cheque de dez dólares, e isso é mais ou menos tudo que há para contar sobre meu trabalho como sra. Myrna.

A cozinha está quente, mas preciso sair do meu quarto, onde só consigo me preocupar porque nenhuma outra empregada concordou em trabalhar conosco. Além disso, preciso fumar aqui, pois é praticamente o único cômodo da casa que não tem um ventilador de teto para jogar cinza para todo lado. Quando eu tinha dez anos, papai tentou instalar um no teto de zinco da cozinha sem perguntar nada a Constantine. Ela lhe apontou o ventilador como se ele tivesse estacionado o Ford no teto.

"É para você, Constantine, assim você não fica com tanto calor, de ficar todo o tempo na cozinha."

"Eu não vou trabalhar em nenhuma cozinha com ventilador de teto, seu Carlton."

"Claro que vai. Estou conectando o cabo de luz agora mesmo."

Papai desceu da escada. Constantine encheu uma panela com água.

"Vamos lá", suspirou ela. "Ligue o ventilador, então."

Papai ligou o interruptor. Nos segundos que demorou para o ventilador ganhar velocidade, a farinha do bolo voou da tigela e aterrissou na cozinha inteira, as receitas voaram da bancada e pegaram fogo em cima do fogão. Constantine pegou o rolo de papel em brasas e rapidamente o enfiou no balde com água. Ainda há um furo no teto, onde o ventilador esteve por dez minutos.

No jornal, vejo o senador Whitworth apontando para um terreno vazio onde planejam construir um novo ginásio municipal. Viro a página. Detesto ser lembrada do meu encontro com Stuart Whitworth.

Pascagoula entra sem fazer barulho na cozinha. Observo enquanto ela corta a massa de biscoitos com um copinho de licor que nunca serviu para nada além disso. Atrás de mim, as janelas da cozinha estão escoradas por catálogos de venda por reembolso postal da Sears, Roebuck & Co. que as mantêm abertas. Imagens de liquidificadores de dois dólares e brinquedos ondulam na brisa, inchados e enrugados por uma década de chuva.

Talvez eu devesse perguntar a Pascagoula. Talvez mamãe não descubra. Mas a quem estou tentando enganar? Mamãe vigia qualquer passo da empregada, e, independentemente disso, Pascagoula parece ter medo de mim, como se eu pudesse dedurá-la, caso ela fizesse algo errado. Eu poderia levar anos para vencer esse medo. Meu bom-senso me diz: deixe Pascagoula fora disso.

O telefone toca como um alarme de incêndio. Pascagoula larga a colher na tigela que está mexendo, e eu agarro o fone antes dela.

— Minny vai nos ajudar — sussurra Aibileen.

Eu me enfio na despensa e sento na lata de farinha. Durante cinco segundos, não consigo dizer nada.

— Quando? Quando é que ela pode começar?

— Na próxima quinta. Mas ela tem umas... condições.

— Quais são?

Aibileen faz uma pausa.

— Ela diz que não quer seu Cadillac do lado de cá da ponte Woodrow Wilson.

— Tudo bem — digo. — Acho que eu posso... usar a caminhonete.

— E ela diz... que você não pode sentar no mesmo lado da sala que ela. Ela quer poder ver você de frente o tempo todo.

— Eu... sento onde ela quiser.

A voz de Aibileen relaxa.

— É só porque ela não conhece você, é só isso. E também porque ela não tem um histórico muito bom com patroas brancas.

— Eu faço o que tiver que ser feito.

Saio da despensa sorrindo e coloco o fone de volta na parede. Pascagoula está me observando, com o copo de licor numa das mãos, um biscoito cru na outra. Ela desvia o olhar rápido e volta para o trabalho.

DOIS DIAS DEPOIS, digo à mamãe que vou apanhar uma cópia nova da Bíblia do rei James, já que a minha está tão gasta etc. e tal. Também digo a ela que me sinto culpada de dirigir o Cadillac, com todas aquelas crianças morrendo de fome na África, e por isso decidi usar a caminhonete. Ela me olha meio desconfiada da sua cadeira de balanço na varanda.

— Onde exatamente você planeja comprar essa nova Bíblia?

Pisco.

— Eles... encomendaram para mim. Na igreja Canton.

Ela aquiesce e me observa durante todo o tempo que levo para dar partida no motor da velha caminhonete.

Dirijo até a Farish Street com um cortador de grama na caçamba e com um piso totalmente corroído. Sob meus pés, posso ver flashes da pavimentação da rua. Mas, pelo menos, não estou rebocando um trator.

Aibileen abre a porta e eu entro. No canto mais ao fundo da sala, Minny está parada com os braços cruzados sobre os enormes peitos. Eu já a conhecia das poucas vezes que Hilly permitiu que a sra. Walters recebesse o clube do bridge. Tanto Minny quanto Aibileen ainda estão usando os uniformes brancos.

— Olá — digo, do meu lado da sala. — Que bom vê-la novamente.

— Dona Skeeter. — Minny faz um aceno com a cabeça. Ela se instala em uma cadeira de madeira que Aibileen trouxe da cozinha, e a estrutura da cadeira range. Eu me sento na ponta mais distante do sofá. Aibileen se senta na outra extremidade do sofá, entre nós.

Limpo a garganta e sorrio, nervosa. Minny não retribui o sorriso. Ela é gorda, baixinha e forte. Sua pele é uns dez tons mais escura que a de Aibileen, e lustrosa e lisa, como um par de sapatos de verniz.

— Eu já falei pra Minny como a gente tá fazendo as histórias — me diz Aibileen. — Você me ajuda a escrever as minhas. E as dela ela vai contar pra você, enquanto você escreve na máquina.

— E, Minny, tudo que você nos contar é confidencial — digo. — Você vai ler tudo que...

— O que faz você pensar que as pessoas de cor precisam da sua ajuda? — Minny se levanta, a cadeira arranha o chão. — Aliás, por que você se importa com isso? Você é *branca*.

Olho para Aibileen. Nenhuma pessoa de cor jamais falou comigo desse jeito.

— Nós todas estamos trabalhando pela mesma coisa aqui, Minny — diz Aibileen. — Só estamos conversando.

— E por que coisa é que estamos trabalhando? — diz Minny para mim. — Talvez você só queira que eu conte tudo pra você pra eu me ver em maus lençóis. — Minny aponta para a janela. — Medgar Evers, da NAACP*, que mora a cinco minutos daqui, por exemplo, explodiram a garagem dele ontem. Porque ele tava *conversando*.

* National Association for the Advancement of Colored People, ou Associação Nacional para o Progresso de Pessoas de Cor. Instituição americana pró-direitos civis, fundada em 1909. (N.T.)

Meu rosto está pegando fogo. Falo devagar.

— Queremos mostrar a perspectiva de vocês... para que as pessoas possam entender como são as coisas vistas pelo seu lado. Nós... nós temos esperança de que isso possa mudar algumas coisas por aqui.

— O que você acha que vai mudar com isso? Que lei você quer reformar, pra dizer que as pessoas têm que ser boazinhas com as suas empregadas?

— Espere aí — digo. — Não estou tentando mudar lei nenhuma aqui. Só estou falando de atitudes e...

— Sabe o que vai acontecer, se nos pegarem? Esqueceram daquela vez que eu, por acidente, usei o provador errado, lá na parte de roupas femininas na McRae? Apontaram *armas* pra minha casa.

Então, há um momento inerte, tenso, no cômodo, com apenas o som do relógio marrom Timex tiquetaqueando na prateleira.

— Você não precisa fazer isso, Minny — diz Aibileen. — Não tem problema se você quer mudar de ideia.

Lentamente, aparentando cansaço, Minny se acomoda de novo na cadeira.

— Eu vou fazer. Só quero que ela saiba: isso que a gente tá fazendo aqui não é um *jogo*.

Olho para Aibileen. Ela acena a cabeça para mim. Respiro fundo. Minhas mãos estão tremendo.

Começo com as perguntas básicas, e, de alguma forma, conseguimos abrir caminho até chegar ao trabalho de Minny. Ela olha para Aibileen enquanto fala, como se tentando esquecer minha mera presença na sala. Registro tudo que ela diz, com o lápis rabiscando tão rápido quanto consigo. Achamos que poderia ser menos formal do que usar a máquina de escrever.

— Então teve um emprego onde eu trabalhava até tarde todas as noites. E você sabe o que aconteceu?

— O quê? — pergunto, apesar de ela estar olhando para Aibileen.

— *Oh, Minny* — falseia ela —, *você é a melhor criada que a gente já teve. Querida Minny, nós vamos ficar com você pra sempre.* Então, um dia ela me disse que ia me dar uma semana de férias pagas. Eu não tinha tido férias, pagas ou não pagas, a vida toda. E, quando estacionei uma semana depois pra voltar pro trabalho, eles tinham ido embora. Se mudado para Mobile. Ela comentou com alguém que tava com medo que eu encontrasse outro trabalho antes dela se mudar. A dona Preguiça não podia passar um dia sem uma empregada servindo ela.

De repente, ela se levanta e joga a bolsa no ombro.

— Preciso ir. Você tá me dando palpitação no coração só de falar sobre isso. — E lá se vai ela, batendo a porta.

Levanto o olhar, limpo o suor das minhas têmporas.

— E isso porque ela tava de bom humor — diz Aibileen.

CAPÍTULO 13

DURANTE AS DUAS SEMANAS SEGUINTES, nós três nos instalamos nas mesmas posições, na pequena e aconchegante sala de estar de Aibileen. Minny chega furiosa, se acalma enquanto conta sua história para Aibileen, depois sai correndo, raivosa, assim como chegou. Registro tudo que posso.

Quando Minny começa a contar fofocas sobre a sra. Celia — "Ela sobe pro andar de cima, acha que eu não vejo, mas eu sei, aquela mulher louca tá aprontando alguma" —, ela sempre se refreia, do mesmo jeito que Aibileen faz quando fala de Constantine. "Isso não faz parte da minha história. Deixe a dona Celia fora disso." Ela gruda o olho em mim até que paro de escrever.

Além da raiva contra os brancos, Minny gosta de falar sobre comida. "Vamos ver, coloco primeiro as ervilhas, depois misturo também as costeletas, porque, nham-nham, gosto das minhas costelas bem quentes, recém-saídas da panela, você sabe."

Um dia, enquanto está falando: — "... tou com um nenê branco num braço, ervilhas na panela...", ela para. Estica o maxilar na minha direção. Bate o pé no chão. "Metade disso tudo não tem nada a ver com direitos dos negros. É só coisa do dia a dia." Então, olha para mim de cima a baixo. "Me parece que você tá só escrevendo a *vida*."

Paro o lápis. Ela tem razão. E assim me dou conta de que era exatamente isso que eu queria fazer. Digo a ela:

"Espero que sim."

Ela se levanta e comunica que tem mais com que se preocupar do que com o que eu estou ou não esperando.

NA NOITE SEGUINTE, estou trabalhando no meu quarto, batendo as teclas da minha Corona. De repente, ouço minha mãe subir as escadas correndo. Em dois segundos, ela chegou ao meu quarto.

— Eugenia! — sussurra ela. — Não entre em pânico, mas tem um homem, um homem muito *alto*, lá embaixo querendo falar com você.

— Quem?

— Ele diz que o nome dele é Stuart *Whit*worth.

— O quê?

— Ele diz que vocês saíram uma noite juntos, um tempo atrás, mas como pode ser?, eu não sabia de nada...

— Jesus.

— Não use o nome do Senhor em vão, Eugenia Phelan. Apenas coloque um pouco de batom.

— Acredite em mim, mamãe — digo, passando batom. — Jesus também não ia gostar dele.

Escovo meu cabelo, pois sei que ele está com uma aparência horrorosa. Eu até lavo a tinta da máquina de escrever e o corretor das minhas mãos e dos meus cotovelos. Mas não vou trocar de roupa, não por causa dele.

Mamãe dá um rápido olhar de cima a baixo para mim, que estou enfiada no meu macacão e na camisa velha do papai.

— Ele é dos Whitworth de Greenwood ou de Natchez?

— É o filho do senador.

O queixo da mamãe cai tão lá embaixo que seu colar de pérolas faz um barulho. Desço, passo por todo o rol das nossas fotografias de criança. Fotografias de Carlton correm a parede de fora a fora, tiradas até ontem. Minhas fotografias param quando eu tinha doze anos.

— Mamãe, pode nos dar licença?

Observo enquanto ela volta lenta e relutantemente para seu quarto, olhando por cima dos ombros antes de desaparecer.

Caminho até a varanda, e lá está ele. Três meses depois do nosso encontro, lá está Stuart Whitworth em pessoa, em pé na varanda da frente da minha casa, de calça cáqui, paletó azul e gravata vermelha, como se estivesse pronto para um jantar de domingo.

Imbecil.

— O que o traz aqui? — pergunto. Mas sem sorrir. Não vou sorrir para ele.

— Eu só queria... dar uma passada.

— Bem. Quer beber alguma coisa? — pergunto. — Ou será que devo trazer de uma vez a garrafa de Old Kentucky?

Ele franze o cenho. Seu nariz e sua testa estão rosados, como se ele tivesse trabalhado no sol.

— Olha, eu sei que... faz tempo. Mas vim até aqui para pedir desculpas.

— Quem mandou você aqui? Hilly? William? — Tem oito cadeiras de balanço vazias na minha varanda. Não o convido para sentar em nenhuma delas.

Ele olha para a lavoura de algodão do lado oeste, onde o sol está ardendo sobre a terra. Enfia as mãos nos bolsos da frente como um menino de doze anos.

— Eu sei que fui... grosseiro aquela noite, e tenho pensado muito nisso e...

Então eu rio. Tão constrangida estou de pensar que ele tenha ido até lá para me lembrar isso.

— Olhe — diz ele —, eu disse à Hilly dez vezes que não estava pronto para nenhum tipo de encontro. Eu não estava nem perto de estar pronto...

Cerro os dentes. Não consigo acreditar que sinto o calor de lágrimas; o encontro foi meses atrás. Mas me lembro de como me senti desprezada aquela noite, de como eu havia ridiculamente me arrumado por causa dele.

— Então, por que você foi?

— Eu não sei. — Ele balança a cabeça. — Você sabe como a Hilly costuma ser insistente.

Eu fico ali, esperando por seja lá qual for a razão para ele estar na minha frente. Ele passa a mão pelos cabelos castanho-claros. É quase espetado, de tão grosso. Ele parece cansado.

Desvio o olhar porque ele é bonito, bonito como um menino que cresceu demais, e isso não é algo em que eu queira pensar no momento. Quero que ele vá embora — não quero sentir esse sentimento terrível de novo, mas ainda assim me ouço dizer:

— O que você quer dizer com *não estava pronto*?

— Não estava pronto. Não depois do que aconteceu.

Olho para a cara dele:

— Quer que eu adivinhe?

— Eu e Patricia van Devender. Ficamos noivos no ano passado e então... achei que você sabia.

Ele desmorona numa cadeira de balanço. Não sento a seu lado. Mas também não digo para ele ir embora.

— O quê, ela fugiu com outro cara?

— Droga. — Ele deixa a cabeça cair entre as mãos e murmura: — Isso seria uma brincadeirinha perto do que aconteceu.

Não me permito dizer a ele o que eu gostaria de dizer, que ele provavelmente mereceu seja o que for que ela tenha feito, mas a aparência dele é patética demais. Agora que toda aquela conversa de meninão tomando bourbon se evaporou, me pergunto se ele é sempre patético desse jeito.

— A gente namorava desde os quinze anos. Você sabe como é, quando a gente namora alguém há tanto tempo.

E não sei por quê, a não ser porque não tenho nada a perder, eu admito:

— Na verdade, não sei, não — digo. — Nunca namorei ninguém.

Ele levanta os olhos na minha direção e parece que ri.

— Bem, então deve ser isso.

— Isso o quê? — Eu me blindo de novo, ao lembrar de referências a fertilizantes e tratores.

— Você é... diferente. Nunca conheci ninguém que dissesse exatamente o que estava pensando. Nenhuma mulher, pelo menos.

— Acredite em mim, eu teria *muito* mais a dizer.

Ele suspira.

— Quando vi a expressão do seu rosto, lá perto da caminhonete... aquele não sou eu. Eu realmente não sou tão calhorda assim.

Desvio o olhar, constrangida. Estou começando a entender o que ele disse, que, apesar de eu ser diferente, talvez não seja no sentido estranho ou anormal, no jeito garota-alta-demais. Mas talvez seja num bom sentido.

— Vim até aqui para ver se você gostaria de ir comigo até a cidade para jantar. A gente poderia conversar — diz ele e se levanta. — A gente poderia... não sei, ouvir um ao outro desta vez.

Fico ali parada, em choque. Os olhos dele são azuis e límpidos e estão fixos em mim, como se a minha resposta pudesse, de fato, significar algo para ele. Inspiro ar profundamente, prestes a dizer *sim* — quero dizer, por que eu, de todas as pessoas, recusaria? —, e ele morde o lábio inferior, esperando.

E então eu me recordo de como ele me tratou como se eu fosse nada. De como ele encheu a cara, tão infeliz estava de se ver ao meu lado. Lembro que ele me disse que eu cheirava a fertilizante. Levei três meses para deixar de pensar nesse comentário.

— Não — falo de uma vez. — Obrigada. Mas realmente não consigo pensar em nada pior.

Ele acena a cabeça e olha para os próprios pés. Então, ele desce os degraus da varanda.

— Me desculpe — diz ele, e vejo que deixou a porta do carro aberta. — Foi isso que vim aqui dizer, e, bem, acho que disse.

Fico parada na varanda, ouvindo os sons vazios do anoitecer, o barulho do cascalho sob os pés de Stuart, os cachorros se mexendo na primeira escuridão. Por um segundo, me lembro de Charles Gray, meu único beijo de toda a vida. De como fugi, de alguma forma com a certeza de que o beijo não havia sido para mim.

Stuart entra no carro, e ouço o barulho da porta se fechando. Ele levanta o braço, de forma que seu cotovelo se projeta pela janela aberta. Mas ele mantém os olhos abaixados.

— Me dê apenas um minuto — grito para ele. — Deixe eu pegar um suéter.

NINGUÉM DIZ PARA NÓS, moças que nunca saem com rapazes, que relembrar pode ser tão bom quanto os acontecimentos em si. Mamãe faz todo o caminho das escadas até o terceiro andar e fica postada ao meu lado, na minha cama, mas eu faço de conta que ainda estou dormindo. Porque a única coisa que quero é relembrar mais um pouquinho.

Fomos ontem até o Robert E. Lee para jantar. Enfiei um suéter azul-claro e uma saia tubinho branca. Até deixei a mamãe escovar meu cabelo, tentando abafar suas nervosas e complicadas instruções.

— E não se esqueça de sorrir. Homens não querem saber de moças de cara feia a noite toda, e não me sente que nem uma índia, cruze os...

— Espere aí, as pernas ou os tornozelos?

— Os tornozelos. Você não lembra nada da aula de etiqueta da sra. Rheimer? E minta para ele dizendo que você vai à igreja todos os domingos, e de jeito nenhum mastigue o gelo na mesa, é horrível. Oh, e se a conversa começar a esfriar, conte a ele sobre nosso primo que é membro do Conselho Municipal de Kosciusko...

Enquanto escovava e alisava, alisava e escovava, mamãe não parava de perguntar como eu o havia conhecido e o que tinha acontecido no nosso encontro, mas consegui me desvencilhar de debaixo dos seus braços e desci correndo as escadas, tremendo com o meu próprio encanto e nervosismo. Quando Stuart e eu finalmente entramos no hotel e nos sentamos e colocamos os guardanapos no colo, o garçom disse que iriam fechar em pouco tempo. Só poderiam nos servir uma sobremesa.

Então, Stuart ficou quieto.

— O que... você quer, Skeeter? — perguntou ele, e eu estava meio tensa nesse momento, esperando que ele não estivesse planejando se embriagar de novo.

— Vou tomar uma Coca-Cola. Com bastante gelo.

— Não. — Ele sorriu. — Quero dizer... na vida. O que você quer?

Respirei fundo, sabendo o que mamãe me aconselharia a dizer: filhos fortes e saudáveis, um marido de quem cuidar, eletrodomésticos novos e reluzentes, com os quais eu possa cozinhar refeições deliciosas e saudáveis.

— Quero ser escritora — disse. — Jornalista. Talvez romancista. Talvez os dois.

Ele levantou o queixo e então me olhou bem nos olhos.

— Gosto disso — disse ele, e continuou me olhando. — Tenho pensado em você. Você é inteligente, você é bonita, você é — ele sorriu — alta.

Bonita?

Comemos suflês de morangos e cada um tomou um cálice de Chablis. Ele me explicou como se faz para ver se há petróleo num campo de algodão, e eu contei que eu e a recepcionista éramos as únicas mulheres trabalhando no jornal.

— Espero que você possa escrever algo realmente bom. Algo em que você acredite.

— Obrigada. Eu... também espero. — Não falo nada sobre Aibileen nem sobre a sra. Stein.

Não tive a chance de ver muitos rostos de homens de perto, e percebi que a pele dele é mais grossa do que a minha, com um maravilhoso bronzeado; os pelos louros nas bochechas e no queixo pareciam crescer diante dos meus olhos. Ele cheirava a talco. A pinho. Seu nariz não era assim tão pontudo, afinal de contas.

O garçom bocejou num canto, mas nós dois o ignoramos e ficamos e conversamos mais um pouco. E, quando eu já estava desejando ter lavado o cabelo naquela manhã e estava me sentindo praticamente soterrada de gratidão por ter ao menos escovado os dentes, então, do nada, ele me beijou. Bem no meio do restaurante do hotel Robert E. Lee, ele me beijou tão lentamente, com a boca aberta, que toda e qualquer parte do meu corpo — minha pele, minha clavícula, a área atrás dos joelhos, tudo, dentro de mim, se encheu de luz.

UMA SEGUNDA-FEIRA à tarde, algumas semanas após meu encontro com Stuart, paro na biblioteca antes de ir para a reunião da Liga. Lá dentro, o cheiro é de escola — tédio, massa de pão, vômito desinfetado. Vim pegar mais livros para Aibileen e verificar se alguma coisa já foi escrita sobre empregadas domésticas.

— Olhe só, olá, Skeeter!

Jesus. É Susie Pernell. Na escola, ela podia muito bem ter sido eleita Miss Tagarela.

— Ei... Susie. O que você está fazendo aqui?

— Estou trabalhando aqui para o comitê da Liga, lembra? Você devia entrar para o comitê, Skeeter, é muito divertido! Você lê todas as últimas revistas e arquiva coisas e até organiza os cartões da biblioteca.

— Susie se posta ao lado da enorme máquina marrom como se estivesse no programa de tevê *The Price Is Right*.*

— Que diferente e emocionante.

— Bem, o que posso lhe ajudar a achar hoje, senhorita? Temos livros de mistério envolvendo assassinatos, romances românticos, livros sobre como se maquiar, como cuidar dos cabelos — ela faz uma pausa, dá um sorriso maroto —, cuidar de rosas, decorar a casa...

— Estou só olhando, obrigada. — Trato de sair correndo dali. Prefiro me achar sozinha em meio aos livros. De jeito nenhum posso dizer a ela o que estou procurando. Já posso ouvi-la sussurrando nas reuniões da Liga: *Eu sabia que tinha alguma coisa estranha naquela Skeeter Phelan, indo atrás daquele material sobre gente de cor...*

Procuro nas fichas catalográficas e pelas prateleiras, mas não encontro nada sobre empregadas domésticas. Na parte de não ficção, encontro um exemplar de *Frederick Douglas, an American Slave*.** Agarro o livro, entusiasmada de poder passá-lo à Aibileen, mas vejo que a seção do meio foi toda rasgada. Lá dentro, alguém escreveu LIVRO DE NEGRO em lápis roxo. Fico menos perturbada pelas palavras do que pelo fato de a caligrafia parecer de uma criança da terceira série. Olho ao redor e enfio o livro na minha bolsa. Parece melhor do que colocá-lo de volta na prateleira.

Na sala sobre a história do Mississippi, procuro qualquer coisa que fale remotamente de relações interraciais. Encontro apenas livros sobre a Guerra Civil, mapas e velhos catálogos telefônicos. Eu me equilibro nas pontas dos pés para ver o que está na prateleira mais alta. É aí que enxergo um livreto, deitado de lado em cima do *Mississippi River Valley Flood Index*. Uma pessoa de tamanho normal nunca o teria visto. Puxo-o para baixo, para ver a capa. O livreto é fino, impresso em papel vegetal, um pouco amassado, encadernado com grampos. "Compilation of Jim

---

* Programa de televisão no estilo *game show*. Os participantes têm de adivinhar os preços de produtos de supermercado. (N.T.)

** *Narrative of The Life of Frederick Douglas*. A primeira edição foi publicada em 1875 e marca o início da carreira de Douglas como escritor e jornalista — revela sua vida como escravo, a brutalidade dos patrões, sua fuga para o Norte. (N.T.)

Crow Laws of the South", diz a capa. Abro o livro, que estala e faz um pouco de barulho.

O livreto é simplesmente uma lista de leis dizendo o que pessoas de cor podem e não podem fazer em vários estados sulistas. Passo os olhos pela primeira página, intrigada sobre a razão de isso estar aqui. As leis não são nem ameaçadoras nem amigáveis, apenas citam os fatos:

Ninguém pode solicitar que uma mulher branca amamente em alas ou quartos onde haja homens negros.

Será considerado ilegal que um branco se case com qualquer pessoa que não seja branca. Qualquer casamento que viole esta seção será considerado nulo.

Nenhum barbeiro de cor poderá trabalhar para mulheres ou meninas brancas.

O oficial encarregado não poderá enterrar qualquer pessoa de cor no solo usado para o enterro de pessoas brancas.

Livros não deverão ser trocados entre escolas de brancos e escolas de gente de cor, mas deverão continuar sendo usados pela raça que primeiro os utilizou.

Leio quatro das vinte e cinco páginas, estupefata com a quantidade de leis que existem para nos separar. Negros e brancos não podem partilhar bebedouros, cinemas, banheiros públicos, estádios, cabines telefônicas, espetáculos de circo. Negros não podem usar a mesma farmácia nem comprar selos no mesmo guichê que eu. Penso em Constantine, na vez em que minha família a levou para Memphis, e a estrada foi totalmente lavada pela chuva, mas tivemos de seguir adiante, pois sabíamos que os hotéis não a admitiriam. Penso em como ninguém no carro falou nada. Todos nós sabemos dessas leis, vivemos aqui, mas não falamos a respeito delas. Essa é a primeira vez que as vejo escritas.

Balcões de lanchonetes, a feira estadual, mesas junto à piscina, hospitais. A lei número 47 eu preciso ler duas vezes, por causa do grau de ironia.

O conselho manterá um prédio separado, em um terreno separado, para a instrução de todas as pessoas cegas de cor.

Depois de vários minutos, me forço a parar. Faço menção de devolver o livreto ao seu lugar, dizendo a mim mesma que não estou escrevendo um livro sobre legislação sulista, que seria um desperdício do meu tempo. Mas então me dou conta, como uma concha que se abre na minha mente, que não há diferença alguma entre essas leis do governo e Hilly construir um banheiro para Aibileen na garagem, a não ser dez minutos de assinaturas na capital do Estado.

Na última página, vejo os caracteres que dizem *Propriedade da Biblioteca Jurídica do Mississippi.* O livreto foi devolvido ao prédio errado. Rabisco minha epifania num pedaço de papel e o enfio dentro dele: *Jim Crow ou o projeto de banheiros de Hilly — qual a diferença?* Enfio o livreto na minha bolsa. Susie espirra atrás da escrivaninha, do outro lado da sala.

Sigo em direção à saída. Tenho uma reunião da Liga em trinta minutos. Sorrio para Susie com uma dose extra de simpatia. Ela está sussurrando ao telefone. Os livros roubados na minha bolsa parecem pulsar, em chamas.

— Skeeter — sussurra Susie da escrivaninha, os olhos arregalados. — É verdade o que eu ouvi, que *você* está saindo com Stuart Whitworth, é verdade? — Ela coloca um pouco de ênfase demais no *você* e não consigo manter meu sorriso. Faço de conta que não a ouço e saio para a brilhante luz do sol. Até hoje, eu nunca, em toda a minha vida, tinha roubado alguma coisa. Sinto um pouco de satisfação de que isso tenha acontecido embaixo do nariz de Susie.

OS LUGARES DE RECOLHIMENTO e de relaxamento que eu e minhas amigas preferimos são muito diferentes, como não poderia deixar de ser. Elizabeth está debruçada sobre sua máquina de costura, tentando fazer com que sua vida pareça impecável, comprada pronta numa loja. A minha é uma máquina de datilografia, escrevendo com veemência coisas que nunca vou ter coragem de dizer em voz alta. E Hilly está atrás de um púlpito, dizendo a sessenta e cinco mulheres que três latas por pessoa não são suficientes para alimentar todas aquelas PCFAs. Isto é, as Pobres Crianças Famintas da África. Mary Joline Walker, entretanto, acha que três são mais do que suficientes.

— E não é um tanto caro transportar todas essas latas meio mundo até a Etiópia? — pergunta Mary Joline. — Não faz mais sentido simplesmente mandar um cheque para elas?

A reunião não começou oficialmente, mas Hilly já está posicionada atrás do púlpito. Há um frenesi em seus olhos. Esta não é a nossa hora normal de fazer reuniões, à noitinha, mas uma reunião extra à tarde que Hilly convocou. Em junho, muitos membros vão sair da cidade para as férias de verão. Depois, em julho, Hilly partirá para sua viagem anual pela costa, que dura três semanas. Vai ser difícil ela confiar que toda uma cidade possa funcionar direito sem ela por perto.

Hilly revira os olhos.

— Não se pode dar dinheiro para essas pessoas que vivem em tribos, Mary Joline. Não há mercados Jitney 14 no deserto de Ogaden. E como é que teríamos certeza de que elas realmente alimentariam os filhos com o dinheiro? Provavelmente iriam para a tenda local de vodu para gastar o dinheiro numa tatuagem satânica.

— Está bem. — Mary Joline recua, com cara de tacho, parecendo ter passado por uma lavagem cerebral. — Você deve ter razão. — É esse efeito acuador, que Hilly exerce nas pessoas, que faz dela uma presidente da Liga tão eficiente.

Atravesso a sala de reuniões lotada, sentindo o calor dos olhares, como se um raio de luz brilhasse sobre a minha cabeça. A sala está cheia de mulheres comedoras de bolo, bebedoras de Tab* e fumantes

---

* Marca de refrigerante de noz-de-cola, lançado em 1963. Popular por ser anunciado como dietético. (N.T.)

da minha idade. Algumas estão sussurrando para as outras, lançando olhares na minha direção.

— *Skeeter* — diz Liza Presley antes mesmo de eu passar pelas garrafas térmicas de café —, ouvi falar que você esteve no Robert E. Lee umas semanas atrás?

— É verdade? Você está mesmo saindo com Stuart Whitworth? — pergunta Frances Greenbow.

A maioria das perguntas não é maldosa, diferentemente da de Susie, na biblioteca. Ainda assim, dou de ombros, tento não atentar para o fato de que, quando uma moça normal é convidada para sair com um rapaz, isso é apenas uma informação, mas, quando Skeeter Phelan é convidada por um rapaz, é *notícia*.

Mas é verdade. Estou saindo com Stuart Whitworth e já faz três semanas. Duas vezes no Robert E. Lee, se incluirmos o encontro desastroso, e mais três vezes sentados na varanda na frente da minha casa, bebendo alguma coisa antes de ele voltar dirigindo para casa, em Vicksburg. Meu pai até mesmo ficou acordado depois das oito da noite para falar com ele:

— Boa noite, filho. Diga ao senador que agradecemos por ele ter refreado a lei de impostos agrícolas.

Mamãe está tremendo, dividida entre o terror de que eu possa estragar tudo e a alegria de que eu goste de rapazes.

O halo branco de encanto me segue enquanto caminho até Hilly. As moças estão sorrindo e acenando com a cabeça na minha direção.

— Quando vocês vão se ver de novo? — Essa é Elizabeth, torcendo um guardanapo, olhos esbugalhados como quem presencia um acidente de carro. — Ele falou?

— Amanhã à noite. Assim que ele puder vir até aqui.

— Que bom. — O sorriso de Hilly é como o de uma criança gorda no balcão dos Sorvetes Seale-Lily. O botão do seu traje vermelho se projeta. — Nós quatro podemos sair juntos, então.

Não respondo. Não quero que William e Hilly venham junto. Quero ficar sentada só com Stuart, ele olhando para mim e só para mim. Duas vezes, quando estávamos sozinhos, ele passou a mão no meu cabelo, recolocando no lugar uma mecha caída sobre os meus olhos. Pode ser que ele não coloque meu cabelo no lugar, se eles estiverem por perto.

— William vai ligar para o Stuart à noite. Vamos ao cinema.

— Tudo bem — suspiro.

— Estou louca para ver *Deu a louca no mundo.* Vai ser divertido — diz Hilly. — Você e eu e William e Stuart.

Parece-me um pouco suspeita a ordem em que ela falou os nomes. Como se a questão fosse William e Stuart saírem juntos, e não eu e Stuart. Sei que estou sendo paranoica. Mas tudo me deixa desconfiada, agora. Há duas noites, assim que cruzei a ponte que leva até o bairro dos negros, fui parada por um policial. Ele apontou a lanterna para a caminhonete e iluminou minha bolsa. Pediu para ver minha habilitação e perguntou aonde eu estava indo.

— Estou levando um cheque para a minha empregada... Constantine. Esqueci de pagá-la. — Outro policial parou, se aproximou da minha janela. — Por que o senhor me parou? — perguntei, minha voz soando um tanto mais aguda que o normal. — Aconteceu alguma coisa? — perguntei. Meu coração batia forte no peito. E se eles revistassem a minha bolsa?

— São uns lixos ianques que estão procurando encrenca. Nós vamos pegá-los, senhorita — disse ele, alisando o cassetete. — Faça o que tem que fazer e volte para a ponte.

Quando cheguei à rua de Aibileen, estacionei ainda mais longe na quadra. Caminhei até sua porta dos fundos, em vez de usar a da frente. Durante a primeira hora, eu tremia tanto que mal consegui ler as perguntas que eu havia preparado para Minny.

Com seu martelo, Hilly dá o aviso de que faltam cinco minutos para começar a reunião. Vou até a minha cadeira, coloco a bolsa sobre o colo. Repasso o conteúdo, de repente consciente do livreto Jim

Crow que roubei da biblioteca. Na verdade, na minha bolsa está todo o trabalho que fizemos — as entrevistas com Aibileen e Minny, o resumo do que será o livro, uma lista de empregadas em potencial, uma resposta cáustica e não enviada que escrevi para o projeto dos banheiros de Hilly — tudo que não posso deixar em casa por medo de que mamãe vá bisbilhotar nas minhas coisas. Guardo tudo num bolso lateral que fica tapado sob uma aba. O material forma uma saliência.

— Skeeter, essas calças de popelina são um amor, como é que eu não as vi antes? — diz Carroll Ringer, algumas cadeiras mais adiante, e eu olho para ela e sorrio, pensando *Porque eu não ousaria vestir roupas velhas numa reunião, e nem você.* Questões relacionadas a roupas me irritam, depois de tantos anos com a minha mãe pegando no meu pé.

Sinto uma mão no meu ombro e me viro para ver Hilly com o dedo na minha bolsa, bem em cima de onde está o livreto.

— Você está com as notas para o boletim da próxima semana? Estão aqui? — Eu nem mesmo a vi chegar perto da minha bolsa.

— Não, espere! — digo, e enfio o livreto de volta entre os meus papéis. — Eu preciso... corrigir uma coisa. Trago elas para você mais tarde.

Respiro fundo.

No palco, Hilly consulta o relógio, brincando com o martelo, como se estivesse morrendo de vontade de batê-lo. Empurro minha bolsa para baixo da cadeira. Finalmente, a reunião começa.

Registro as notícias relacionadas às PCFAs, a lista de pessoas em dívida, quem não trouxe as latas para doação. O calendário de eventos está cheio de reuniões de comitê e chás de bebê, e eu me remexo na cadeira de madeira, esperando que a reunião termine logo. Preciso devolver o carro da mamãe até as três.

Faltando quinze minutos, uma hora e meia mais tarde, eu saio correndo da sala na direção do Cadillac. Vou parar na lista de problemas por sair antes do término da reunião, mas, Jesus Cristo, o que é pior, a ira da minha mãe ou a de Hilly?

CHEGO EM CASA cinco minutos adiantada, cantarolando "Love Me Do", pensando que eu deveria comprar uma saia curta como a que Jenny Foushee estava usando hoje. Ela disse que a havia comprado lá em Nova York, na Bergdorf Goodman's. Mamãe vai cair dura se eu aparecer com uma saia acima do joelho quando Stuart vier me pegar no sábado.

— Mamãe, cheguei — grito no corredor.

Tiro uma Coca-Cola da geladeira, suspiro e sorrio, me sentindo bem, forte. Vou até a porta da frente para pegar minha bolsa, pronta para trabalhar em mais algumas das histórias de Minny. Sei que ela está se coçando para falar de Celia Foote, mas ela sempre para quando está para começar e muda de assunto. O telefone toca e eu atendo, mas é para Pascagoula. Anoto o recado num bloco de papel. É Yule May, a empregada de Hilly.

— Olá, Yule May — digo, pensando em como a nossa cidade é pequena. — Dou o recado quando ela chegar. — Me debruço um pouco sobre a bancada, desejando que Constantine estivesse aqui, como sempre. Lembrando de como eu gostava de dividir com ela todas as pequenas coisas do meu dia.

Suspiro e termino a Coca, e então vou até a porta da frente para pegar a bolsa. Não está ali. Saio e olho no carro, mas também não está ali. *Hum*, penso, e vou na direção das escadas, me sentindo menos rosada e mais pálida. Será que já fui lá em cima? Percorro todo o meu quarto, mas não está lá. Finalmente, fico parada, no cômodo silencioso, com uma pequena pontada de pânico abrindo caminho pela minha espinha. A bolsa: *tudo* está lá dentro.

Minha mãe, penso, e desço correndo e olho na sala de estar. Mas de repente me dou conta de que não é a minha mãe quem está com a bolsa — a lembrança me vem à mente, adormecendo todo o meu corpo. Deixei a bolsa na sede da Liga. Eu estava tão apressada em trazer o carro da mamãe para casa. E quando o telefone começa a tocar, já sei que é Hilly do outro lado da linha.

Agarro o fone da parede. Mamãe diz "até logo" lá da porta da frente.

— Alô?

— Como é que você pôde esquecer essa coisa pesada? — pergunta Hilly. Ela não tem problema algum em mexer nas coisas dos outros. Na verdade, ela adora.

— Mamãe, espere um segundo! — grito da cozinha.

— Meu Deus, Skeeter, o que tem aqui dentro? — diz Hilly. Preciso alcançar minha mãe, mas a voz de Hilly soa abafada, como se estivesse debruçada à frente, abrindo a bolsa.

— Nada! Só aquelas... cartas da sra. Myrna, sabe?

— Bem, carreguei essa coisa até aqui em casa, então venha pegá-la quando puder.

Minha mãe está ligando o motor do carro lá fora.

— Apenas... guarde aí. Eu passo assim que puder.

Saio da casa correndo, mas mamãe já está bem afastada na saída de carros. Olho em volta, e a caminhonete velha também não está lá, saiu levando sementes de algodão para algum lugar nos campos. O buraco no meu estômago é chato e duro e quente, como um tijolo no sol.

Lá adiante na estrada, vejo o Cadillac diminuir a velocidade, e depois parar. Então avança novamente. E para. Devagar ele dá ré e ziguezagueia terreno acima. Pela graça de um Deus de quem, na verdade, jamais gostei, e no qual menos ainda acreditei, minha mãe está *voltando*.

— Não posso acreditar que esqueci a forma de Sue Anne...

Pulo no assento do passageiro e espero ela embarcar de novo no carro. Ela coloca as mãos no volante.

— Me deixa na casa da Hilly? Preciso pegar uma coisa lá. — Pressiono a mão contra a testa. — Oh, Deus, rápido, mãe. Antes que eu chegue tarde demais.

O carro não sai do lugar.

— Skeeter, tenho um milhão de coisas para fazer hoje...

O pânico está subindo pela minha garganta.

— Mamãe, por favor, *dirija*...

Mas o Deville continua parado sobre o cascalho, fazendo um tique-taque que mais parece uma bomba.

— Olhe — diz mamãe —, tenho umas coisas pessoais para resolver e não acho que seja uma boa hora para você vir junto.

— Vai demorar só cinco minutos. Vai, mamãe!

As mãos da minha mãe, enfiadas em luvas brancas, continuam pousadas no volante do carro, os lábios apertados.

— Acontece que eu tenho uma coisa confidencial e importante para fazer hoje.

Não posso acreditar que minha mãe tenha qualquer outra coisa mais importante a fazer do que aquilo que estou contemplando.

— O quê? Uma mexicana tentando se juntar ao DAR? Alguém foi pego lendo o *New American Dictionary?*

Mamãe suspira e diz:

— Está bem. — E engata a marcha com cuidado para a posição de dirigir. — Muito bem, lá vamos nós. — Rodamos pela alameda a mais ou menos cem metros por hora, com toda a calma, para que os pedregulhos não danifiquem a pintura. No final da alameda, ela liga o pisca-pisca com toda a pompa, como se estivesse realizando uma cirurgia cerebral, e arrasta o Cadillac até a estrada estadual. Meus punhos estão cerrados. Piso fundo no meu acelerador imaginário. Minha mãe sempre parece que está dirigindo pela primeira vez na vida.

Na estrada estadual, ela acelera para 25 por hora e agarra a direção como se estivéssemos a mais de 160.

— Mamãe — digo finalmente —, deixe eu dirigir.

Ela suspira. Fico surpresa ao ver que ela para o carro na grama alta.

Saio e contorno o carro enquanto ela desliza para o assento do acompanhante. Coloco a marcha em dirigir e piso na tábua até os 110, rezando, *Hilly, por favor, resista à tentação de vasculhar minhas coisas...*

— Então, qual é o grande segredo que você tem hoje? — pergunto.

— Eu... eu vou consultar o dr. Neal para fazer uns exames. É só rotina, mas não quero que seu pai saiba. Você sabe como ele fica perturbado cada vez que alguém vai ao médico.

— Que tipo de exames?

— É só um exame de iodeto para a minha úlcera, o mesmo que eu faço todos os anos. Me deixe no hospital Batista e depois você pode ir para a casa da Hilly. Pelo menos, não vou precisar estacionar.

Olho para ela, para ver se há algo mais além disso, mas ela está sentada ereta e decidida, no seu vestido azul-claro, as pernas cruzadas na altura dos tornozelos. Não lembro de ela ter feito esse exame no ano passado. Embora eu estivesse na faculdade, Constantine teria me escrito a respeito. Mamãe deve ter feito o exame escondido de todo mundo.

Cinco minutos depois, no hospital Batista, dou a volta e a ajudo a sair do carro.

— Eugenia, por favor. Só porque estamos num hospital não significa que eu seja uma inválida.

Seguro a porta de vidro aberta para ela enquanto ela entra de cabeça erguida.

— Mãe... quer que eu vá junto com a senhora? — pergunto, sabendo que não posso. Preciso negociar com Hilly, mas de repente não quero deixá-la desse jeito aqui.

— É *rotina*. Vá para a Hilly e volte em uma hora.

Vejo ela diminuir o ritmo ao longo do corredor, agarrada à bolsa, sabendo que eu deveria me virar e sair correndo. Mas, antes de fazê-lo, me pego pensando em quão frágil e delicada a minha mãe se tornou. Ela costumava encher um cômodo inteiro só ao respirar e agora parece que ela... encolheu. Ela faz uma curva no corredor e desaparece atrás de paredes amarelo-pálido. Observo um segundo mais antes de sair correndo em direção ao carro.

UM MINUTO E MEIO DEPOIS, estou tocando a campainha de Hilly. Se esta fosse uma ocasião normal, eu falaria com Hilly sobre a minha mãe. Mas não posso distraí-la. O primeiro momento é que vai me dizer tudo. Hilly é uma mentirosa excepcional, exceto pelo exato instante antes de ela falar.

Hilly abre a porta. Sua boca está contraída e vermelha. Olho para baixo, para suas mãos. Elas estão apertadas, como uma corda cheia de nós. Cheguei tarde demais.

— Que rápido — diz ela, e a sigo para dentro de casa. Meu coração está aflito no peito. Não tenho certeza de estar respirando.

— Lá está aquela coisa horrorosa. Espero que você não se importe, tive que checar algumas informações sobre a reunião.

Eu a encaro, minha melhor amiga, tentando avaliar o que ela leu das minhas coisas. Mas seu sorriso é profissional, senão reluzente. Os momentos em que se poderia ler a verdade já passaram.

— Quer beber alguma coisa?

— Não, estou bem. — Então, acrescento: — Quer jogar um pouco no clube, mais tarde? Está tão bonito lá fora.

— William tem uma reunião da campanha e então vamos ver *Deu a louca no mundo.*

Tento perscrutá-la. Ela não havia me convidado, apenas duas horas antes, para um encontro de casais em que veríamos esse filme, amanhã à noite? Deslizo lentamente até o final da mesa de jantar, como se ela pudesse pular em cima de mim, se eu me mexesse rápido demais. Ela pega um garfo de prata do bufê e passa o indicador sobre os dentes.

— Sim, hum, ouvi falar que o Spencer Tracy está divino — digo. Casualmente, dou uma olhada nos papéis dentro da minha bolsa. As anotações de Aibileen e Minny ainda estão enfiadas lá dentro no bolso lateral, abaixo da aba, devidamente fechado. Mas o projeto dos banheiros de Hilly está no bolso principal, com o papel onde escrevi *Jim Crow ou o projeto de banheiro de Hilly — qual a diferença?* Ao lado disso está o rascunho para o boletim, que Hilly já andou lendo. Mas o livreto — as leis — procuro novamente — se foi.

Hilly inclina a cabeça e me olha com olhos apertados.

— Sabe, eu estava me lembrando de que o pai de Stuart apoiou Ross Barnett quando combateram aquele rapaz de cor que entrou na Ole Miss. Eles são muito próximos, o senador Whitworth e o governador Barnett.

Abro a boca para dizer algo, qualquer coisa, mas então William Jr., de dois anos, entra.

— Olha quem está aqui. — Hilly o pega no colo, funga o pescoço dele. — Você é perfeito, meu menino perfeito! — diz ela.

William olha para mim e grita.

— Bem, bom cinema para vocês — digo, dirigindo-me para a porta.

— Obrigada — diz ela. Desço os degraus. Do vão da porta, Hilly acena, abana também com a mãozinha de William. Ela bate a porta antes de eu chegar até o carro.

AIBILEEN

CAPÍTULO 14

JÁ ME VI em algumas situações tensas, mas ter Minny num lado da minha sala e a dona Skeeter no outro, falando sobre como é ser negra e trabalhar pra patroas brancas... Senhor, é um milagre que ninguém se feriu.

Mas foi por pouco.

Como na semana passada, quando a dona Skeeter me mostrou as justificativas da dona Hilly pra dar pros negros os seus próprios banheiros.

— Parece que tou lendo uma coisa da KKK — disse eu pra ela. A gente tava na minha sala, e a noite tinha começado a ficar quente. Minny tinha ido pra cozinha pra se refrescar na frente da geladeira. Ela só para de suar uns cinco minutos, em janeiro, e olhe lá.

— Hilly quer que eu publique isto no boletim da Liga — disse a dona Skeeter, balançando a cabeça de desgosto. — Sinto muito, acho que não devia ter mostrado isso a você. Mas não tenho ninguém mais a quem contar.

Um minuto depois, Minny volta da cozinha. Dei um olhar pra dona Skeeter, então ela enfiou a lista embaixo do caderno. Minny não parecia muito mais fresca. Na verdade, ela parecia mais afogueada do que nunca.

— Minny, você e Leroy costumam falar a respeito de direitos civis? — perguntou a dona Skeeter. — Quando ele chega do trabalho?

Minny estava com aquele machucado feio no braço, pois é isso que o Leroy faz quando chega do trabalho. Bate nela.

— Não — foi só o que Minny disse. Minny não gosta que as pessoas se metam na vida dela.

— Mesmo? Ele não compartilha com você as opiniões dele sobre as marchas e a segregação? Talvez no trabalho o chefe dele...

— Não fale do Leroy. — Minny cruzou os braços, pra esconder o machucado.

Cutuquei Skeeter com o pé. Mas a dona Skeeter tava com aquela expressão que ela sempre tem quando tá muito envolvida num assunto.

— Aibileen, você não acha que seria interessante se pudéssemos mostrar um pouco da perspectiva dos maridos? Minny, talvez...

Minny se levantou tão rápido que a cúpula do abajur balançou.

— Não vou mais fazer isso. Você tá tornando a coisa pessoal demais. Não quero dizer pros brancos como eu me sinto ou deixo de me sentir.

— Está bem, Minny, me desculpe — disse a dona Skeeter. — Não precisamos falar sobre a sua família.

— Não. Mudei de ideia. Arranje outra pessoa pra colocar a boca no trombone. — Já havíamos passado por isso. Mas, dessa vez, a Minny pegou a bolsa, passou a mão no seu leque que tinha caído embaixo da cadeira e disse: — Desculpe, Aib. Mas não posso mais fazer isso.

Entrei em pânico. Ela ia mesmo embora. Minny não pode cair fora. Ela é a única empregada, além de mim, que topou o projeto.

Então, eu me inclinei pra frente e ergui o corpo, peguei o pedaço de papel de Hilly de debaixo do caderno da dona Skeeter. Meus dedos pararam com o papel bem na frente da cara de Minny.

Ela olhou pro escrito:

— O que que é?

Fiz uma cara vazia. Dei de ombros. Não podia pressionar ela, senão ela não ia ler.

Minny pegou o papel e começou a ler. Logo logo dava pra ver todos os dentes dela à mostra. Mas ela não tava sorrindo.

Então, ela olhou pra dona Skeeter, um olhar longo e pesado.

— Bem — disse —, quem sabe a gente pode continuar. Mas não se meta na minha vida pessoal, entendeu?

A dona Skeeter concordou. Ela tá começando a entender como a coisa funciona.

FAÇO UMA SALADA DE OVOS pro almoço da dona Leefolt e da Nenezinha, coloco um pouco de picles no lado, pra enfeitar um pouco o prato. A dona Leefolt tá sentada na mesa da cozinha com Mae Mobley e começou a dizer pra ela que o nenê vai estar aqui em outubro, que ela espera não estar mais no hospital no dia do jogo de volta para casa do time da Ole Miss, que ela pode ganhar uma irmãzinha ou um irmãozinho e que nome vão dar. É bom ver as duas conversando desse jeito. Metade da manhã, a dona Leefolt passou no telefone com a dona Hilly, fofocando sobre alguma coisa, sem dar bola nenhuma pra Nenezinha. E, quando o nenê chegar, Mae Mobley só vai receber safanões da mãe.

Depois do almoço, levo a Nenezinha até o quintal atrás da casa e encho a piscininha de plástico verde. Já tá fazendo trinta e cinco graus do lado de fora. O Mississippi tem o clima mais louco do país. Em fevereiro, vai fazer quase dez graus negativos, e todo mundo vai querer que a primavera chegue logo, e no dia seguinte faz mais de trinta graus, pelos nove meses seguintes.

O sol tá brilhando. Mae Mobley tá sentada no meio de uma piscina, de biquíni. A primeira coisa que ela faz é tirar a parte de cima.

A dona Leefolt vem pra fora e diz:

— Isso parece divertido! Vou ligar para Hilly, dizer para ela trazer Heather e o pequeno Will para cá.

E, antes mesmo de eu me dar conta, as três crianças tão aqui brincando, jogando água pra fora, se divertindo a valer.

Heather, a menina da dona Hilly, é bem bonitinha. Tem seis meses a mais do que Mae Mobley, e Mae Mobley adora ela. Heather tem cachos escuros em toda a cabeça e umas sardinhas, e é bem falante. É uma versão menor da dona Hilly, a única diferença é que tudo fica melhor numa criança. O pequeno William Jr. tá com dois anos. Tem cabelo loiro quase branco e não fala nada. Fica só caminhando de um lado pro outro que nem um pato, seguindo as meninas até a elevação de grama-preta no limite do quintal, pro balanço que levanta de um lado se a pessoa se balança muito alto, quase me matando de susto, e então de volta pra piscina.

Uma coisa que preciso admitir sobre a dona Hilly: ela adora os filhos. A cada cinco minutos ela beija o pequeno Will na cabeça. Ou então pergunta pra Heather se ela tá se divertindo. Ou diz: *venha dar um abraço na mamãe.* Tá sempre dizendo pra filha que ela é a menina mais bonita do mundo. E Heather também ama a mãe. Ela olha pra dona Hilly como quem tá olhando pra Estátua da Liberdade. Esse tipo de amor sempre me dá vontade de chorar. Mesmo se é dedicado à dona Hilly. Porque faz eu me lembrar de Treelore, de como ele me amava. Gosto de ver uma criança olhando a mãe com adoração.

Nós, adultas, estamos sentadas na sombra de uma magnólia enquanto as crianças brincam. Deixo um espaço entre as madames e eu, pra ser mais adequado. Elas colocaram toalhas nos encostos das cadeiras, que ficam muito quentes. Eu gosto de sentar na cadeira dobrável de plástico verde. Refresca as minhas pernas.

Vejo Mae Mobley fazer a boneca Barbie dar um mergulho seco, saindo da lateral da piscina. Mas fico de olho nas madames também.

Tenho reparado que a dona Hilly age toda doce e feliz quando fala com Heather e William, mas, toda vez que ela se volta pra dona Leefolt, ela tem uma expressão feia no rosto.

— Aibileen, sirva um pouco mais de chá gelado para mim, por favor? — pede Hilly. Eu vou e pego a jarra do refrigerador.

— Está vendo, é como eu digo — ouço a dona Hilly falar, pois ainda tou perto o suficiente. — Ninguém quer dividir uma privada com eles.

— Faz sentido — diz a dona Leefolt, mas então ela fecha o bico, quando eu me aproximo pra encher os copos.

— Obrigada — diz a dona Hilly. E me olha de um jeito muito perplexo, e então diz:

— Aibileen, você gosta de ter seu próprio banheiro, não?

— Sim, madame. — Ela ainda tá falando naquela privada, apesar de já estar lá há seis meses.

— Separados, mas iguais — diz a dona Hilly pra dona Leefolt. — É isso que o governador Ross Barnett diz que é certo, e não se pode discutir com o *governo*.

A dona Leefolt bate a palma da mão com força na coxa como se tivesse algum assunto mais interessante pra discutir. Tou com ela. Vamos falar de outra coisa.

— Contei a você o que o Raleigh disse, no outro dia?

Mas a dona Hilly tá balançando a cabeça.

— Aibileen, você não ia querer frequentar uma escola cheia de brancos, ia?

— Não, madame — murmuro. Eu me levanto e tiro o prendedor do rabo de cavalo da Nenezinha. Esses plásticos verdes ficam cheios de nó quando o cabelo dela tá molhado. Mas o que eu quero fazer mesmo é tapar as orelhas dela, pra ela não ouvir essa conversa. E, pior, me ouvir concordar.

Mas aí penso: por quê? Por que preciso ficar aqui e concordar com ela? E se Mae Mobley vai ouvir, que ouça, então, um pouco de bom-senso. Respiro. Meu coração bate forte. E digo, do jeito mais educado que consigo:

— Não uma escola só de brancos. Mas onde os negros e os brancos estudassem juntos.

Tanto Hilly quanto a dona Leefolt me olham. Volto a olhar pras crianças.

— Mas, *Aibileen* — o sorriso da dona Hilly é frio —, gente de cor e brancos são tão... *diferentes*. — Ela torce o nariz.

Sinto meu lábio se mexer. Claro que a gente é diferente! Todo mundo sabe que gente de cor e brancos não são iguais. Mas, ainda assim, é tudo gente! Diacho, ouvi falar que até Jesus tinha pele escura quando vivia no deserto. Aperto os lábios.

Mas não faz diferença, pois a dona Hilly já seguiu adiante na conversa. Isso não é nada pra ela. Ela voltou pra sua conversinha com a dona Leefolt. Do nada, uma nuvem imensa e carregada cobre o sol. Acho que vamos tomar uma chuvarada.

— ... o governo é quem sabe das coisas, e se Skeeter acha que vai se safar com essa história de negros...

— Mamãe! Mamãe! Olha pra mim! — grita Heather da piscina. — Olha só as minhas chiquinhas!

— Estou vendo! Estou, sim! E com William concorrendo nas próximas eleições...

— Mamãe, me dá o pente! Quero brincar de instituto de beleza!

— ... não posso ter no armário amigos que apoiem negros...

— Mamãaae! Me dá o pente! Dá o pente aqui pra mim!

— Eu li. Encontrei na bolsa dela e pretendo tomar providências.

E então a dona Hilly fica quieta, procurando o pente na bolsa. Uma série de trovoadas cai sobre a zona sul de Jackson, e mais ao longe pode-se ouvir o lamento do alarme de tornados. Tou tentando entender o que a dona Hilly acabou de falar. *Dona Skeeter. A bolsa dela. Eu li.*

Tiro as crianças da piscina, enrolo elas em toalhas. O trovão cai, rachando o céu em dois.

UM MINUTO DEPOIS DO ENTARDECER, tou sentada na mesa da minha cozinha, brincando com o lápis. Minha cópia de *Huckleberry Finn*, da biblioteca branca, tá na minha frente, mas não consigo ler. Tou com um gosto amargo na boca, como borra no último gole de café. Preciso falar com a dona Skeeter.

Nunca liguei pra casa dela, a não ser duas vezes, quando não tive escolha, quando disse pra ela que eu topava trabalhar no projeto das histórias, e depois pra dizer que Minny também topava. Sei que é arriscado. Ainda assim, me levanto, coloco a mão sobre o telefone na parede. Mas, e se a mãe dela atender, ou o pai? Aposto que a empregada já foi pra casa, há horas. Como é que a dona Skeeter vai explicar uma mulher de cor ligando pra ela?

Volto a me sentar. A dona Skeeter teve aqui há três dias, pra falar com a Minny. Pareceu que tava tudo bem. Bem diferente de quando a polícia parou ela, umas semanas atrás. Ela não disse nada sobre a dona Hilly.

Fico bufando na cadeira um pouco, desejando que o telefone toque. Eu me levanto correndo e vou atrás de uma barata, no chão, com o meu chinelo. A barata ganha. Ela desliza pra baixo daquele saco de compras cheio de roupas que a dona Hilly me deu, que tá parado ali há meses.

Olho pro saco e começo a brincar com o lápis de novo. Preciso fazer alguma coisa com aquele saco. Tou acostumada a receber roupas das madames — tenho roupas de branca no armário, faz trinta anos que não preciso comprar roupas. Sempre demora um pouco pra eu sentir que elas são minhas. Quando Treelore era criança, às vezes eu colocava um casaco velho de alguma madame pra quem eu trabalhava, e Treelore olhava estranho pra mim, recuava. Dizia que eu tinha cheiro de branco.

Mas esse saco é diferente. Mesmo o que cabe em mim, desse saco, não posso usar. E também não posso dar pras minhas amigas. Toda peça de roupa desse saco — as calças, a camisa com o colarinho Peter Pan, a jaqueta rosa com a mancha de mingau, até as meias — todas têm as letras *H. W. H.* bordadas. Em fio vermelho, pequenas letras cursivas, bem bonitinhas. Imagino que Yule May deve ter costurado essas letras. Usando essas roupas, eu me sentiria uma posse de Hilly W. Holbrook.

Levanto e chuto o saco, mas a barata não aparece. Então pego meu caderno, com a intenção de começar a trabalhar nas minhas rezas, mas estou preocupada demais com a dona Hilly. Me perguntando o que ela quis dizer quando falou *Eu li.*

Depois de algum tempo, minha mente acabou divagando pra onde eu bem gostaria que ela não fosse. Acho que sei o que ia acontecer se as madames brancas descobrissem que tamos escrevendo sobre elas, contando a verdade sobre como elas são. As mulheres não são como os homens. Uma mulher não vai bater em você com um porrete. A dona Hilly não puxaria uma pistola pra mim. A dona Leefolt não viria até aqui, atear fogo na minha casa.

Não, as madames brancas gostam de manter as mãos limpas. Tem um jogo de ferramentas reluzentes que elas usam, afiadas como unhas de bruxas, organizadas e guardadas com cuidado, como os instrumentos de um dentista. Elas não vão largar essas ferramentas tão cedo.

A primeira coisa que uma madame branca vai fazer é demitir você. Você fica chateada, mas pensa que vai encontrar outro emprego quando as coisas se acalmarem, quando a madame branca acabar se esquecendo de você. Você economizou um mês de aluguel. As pessoas trazem panelas de abóbora pra você.

Mas, então, uma semana depois de perder o emprego, você recebe um pequeno envelope amarelo, que é enfiado embaixo da sua porta de tela. O papel lá dentro diz AVISO DE DESPEJO. Todos os senhorios de Jackson são brancos e todos têm uma madame branca que é amiga de alguém. Então, você começa a entrar em pânico. Você ainda não tem nenhuma perspectiva de emprego. Em todos os lugares onde você tenta, a porta é batida no seu nariz. E agora você não tem mais onde morar.

Então, tudo começa a desabar.

Se você tem um financiamento de carro, eles vão se reapropriar dele.

Se você tem uma multa de estacionamento que ainda não foi paga, você vai pra cadeia.

Se você tem uma filha, talvez você vá morar com ela. Ela também trabalha pra uma família branca. Mas, alguns dias depois, ela vem e diz: "Mamãe, acabei de ser despedida." Ela parece magoada, assustada. Não entende por quê. Você precisa dizer a ela que é por sua causa.

Pelo menos, o marido dela ainda tá trabalhando. Pelo menos, podem alimentar o bebê.

Então, demitem o marido dela. Outra ferramentazinha afiada e brilhante.

Os dois apontam pra você, chorando, se perguntando por que você fez o que fez. Você nem mesmo lembra por quê. Semanas passam, e nada: nada de emprego, nada de dinheiro, nada de lugar pra morar. Você espera que isso seja o fim da vingança, que ela já fez de tudo, que tá pronta pra esquecer.

Vai ter então uma batida na sua porta, tarde da noite. Não vai ser a madame branca. Ela não faz esse tipo de coisa ela mesma. Mas, enquanto o pesadelo tá acontecendo, o incêndio ou as facadas ou o espancamento, você percebe uma coisa que você sempre soube, durante toda a vida: a madame branca *nunca* esquece.

Ela só vai parar quando você estiver morta.

NA MANHÃ SEGUINTE, a dona Skeeter estaciona o Cadillac na entrada de carros da dona Leefolt. Estou com as mãos sujas de carne de galinha e com uma boca do fogão acesa e com Mae Mobley choramingando porque tá morrendo de fome, mas não aguento mais nem um segundo. Vou até a sala de jantar, com as mãos sujas voltadas pro alto.

A dona Skeeter tá perguntando pra dona Leefolt sobre uma lista de moças que trabalham num comitê, e a dona Leefolt diz:

— A chefe do comitê de bolinhos é a Eileen.

E a dona Skeeter diz:

— Mas a presidente do comitê de bolinhos é a Roxanne.

E a dona Leefolt diz:

— Não, a vice-presidente do comitê de bolinhos é a Roxanne, e a Eileen é a chefe.

E fico tão enervada com essa conversa de bolinhos que me dá vontade de cutucar a dona Skeeter com meu dedo sujo de carne de galinha, mas sei que não devo interromper, então não interrompo. Ninguém fala nada sobre a bolsa.

Antes mesmo de me dar conta, a dona Skeeter sai porta afora.

Senhor.

Essa noite, antes do jantar, eu e a barata ficamos olhando uma pra outra, no chão da cozinha. Ela é grande, uns três, cinco centímetros. Preta. Mais preta que eu. Tá fazendo um crac-crac com as asas. Seguro meu sapato na mão.

O telefone toca, e nós duas pulamos.

— Oi, Aibileen — diz a dona Skeeter, e ouço o barulho de uma porta se fechando. — Desculpe ligar tão tarde.

Respiro aliviada:

— Que bom que você ligou.

— Só estou ligando para saber se você tem alguma... notícia. Das outras empregadas, quero dizer.

A dona Skeeter parece estranha. Meio tensa. Ultimamente, ela anda brilhando, de tão apaixonada que tá. Meu coração começa a pular. Ainda assim, não começo de uma vez com as minhas perguntas. Não sei bem por quê.

— Perguntei à Corinne, que trabalha pros Cooley. Ela disse não. Então Rhonda, e a irmã de Rhonda, que trabalha pros Millers... mas elas também disseram não.

— E Yule May? Você... falou com ela recentemente?

Então me pergunto se é por isso que a dona Skeeter tá estranha. É que eu menti pra ela. Falei, há um mês, que eu tinha perguntado pra Yule May, mas não tinha. Não é só que eu não conheço bem Yule May. É que ela é empregada da dona Hilly Holbrook, e qualquer coisa relacionada com esse nome me deixa nervosa.

— Não recentemente. Talvez... posso tentar de novo — minto, detestando.

Então, volto a brincar com o lápis. Pronta pra contar pra ela o que a dona Hilly disse.

— Aibileen — a voz da dona Skeeter tá toda quebradiça —, preciso lhe contar uma coisa.

A dona Skeeter fica quieta, e segundos de suspense se passam, como antes de uma nuvem de tornado se abrir em chuva.

— O que foi, dona Skeeter?

— Eu... esqueci a minha bolsa. Na Liga. Hilly a pegou.

Fecho os olhos, sinto que não estou ouvindo direito.

— A bolsa vermelha grande?

Ela não responde.

— Oh... *Senhor.* — Está tudo começando a fazer sentido.

— As histórias estavam num bolso lateral. No lado, noutra divisão. Acho que ela só viu as leis Jim Crow, um... livreto que eu tinha pego na biblioteca, mas... não tenho certeza.

— Oh, dona *Skeeter* — digo, e fecho os olhos. Deus me ajude, Deus ajude *Minny*...

— Eu sei. Eu *sei* — diz a dona Skeeter, e começa a chorar no telefone.

— Tudo bem, tá tudo bem. — Tento engolir minha raiva. Foi um acidente, digo pra mim mesma. Xingar ela não vai adiantar nada.

Mas *ainda assim.*

— Aibileen, sinto *muito.*

Alguns segundos de nada, a não ser batimentos cardíacos. De um jeito lento e assustador, meu cérebro começa a repassar os fatos que ela me forneceu e o que eu mesma sei.

— Quando foi que isso aconteceu? — pergunto.

— Há três dias. Eu queria descobrir o que ela sabia, antes de contar para você.

— Você falou com a dona Hilly?

— Só por um segundo, quando peguei a bolsa de volta. Mas falei com Elizabeth e com Lou Anne e mais umas quatro moças que conhecem a Hilly. Ninguém disse nem uma palavra sobre o assunto. Por isso... foi por isso que perguntei sobre Yule May — diz ela. — Fiquei me perguntando se ela teria ouvido algo no trabalho.

Respiro fundo, detestando ter de dizer a ela o que vou ter de dizer.

— Eu ouvi. Ontem. A dona Hilly tava falando com a dona Leefolt a respeito.

A dona Skeeter não diz nada. Parece que tou esperando um tijolo atingir em cheio a minha janela.

— Ela tava falando sobre o seu Holbrook concorrendo nas eleições, e sobre você apoiar os negros, e ela disse... que leu alguma coisa. — Falar isso em voz alta me faz tremer. E ainda tou rolando o lápis entre os dedos.

— Ela falou alguma coisa sobre empregadas? — pergunta a dona Skeeter. — Quero dizer, será que ela só estava chateada comigo ou ela mencionou você e a Minny?

— Não, só... você.

— Tudo bem. — A dona Skeeter respira aliviada. Parece chateada, mas não faz ideia do que poderia acontecer comigo, com Minny. Ela não sabe sobre as ferramentas afiadas que as madames brancas usam. Sobre aquela batida na porta, tarde da noite. Que lá fora tem homens brancos *loucos* pra ouvir sobre uma pessoa de cor passando dos limites, a postos com seus porretes, seus fósforos. Qualquer coisinha serve.

— Eu... não posso garantir cem por cento, mas... — diz a dona Skeeter —, se Hilly soubesse alguma coisa sobre o livro, ou sobre você, ou *sobretudo* sobre Minny, ela estaria espalhando por toda a cidade.

Penso nisso, querendo desesperadamente acreditar nela.

— É verdade, ela não gosta de Minny Jackson.

— Aibileen — diz a dona Skeeter, e ouço que ela tá prestes a cair em prantos de novo. A calma na sua voz tá sumindo. — Nós podemos parar. Entendo completamente se você quiser parar de trabalhar no projeto.

Se eu digo que não quero mais continuar, então tudo que já escrevi e ainda tenho por escrever não vai chegar a ser dito. *Não*, penso. *Não* quero parar. Fico surpresa com a determinação desse pensamento.

— Se a dona Hilly sabe, então a dona Hilly sabe — digo. — Parar não vai nos salvar agora.

NÃO VEJO, não ouço nem sinto o cheiro da dona Hilly por dois dias. Mesmo quando não tou segurando um lápis, meus dedos brincam com um, no meu bolso, na bancada da cozinha, batendo como varetas de um tambor. Preciso descobrir o que tá se passando na cabeça da dona Hilly.

A dona Leefolt deixa com Yule May três recados pra dona Hilly, mas ela tá sempre no escritório do seu Holbrook: "o quartel-general da campanha", é como a dona Hilly tá chamando. A dona Leefolt suspira, desliga o telefone, sem saber como seu cérebro vai funcionar sem a dona Hilly pra vir apertar os botões de Pense. A Nenezinha pergunta dez vezes quando Heather vai vir brincar na piscininha de plástico de novo. Acho que elas vão se tornar boas amigas quando crescerem, com a dona Hilly ensinando às duas como são as coisas. No final da tarde, estamos todas vagando pela casa, torcendo os dedos, se perguntando quando a dona Hilly vai aparecer de novo.

Depois de um tempo, a dona Leefolt vai até o armarinho. Diz que vai fazer uma capa pra alguma coisa. Não sabe bem pra quê. Mae

Mobley olha pra mim, e acho que nós duas pensamos a mesma coisa: essa mulher taparia nós duas com uma capa, se pudesse.

FICO TRABALHANDO até bem tarde essa noite. Dou jantar pra Nenezinha e coloco ela na cama, pois os Leefolt vão ver um filme no Lamar. O seu Leefolt prometeu que ia levar ela, e ela cobrou, mesmo se só tem a última sessão. Quando chegam em casa, tão bocejando, estalando o pescoço. Em outras casas, eu dormia no quarto de empregada, mas não tem um quarto de empregada aqui. Fico remanchiando, achando que o seu Leefolt vai se oferecer pra me levar pra casa, mas ele vai direto pra cama.

Lá fora, no escuro, caminho todo o trajeto até Riverside, que fica a uns dez minutos de distância, onde passa um ônibus noturno pros operários do turno da hidrelétrica. A brisa tá forte o suficiente pra manter os mosquitos afastados. Sento na beirada de um parque, na grama, sob a iluminação da rua. O ônibus chega, depois de um tempo. Só tem quatro pessoas nele, dois pretos e dois brancos, todos homens. Não conheço ninguém. Pego um assento ao lado da janela, atrás de um sujeito preto magricela. Ele tá usando um terno marrom e um chapéu marrom; deve ter a minha idade.

A gente cruza a ponte, na direção do hospital dos negros, onde o ônibus faz o retorno. Tiro minha caderneta de rezas pra fora, pra escrever algumas coisas. Me concentro em Mae Mobley, tento não pensar na dona Hilly. *Me mostre como ensinar a Nenezinha a ser gentil, a gostar de si mesma, a amar os outros, enquanto ainda tenho tempo com ela...*

Levanto o olhar. O ônibus parou no meio de uma via. Me reclino pra olhar melhor e vejo que, algumas quadras mais pra cima, umas luzes azuis tão brilhando no escuro, com pessoas em pé ao redor, uma barreira na estrada.

O motorista branco olha pra frente. Ele desliga o motor e meu assento se aquieta — estranho. Ele endireita o chapéu de motorista e se levanta.

— Vocês fiquem aí. Vou lá fora ver o que tá acontecendo.

Então, ficamos todos sentados ali, no silêncio, esperando. Ouço um cachorro latir, não um cachorro da casa de alguém, mas um cachorro do tipo que parece que tá gritando com você. Depois de cinco longos minutos, o motorista volta pro ônibus e liga de novo o motor. Ele dá uma beliscada na buzina, acena o braço pra fora da janela e começa a dar ré, bem devagarinho.

— O que aconteceu lá adiante? — grita o homem preto na minha frente pro motorista.

O motorista não responde. Ele continua dando ré. As luzes piscantes vão ficando menores, o latido do cachorro fica distante. O motorista entra na Farish Street. No quarteirão seguinte, ele para.

— Pessoas de cor, saiam, esta é a última parada pra vocês — grita ele pro retrovisor. — Pessoal branco, me digam pra onde precisam ir. Levo vocês o mais perto possível.

O homem de cor se vira e olha pra mim. Acho que nós dois estamos com um mau pressentimento. Ele se levanta, e eu também. Sigo ele até a porta da frente. Tá tudo quieto, assustador, só o som dos nossos pés.

O homem branco se inclina pro motorista e pergunta:

— O que tá acontecendo?

Sigo o homem de cor e desço os degraus do ônibus. Atrás de mim, ouço o motorista dizer:

— Não sei, um negro levou bala. Pra onde você estava indo?

A porta se fecha, num chiado. Oh, Senhor, por favor, não deixe ser nenhum dos meus conhecidos.

Na Farish Street, não há nenhum som, nenhuma pessoa passando, a não ser nós dois. O homem olha pra mim:

— A senhora tá bem? Tá perto de casa?

— Vou ficar bem. Tou perto. — Minha casa fica a sete quadras dali.

— Quer que eu acompanhe a senhora?

Na verdade, quero, mas balanço a cabeça:

— Não, obrigada. Vou ficar bem.

Uma caminhonete de jornalistas passa zunindo por nós, lá pro cruzamento onde o ônibus fez a volta. WLBT-TV em letras grandes na lateral.

— Senhor, espero que não seja tão ruim quanto... — Mas o homem se foi. Não tem vivalma além de mim. Fico com aquela sensação que todo mundo conta, logo antes de ser atacado. Em dois segundos, minhas meias tão se esfregando uma contra a outra tão rápido que até parece o barulho de fecho-ecler se fechando. Mais lá na frente vejo três pessoas caminhando rápido que nem eu. Todas elas fogem, entram em casas, fecham as portas.

Tenho certeza que não quero ficar sozinha nem mais um segundo. Corto caminho entre a casa de Mule Cato e os fundos de uma oficina mecânica, então pelo quintal de Oney Black, tropeço numa mangueira, no escuro. Eu me sinto como uma ladra. Posso ver as luzes dentro das casas, as cabeças inclinadas, luzes que deveriam estar apagadas a essa hora da noite. Seja o que for que tá acontecendo, tá todo mundo ou falando no assunto ou prestando atenção pra ver se ouve algo.

Finalmente, lá na frente vejo a luz da cozinha de Minny, a porta dos fundos aberta, a porta de tela fechada. A porta dá um guincho quando empurro. Minny tá sentada na mesa com os cinco filhos: Leroy Junior, Sugar, Felicia, Kindra e Benny. Imagino que o Leroy pai deve ter ido pro trabalho. Eles tão todos com os olhos grudados no grande rádio no meio da mesa. Uma onda de eletricidade estática entra junto comigo.

— O que é? — pergunto. Minny franze a testa, mexe no dial. Em um segundo absorvo todo o cômodo: um pedaço de presunto retorcido e avermelhado em uma frigideira. Uma lata sobre a bancada, com a tampa aberta. Pratos sujos na pia. Não é de jeito nenhum a cozinha de Minny.

— O que aconteceu? — pergunto de novo.

O homem no rádio finalmente é sintonizado, gritando:

— *... quase dez anos servindo como secretário da N-A-A-C-P. Ainda não temos notícias do hospital, mas os ferimentos são...*

— *Quem?* — pergunto.

Minny olha pra mim como se a minha cabeça estivesse fora do lugar.

— Medgar Evers. Onde você andava?

— Medgar Evers? O que aconteceu? — Conheci Myrlie Evers, a mulher dele, no outono passado, quando ela visitou a nossa igreja com a família de Mary Bone. Ela tava usando um lenço vermelho e preto muito bonito, amarrado no pescoço. Lembro que ela me olhou nos olhos, sorriu como se estivesse mesmo muito feliz em me conhecer. Medgar Evers é uma celebridade por aqui, tendo um cargo tão alto na Associação que defende os direitos dos negros.

— Senta — diz Minny. Sento numa cadeira de madeira. Todos tão com cara de assombração, olhando fixo pro rádio. É metade do tamanho de um motor de carro, de madeira, com quatro botões. Até Kindra tá quieta no colo de Sugar.

— A KKK deu um tiro nele. Na frente da casa dele. Há uma hora.

Sinto um arrepio subir pela minha espinha.

— Onde ele mora?

— Em Guynes — diz Minny. — Os médicos tão com ele no nosso hospital.

— Eu... vi — digo, pensando no ônibus. Guynes fica a cinco minutos daqui, se você tá de carro.

— *... testemunha diz que foi um só homem, um homem branco, que pulou do meio dos arbustos. Rumores de envolvimento da KKK são...*

Então, uma conversa desorganizada sai do rádio, algumas pessoas gritam, algumas se mexem sem parar. Fico tensa, como alguém que observa tudo de fora. Algum branco. A KKK esteve aqui, a cinco minutos daqui, pra caçar um homem de cor. Fico com vontade de fechar aquela porta dos fundos.

— *Acabei de receber a notícia* — fala o locutor — *de que Medgar Evers está morto. Medgar Evers* — ele parece que está sendo empurrado de um lado para o outro, com vozes ao redor —, *acabei de receber a notícia. Morreu.*

Oh, *Senhor.*

Minny se vira pra Leroy Junior. A voz dela é baixa, calma.

— Leve seus irmãos e suas irmãs pro quarto. Vão pra cama. E fiquem lá. — É sempre mais assustador quando uma pessoa acostumada a gritar fala baixo.

Apesar de eu saber que Leroy Junior quer ficar, ele dá um olhar pros irmãos e todos desaparecem, sem protestar, rápido. O homem do rádio também fica em silêncio. Por um segundo, aquela caixa não é mais que madeira e fios elétricos.

— *Medgar Evers* — diz ele, a voz parece que tá indo de trás pra frente —, *secretário da NAACP, está morto.* — Ele suspira. — *Medgar Evers está morto.*

Trato de engolir em seco e olho pra tinta da parede da cozinha de Minny, que ficou amarelada da gordura de bacon, mãos de crianças, os Pall Mall de Leroy. Não tem fotografias nem calendários nas paredes da casa de Minny. Tou tentando não pensar. Não quero pensar num homem de cor morrendo. Vai fazer eu me lembrar de Treelore.

As mãos de Minny tão fechadas. Ela tá cerrando os dentes.

— Atiraram nele bem na frente dos *filhos*, Aibileen.

— Vamos rezar pelos Evers, vamos rezar pela Myrlie... — Mas soa tão vazio que eu paro.

— A rádio disse que a família dele correu pra fora da casa quando ouviu os tiros. Disse que ele tava sangrando, cambaleando, as crianças sujas de sangue... — Ela bate a mão na mesa, fazendo o rádio dançar.

Seguro a respiração, mas me sinto tonta. Preciso ser forte. Preciso evitar que minha amiga faça alguma bobagem.

— As coisas nunca vão mudar nessa cidade, Aibileen. A gente tá morando no inferno, *encurraladas*. Nossos *filhos* tão encurralados.

O homem do rádio fala de novo. Diz:

— *... policiais por toda parte, bloqueando a estrada. O prefeito Thompson deve dar uma entrevista coletiva à imprensa em breve...*

Então, eu engasgo. As lágrimas rolam. São todas essas pessoas brancas que fazem eu chegar no meu limite, essas pessoas brancas, ali em pé, na vizinhança negra. Pessoas brancas com armas apontadas pros negros. Porque, quem vai proteger os nossos? Não existem policiais pretos.

Minny olha fixamente pra porta por onde as crianças saíram. O suor tá correndo pela lateral do seu rosto.

— O que vão fazer conosco, Aibileen? Se nos pegarem...

Respiro bem fundo. Ela tá falando das nossas histórias.

— Alguma coisa ruim.

— Mas o que eles fariam? Nos levar até uma picape e nos arrastar pelas ruas? Atirar em mim no meu quintal, na frente dos meus filhos? Ou nos deixariam morrer de fome?

O prefeito Thompson tá na rádio, diz que sente muito pela família Evers. Olho pra porta dos fundos aberta, e fico de novo com aquela sensação de quem tá sendo observado, com a voz de um homem branco no cômodo.

— Isso não é... a gente não tá falando de direitos civis. A gente só tá contando as histórias como elas aconteceram de verdade.

Desligo o rádio, seguro a mão de Minny na minha. Ficamos sentadas daquele jeito, Minny olhando pra mariposa marrom morta contra a parede, eu olhando pra aquele naco de carne vermelha seca na panela.

Minny tem nos olhos a expressão mais desoladora.

— Eu queria que Leroy estivesse em casa — sussurra ela.

Duvido que essas palavras alguma vez tenham sido ditas nessa casa antes.

Durante dias e mais dias, Jackson, Mississippi, é como uma panela de água fervendo. Na tevê da dona Leefolt, rebanhos de gente de cor marcham na High Street, no dia seguinte ao funeral de Evers. Trezentas pessoas presas. O jornal negro diz que milhares de pessoas foram ao funeral, mas dava pra contar os brancos numa mão só. A polícia sabe quem puxou o gatilho, mas não diz a ninguém.

Descubro que a família de Evers não vai enterrar ele no Mississippi. O corpo dele vai pra Washington, no Cemitério Arlington, e acho que Myrlie deve estar muito orgulhosa disso. Deveria estar. Mas eu ia preferir ele aqui por perto. No jornal, li que até mesmo o presidente dos Estados Unidos disse ao prefeito Thompson que ele precisa melhorar as coisas. Reunir um comitê de pretos e brancos e resolver as coisas por aqui. Mas o prefeito Thompson, ele diz — pro *presidente Kennedy:*

— Não vou nomear um comitê birracial. Não nos enganemos. Acredito na segregação das raças, e é assim que vai ser.

Alguns dias depois, o prefeito aparece no rádio de novo.

— Jackson, Mississippi, é o lugar mais próximo do paraíso que existe — diz ele. — E vai continuar sendo assim pelo resto das nossas vidas.

Pela segunda vez em dois meses, Jackson, Mississippi, tá na revista *Life*. Só que dessa vez estamos na capa.

CAPÍTULO 15

NADA DESSA CONVERSA SOBRE MEDGAR EVERS foi assunto na casa da dona Leefolt. Troco a estação quando ela volta do almoço de reunião. Continuamos como se tivéssemos numa agradável tarde de verão. Ainda não fiquei sabendo absolutamente nada da dona Hilly, e tou doente com essa preocupação que não sai da minha cabeça.

Um dia depois do funeral de Evers, a mãe da dona Leefolt vem fazer uma visita. Ela mora em Greenwood, Mississippi, e tá indo pra Nova Orleans. A dona Fredericks não bate na porta, apenas entra valsando na sala de estar, onde tou passando roupa. Ela me dá um sorriso amarelo. Vou dizer pra dona Leefolt quem tá aqui.

— Mamãe! Você chegou tão cedo! Deve ter se levantado com as galinhas de manhãzinha. Espero que não esteja muito cansada! — diz a dona Leefolt, entrando correndo na sala de estar, apanhando os brinquedos do chão o mais rápido possível. Ela me lança um olhar que significa *agora*. Coloco numa cesta as camisas por passar do seu Leefolt e pego um paninho pra limpar a geleia do rosto da Nenezinha.

— E você está tão fresca e bem-arrumada hoje, mamãe. — A dona Leefolt tá fazendo tanto esforço pra sorrir que tá ficando com olho de inseto. — Está entusiasmada com a viagem para fazer compras?

A julgar pelo Buick que ela dirige e pelos belos sapatos de fivela, suspeito que a dona Fredericks tem muito mais dinheiro do que os Leefolt.

— Eu queria fazer uma pausa no caminho. E estava com esperança de que você pudesse me levar para almoçar no Robert E. Lee — diz dona Fredericks. Não sei como essa mulher se aguenta. Ouvi os patrões discutirem que, cada vez que ela vem à cidade, ela faz a dona Leefolt levar ela pro lugar mais chique e então fica na dela até a dona Leefolt pagar a conta.

A dona Leefolt diz:

— Oh, por que não comemos o almoço de Aibileen aqui? Temos um presunto ótimo e alguns...

— Eu passei aqui para sair para almoçar. Não para comer aqui.

— Está bem, está bem, mamãe, só me deixe pegar a bolsa.

A dona Fredericks olha pra Mae Mobley, que tá no chão brincando com sua boneca, Cláudia. Ela se abaixa e lhe dá um abraço, dizendo:

— Mae Mobley, você gostou do vestidinho que eu mandei na semana passada?

— Ãrrã — responde a Nenezinha pra avó. Detestei ter que mostrar pra dona Leefolt que aquele vestido tinha ficado apertado na cintura. A Nenezinha tá ficando mais gordinha.

A dona Fredericks ralha com Mae Mobley.

— Você tem que dizer *sim, senhora*, mocinha. Está me ouvindo?

Mae Mobley fica com uma expressão confusa no rosto e diz:

— Sim, senhora. — Mas eu sei o que ela tá pensando. Ela tá pensando: *Ótimo. Era só o que me faltava. Outra mulher nessa casa que não gosta de mim.*

Elas saem porta afora com a dona Fredericks beliscando a parte de trás do braço da dona Leefolt:

— Você não sabe contratar criadas decentes, Elizabeth. É trabalho dela se certificar que Mae Mobley tenha bons *modos*.

— Está bem, mamãe, vamos melhorar isso.

— Você não pode contratar qualquer pessoa e esperar que tudo corra bem.

Depois de um tempo, faço pra Nenezinha aquele sanduíche de presunto que a dona Fredericks se recusou a comer. Mas Mae Mobley só dá uma mordida e empurra o resto pra longe.

— Aibee, estou com dor de garganta.

Sei o que é uma dor de garganta e sei como fazer isso passar. A Nenezinha tá ficando com um resfriado de verão. Esquento pra ela um copo de água com mel, espremo um pouco de limão. Mas o que essa menininha precisa mesmo é de uma história pra conseguir pegar no sono. Ergo ela nos meus braços. Senhor, ela tá ficando grande mesmo. Vai fazer três anos em alguns meses, e está carnuda como uma abóbora.

Todas as tardes, eu e a Nenezinha nos sentamos na cadeira de balanço, antes da soneca dela. Todas as tardes, digo a ela: *Você é boazinha, você é inteligente, você é importante*. Mas ela tá crescendo, e eu sei que logo logo essas poucas palavras não vão mais bastar.

— Aibee? Lê uma história pra mim?

Dou uma passada pelos livros pra ver o que vou ler pra ela. Não posso ler *George, o curioso* mais uma vez, porque ela não vai querer saber. Nem *Chicken Little* nem *Madeline.*

Então, ficamos só nos balançando na cadeira um pouquinho. Mae Mobley deita a cabecinha no meu uniforme. Vemos as gotas da chuva caírem na água que sobrou na piscininha verde. Rezo por Myrlie Evers — eu queria ter tido uma folga pra poder ir ao funeral. Penso no filho dela de dez anos, que, alguém me contou, chorou em silêncio o tempo todo. Balanço e rezo, me sentindo tão triste, não sei, parece que algo toma conta de mim. As palavras saem sozinhas.

— Era uma vez duas menininhas — digo. — Uma menina tinha pele negra; a outra, pele branca.

Mae Mobley olha pra mim. Ela tá ouvindo.

— A menininha negra disse pra menininha branca: "Por que a sua pele é tão pálida?". A menininha branca respondeu: "Não sei. Por que a sua pele é tão preta? O que você acha que é isso?". Mas nenhuma das menininhas sabia a resposta. Então, a menininha branca disse: "Bem, vamos ver. Você tem cabelo, eu tenho cabelo." — Cutuco de leve a cabeça de Mae Mobley. — A menininha negra diz: "Eu tenho um nariz, você também tem um nariz." — Cutuco seu narizinho. Ela se ergue e faz o mesmo comigo. — A menininha branca diz: "Eu tenho dedos no pé, você também." — E eu mexo nos dedos do pé dela, mas ela não pode fazer o mesmo comigo porque tou usando meus sapatos brancos de trabalhar. — "Então nós somos iguais. Só de cor diferente", diz a menininha preta. A menininha branca concorda e elas ficam amigas. Fim.

A Nenezinha fica olhando pra mim. Senhor, essa é a pior história que já ouvi na vida. Não tinha enredo nenhum. Mas Mae Mobley sorri e diz:

— Conta de novo.

Então eu conto. Na quarta vez, ela tá dormindo. Eu sussurro:

— Vou contar uma história melhor pra você na próxima vez.

— NÃO TEMOS MAIS TOALHAS, Aibileen? Esta aqui está boa, mas não podemos levar esse trapo velho. Eu morreria de vergonha. Acho que vamos levar só uma, então.

A dona Leefolt tá toda entretida. Ela e o seu Leefolt não são sócios de nenhum clube de natação, nem mesmo da minúscula piscina Broadmore. A dona Hilly ligou hoje de manhã e perguntou se a Nenezinha queria ir nadar no Jackson Country Club, e esse é um convite que a dona Leefolt recebeu só uma ou duas vezes. Provavelmente já estive lá mais vezes do que ela.

Não se pode usar dinheiro lá, é preciso ser membro e mandar colocar na conta, e uma coisa que eu sei sobre a dona Hilly é que ela não gosta de arcar com as despesas de ninguém. Acho que a dona Hilly tem outras amigas com quem ela vai ao Country Club, senhoras que são sócias.

Ainda não ficamos sabendo de mais nada sobre a bolsa. Nem vimos a dona Hilly faz cinco dias. Nem a dona Skeeter viu, o que é ruim. Elas eram melhores amigas. A dona Skeeter me levou o primeiro capítulo da Minny, na noite passada. A dona Walter não era mole, e se a dona Hilly viu qualquer coisa relacionada a isso, não sei o que vai acontecer com a gente. Só espero que a dona Skeeter não esteja assustada demais pra me falar, caso fique sabendo de algo novo.

Visto a Nenezinha com o biquíni amarelo.

— Você precisa ficar com a parte de cima. Eles não deixam nenéns peladinhas nadarem no Country Club. — Nem negros nem judeus. Eu trabalhava pros Goldman. Os judeus de Jackson precisam ir nadar no Colonial Country Club; os negros, no lago May.

Dou um sanduíche de pasta de amendoim pra Nenezinha, e o telefone toca.

— Residência da dona Leefolt.

— Aibileen, oi, é a Skeeter. Elizabeth está aí?

— Oi, dona Skeeter... — Olho pra dona Leefolt, prestes a passar o telefone pra ela, mas ela acena a mão. Balança a cabeça e faz com a boca: *Não. Diga a ela que não estou aqui.*

— Ela... saiu, dona Skeeter — digo e olho pra dona Leefolt bem no olho, enquanto conto a mentira dela. Não entendo. A dona Skeeter é sócia do clube, não seria nenhum problema convidar ela.

Ao meio-dia, nós três entramos no Ford Fairlane azul da dona Leefolt. No banco de trás, ao nosso lado, tenho uma sacola com uma garrafa térmica de suco de maçã, petiscos de queijo, amendoins e duas garrafas de Coca-Cola que vão ser que nem beber café, tão quente vão estar. Suspeito que a dona Leefolt sabe que a dona Hilly não vai ficar nos convidando pra fazer um lanche no bar. Sabe Deus por que ela convidou a dona Leefolt hoje.

A Nenezinha vai no meu colo, no banco de trás. Baixo um pouco a janela, deixo o ar morno chegar no nosso rosto. A dona Leefolt não para de ajeitar o cabelo. Ela é do tipo que dirige acelerando e freando o tempo todo, e eu fico enjoada, que bom seria se ela deixasse as duas mãos na direção.

Passamos a Ben Franklin Five and Dime, e o drive-thru de sorvetes Seale-Lily. Eles têm uma janelinha de correr nos fundos, então o pessoal de cor pode ir lá comprar sorvete também. Minhas pernas tão suadas da Nenezinha ficar sentada em cima de mim. Depois de um tempo, a gente tá numa estrada longa e acidentada, com campo nos dois lados, vacas espantando as moscas com o rabo. A gente conta vinte e seis vacas, mas ela só diz "*Dez*" depois do primeiro nove. Ela não sabe contar mais do que isso.

Mais ou menos quinze minutos depois, a gente para em uma entrada pra carros pavimentada. O clube é um prédio baixo e branco com arbustos espinhentos ao redor, nem de perto tão chique quanto dizem. Tem um monte de vagas de estacionamento na frente, mas a dona Leefolt pensa um segundo e acaba estacionando lá atrás.

Pisamos no asfalto e sentimos o calor envolver a gente. Tou com a sacola de papel em uma mão, a mão de Mae Mobley na outra, e assim nos arrastamos pelo estacionamento escaldante. Grades de metal fazem a gente se sentir como numa churrasqueira de carvão, assando como espigas de milho. Meu rosto tá ficando seco, de ficar no sol. A Nenezinha tá puxando a minha mão pra trás, parecendo surpresa como se tivesse acabado de receber um tapa. A dona Leefolt tá caminhando e fazendo uma cara feia pra porta, ainda a vinte metros de distância, se perguntando, imagino, por que estacionou tão longe. Uma parte do meu cabelo fica muito quente, e então coça, mas não posso coçar porque as minhas duas mãos tão ocupadas, então *uuuuuuu!*, alguém apaga a chama. O saguão é escuro, fresco, o paraíso. A gente fica cega por um instante.

A dona Leefolt olha ao redor, sem conseguir enxergar e meio tímida, então aponto a porta lateral.

— A piscina fica naquela direção, madame.

Ela parece dar graças a Deus que eu sei o caminho, então ela não precisa perguntar, como uma pessoa pobre.

A gente empurra a porta e o sol brilha nos nossos olhos de novo, mas a temperatura tá boa, mais fresca. A piscina azul brilhante. As listras em preto e branco dos toldos parecem limpas. O ar cheira a sabão de roupa. As crianças tão rindo e jogando água, e as madames tão deitadas, nos seus maiôs e óculos de sol, lendo revistas.

A dona Leefolt protege os olhos do sol com as mãos e olha ao redor procurando a dona Hilly. Tá usando um chapéu branco de abas largas, um vestido de bolinhas branco e preto, sandálias brancas de fivela, grandes demais pro seus pés. Tá fazendo cara feia, pois tá se sentindo deslocada, mas sorrindo, porque não quer que ninguém saiba.

— *Lá* está ela. — Seguimos a dona Leefolt ao redor da piscina até onde tá a dona Hilly, vestida num maiô vermelho. Ela tá deitada numa espreguiçadeira, olhando os filhos nadarem. Vejo duas outras empregadas que não conheço com outras famílias, mas não Yule May.

— Aí estão vocês — diz a dona Hilly. — Ora, ora, Mae Mobley, você está parecendo um biscoitinho amanteigado nesse biquíni. Aibileen, as crianças estão logo ali, na piscina das crianças. Você pode se sentar na sombra, bem ali, enquanto cuida delas. Não deixe William jogar água nas meninas, hein?

A dona Leefolt se deita na espreguiçadeira ao lado da dona Hilly e eu me sento junto de uma mesa, embaixo de um guarda-sol, poucos metros atrás das madames. Baixo um pouco as meias pra secar o suor. Tou numa posição bem boa pra ouvir o que elas falam.

— Yule May — diz a dona Hilly, balançando a cabeça pra dona Leefolt. — Outra folga. Essa moça tá pedindo. — Bem, menos um mistério pra resolver. A dona Hilly convida a dona Leefolt pra vir pra piscina porque sabe que ela vai me trazer junto.

A dona Hilly coloca um pouco mais de manteiga de cacau nas pernas rechonchudas e bronzeadas, e espalha. Tão brilhando, de tão gordurentas.

— Estou pronta para descer a costa — diz a dona Hilly. — Três semanas na praia.

— Eu bem que gostaria que a família de Raleigh tivesse uma casa por lá. — A dona Leefolt suspira. Ela levanta um pouco o vestido pra deixar o sol bater nos seus joelhos brancos. Ela não pode usar maiô, já que tá grávida.

— Claro que temos que pagar o bilhete de ônibus para levar Yule May pra lá nos finais de semana. *Oito* dólares. Eu deveria descontar isso do pagamento dela.

As crianças gritam, pedem pra ir na piscina grande agora. Tiro a boia de isopor de Mae Mobley da sacola, coloco ao redor da barriguinha dela. A dona Hilly me alcança mais duas, que coloco no William e na Heather também. Eles entram na piscina grande e flutuam que nem iscas de pesca. A dona Hilly olha pra mim e pergunta:

— Não são a coisa mais fofa? — E eu concordo. São mesmo. Até a dona Leefolt concorda.

Elas conversam e eu ouço, mas ninguém fala nada sobre a dona Skeeter ou sobre a bolsa dela. Depois de algum tempo, a dona Hilly manda eu ir até o balcão do bar pra pegar Coca-Cola de cereja pra todo mundo, até pra mim. Depois de um tempo, os gafanhotos nas árvores começam a fazer barulho, a sombra fica ainda mais fresca, e eu sinto meus olhos, já acostumados com as crianças na piscina, começarem a vacilar.

— Aibee, olha só! Olha pra mim! — Foco os olhos e sorrio pra Mae Mobley, se divertindo.

E é então que vejo a dona Skeeter, depois da piscina, atrás da cerca. Tá usando uma saia de jogar tênis, com a raquete na mão. Ela tá olhando pra dona Hilly e pra dona Leefolt, com a cabeça inclinada, como que pensando em alguma coisa. A dona Hilly e a dona Leefolt não enxergam ela, ainda tão falando sobre a cidade de Biloxi. Vejo a dona Skeeter atravessar o portão e contornar a piscina. Não demora ela tá parada bem na frente das amigas, e mesmo assim elas não enxergam nada.

— Oi, todo mundo — diz a dona Skeeter. Ela tá com suor escorrendo pelos braços. Seu rosto tá rosado e um pouco inchado por causa do sol.

A dona Hilly olha pra ela, mas continua esticada na espreguiçadeira, com a revista na mão. A dona Leefolt pula da cadeira e se põe de pé.

— Oi, Skeeter! Ora... Eu não... nós tentamos ligar... — Os dentes da dona Leefolt tão quase batendo, tão grande e amarelo é o sorriso dela.

— Oi, Elizabeth.

— Tênis? — pergunta a dona Leefolt, acenando a cabeça como uma boneca num painel de controle. — Com quem você está jogando?

— Eu estava batendo umas bolas na parede, sozinha — diz a dona Skeeter. Ela assopra uma mecha de cabelos que cai na testa dela, mas sem sucesso. Mesmo assim, ela não arreda o pé do sol.

— Hilly — diz a dona Skeeter —, Yule May deu o recado que eu liguei para você?

Hilly sorri, meio amarelo.

— Ela está de folga hoje.

— Também liguei para você ontem.

— Olhe, Skeeter, não tive tempo. Tenho estado no QG da campanha desde quarta-feira, endereçando envelopes para praticamente todos os brancos de Jackson.

— Tudo bem. — A dona Skeeter balança a cabeça. Então, ela aperta um pouco os olhos e diz: — Hilly, nós estamos... eu fiz alguma coisa que chateou você? — E sinto meus dedos coçando de novo, torcendo aquele lápis invisível de novo.

A dona Hilly fecha a revista e coloca ela sobre o concreto, pra não ficar suja de óleo de bronzear:

— Isso é uma coisa para conversarmos mais tarde, Skeeter.

A dona Leefolt volta a se sentar, bem rápido. Ela pega a *Good Housekeeping* da dona Hilly, começa a ler como se nunca na vida tivesse visto uma coisa tão importante.

— Tudo bem. — A dona Skeeter dá de ombros. — Só pensei que a gente podia conversar... sobre seja lá o que for, antes de você viajar.

A dona Hilly quase protesta, mas então emite um longo suspiro.

— Por que você não conta simplesmente a verdade, Skeeter?

— A verdade sobre o qu...

— Olhe, eu vi aquela sua *parafernália*. — Engulo em seco. A dona Hilly tá tentando sussurrar, mas ela não é boa nisso.

A dona Skeeter mantém os olhos fixos em Hilly. Ela tá muito calma, não olha pra mim nem por um segundo.

— Que parafernália?

— Na sua bolsa, quando eu estava procurando as anotações. E, Skeeter — ela lança o olhar pra cima, pro céu, e baixa novamente —, eu não sei. Não sei mais.

— Hilly, do que você está falando? O que você viu na minha bolsa?

Olho pras crianças. Senhor, quase esqueci delas. Acho que vou desmaiar, ouvindo tudo isso.

— Aquelas *leis* que você estava carregando por aí. Sobre os... — A dona Hilly olha pra mim. Mantenho os olhos fixos na piscina. — Sobre o que aquelas *outras* pessoas podem e não podem fazer, e, francamente — ela fala baixinho —, acho que é muito burro da sua parte. Pensar que você sabe mais do que nosso governo? Do que Ross Barnett?

— Quando foi que eu falei alguma coisa sobre Ross Barnett? — pergunta a dona Skeeter.

A dona Hilly agita o dedo indicador na frente da dona Skeeter. A dona Leefolt continua olhando pra mesma página, pra mesma linha, pra mesma palavra. Fico com a cena toda fixada no rabo do meu olho.

— Você não é um político, Skeeter Phelan.

— Bem, nem você, Hilly.

Então, a dona Hilly se levanta. Ela aponta o dedo pro chão:

— Estou prestes a ser a mulher de um político, se é que isso é da sua conta. Como é que William vai algum dia ser eleito em Washington, D.C., se temos amigos integracionistas no armário?

— Washington? — A dona Skeeter revira os olhos. — William está concorrendo para o Senado estadual, Hilly. E ele pode nem vencer.

Oh, Senhor. Finalmente me permito olhar pra dona Skeeter. Por que a senhorita tá fazendo isso? Por que tá provocando ela?

Oh, a dona Hilly ficou furiosa agora. Ela empina a cabeça.

— Você sabe tão bem quanto eu que há nessa cidade pessoas boas, que pagam impostos, que brigariam com você até a morte por causa disso. Você quer deixar eles entrarem nas nossas piscinas? Deixar eles colocarem as mãos em tudo, nas nossas lojas de alimentos?

A dona Skeeter olha longa e duramente pra dona Hilly. Então, por meio segundo, a dona Skeeter olha pra mim, vê a súplica nos meus olhos. Seus ombros relaxam um pouco:

— Oh, Hilly, é só um livrinho. Encontrei na biblioteca. Não estou tentando mudar lei alguma, só levei para casa para *ler*.

A dona Hilly reflete sobre isso um segundo.

— Mas, se você anda lendo sobre essas *leis* — a dona Hilly dá um puxão no maiô, que entrou no seu bumbum —, eu me pergunto: o que mais você anda aprontando?

A dona Skeeter desvia o olhar pra longe, passa a língua sobre os lábios.

— *Hilly*. Você me conhece melhor do que qualquer pessoa no mundo. Se eu estivesse aprontando alguma coisa, você descobriria tudo em meio segundo.

A dona Hilly fica olhando pra ela. Então, a dona Skeeter pega a mão da dona Hilly e aperta.

— Estou preocupada com você. Você desaparece por uma semana, está se matando de trabalhar nessa campanha. Olhe só isso — a dona Skeeter vira a palma da mão da dona Hilly para cima. — Está com bolhas de trabalhar com todos aqueles envelopes.

E, muito lentamente, vejo o corpo da dona Hilly relaxar, começar a ceder. Ela olha, pra ter certeza de que a dona Leefolt não tá ouvindo.

— Estou com tanto medo — sussurra a dona Hilly entredentes. Não consigo ouvir tudo — ... tanto dinheiro nessa campanha, se William não for eleito... trabalhando dia e...

A dona Skeeter coloca a mão no ombro da dona Hilly e diz alguma coisa pra ela. A dona Hilly concorda e dá um sorriso exausto.

Depois de algum tempo, a dona Skeeter diz pra elas que precisa ir embora. Ela sai, abrindo caminho pelas mulheres que tão tomando sol, passando pelas espreguiçadeiras e pelas toalhas. A dona Leefolt olha pra dona Hilly com olhos imensos, sem coragem de perguntar nada.

Eu me reclino na minha cadeira e abano pra Mae Mobley, que tá fazendo redemoinhos na água. Tento fazer passar a dor de cabeça esfregando as têmporas. Lá do outro lado, a dona Skeeter olha pra mim. Todo mundo na nossa volta tá pegando sol e rindo e protegendo os olhos da luz, ninguém imagina que a mulher de cor e a mulher branca com a raquete de tênis tão se perguntando a mesma coisa: somos tolas a ponto de sentir algum alívio?

CAPÍTULO 16

MAIS OU MENOS UM ANO DEPOIS que Treelore morreu, comecei a ir nas reuniões de Preocupações da Comunidade da minha igreja. Acho que comecei com isso pra fazer passar o tempo. Evitar que as noites fossem tão solitárias. Apesar que Shirley Boon, com seu enorme sorriso de sabe-tudo, meio que me irrita. Minny também não gosta de Shirley, mas ela costuma ir nas reuniões mesmo assim, pra sair de casa. Mas hoje Benny tá com asma, então Minny não vai poder vir.

Recentemente, as reuniões são mais sobre direitos civis do que sobre manter as ruas limpas e sobre quem vai trabalhar no posto de troca de agasalhos. Não é nada agressivo, a maior parte das pessoas só fala. Mas depois que Medgar Evers foi baleado, faz uma semana, muitas pessoas de cor tão se sentindo frustradas nessa cidade. Especialmente os mais jovens, que ainda não são calejados. Começaram a fazer reuniões toda semana. Ouvi dizer que as pessoas tavam furiosas, gritando, chorando. Essa é a primeira reunião em que eu venho, desde o assassinato.

Desço os degraus que vão até o porão. Geralmente é mais fresco do que lá em cima, na igreja, mas hoje tá quente aqui embaixo também.

As pessoas tão colocando cubos de gelo nas suas xícaras de café. Olho ao redor pra ver quem tá aqui, pensando que preciso convidar mais algumas empregadas pra nos ajudar, agora que parece que conseguimos despistar a dona Hilly. Trinta e cinco empregadas já disseram não, e eu sinto como se tivesse vendendo uma coisa que ninguém quer comprar. Algo grande e fedorento, como Kiki Brown e seu aromatizante de limão. Mas o que faz de mim e Kiki exatamente o mesmo tipo de pessoa é que eu tenho orgulho do que tou vendendo. Não posso evitar. A gente tá contando histórias que precisam ser contadas.

Eu bem que queria que Minny pudesse me ajudar a convidar as pessoas. Minny sabe como vender um peixe. Mas decidimos desde o início que ninguém deve saber que Minny faz parte disso. É arriscado demais pra família dela. Mas a gente achou que tinha que contar pras pessoas que a dona Skeeter tava envolvida. Ninguém ia concordar sem saber quem era a mulher branca. Iam ficar se perguntando se a conheciam, ou se já tinham trabalhado pra ela. Mas a dona Skeeter não pode convidar as pessoas ela mesma. Ela ia afugentar todo mundo antes mesmo de abrir a boca. Então cabe a mim, e não precisou mais do que cinco ou seis empregadas pra todo mundo saber o que eu vou perguntar antes mesmo de três palavras saírem da minha boca. Dizem que não vale a pena. Perguntam por que eu tou me arriscando, se não vai adiantar nada. Acho que as pessoas tão começando a pensar que a velha Aibileen não anda regulando bem.

Todas as cadeiras de dobrar de madeira tão ocupadas essa noite. Tem mais de cinquenta pessoas aqui, a maior parte mulheres.

— Senta aqui comigo, Aibileen — diz Bertrina Bessemer. — Goldella, deixa as cadeiras pros mais velhos.

Goldella se põe de pé num pulo, faz sinal pra eu sentar. Pelo menos, Bertrina ainda me trata como se eu não fosse louca.

Eu me acomodo. Hoje à noite, Shirley Boon tá sentada e o diácono tá em pé lá na frente. Diz que a gente precisa de uma reunião tranquila, de reza, hoje. Diz que a gente precisa curar as nossas feridas. Fico feliz. A gente fecha os olhos e o diácono conduz a gente numa reza pelos Evers, por Myrlie, pelos filhos. Algumas pessoas tão sussurrando, murmurando pra Deus, e uma força silenciosa enche a sala, como abelhas zunindo em volta de uma colmeia. Digo minhas orações pra mim mesma, em voz baixa. Quando termino, respiro fundo, espero os outros terminarem. Quando chegar em casa hoje à noite, também vou escrever minhas preces. Leva o dobro do tempo.

Yule May, a empregada da dona Hilly, tá sentada na minha frente. É fácil reconhecer Yule May de costas porque o cabelo dela é muito bom, liso, sem fios arrepiados. Ouvi falar que ela estudou, que quase terminou a faculdade. Claro que temos um monte de gente inteligente na nossa igreja com diplomas de faculdade. Doutores, advogados, o seu Cross, dono do *The Southern Times*, o jornal pra gente de cor que sai de quinze em quinze dias. Mas Yule May, provavelmente, é a empregada com mais educação da nossa paróquia. Ver ela faz eu pensar de novo nas coisas erradas que preciso consertar.

O diácono abre os olhos, olha pra gente bem calmo.

— As rezas que nós...

— Diácono Thoroughgood — uma voz grave rompe o ar. Eu me viro, todo mundo se vira, e lá está Jessup, o neto de Plantain Fidelia, em pé junto do portal. Ele tem vinte e dois, vinte e três anos. Os punhos dele tão fechados.

— O que eu quero saber é — pergunta ele devagar, bravo —: o que nós vamos *fazer* a respeito?

O diácono tá com um olhar grave no rosto, como se já tivesse conversado antes com Jessup.

— Hoje vamos erguer nossas preces ao Senhor. Vamos marchar em paz pelas ruas de Jackson na próxima terça-feira. Em agosto, vejo você em Washington, para marchar com o dr. King.

— Isso não basta! — diz Jessup, dando um soco na palma da própria mão. — Deram um tiro nele pelas costas, como um cachorro!

— Jessup. — O diácono levanta a mão. — Hoje a noite é para rezas. Pela família dele. Pelos advogados que estão trabalhando no caso. Entendo sua raiva, filho, mas...

— Preces? O senhor quer dizer que vão ficar aí sentados, rezando?

Ele percorre o olhar por todos nós, sentados nas cadeiras.

— Vocês acham que preces vão impedir que os brancos matem a gente?

Ninguém responde, nem mesmo o diácono. Jessup se vira e vai embora. Todo mundo ouve seus passos na escada e, em seguida, sobre as nossas cabeças, pra fora da igreja.

A sala fica em silêncio. O diácono Thoroughgood tá com os olhos fechados, poucas polegadas acima das nossas cabeças. É estranho. Ele não é homem de não olhar as pessoas no rosto. Todo mundo tá olhando pra ele, todo mundo tá se perguntando o que ele tá pensando que não pode olhar pros nossos rostos. Então, vejo Yule May balançando a cabeça, fraquinho, mas de um jeito decidido, e vejo que Yule May e o diácono tão pensando a mesma coisa. Tão pensando na pergunta que Jessup fez. E Yule May tá simplesmente respondendo à pergunta.

A REUNIÃO TERMINA pelas oito horas. Aqueles que têm filhos pequenos vão embora, nós outros nos servimos de café da mesa dos fundos. A conversa não é muito animada. As pessoas tão quietas. Respiro fundo, vou até Yule May que tá junto da garrafa térmica de café. Só quero me ver livre dessa mentira que grudou em mim que nem carrapicho. Não vou perguntar a mais ninguém nessa reunião. Ninguém vai comprar meu aromatizante fedorento hoje.

Yule May me cumprimenta, sorri educada. Ela tem uns quarenta anos, é alta e magra. Conseguiu continuar bonita. Ainda tá vestindo seu uniforme branco, que se ajusta perfeitamente na cintura dela. Ela tá sempre de brincos, pequenas argolas douradas.

— Ouvi falar que os gêmeos vão pra Tougaloo College no ano que vem. Parabéns.

— Esperamos que sim. Ainda precisamos poupar um pouco mais de dinheiro. Dois de uma vez só é muito.

— Você também fez um pouco de faculdade, não?

Ela faz que sim e diz:

— Jackson College.

— Eu adorava ir na escola. Ler e escrever. Menos ritmética. Disso eu não gostava.

Yule May sorri.

— Inglês também era a minha matéria favorita. Redação.

— Eu... tenho escrito um pouco.

Yule May me olha bem nos olhos e então sei que ela sabe o que estou prestes a falar. Por um segundo, posso ver a vergonha que ela precisa engolir todos os dias, trabalhando naquela casa. O medo. Fico constrangida de perguntar a ela.

Mas Yule May fala antes de mim.

— Eu sei das histórias em que você está trabalhando. Com aquela amiga da dona Hilly.

— Não tem problema, Yule May. Sei que você não pode participar.

— É que... é um risco que eu não posso correr agora. Estamos quase conseguindo juntar dinheiro suficiente.

— Eu entendo — digo e sorrio. Faço ela entender que não tem problema mesmo. Mas Yule May não se mexe dali.

— Os nomes... você está mudando tudo, me disseram. É isso mesmo?

A mesma pergunta que todo mundo faz, de curiosidade.

— É isso mesmo. E o nome da cidade também.

Ela olha pro chão.

— Então, eu contaria as minhas histórias sobre ser uma empregada e ela as escreveria? Editaria ou... algo do tipo?

Faço que sim.

— A gente quer fazer todos os tipos de histórias. Coisas boas e coisas ruins. Ela tá trabalhando... com outra empregada, agora mesmo.

Yule May passa a língua nos lábios, parece que tá imaginando como seria contar como é trabalhar pra dona Hilly.

— Será que a gente podia... falar um pouco mais sobre isso? Quando eu tiver um pouco mais de tempo?

— Claro — digo, e vejo nos olhos dela que ela não tá só tentando ser legal.

— Me desculpe, mas Henry e os meninos estão esperando por mim — diz ela. — Mas posso ligar pra você? E falar em particular?

— A qualquer hora. Quando você quiser.

Ela toca meu braço e me olha nos olhos mais uma vez. Não posso acreditar no que tou vendo. Parece que ela tava todo esse tempo esperando eu convidar ela.

Então, ela sai pela porta. Fico em pé no canto um minuto, bebendo café quente demais pra temperatura que tá fazendo. Rio e murmuro, mesmo que isso vá fazer todo mundo me achar ainda mais louca.

MINNY

CAPÍTULO 17

— SAI DAQUI pra eu poder fazer a limpeza.

A dona Celia se abraça nas cobertas, parece que tá com medo que eu jogue ela pra fora da cama. Nove meses aqui e ainda não sei se ela tem alguma doença do corpo ou se queimou os miolos de tanto pintar os cabelos. De fato, agora ela parece melhor do que quando comecei. Sua barriga tá mais gordinha, suas bochechas não são mais tão cavadas como antes, quando ela tava sozinha aqui, matando o seu Johnny de fome, e ela também.

Durante um período, a dona Celia trabalhou no quintal dos fundos o tempo todo, mas agora essa mulher louca voltou a não sair da cama. Eu achava bom ela ficar enfurnada no quarto. Mas, agora que conheci o seu Johnny, tou pronta pra *trabalhar*. E, diabos, tou pronta pra colocar a dona Celia em forma, também.

— A senhora tá me enlouquecendo, enfiada nessa casa vinte e quatro horas por dia. Anda. Vai lá derrubar aquela pobre mimosa que a senhora tanto odeia — digo, pois o seu Johnny nunca chegou a derrubar a árvore.

Mas, quando vejo que a dona Celia não arreda o pé daquele colchão, sei que é hora de jogar pesado.

— Quando é que a senhora vai contar de mim pro seu Johnny? — Pois isso sempre faz ela se mexer. Às vezes, pergunto só pra me divertir um pouco.

Não posso acreditar que essa encenação está durando tanto tempo, com o seu Johnny sabendo de mim e a dona Celia caminhando por aí como uma pirada, como se ainda estivesse desempenhando seu papel. Não foi surpresa nenhuma quando o prazo do Natal chegou e ela implorou por mais tempo. Oh, eu xinguei ela por isso, mas então a boboca choramingou tanto que eu aliviei, só pra ela calar a boca, e disse que era o presente de Natal dela. Ela devia ganhar uma meia cheia de carvão, isso sim, por causa de todas as mentiras que contou.

Graças a Deus, a dona Hilly não apareceu por aqui pra jogar bridge, mesmo se o seu Johnny tentou arranjar isso de novo não faz duas semanas. Sei porque Aibileen me disse que ouviu a dona Hilly e a dona Leefolt rindo do assunto. A dona Celia ficou toda séria, perguntando pra mim o que era pra cozinhar, se elas viessem. Pediu um livro por reembolso postal pra aprender o jogo, *Bridge para iniciantes*. Deveria ser *Bridge para desmiolados*. Quando ele chegou hoje de manhã na caixa do correio, ela não leu nem dois segundos antes de perguntar:

— Você me ensina a jogar, Minny? O livro sobre bridge é muito difícil de entender.

— Não sei jogar bridge — falei.

— Você sabe, sim.

— Como é que a senhora sabe o que eu sei fazer? — Comecei a bater panelas pela cozinha, irritada só pela cara daquele livro estúpido de capa vermelha. Finalmente consegui me livrar do seu Johnny e agora preciso me preocupar com a dona Hilly vindo aqui me encurralar. Com certeza, ela vai contar pra dona Celia o que eu fiz. Eu me demitiria a mim mesma pelo que fiz.

— A sra. Walters me disse que você jogava com ela nas manhãs de sábado.

Comecei a esfregar a panela grande. Os nós dos meus dedos batem nas laterais, fazendo um barulho oco.

— Jogar cartas é coisa do diabo — digo. — E eu já tenho coisa demais pra fazer.

— Mas eu vou ficar toda baratinada com essas senhoras aqui tentando me ensinar. Você não pode me mostrar como é, só um pouquinho?

— Não.

A dona Celia deixa escapar um suspiro.

— Porque eu cozinho muito mal, não é por isso? Você acha que eu não sou capaz de aprender nada.

— O que a senhora vai fazer se a dona Hilly e as outras mulheres disserem pro seu marido que a senhora tem uma empregada aqui? Isso não vai estragar todo o disfarce?

— Já resolvi isso. Vou dizer ao Johnny que contratei alguém para me auxiliar no dia e assim eu poder me arrumar para as senhoras e tudo o mais.

— Hum-hum.

— Então, digo a ele que gosto tanto de você que quero contratá-la para trabalhar aqui o tempo todo. Quero dizer, eu poderia dizer isso a ele... em alguns meses.

Começo a suar.

— Quando a senhora acha que elas vêm jogar bridge?

— Estou esperando que Hilly me ligue de volta. Johnny disse ao marido dela que eu ligaria. Deixei dois recados, então tenho certeza de que logo logo ela vai ligar.

Fico ali parada, tentando pensar em alguma coisa que possa impedir isso de acontecer. Olho pro telefone e peço a Deus que ele nunca mais toque.

NA MANHÃ SEGUINTE, quando chego pra trabalhar, a dona Celia sai do quarto. Acho que ela tá prestes a se esgueirar pro andar de cima, coisa que ela começou a fazer de novo, mas então ouço ela falando no telefone da cozinha, pedindo pra falar com a dona Hilly. Fico com uma sensação horrível.

— Só estou ligando de novo para ver se podemos jogar bridge juntas! — diz ela, toda alegre, e eu não arredo o pé até ter certeza de que é com Yule May, a empregada de Hilly, que ela tá falando, e não com a própria dona Hilly. A dona Celia dá o número do telefone como um jingle de esfregão de chão: — Emerson dois-sessenta-e-seis-zero-nove!

Meio minuto depois, ela tá ligando pra outro nome do verso daquele papel estúpido, como ela adquiriu o hábito de fazer, dia sim, dia não. Sei o que é aquilo, é o boletim da Liga Feminina, e, a julgar pelo estado, ela deve ter encontrado no estacionamento daquele clube de senhoras. É grosso como lixa e tá todo amassado, como se tivesse voado do bolso de alguém e depois passado por uma tempestade.

Até agora, nenhuma dessas mulheres ligou de volta pra ela, mas toda vez que aquele telefone toca, ela salta pra atender como se fosse um cachorro pulando em cima de um quati. É sempre o seu Johnny.

— Tudo bem... apenas... diga a ela que eu liguei de novo — fala a dona Celia ao telefone.

Ouço ela colocar o fone no gancho com todo cuidado. Se eu me importasse com isso, mas não me importo, eu dizia pra ela que essas madames não valem a pena.

— Essas madames não valem a pena, dona Celia — me ouço dizer. Mas ela age como quem não me ouviu e volta pro quarto e fecha a porta.

Penso em bater na porta dela, perguntar se ela precisa de alguma coisa. Mas tenho mais o que fazer do que ficar me preocupando se a dona Celia venceu ou não o concurso de popularidade. Já me basta Medgar Evers assassinado na porta de casa e Felicia incomodando por causa da carteira de motorista, agora que fez quinze — ela é uma boa menina, mas, quando engravidei de Leroy Junior, eu era pouco mais velha do que ela, e um Buick contribuiu pra nisso. E, ainda por cima disso tudo, agora tenho que me preocupar com a dona Skeeter e suas histórias.

NO FINAL DE JUNHO, uma onda de calor de mais de trinta e sete graus se instala e não vai embora. É como uma garrafa de água quente derramada em cima do bairro dos negros, deixando ele dez graus mais quente que o resto de Jackson. Faz tanto calor que o galo do seu Dunn chega perto da minha porta e se empoleira, todo ruivo, bem na frente do ventilador da cozinha. Chego e encontro ele olhando pra mim, como quem diz *Não saio daqui de jeito nenhum, minha senhora*. Ele prefere apanhar de vassoura a ter que voltar lá pra fora.

No condado de Madison, o calor faz da dona Celia oficialmente a pessoa mais preguiçosa dos Estados Unidos da América. Ela nem pega mais a correspondência na caixa de correio: eu é que tenho que fazer isso. Tá muito quente até mesmo pra dona Celia ficar sentada perto da piscina. O que é um problema pra mim.

É que acho que, se Deus quisesse que os brancos e os negros ficassem juntos tantas horas do dia, ele nos teria feito cegos pras cores. Quando a dona Celia sorri e diz "bom dia" e "que bom ver você", eu me pergunto: como é que ela chegou nessa altura da vida sem saber os limites? Quero dizer, uma doida ligando sem parar pras mulheres da sociedade já é ruim o suficiente. Mas ela se sentou e almoçou comigo todos os dias desde que comecei a trabalhar aqui. Não quero dizer no mesmo cômodo, quero dizer na mesma *mesa*. Aquela pequena, embaixo da janela. Todas as branquelas pra quem eu trabalhei comiam na sala de jantar, o mais longe possível das pessoas de cor. Por mim, tudo bem.

"Mas por quê? Eu não quero comer ali dentro sozinha, se posso comer aqui com você", disse a dona Celia. Eu nem tentei explicar pra ela. Tem muitas coisas sobre as quais a dona Celia é completamente *ignorante*.

Metade das patroas brancas também sabe que tem uma época do mês que *não* se fala com a Minny. Até mesmo a dona Walters sabia quando o Minnymômetro tava quente demais. Ela sentia o cheiro de caramelo no fogo e se tocava porta afora. Nem deixava a dona Hilly ir visitar.

Na semana passada, o açúcar e a manteiga tinham enchido a casa da dona Celia com cheiro de Natal, apesar de estarmos no inferno de junho. Eu tava tensa, como sempre, caramelando açúcar. Pedi a ela três vezes, *muito educadamente*, se eu não podia fazer aquilo sozinha, mas ela queria ficar ali comigo. Disse que tava se sentindo só, trancada sozinha no quarto o dia inteiro.

Tentei ignorar ela. O problema é que preciso falar comigo mesma quando faço um bolo de caramelo, senão fico muito nervosa.

Eu disse:

— O dia mais quente de junho. Quarenta graus lá fora.

E ela disse:

— Você tem ar-condicionado em casa? Ainda bem que temos ar-condicionado aqui, pois cresci sem e sei bem como é passar calor.

E eu disse:

— Não tenho dinheiro pra ar-condicionado. Essas coisas comem eletricidade que nem bicudo come algodão. — E comecei a mexer com força, porque o caramelo tava se formando na parte de cima e é então quando você precisa ter cuidado. Continuei: — A gente já tá com a conta de luz atrasada — falei isso porque eu não tava pensando direito, e sabe o que ela disse? Ela disse: "Oh, Minny, eu bem que gostaria de lhe emprestar dinheiro, mas Johnny anda fazendo umas perguntas estranhas", e então me virei pra informar pra ela que, quando um negro reclama sobre o custo de vida, isso não significa que tá implorando por dinheiro, mas, antes de eu poder dizer qualquer coisa, queimei o maldito caramelo.

NA MISSA DE DOMINGO, Shirley Boon se levanta diante da congregação. Com os lábios se mexendo como uma bandeira, ela nos lembra que a reunião de "Problemas da comunidade" é quarta à noite, pra discutir um protesto no balcão da lanchonete da Woolworth da Amite Street. A nariguda da Shirley aponta o dedo pra gente e diz:

— A reunião é às sete horas, não se atrasem. Não tem desculpa!

Ela me lembra uma professora gorda, branca e feia da época da escola. O tipo com quem ninguém quer se casar.

— Você vem na quarta-feira? — me pergunta Aibileen. A gente tá caminhando pra casa, no calor das três da tarde. Tou com meu leque de funeral empunhado. Abano tão rápido que parece que tem um motor nele.

— Não tenho tempo — digo.

— Você vai me deixar ir sozinha de novo? Vamos lá, eu levo um pouco de bolo de gengibre e...

— Eu *disse* que não posso ir.

Aibileen balança a cabeça.

— Tá bem, então. — E continua caminhando.

— Benny... pode ser que ele tenha um ataque de asma de novo. Não quero deixar ele sozinho.

— Hum-hum — diz Aibileen. — Você vai me dizer a razão de verdade quando tiver pronta.

Entramos na Gessum e contornamos um carro que enguiçou no meio da rua por causa do calor.

— Oh, antes que eu me esqueça, a dona Skeeter quer chegar mais cedo na terça à noite — diz Aibileen. — Perto das sete. Você consegue chegar a essa hora?

— Senhor — digo, ficando toda irritada de novo. — O que é que eu tou fazendo? Devo ser louca, entregando os segredos da raça negra pra uma mulher branca.

— É só a dona Skeeter, ela não é como o resto.

— Parece que eu tou falando pelas minhas próprias costas — digo. Já me encontrei com a dona Skeeter pelo menos cinco vezes agora. Não tá ficando mais fácil.

— Você quer parar de vir? — pergunta Aibileen. — Não quero que você se sinta obrigada. — Não respondo nada.

— Alô, você ainda tá aí, M? — pergunta ela.

— Eu só... eu quero que as coisas sejam mais fáceis pras crianças — digo. — Mas é uma pena que seja uma mulher branca fazendo isso.

— Vamos na reunião da comunidade comigo na quarta-feira. A gente fala mais sobre isso, então — diz Aibileen, com um sorriso.

Eu sabia que Aibileen não ia largar o osso. Suspiro.

— Tou com um problema, tá bem?

— Com quem?

— Shirley Boon — digo. — Na última reunião, tava todo mundo de mãos dadas e rezando pra que deixem os negros usarem os banheiros dos brancos e falando que vão se sentar num banquinho na Woolworth em vez de brigar e todos tão sorrindo como se só por causa disso esse mundo fosse virar um lugar novinho em folha e eu só... Eu surtei. Falei pra Shirley Boon que a bunda dela não ia caber em nenhum banquinho da Woolworth, de todo jeito.

— O que a Shirley disse?

Então, uso a minha voz de professora:

— *Se você não tem nada agradável pra dizer, não devia falar nada.*

Quando a gente chega na casa de Aibileen, olho pra ela. Ela tá segurando uma gargalhada tão forte que ficou roxa.

— Não é engraçado — digo.

— Ainda bem que você é minha amiga, Minny Jackson. — E me dá um abraço apertado até eu revirar os olhos e dizer pra ela que preciso ir embora.

Continuo caminhando e dobro a esquina. Eu não queria que Aibileen soubesse. Não quero que ninguém saiba como eu preciso daquelas histórias da Skeeter. Agora que não posso mais ir nas reuniões de Shirley Boon, é só o que eu tenho. E não tou dizendo que as reuniões com a dona Skeeter são engraçadas. Toda vez que a gente se reúne, eu reclamo. Resmungo. Fico irritada e tenho um ataque. Mas o negócio é o seguinte: eu gosto de contar as minhas histórias. Sinto que tou fazendo alguma coisa a respeito. Quando vou embora, o concreto no meu peito se afrouxou, derreteu, então consigo respirar por alguns dias.

E sei que tem muitas outras coisas de "gente de cor" que eu podia fazer, além de contar as minhas histórias ou participar das reuniões de Shirley Boon — as assembleias na cidade, as marchas em Birmingham, os comícios sobre o direito de voto no norte do Estado. Mas a verdade é que não dou tanta bola assim pra votar. Não dou bola pra poder comer num balcão com gente branca. Dou bola pra se daqui a dez anos uma mulher branca vai chamar as minhas meninas de sujas e acusar elas de roubar a prataria.

EM CASA, ESSA NOITE, tou com as favas cozinhando, o presunto na frigideira.

— Kindra, traz todo mundo pra cá — digo pra minha filha de seis anos. — Tamos prontos pra comer.

— *Jaaaantaaaaarrr* — grita Kindra, sem se mexer um centímetro de onde tá.

— Vai chamar o seu pai direitinho — grito. — O que falei pra você sobre gritos na minha casa?

Kindra revira os olhos pra mim, como se eu tivesse pedido pra ela fazer a coisa mais idiota do mundo. Ela sai pisando fundo no corredor.

— *Jaaaantaaaaarrr!*

— *Kindra!*

A cozinha é o único cômodo da casa onde todo mundo cabe ao mesmo tempo. Os outros cômodos são usados como quartos de dormir.

O quarto meu e do Leroy é nos fundos, ao lado dele tem um quartinho pequeno pro Leroy Junior e pro Benny, e a sala de estar, na frente, foi transformada em quarto pra Felicia, Sugar e Kindra. Então, o que sobra é a cozinha. A menos que teja muito muito frio lá fora, nossa porta dos fundos fica aberta, só a tela fica fechada, pra manter as moscas longe. O tempo todo tem o barulho de crianças e carros e vizinhos e cachorros latindo.

Leroy chega e senta na mesa ao lado de Benny, que tem sete anos. Felicia enche os copos com leite ou água. Kindra leva um prato com favas e presunto pro pai e volta até o fogão pra pegar mais. Entrego pra ela outro prato.

— Esse é pro Benny — digo.

— Benny, levanta e ajuda a sua mãe — diz Leroy.

— Benny tem asma. Ele não precisa fazer nada. — Mas meu menino se levanta e pega o prato da mão de Kindra. Meus filhos sabem trabalhar.

Todos tão sentados à mesa, menos eu. Três filhos tão em casa hoje. Leroy Junior, que tá terminando os estudos na Lenier High, tá trabalhando como empacotador no Jitney 14. É o mercado na vizinhança da dona Hilly. Sugar, minha filha mais velha, na décima série, trabalha como babá pra nossa vizinha Tallulah, que trabalha até tarde. Quando Sugar terminar, vai voltar a pé pra casa e levar o pai de carro pro turno da noite na fábrica de tubos e conexões, e então pegar Leroy Junior no mercado. Leroy, o pai, pega uma carona na fábrica às quatro horas da manhã com o marido de Tallulah. Tudo se encaixa.

Leroy come, mas os olhos dele tão sobre o *Jackson Journal*, no lado. Ele não é exatamente conhecido pelo bom humor quando acorda. Dou uma olhada lá do fogão e vejo que o protesto na farmácia Brown tá na capa. Não é o grupo de Shirley, é gente de Greenwood. Um grupo de adolescentes brancos tá em pé atrás dos cinco manifestantes sentados nos banquinhos, caçoando e distribuindo golpes, derramando ketchup e mostarda e sal na cabeça deles.

— Como é que eles conseguem fazer isso? — Felicia aponta pra fotografia. — Ficar ali sentados, sem revidar?

— É pra isso que eles tão lá — diz Leroy.

— Olhar pra essa fotografia me dá vontade de cuspir — digo.

— A gente fala sobre isso depois. — Leroy dobra o jornal em quatro e enfia embaixo da coxa.

Felicia diz pro Benny, em voz baixa mas não o suficiente:

— Que bom que a mamãe não tava num daqueles bancos. Senão aqueles brancos não iam ficar com nenhum dente na boca.

— E mamãe ia ter que usar aquele pijama de prisão — diz Benny, pra todo mundo ouvir.

Kindra coloca a mão na cintura:

— Nã-nã. Ninguém vai colocar a minha mãe na prisão. Dou com um bastão nesses brancos até sangrar.

Leroy aponta o dedo pra todos e cada um deles.

— Não quero ouvir uma palavra sobre isso aqui dentro dessa casa. É muito perigoso. Tá me ouvindo, Benny? Felicia? — Então ele aponta o dedo pra Kindra. — Tá me ouvindo?

Benny e Felicia fazem que sim e baixam os olhos pros pratos. Fico com pena de ter começado tudo isso e olho pra Kindra com meu olhar de deixe-estar. Mas a Pequena Miss Temperamento larga o garfo com força sobre a mesa e se levanta da cadeira.

— Odeio os brancos! E vou dizer isso pra todo mundo, se eu quiser!

Corro atrás dela pelo corredor. Quando pego ela, carrego ela de volta pra mesa que nem um saco de batatas.

— Desculpe, papai — diz Felicia, pois ela é dócil e leva a culpa por todo mundo, todas as vezes. — E eu vou cuidar da Kindra. Ela não sabe o que tá dizendo.

Mas Leroy dá um tapa na mesa.

— Ninguém vai se meter nessa bagunça! Entenderam? — E olha os filhos nos olhos. Eu me viro pro fogão, pra ele não poder ver o meu rosto. Deus me ajude, se ele descobrir o que eu tou fazendo com a dona Skeeter.

DURANTE TODA A SEMANA SEGUINTE, ouço a dona Celia no telefone do quarto, deixando recados na casa da dona Hilly, na casa da dona Elizabeth Leefolt, na casa da dona Parker, na casa das duas irmãs Calwell e na de dez outras mulheres da sociedade. Até na casa da dona Skeeter, e não gosto nem um pouco disso. Eu mesma disse pra dona Skeeter: *Nem pense em ligar de volta pra ela. Não enrede essa teia mais do que ela já tá.*

A parte irritante é que, depois que a dona Celia dá esses telefonemas idiotas e desliga o telefone, ela pega o fone de novo. Espera o sinal de discagem, pra ver se o telefone tá ou não funcionando.

— Não tem nada de errado com o telefone — digo. Ela continua sorrindo pra mim, como já vem fazendo há um mês, como quem tá com o bolso cheio de dinheiro.

— Por que a senhora tá de tão bom humor? — finalmente pergunto pra ela. — O seu Johnny tá tratando a senhora bem ou algo assim? — Já tou carregando meu próximo "Quando a senhora vai contar a ele?", mas ela me ganha.

— Oh, ele está me tratando bem, sim — diz ela. — E não vai demorar muito para eu contar a ele sobre você.

— Que bom — digo, o que é verdade. Estou cansada desse jogo de mentiras. Imagino que ela sorri pro seu Johnny quando serve pra ele as minhas costelas de porco, e aquele homem bom tem que fazer de conta que tá orgulhoso dela, sabendo que sou eu que cozinho. Ela tá fazendo papel de boba e tá fazendo de bobo o marido, que é um homem bom, e tá fazendo de mim uma mentirosa.

— Minny, você se importaria de pegar a correspondência para mim? — pergunta ela, mesmo se tá sentada toda vestida e eu tou aqui com manteiga nas mãos e louça na máquina e com o liquidificador ligado. É como uma filistina no domingo, com esse seu jeito de não dar mais do que dois passos por dia. Com a diferença que todo dia é domingo, por aqui.

Limpo as mãos e vou até a caixa de correspondência, suando um bom meio galão no caminho. Quero dizer, tá fazendo só trinta e sete graus lá fora. Tem um pacote de meio metro no lado da caixa de correio, na grama. Já vi ela com essas caixas marrons grandes, acho que é algum tipo de creme de beleza que ela encomendou. Mas, quando pego a caixa, vejo que é pesada. Faz um barulho tlinc-tlinc, como se eu estivesse carregando garrafas de Coca-Cola.

— Chegou uma coisa pra senhora, dona Celia. — Deixo a caixa no chão da cozinha.

Nunca vi ela se levantar tão rápido. Na verdade, a única coisa rápida na dona Celia é o jeito dela se vestir.

— É só o meu... — ela murmura alguma coisa. Ela carrega a caixa até o quarto e ouço a porta bater.

Uma hora depois, vou até o quarto pra aspirar os tapetes. A dona Celia não tá deitada e não tá no banheiro. Sei que ela não tá na cozinha nem na sala de estar nem na piscina, e acabei de espanar a sala de estar número um e a sala de estar número dois e passei aspirador no urso. O que significa que ela só pode estar lá em cima. Nos quartos sinistros.

Antes de eu ser demitida por ter acusado o Senhor Gerente Branco de usar peruca, eu costumava limpar os salões de baile do Hotel Robert E. Lee. Aqueles salões enormes sem ninguém e os guardanapos sujos de batom e o cheiro do resto dos perfumes me davam arrepios. E também me dá arrepios o andar de cima da casa da dona Celia. Tem até mesmo um bercinho velho com o velho chapeuzinho de nenê do seu Johnny e o chocalho de prata que eu juro que ouço fazer barulho às vezes, sozinho. E pensar nesse barulho de chocalho faz eu me perguntar se aquelas caixas não têm alguma coisa a ver com ela se esgueirar pra dentro daqueles quartos dia sim, dia não.

Decido que é hora de subir lá e dar uma olhada eu mesma.

Fico de olho na dona Celia no dia seguinte, esperando ela subir sorrateiramente lá pra cima, pra eu ver o que ela anda aprontando. Por volta das duas horas, ela enfia a cabeça na cozinha e me dá um sorriso estranho. Um minuto depois, ouço o rangido no teto.

Bem de mansinho, vou até a escada. Mesmo comigo caminhando na ponta dos pés, os pratos na bancada fazem barulhinhos, as tábuas do chão rangem. Caminho tão devagar lá pra cima que posso ouvir a minha respiração. Lá em cima, dobro e avanço no longo corredor. Passo pelas portas escancaradas dos quartos, um, dois, três. A porta número quatro, lá no final, tá quase fechada, com um vão de um polegar. Chego um pouco mais perto. E, pelo vão, eu vejo.

Tá sentada em uma das duas camas idênticas e amarelas, perto da janela, e não tá sorrindo. O pacote que eu trouxe da caixa de correspondência tá aberto e sobre a cama tem uma dúzia de garrafas com um líquido marrom. Um sentimento de queimação toma conta do meu peito, do meu queixo, da minha boca. Conheço essas garrafas achatadas. Cuidei de um bebedor inútil durante doze anos e, quando meu preguiçoso, meu fardo de pai finalmente morreu, jurei pra Deus, com lágrimas nos olhos, que nunca ia me casar com um desses. Mas depois casei.

E agora cá estou eu cuidando de outra bêbada maldita. Essas não são nem mesmo garrafas compradas em lojas, essas têm um lacre de cera vermelha, que nem os que o meu tio Toad usava pra fechar a sua pinga de milho. Mamãe sempre me dizia que os verdadeiros alcoólatras, como o meu pai, bebem bebida feita artesanalmente porque é mais forte. Agora vejo que ela é tola que nem o meu pai era e como

Leroy é quando vai no Old Crow. A única diferença é que ela não sai atrás de mim com a frigideira na mão.

A dona Celia pega uma das garrafas e olha pra ela como se fosse Jesus lá dentro e ela mal pudesse esperar pra ser salva. Ela tira a rolha, bebe e suspira. Então, bebe três goles grandes e se deita nos travesseiros chiques.

Ao ver aquela tranquilidade tomar conta do rosto dela, meu corpo começa a tremer. Ela tava tão ansiosa pra tomar o suquinho que nem fechou a porta. Preciso trincar os dentes pra não gritar com ela. Finalmente consigo me forçar a descer de novo as escadas.

Quando a dona Celia aparece de novo lá embaixo, dez minutos depois, ela se senta na mesa da cozinha, me pergunta se tou pronta pra comer.

— Tem costeleta de porco na geladeira, e eu não vou almoçar hoje — digo e saio da cozinha pisando firme.

De tarde, a dona Celia tá no banheiro, sentada em cima da tampa da privada. Ela tá com o secador de cabelo em cima do tanque da privada e a cabeça descolorida enfiada na touca. Com essa engenhoca, ela não ia ouvir nem se explodissem uma bomba atômica.

Vou até o andar de cima, com meus trapos de lustrar móveis, e eu mesma abro o armário. Duas dúzias de garrafas de uísque tão escondidas atrás daqueles cobertores velhos em frangalhos que a dona Celia deve ter trazido do condado de Tunica. As garrafas não têm rótulo, só o selo de Old Kentucky no vidro. Doze tão cheias, prontas pra serem consumidas amanhã. Doze tão vazias da semana anterior. Que nem aqueles malditos quartos de dormir. Não é por nada que essa imbecil não tem filhos.

NA PRIMEIRA QUINTA-FEIRA de julho, ao meio-dia em ponto, a dona Celia se levanta da cama pra aula de culinária. Tá usando um suéter branco tão apertado que, no lado dela, uma prostituta ia parecer uma santa. Juro que as roupas dela tão ficando mais apertadas a cada semana.

A gente se coloca nos nossos lugares: eu junto do fogão, ela no seu banquinho. Mal falei uma palavra com ela desde que descobri aquelas garrafas, na semana passada. Não tou louca. Tou irada. Mas jurei pra mim mesma, todos os dias dos últimos seis dias, que eu seguiria a Regra Número Um da Mamãe. Dizer alguma coisa ia significar que eu me importo com ela, e eu não me importo. Não é da minha conta nem é problema meu se ela é uma imbecil preguiçosa e bêbada.

A gente coloca em cima da bancada a galinha crua salpicada com uma camada de farinha. Então, preciso lembrar à desmiolada pela milionésima vez de lavar as mãos, antes que ela mate nós duas.

Olho a galinha fritar e tento esquecer que ela tá ali. Fritar galinha sempre faz eu me sentir um pouco melhor. Quase esqueço que trabalho pra uma bêbada. Quando a fritura tá pronta, coloco a maior parte na geladeira, pro jantar de hoje. O resto vai pra um prato, pro nosso almoço. Ela se senta na mesa da cozinha, bem na minha frente, como sempre.

— Coma o peito — diz ela, os olhos azuis saltando na minha direção. — Vamos lá.

— Eu como a coxa e a asa — digo, pegando os pedaços do prato. Folheio com o dedão o *Jackson Journal* até as notícias locais. Enfio o nariz bem no meio do jornal pra não precisar olhar pra ela.

— Mas quase não tem carne neles.

— É bom. Gordurento. — Continuo lendo, tentando ignorar ela.

— Bem — diz ela, pegando o peito —, acho que isso faz de nós parceiras perfeitas para dividir uma galinha, então. — E, depois de cinco minutos, ela diz: — Sabe, tenho sorte de ter você como amiga, Minny.

Fico doente, um gosto amargo e grosso sobe no meu peito. Abaixo o jornal e olho pra ela.

— Não, madame. A gente não é amiga.

— Ora... claro que somos. — Ela sorri, como se estivesse me fazendo um grande favor.

— Não, dona Celia, a gente não é.

Ela pisca os cílios postiços pra mim. *Pare, Minny*, algo dentro de mim me diz. Mas já sei que não vou conseguir. Sei, por causa das minhas mãos fechadas, que não vou conseguir segurar nem mais um minuto.

— É... — Ela baixa o olhar pro seu pedaço de galinha. — Porque você é de cor? Ou porque... você não quer ser minha amiga?

— Muitas razões. A senhora ser branca e eu de cor é só uma delas.

Agora ela não tá sorrindo, nem um pouquinho.

— Mas... por quê?

— Porque quando eu conto pra senhora que a minha conta de luz tá atrasada, eu não tou pedindo dinheiro — digo.

— Oh, Minny...

— Porque a senhora sequer tem a cortesia de avisar ao seu marido que eu trabalho aqui. Porque a senhora fica nessa casa vinte e quatro horas por dia, me enlouquecendo.

— Você não entende, *não posso*. Não posso sair.

— Mas tudo isso não é nada, comparado com o que eu sei agora.

O rosto dela fica pálido, por baixo da maquiagem.

— Todo esse tempo, eu ficava pensando que a senhora tava morrendo de câncer, ou então com alguma doença da cabeça. Coitada da dona Celia, o dia inteiro.

— Eu sei que tem sido difícil...

— Oh, eu sei que a senhora não tá doente. Vi a senhora com as garrafas lá em cima. A senhora não me engana nem mais um minuto.

— Garrafas? Oh, Deus, Minny, eu...

— Eu devia é derramar tudo aquilo pelo ralo. Eu devia contar pro seu Johnny agora mesmo...

Ela se levanta, derrubando a cadeira.

— Não ouse contar...

— A senhora faz de conta que quer ter filhos, mas tá bebendo o suficiente pra envenenar um elefante!

— Se você contar a ele, demito você, Minny! — Ela tá com lágrimas nos olhos. — Se você tocar naquelas garrafas, demito você agora mesmo!

Mas o sangue tá correndo quente demais na minha cabeça pra eu parar agora.

— Me demitir? Quem é que vai vir até aqui e trabalhar em segredo enquanto a senhora fica vagando pela casa bêbada o dia inteiro?

— Acha que não posso demitir você? Termine seu trabalho hoje, Minny! — Ela tá quase chorando e apontando o dedo pra mim. — Termine sua galinha e vá para casa!

Ela pega o prato com a carne branca e passa direto pela porta vaivém. Ouço o prato bater na mesa longa e chique da sala de jantar, as pernas da cadeira raspando o chão. Afundo na minha cadeira porque meus joelhos tão tremendo, e olho pra galinha no meu prato.

Acabei de perder outro maldito emprego.

ACORDO SÁBADO DE MANHÃ às sete com uma dor de cabeça atordoante e com a língua dolorida. Devo ter mordido a língua a noite toda.

Leroy olha pra mim com o canto de um olho porque sabe que alguma coisa tá acontecendo. Ele sabia disso ontem à noite, durante o jantar, e farejou de novo quando chegou em casa, às cinco da manhã.

— O que é que você tem? Não tá com problema no trabalho, tá? — pergunta ele pela terceira vez.

— Não tenho problema nenhum, a não ser cinco filhos e um marido. Vocês todos tão me irritando.

A última coisa que preciso que ele saiba é que assustei outra mulher branca e que perdi outro emprego. Visto meu vestido roxo de ficar em casa e vou pisando duro até a cozinha. Limpo a cozinha como se ela nunca tivesse sido limpa.

— Mamãe, onde a senhora tá indo? — grita Kindra. — Tou com fome.

— Vou pra casa da Aibileen. Mamãe precisa de cinco minutos com alguém que não fique enchendo o saco dela. — Passo por Sugar, sentada nos degraus da frente. — Sugar, dê café da manhã pra Kindra.

— Ela já comeu. Faz só meia hora.

— Bem, ela tá com fome de novo.

Caminho as duas quadras até a casa de Aibileen pela Tick Road até a Farish Street. Apesar de estar quente como o inferno e o vapor já estar subindo do asfalto, as crianças tão jogando bola, chutando latas, pulando corda.

— Olá, Minny — alguém me diz a cada cinco passos. Aceno com a cabeça, mas não fico toda sorridente. Não hoje.

Corto caminho pelo jardim de Ida Peek. A porta da cozinha de Aibileen tá aberta. Aibileen tá sentada na mesa, lendo um daqueles livros que a dona Skeeter pegou pra ela na biblioteca branca. Ela levanta o olhar quando ouve o guincho da porta de tela se abrindo. Acho que ela vê logo que eu tou braba.

— Deus tenha misericórdia: quem fez o quê com você?

— Celia Rae Foote, eis quem. — Sento do outro lado da mesa, de frente pra ela. Aibileen se levanta e serve um pouco de café pra mim.

— O que ela fez?

Conto pra ela sobre as garrafas que eu achei. Não sei por que não falei pra ela uma semana e meia atrás, quando fiz a descoberta. Vai ver eu não queria que ela soubesse uma coisa tão horrível sobre a dona Celia. Vai ver fiquei desconfortável, pois foi Aibileen que me conseguiu o emprego. Mas agora tou tão furiosa que deixo tudo transbordar.

— E ela me demitiu.

— Oh, Senhor, Minny...

— Disse que vai encontrar outra empregada. Mas quem é que vai trabalhar pra essa mulher? Uma empregada do campo com lenço na cabeça que more por lá não vai saber nada de servir pela esquerda, tirar as coisas pela direita.

— Você pensou em pedir desculpas? Você podia chegar na segunda-feira de manhã, falar com...

— Não vou pedir desculpas pra uma bêbada. Nunca pedi desculpas pro meu pai e é claro que não vou pedir desculpas pra ela.

Ficamos as duas quietas. Engulo meu café e vejo uma mutuca voejar contra a porta de tela de Aibileen, batendo nela com a cabeça enorme e horrorosa, *uap*, *uap*, *uap*, até cair no degrau. Fica girando que nem uma doida.

— Não consigo dormir nem comer — digo.

— Olha, essa Celia deve ser a *pior* pra quem você já teve que trabalhar.

— São todas ruins. Mas ela é a pior de todas.

— Não são? Lembra aquela vez que a dona Walters fez você pagar pelo copo de cristal que você quebrou? Dez dólares descontados do seu pagamento? Depois você descobriu que aqueles copos só custavam três dólares cada na Carter's?

— Hum-hum.

— Oh, e lembra aquele louco do seu Charlie, aquele que sempre chamava você de crioula, na sua cara, como se fosse engraçado? E a mulher dele, aquela que fazia você almoçar no lado de fora, mesmo no gelo de janeiro? Mesmo se tava nevando?

— Fico arrepiada só de pensar.

— E que tal... — Aibileen tá rindo, tentando falar ao mesmo tempo. — E aquela dona Roberta? Fazia você ficar sentada na mesa da cozinha enquanto ela experimentava uma tintura nova no seu cabelo? — Aibileen seca os olhos. — Senhor, nunca vi cabelo azul numa mulher negra, nem antes daquilo nem depois. Leroy disse que você parecia uma bolacha espacial.

— Não tem nada de engraçado nisso. Levei três semanas e vinte e cinco dólares pra deixar meu cabelo preto de novo.

Aibileen balança a cabeça, deixa escapar um "hum" bem alto e toma um gole do seu café.

— Mas a dona Celia — diz ela. — O jeito que ela tratava você? Quanto ela pagava pra você aguentar o seu Johnny e as aulas de culinária? Deve ser pior do que todas as outras.

— Você sabe que ela me pagava o dobro.

— Oh, é mesmo. Bem, de todo jeito, com todas as amigas dela fazendo visita o tempo todo, você tendo que limpar tudo depois que elas iam embora.

Olho pra ela.

— E também as crianças que ela tem. — Aibileen limpa a boca com o guardanapo, esconde o sorriso. — Decerto você enlouquece com os gritos delas o dia inteiro, bagunçando aquela casa velha e enorme.

— Acho que você já deixou bem clara a sua opinião.

Aibileen sorri e dá uns tapinhas no meu braço.

— Desculpe, querida. Mas você é minha melhor amiga. E acho que você tem uma coisa boa lá. E daí se ela toma um trago ou dois pra aguentar o dia? Vá falar com ela na segunda-feira.

Sinto meu rosto se franzir todo.

— Acha que ela me aceita de volta? Depois de tudo que eu falei?

— Ninguém mais vai trabalhar pra ela. E ela sabe.

— É. É burra — digo. — Mas não é estúpida.

Volto pra casa. Não conto pro Leroy o que tá me incomodando, mas penso no assunto o dia inteiro e todo o final de semana. Já fui despedida mais vezes do que tenho dedos nas mãos. Rezo pra Deus pra conseguir meu emprego de volta na segunda-feira.

CAPÍTULO 18

Na segunda-feira de manhã, dirijo até o trabalho ensaiando durante todo o trajeto. *Sei que falei demais...* Entro na cozinha dela. *E sei que fui inconveniente...* Coloco a bolsa sobre a cadeira, *e... e...* Essa é a parte difícil. *E me desculpe.*

Enrijeço quando ouço os pés da dona Celia passando pela casa. Não sei o que esperar, se ela vai estar braba ou fria ou se vai simplesmente me demitir de novo. Só o que sei é: *eu* vou falar antes.

— Bom dia — diz ela. A dona Celia ainda tá de camisola. Nem escovou o cabelo, que dirá colocar uma gosma no rosto.

— Dona Celia, eu preciso... dizer uma coisa pra senhora...

Ela grunhe e coloca a mão espalmada na barriga.

— A senhora... tá se sentindo mal?

— É. — Ela coloca um pãozinho e um pouco de presunto num prato, depois guarda de novo o presunto.

— Dona Celia, quero que a senhora saiba...

Mas ela sai da cozinha no meio da minha fala e eu fico meio confusa.

Vou em frente e trato de fazer o meu trabalho. Talvez eu seja louca, agindo como se o emprego ainda fosse meu. Talvez ela nem me pague pelo dia de hoje. Depois do almoço, ligo a tevê em *As the World Turns** e passo roupa. Normalmente, a dona Celia vem até a cozinha e assiste o programa comigo, mas hoje não. Quando o programa termina, espero por ela um pouco na cozinha, mas a dona Celia não vem nem pra aula. A porta do quarto continua fechada, e às duas da tarde não consigo pensar noutra coisa pra fazer que não limpar o quarto deles. Sinto uma ânsia no meu estômago, pesada que nem uma frigideira. Bem que eu queria ter falado o que eu tinha que falar de manhã, quando tive a oportunidade.

Finalmente, vou até os fundos da casa, olho pra porta fechada. Bato na porta, e não tem resposta. Finalmente, me arrisco e abro.

Mas a cama tá vazia. Agora tenho que me contentar com a porta fechada do banheiro.

— Vou fazer meu trabalho aqui — grito. Não vem nenhuma resposta, mas sei que ela tá lá dentro. Sinto ela atrás da porta. Quero terminar de uma vez essa maldita conversa.

Ando pelo quarto com meu saco de roupas pra lavar, enfiando lá dentro a roupa suja de todo um final de semana. A porta do banheiro continua fechada, sem som nenhum. Sei que aquele banheiro ali tá uma confusão. Escuto pra ver se ouço algum sinal de vida enquanto coloco os lençóis bem esticados na cama. O travesseiro de apoio amarelo-claro é a coisa mais feia que eu já vi, embrulhado nas pontas como um grande cachorro-quente coberto de mostarda. Jogo ele sobre o colchão e aliso as cobertas.

Passo um pano sobre o criado-mudo, empilho as revistas *Look* no lado dela, o livro de bridge que ela encomendou. Arrumo os livros no criado-mudo do seu Johnny. Ele lê um monte. Pego *O sol é para todos* e viro ele.

---

* Novela mais antiga dos Estados Unidos, exibida pela CBS. Estreou em 2 de abril de 1956 e foi programada para terminar em 17 de setembro de 2010. (N.T.)

— Olhe só. — Um livro com negros. Faz eu me perguntar se algum dia vou ver o livro da dona Skeeter em cima de um criado-mudo. Não com o meu nome de verdade nele, isso é certo.

Finalmente, ouço um barulho, alguma coisa arranhando a porta do banheiro.

— Dona Celia — grito de novo. — Tou aqui. Só queria avisar.

Nada.

— Não é da minha conta o que tá acontecendo aí — digo pra mim mesma. Então grito: — Vou só fazer o meu trabalho e sair daqui antes que o seu Johnny chegue em casa com a pistola. — Espero que isso faça ela sair de lá. Não faz.

— Dona Celia, tem um pouco de Lady-a-Pinkam embaixo da pia. Beba isso e saia pra eu poder fazer o meu trabalho.

Finalmente paro e olho pra porta. Fui demitida ou não? E se não fui, vai ver ela tá tão bêbada que não consegue me ouvir. O seu Johnny pediu pra eu cuidar dela. Não acho que isso seria cuidar bem dela, se ela estiver bêbada na banheira.

— Dona Celia, diz alguma coisa pra eu saber que a senhora tá viva aí dentro.

— Estou bem.

Mas a voz dela não parece nada bem.

— São quase três horas. — Fico parada no meio do quarto. — O seu Johnny vai estar em casa logo logo.

Preciso saber o que tá acontecendo lá dentro. Preciso saber se ela tá caída, bêbada. E, se eu não fui demitida, preciso limpar o banheiro pro seu Johnny não pensar que a empregada secreta anda desleixada e me demitir uma segunda vez.

— Vamos lá, dona Celia, a senhora fez bobagem com a tinta de cabelo de novo? Ajudei a senhora da última vez, lembra? A gente conseguiu consertar bem rapidinho.

A maçaneta gira. Lentamente, a porta se abre. A dona Celia tá sentada no chão, à direita da porta. Seus joelhos tão encostados um no outro, as pernas encolhidas contra o peito, embaixo da camisola.

Eu me aproximo um pouquinho. De lado, vejo que o rosto dela tá da cor de amaciante de roupas, um azul-claro leitoso.

Também vejo que tem sangue dentro da privada. Muito sangue.

— A senhora tá com cólica, dona Celia? — sussurro. Sinto minhas narinas se dilatando.

A dona Celia não se vira. Tem um fio de sangue ao longo da bainha da camisola dela, como se tivesse caído pra dentro da privada.

— A senhora quer que eu ligue pro seu Johnny? — pergunto. Tento, mas não consigo parar de olhar pra aquela privada cheia de sangue. Porque tem mais alguma coisa lá dentro, além de líquido vermelho. Alguma coisa... sólida.

— *Não* — diz a dona Celia, olhando pra parede. — Pegue... a minha agenda de telefones.

Corro até a cozinha, pego a agenda de cima da mesa e corro de volta até o quarto. Mas, quando tento alcançar ela pra dona Celia, ela abana a mão.

— Por favor, ligue você — diz ela. — Em T, de dr. Tate. Não posso fazer isso de novo.

Folheio as folhas finas da agenda. Sei quem é o dr. Tate. Ele é médico da maior parte das mulheres brancas pra quem eu trabalhei. Ele também dá seu "tratamento especial" pra Elaine Fairley toda terça-feira, quando a mulher dele vai ao cabeleireiro. *Taft... Taggert... Tann. Graças a Deus.*

Meus dedos tremem sobre o disco do telefone. Uma mulher branca atende.

— Celia Foote, na estrada 22, no condado de Madison — digo a ela do melhor jeito possível, sem tagarelar demais. — Sim, senhora, muito, muito sangue... Ele sabe como chegar aqui? — Ela diz que sim, claro que sim, e desliga.

— Ele está vindo? — pergunta a dona Celia.

— Ele tá vindo — respondo. Outra onda de náusea toma conta de mim. Vai demorar muito tempo pra eu conseguir esfregar aquela privada de novo sem engasgar.

— Quer uma Coca-Cola? Vou pegar uma Coca-Cola pra senhora.

Na cozinha, pego uma Coca-Cola da geladeira. Volto pro quarto e coloco a garrafa sobre o azulejo do chão e recuo. Pro mais longe que posso daquela privada, sem deixar a dona Celia sozinha.

— Talvez a gente devia colocar a senhora na cama, dona Celia. A senhora acha que consegue se levantar?

A dona Celia se inclina pra frente e tenta se levantar. Entro ali pra ajudar e vejo que o sangue empapou toda a parte de trás da camisola, manchou os azulejos azuis com alguma coisa que parece cola vermelha encravada nos rejuntes. Mancha que não vai ser fácil remover.

Assim que ergo ela, a dona Celia escorrega num pouco de sangue e se segura na borda da privada pra se equilibrar.

— Deixe eu ficar aqui... Quero ficar aqui.

— Tá bem, então. — Recuo, de volta pro quarto. — O dr. Tate vai chegar aqui rapidinho. Iam ligar pra casa dele.

— Vem ficar comigo aqui, Minny? Por favor?

Mas tem uma brisa de ar quente ruim saindo daquela privada. Depois de pensar um pouco, me sento com metade da bunda no banheiro, metade fora. E, na altura dos olhos, sinto o cheiro direitinho. Cheira a carne, a hambúrguer degelando em cima da bancada. Quase entro em pânico quando penso nisso.

— Sai daí, dona Celia. A senhora precisa pegar um pouco de ar.

— Não posso manchar de sangue o... tapete, senão Johnny vai ver. — As veias do braço da dona Celia tão escuras embaixo da pele. O rosto dela tá cada vez mais branco.

— A senhora não tá com a cara boa. Beba um pouco dessa Coca-Cola.

Ela toma um golinho e diz:

— Oh, Minny.

— Há quanto tempo a senhora tá sangrando?

— Desde hoje de manhã — diz ela, e começa a chorar, enfiando o rosto na dobra do braço.

— Tá tudo bem, a senhora vai ficar bem — digo eu, e minha voz soa tranquilizadora, cheia de confiança, mas por dentro meu coração tá aos pulos. Claro, o dr. Tate tá vindo cuidar da dona Celia, mas, e aquilo dentro da privada? O que faço com aquilo, dou descarga? E se ficar preso nos canos? Vai ter que ser pescado. Oh, Senhor, como é que vou conseguir fazer isso?

— Tem tanto sangue. — Ela geme, se reclinando pro meu lado. — Por que tem tanto sangue desta vez?

Levanto o queixo e olho, só um pouquinho, dentro da privada. Mas preciso baixar o olhar rápido.

— Não deixe Johnny ver. Oh, Deus, quando... que horas são?

— Cinco pras três. A gente tem tempo.

— O que nós vamos fazer a respeito? — pergunta a dona Celia.

Nós. Deus me perdoe, mas eu bem que queria não ter um "*nós*" misturado nisso tudo.

Fecho os olhos e digo:

— Acho que uma de nós vai ter que tirar aquilo dali.

A dona Celia se vira pra mim com os olhos vermelhos.

— E colocar onde?

Não posso olhar pra ela.

— Acho que... na lata de lixo.

— Por favor, faça isso agora. — A dona Celia enfia a cabeça nos joelhos, como se tivesse vergonha.

Não tem nem mesmo um *nós* agora. Agora é *você* faz. *Você* pesca o meu nenê morto na privada.

E que escolha eu tenho?

Ouço um gemido sair de mim. O azulejo do chão tá me machucando. Eu me viro, dou um grunhido e tento pensar em como vai ser a coisa. Quero dizer, já fiz coisa pior que isso, não fiz? Nada me ocorre, mas tem que ter alguma coisa.

— Por favor — diz a dona Celia —, não consigo... mais olhar pra ele.

— Tá bem. — Aceno a cabeça, como se soubesse o que tou fazendo. — Vou cuidar disso.

Eu me levanto, tento ser prática. Sei onde vou colocá-lo — na lixeira branca ao lado da privada. E então jogar tudo fora. Mas o que vou usar pra tirar ele lá de dentro? Minha mão?

Mordo os lábios e tento ficar calma. Talvez seja melhor esperar. Talvez... talvez o médico queira levar isso com ele quando chegar! Pra examinar. Se eu conseguir fazer a dona Celia não pensar nisso uns minutos, talvez eu não precise mais resolver o problema.

— Vamos cuidar disso num minuto — digo, com aquela voz tranquilizadora. — De quanto tempo a senhora acha que tava? — Eu me aproximo um pouco da privada, não ouso parar de falar.

— Cinco meses? Não sei. — A dona Celia cobre o rosto com um pano. — Eu estava me preparando para tomar banho e senti ele fazendo pressão para baixo, machucando. Então me sentei na privada e saiu. Como se quisesse se *livrar de mim*. — Ela começa a soluçar de novo, os ombros se dobrando pra frente, sobre o corpo.

Com cuidado, eu abaixo a tampa da privada e volto a me sentar no chão.

— Como se ele preferisse morrer do que ficar dentro de mim mais um segundo.

— Agora, a senhora olha aqui, isso é coisa de Deus. Se alguma coisa não vai bem nas suas entranhas, a natureza precisa agir. Na segunda vez, vai pegar. — Mas então eu penso naquelas garrafas e sinto um fisgão de raiva.

— Essa foi... a segunda vez.

— Oh, Senhor.

— Nós nos casamos porque eu estava grávida — diz a dona Celia —, mas... mas... também saiu de mim.

Não consigo segurar mais nem um minuto.

— Então, por que diabos a senhora anda bebendo? A senhora sabe que não consegue segurar nenê nenhum com um litro de uísque nas veias.

— Uísque?

Oh, por favor. Não posso nem olhar pra ela, com aquela cara de "Uísque? Que uísque?". Pelo menos o cheiro não é tão ruim com a tampa fechada. Quando é que aquele maldito médico vai chegar?

— Você pensou que eu estava... — Ela balança a cabeça. — É tônico para grávidas. — Ela fecha os olhos. — De uma choctaw lá da paróquia Feliciana.

— Choctaw? — Pisco. Ela é mais estúpida do que eu jamais pensei. — Não se pode confiar nos índios. A senhora não sabe que nós envenenamos as lavouras de milho deles? E se ela tá tentando envenenar a senhora?

— O dr. Tate disse que é só melado e água. — Ela chora, a cara enfiada na toalha. — Mas eu tinha que tentar. Eu *tinha*.

Bem. Fico surpresa de ver como meu corpo relaxa, como fico aliviada com isso.

— Não tem problema nenhum em demorar um pouco, dona Celia. Acredita em mim, eu tenho cinco filhos.

— Mas o Johnny quer ter filhos agora. Oh, Minny. — Ela balança a cabeça de um lado pro outro. — O que ele vai fazer comigo?

— Ele vai superar, só isso. Ele vai esquecer esses nenês, pois os homens são bons nisso. Vai logo ficar esperando pelo próximo.

— Ele não sabe sobre esse aqui. Nem do outro.

— A senhora disse que foi por isso que ele casou com a senhora.

— Na primeira vez ele sabia. — A dona Celia suspira muito fundo. — Mas esta vez, na verdade, é... a quarta.

Ela para de chorar e eu fico sem nada de bom pra falar. Por um minuto, nós duas somos só duas pessoas se perguntando por que as coisas têm de ser do jeito que são.

— Pensei — sussurra ela — que, se eu ficasse bem parada, se eu trouxesse alguém pra cuidar da casa e fazer a comida, talvez eu conseguisse segurar esse. — Ela chora de novo na toalha. — Eu queria que esse bebê fosse que nem o Johnny.

— O seu Johnny é um homem bonito. Tem cabelo...

A dona Celia abaixa a toalha do rosto.

Faço um gesto no ar com a mão, me dando conta do que acabei de dizer.

— Preciso pegar um pouco de ar. Tá quente aqui.

— Como você sabe...?

Olho ao redor e tento pensar numa mentira, mas acabo suspirando.

— Ele sabe. O seu Johnny veio pra casa e me encontrou.

— *O quê?*

— Sim, madame. Ele disse pra eu não falar nada, só pra senhora continuar achando que ele tava orgulhoso da senhora. Ele ama muito a senhora, dona Celia. Vi na cara dele.

— Mas... Há quanto tempo ele sabe?

— Alguns... meses.

— Meses? Ele... ele ficou chateado por eu ter mentido?

— Ora, não. Ele até ligou lá pra casa umas semanas depois pra ter certeza que eu não tava com planos de ir embora. Disse que tava com medo de morrer de fome, se eu fosse embora.

— Oh, Minny. — Ela chora. — Me desculpe. Sinto muito por tudo.

— Já passei por coisa pior. — Fico pensando no meu cabelo pintado de azul. Almoçar no frio enregelante. E agora. Ainda tem o nenê na privada, alguém vai ter que dar um jeito nele.

— Eu não sei o que fazer, Minny.

— Se o dr. Tate diz pra senhora continuar tentando, então acho que a senhora deve continuar tentando.

— Ele grita comigo. Diz que estou perdendo meu tempo na cama. — Ela balança a cabeça. — Ele é um homem mau, terrível.

Ela pressiona a toalha contra os olhos, com força.

— Não consigo mais. — E, quanto mais ela chora, mais branca ela fica.

Tento dar a ela mais alguns goles de Coca-Cola, mas ela não bebe. Mal consegue erguer a mão.

— Eu vou... vomitar. Eu...

Pego a lata de lixo e vejo a dona Celia vomitar lá dentro. Então, sinto uma coisa molhada, olho pra baixo e o sangue tá vindo tão rápido agora que chegou até onde tou sentada. Quanto mais ela faz força, mais sangue ela perde. Sei que ela tá perdendo mais sangue do que uma pessoa pode suportar.

— Senta, dona Celia! Respira fundo agora — digo, mas ela tá caindo contra mim. — Não, não, a senhora não quer se deitar. Vamos lá. — Trato de erguer ela, mas ela não consegue caminhar, e sinto lágrimas nos meus olhos porque esse maldito médico já devia ter chegado. Ele devia ter mandado uma ambulância, e, nos vinte e cinco anos que trabalhei limpando casas, ninguém nunca me disse o que fazer quando a patroa branca cai morta em cima de você.

— Vamos lá, dona Celia! — grito, mas ela é uma massa sem forma nem força do meu lado, e não tem nada que eu posso fazer, além de ficar sentada lá, tremendo, esperando.

Muitos minutos se passam até a campainha dos fundos tocar. Apoio a cabeça da dona Celia numa toalha, tiro o sapato pra não deixar pegadas de sangue pela casa toda, e corro pra porta.

— Ela desmaiou! — digo pro doutor, e a enfermeira passa por mim, me empurrando, e vai entrando na casa como quem conhece o caminho. Ela tira pra fora sais amoníacos e coloca embaixo do nariz da dona Celia, e a dona Celia mexe a cabeça, dá um gritinho e abre os olhos.

A enfermeira me ajuda a tirar a camisola ensanguentada da dona Celia. Ela tá com os olhos abertos, mas mal consegue ficar em pé. Forro a cama com toalhas velhas e deitamos ela. Vou até a cozinha, onde o dr. Tate tá lavando as mãos.

— Ela tá no quarto — digo. *Não na cozinha, sua cobra.* Ele tem uns cinquenta e poucos anos, o dr. Tate, e é mais alto que eu uns bons quarenta centímetros. A pele dele é muito branca, e o rosto comprido não demonstra sentimento nenhum. Finalmente ele vai pro quarto.

Um segundo antes dele abrir a porta, eu cutuco o braço dele.

— Ela não quer que o marido saiba. Ele não vai ficar sabendo, vai?

Ele olha pra mim como quem olha pra um negro e diz:

— Você acha que não é do interesse dele? — Ele entra no quarto e bate a porta na minha cara.

Vou até a cozinha e fico andando de um lado pro outro. Meia hora se passa, então uma hora, e fico preocupada, pensando que o seu Johnny vai chegar em casa e descobrir tudo, que o dr. Tate vai ligar pra ele, preocupada que eles vão deixar aquele nenê na privada pra eu ter que resolver depois. Minha cabeça tá latejando. Finalmente, ouço o dr. Tate abrir a porta.

— Ela tá bem?

— Está histérica. Dei uma pílula para acalmá-la.

A enfermeira passa ao redor da gente e atravessa a porta dos fundos, carregando uma caixa de metal. Respiro pelo que parece ser a primeira vez em horas.

— Observe ela amanhã — diz ele, me entregando um saquinho de papel. — Dê outro comprimido, se ela ficar muito agitada. Vai haver mais sangramento. Mas só me ligue se for muito intenso.

— O senhor não vai falar pro seu Johnny sobre isso, vai, dr. Tate?

Ele faz um som sibilante, doentio.

— Certifique-se de que ela não falte à consulta na sexta-feira. Não virei até aqui só porque ela é preguiçosa demais para ir até o consultório.

Ele sai, batendo a porta.

O relógio da cozinha tá marcando cinco horas. O seu Johnny vai chegar em casa em meia hora. Pego a garrafa de Clorox, panos de chão e um balde.

SRTA. SKEETER

CAPÍTULO 19

É 1963. Era Espacial, como estão chamando. Um homem deu a volta na Terra em um foguete. Inventaram uma pílula para que mulheres casadas não precisem ficar grávidas. Uma lata de cerveja se abre com a ajuda de um só dedo, e não com um abridor de latas. E, mesmo assim, a casa dos meus pais é tão quente quanto em 1899, o ano em que meu bisavô a construiu.

— Mamãe, por favor — imploro —, quando é que vamos ter ar-condicionado?

— Sobrevivemos até hoje sem frescor elétrico e não tenho nenhuma intenção de mandar instalar um desses aparelhos horrorosos na minha janela.

E, assim, à medida que julho avança, sou forçada a sair do meu quarto no sótão para uma cama de armar na varanda dos fundos, que é protegida por tela contra mosquitos. Quando éramos crianças, Constantine costumava dormir aqui fora com Carlton e comigo no verão, quando mamãe e papai iam para casamentos fora da cidade. Constantine dormia usando uma camisola antiquada, fechada até o pescoço e que descia até os dedos dos pés, mesmo se fizesse tanto calor quanto no Hades. Ela costumava cantar para nós, para pegarmos no sono. A voz dela era tão linda que eu não conseguia entender como nunca tinha tido aulas de canto. Mamãe sempre me havia dito que uma pessoa não consegue aprender nada direito, se não tiver aulas decentes. Simplesmente é irreal para mim o fato de que ela estava aqui, bem aqui nesta varanda, e agora não está mais. E ninguém me diz nada. Eu me pergunto se vou tornar a vê-la.

Ao lado da cama de armar, minha máquina de escrever repousa sobre uma mesinha de lavanderia esmaltada em branco e enferrujada. Embaixo está a minha bolsa vermelha. Pego o lenço de papai e enxugo a testa, pressiono um pouco de gelo nos pulsos. Até mesmo na varanda, o termômetro da Avery Lumber Company se eleva de trinta e um para trinta e cinco graus, depois para trinta e oito. Por sorte, Stuart não vem aqui durante o dia, quando o calor é até mesmo pior.

Olho para a máquina de escrever, sem nada para fazer, nada para escrever. As histórias de Minny já estão terminadas e datilografadas. É um sentimento incômodo. Duas semanas atrás, Aibileen me disse que Yule May, a empregada de Hilly, talvez nos ajudasse, que ela demonstra um pouco mais de interesse a cada vez que Aibileen fala com ela. Mas, com o assassinato de Medgar Evers e com gente de cor sendo presa e espancada pela polícia, tenho certeza de que está morta de medo.

Talvez eu devesse ir até a casa de Hilly falar eu mesma com Yule May. Mas não, Aibileen está certa, provavelmente eu a assustaria mais ainda e arruinaria a chance que temos.

Embaixo da casa, os cachorros bocejam, choramingam por causa do calor. Um deles força um latido quando os empregados de papai, cinco negros, estacionam uma caminhonete um pouco adiante. Os homens pulam da caçamba, levantando poeira ao aterrissar no chão. Ficam em pé por um momento, inexpressivos, estupidificados. Aquele que é o chefe esfrega um pano vermelho na testa negra, nos lábios, no pescoço. Está tão indecentemente quente que não entendo como é que eles conseguem ficar cozinhando lá fora no sol.

Numa rara brisa, minha revista *Life* sai voando. Audrey Hepburn sorri na capa, sem qualquer gotícula de suor sobre o lábio superior. Eu a apanho e folheio as páginas amassadas, vou até a matéria sobre a Garota Espacial Soviética. Já sei o que tem na página seguinte. Embaixo do rosto dela há uma fotografia de Carl Roberts, um professor de escola negro, de Pelahatchie, a sessenta quilômetros daqui. "Em abril, Carl Roberts disse a repórteres de Washington o que significa ser um negro no Mississippi, chamando o governador de 'um homem patético, com a moral de um mendigo'. Roberts foi encontrado marcado como gado e enforcado numa nogueira."

Mataram Carl Roberts por ter se pronunciado, por ter *falado*. Penso em como achei que seria fácil, três meses atrás, conseguir uma dúzia de empregadas dispostas a falar comigo. Como se estivessem esperando, esse tempo todo, para desembuchar suas histórias para uma mulher branca. Como fui burra.

Quando não consigo suportar o calor nem mais um segundo, vou me sentar no único lugar fresco de Longleaf. Ligo a ignição e fecho as janelas, levanto o vestido até as calcinhas e deixo o golpe de ar me atingir completamente. À medida que reclino a cabeça para trás, o mundo se evapora, tocado pelo cheiro de Freon e pelo couro do Cadillac. Ouço um caminhão se aproximar pela entrada, mas não abro os olhos. Um segundo depois, a porta do passageiro se abre.

— Nossa, como está bom aqui.

Trato de cobrir as pernas com o vestido.

— O que você está fazendo aqui?

Stuart fecha a porta e me dá um beijo rápido na boca.

— Só tenho alguns minutos. Preciso dirigir até o litoral, para uma reunião.

— Quanto tempo você vai ficar lá?

— Três dias. Preciso pegar uns caras do conselho de petróleo e gás do Mississippi. Eu queria ter sabido disso antes.

Ele estende a mão, pega a minha, e eu sorrio. Temos saído duas vezes por semana há dois meses, sem contar a noite horrorosa. Acho que isso é pouco tempo, no parâmetro das outras moças. Mas é o que de mais longo já aconteceu comigo, e, nesse momento, me parece também o que de melhor aconteceu.

— Quer vir? — pergunta ele.

— Para Biloxi? Agora?

— Agora — diz ele, e coloca a palma da sua mão fresca sobre a minha perna. Como sempre, estremeço um pouco. Olho para baixo, para sua mão, e então para cima, para me certificar de que mamãe não está nos espiando.

— Vamos lá, está muito quente aqui. Vou ficar no Edgewater, bem pertinho da praia.

Eu rio e a sensação é boa, depois de toda a preocupação que passei nas últimas semanas.

— Você quer dizer, no Edgewater... juntos? No mesmo quarto?

Ele faz que sim.

— Acha que consegue dar uma fugida?

Elizabeth ficaria mortificada ao pensamento de dividir o quarto com um homem antes do casamento, Hilly diria que eu sou burra de sequer considerar a possibilidade. Elas se aferraram às suas virgindades com a determinação de crianças que se recusam a dividir os brinquedos. E, mesmo assim, eu considero a possibilidade.

Stuart chega mais perto. Ele cheira a pinho e a tabaco queimado, sabonetes caros do tipo que minha família jamais usou.

— Minha mãe teria um ataque, Stuart, além do mais eu tenho um monte de coisas para fazer... — Mas, Deus, como é bom o cheiro dele. Ele olha para mim como quem quer me devorar, e eu estremeço ao ar frio do Cadillac.

— Tem certeza? — sussurra ele e então beija minha boca, não tão comedidamente quanto antes. A mão dele ainda está na parte superior da minha coxa, e eu me pego me perguntando se ele agia assim com a noiva, Patricia. Sequer sei se foram para a cama juntos. O pensamento deles dois se tocando me deixa enjoada e eu me afasto.

— Eu... não posso — digo. — Você sabe que eu não poderia falar a verdade à minha mãe.

Ele emite um longo e lamentoso suspiro, e eu adoro seu olhar de desapontamento. Agora entendo por que as moças resistem: por causa desse doce olhar pidão.

— Não minta para ela — diz ele. — Você sabe que eu odeio mentiras.

— Você vai me ligar do hotel? — pergunto.

— Vou sim — responde ele. — Me desculpe ter que ir embora tão rápido. Oh, e quase esqueci, daqui a três semanas, no sábado à noite. Minha mãe e meu pai querem que vocês todos venham jantar conosco.

Eu me endireito no banco. Nunca me encontrei com os pais dele.

— O que você quer dizer com... vocês todos?

— Você e seus pais. Vir até a cidade, conhecer a minha família.

— Mas... por que todos nós?

Ele dá de ombros.

— Meus pais querem conhecer seus pais. E eu quero que eles conheçam você.

— Mas...

— Desculpe, querida — diz ele, e coloca o meu cabelo atrás da orelha —, preciso ir. Ligo para você amanhã à noite, está bem?

Faço que sim. Ele iça a si próprio para o calor e se afasta no carro, acenando para o meu pai, que está subindo a alameda poeirenta.

Fico sozinha no Cadillac, preocupada. Jantar na casa do senador. Com mamãe fazendo mil perguntas. Parecendo desesperada, pelo meu próprio bem. Mencionando fundos de investimentos algodoeiros.

Três longas, excruciantes e tórridas noites depois, sem que eu tenha tido notícia de Yule May ou outras empregadas, Stuart aparece, recém-chegado da sua reunião na costa. Estou cansada de ficar sentada à máquina de escrever, redigindo apenas boletins e a coluna da sra. Myrna. Desço correndo os degraus, e ele me abraça como se tivessem passado semanas.

Stuart está queimado de sol sob a camisa branca, cujas costas estão amassadas de dirigir, as mangas arregaçadas. Ele mostra um perpétuo, quase demoníaco sorriso. Nós dois sentamos em lados opostos da sala de estar íntima, olhando um para o outro. Estamos esperando que mamãe vá se deitar. Papai foi dormir quando o sol se pôs.

Os olhos de Stuart não desgrudam dos meus enquanto mamãe reclama do calor e comenta que Carlton finalmente encontrou a mulher certa.

— E estamos entusiasmados com o jantar com a sua família, Stuart. Por favor, diga à sua mãe.

— Sim, senhora. Com certeza direi.

Ele sorri para mim de novo. Tem tantas coisas que eu adoro nele. Ele me olha direto nos olhos quando conversamos. As palmas das suas mãos são calejadas, mas suas unhas são limpas e bem-cuidadas. Adoro sentir a barba dele no meu pescoço. E eu estaria mentindo se não admitisse que é bom ter alguém com quem ir a casamentos e festas. Não ter que aguentar o olhar de Raleigh Leefolt quando vê que os estou seguindo de novo. O torpor mal-humorado de quando ele precisa carregar meu casaco além do da Elizabeth, pegar um drinque para mim.

De repente aqui está Stuart, aqui em casa. A partir do minuto que ele chega, estou protegida, livre. Mamãe não me critica na frente dele, de medo que ele perceba os meus defeitos. Não pega no meu pé na frente dele, pois sabe que eu reagiria mal, reclamaria. Diminuiria as minhas chances. É tudo um grande jogo para mamãe, mostrar só um dos meus lados, o meu eu verdadeiro não deve aparecer, só quando for "tarde demais".

Finalmente, às nove e meia, mamãe alisa a saia, dobra o cobertor lenta e cuidadosamente, como uma carta guardada com todo o carinho.

— Bem, acho que está na hora de ir para a cama. Vou deixar os jovens sozinhos. Eugenia? — Ela me faz um sinal com os olhos. — Não muito tarde, hein?

Sorrio com candura. Maldição, já tenho vinte e três anos.

— Claro que não, mamãe.

Ela sai, e nós continuamos sentados, nos encarando, sorrindo.

Esperando.

Mamãe passa devagar pela cozinha, fecha uma janela, liga a torneira. Alguns segundos se esvaem e nós ouvimos o claque-clique da porta do quarto dela se fechando. Stuart se levanta e diz:

— Vem *cá* — e num pulo ele está do meu lado e coloca minhas mãos na sua cintura e beija a minha boca como se eu fosse a bebida pela qual estivera ansiando o dia todo, e eu ouvi moças contarem que essa sensação é como derreter. Mas eu acho que é mais como se levantar, ficar ainda mais alta e conseguir ver por cima de uma sebe cores que você nunca viu antes.

Preciso me forçar a me afastar dele. Tenho coisas para falar.

— Venha aqui. Sente-se.

Sentamos um ao lado do outro no sofá. Ele tenta me beijar de novo, mas inclino a cabeça para trás. Tento não ver que o bronzeado deixa seus olhos ainda mais azuis. Ou que os pelos nos seus braços estão dourados, clarinhos.

— Stuart — engulo, me preparando para a temível pergunta. — Quando você era noivo, seus pais ficaram desapontados? Quando aconteceu... seja lá o que foi que aconteceu com Patricia?

Imediatamente uma tensão se forma em torno da sua boca. Ele me olha.

— Mamãe ficou desapontada. Elas eram bem próximas.

Já me arrependo de ter puxado o assunto, mas preciso saber.

— Quão próximas?

Ele lança um olhar pela sala.

— Você tem algo de beber na casa? Bourbon?

Vou até a cozinha e lhe sirvo um copo da garrafa que Pascagoula usa para cozinhar, depois a preencho com bastante água. Stuart deixou claro, na primeira vez que apareceu na minha varanda, que a ex-noiva era um assunto desagradável. Mas preciso saber o que foi essa coisa que aconteceu. Não só porque estou curiosa. Nunca tive um namorado. Preciso saber no que constitui terminar um namoro para sempre. Preciso saber quantas regras a gente pode quebrar até ser descartada e, para começar, que regras são essas.

— Então elas eram boas amigas? — pergunto. Vou conhecer a mãe dele daqui a duas semanas. Mamãe já programou nossa ida à Kennington amanhã para as compras.

Ele toma um gole longo e franze o cenho.

— Elas se enfiavam numa sala e trocavam anotações sobre arranjos de flores e sobre quem se casou com quem. — Todo e qualquer traço do seu sorriso maroto se foi, agora. — Mamãe ficou bem abalada. Depois que... tudo desandou.

— Então... ela vai me comparar com Patricia?

Stuart pisca os olhos para mim, por um segundo.

— Provavelmente.

— Ótimo. Mal posso esperar.

— Minha mãe só é... protetora, só isso. Ela tem medo que eu me machuque novamente. — Ele desvia o olhar do meu.

— Onde está Patricia agora? Ela ainda mora aqui ou...

— Não. Ela se foi. Se mudou para a Califórnia. Podemos falar sobre outra coisa agora?

Suspiro e largo meu corpo no sofá.

— Bem, seus pais pelo menos sabem o que aconteceu? Quero dizer, será que posso saber isso? — Pois sinto um rompante de raiva por ele não me contar algo tão importante.

— Skeeter, eu disse para você, detesto falar... — Mas então ele aperta os dentes, a voz sai mais baixa. — Meu pai sabe só parte da história. Minha mãe sabe a verdade, como os pais da Patricia. E, claro, *ela* sabe. — Ele engole de uma vez só o resto da bebida. — Ela sabe o que fez, sem dúvida alguma.

— Stuart, eu só quero saber para não fazer a mesma coisa.

Ele olha para mim e tenta rir, mas o som sai mais como um grunhido.

— Nem em um milhão de anos você faria o que ela fez.

— O quê? O que ela fez?

— Skeeter. — Ele suspira e larga o copo. — Estou cansado. É melhor eu ir para casa.

NA MANHÃ SEGUINTE, entro na cozinha úmida e quente, já temendo o dia que se anuncia. Mamãe está no quarto, se preparando para nossa ida às compras em busca de trajes para nós duas, para o jantar nos Whitworth. Estou vestindo calça jeans e uma blusa para fora da calça.

— Bom dia, Pascagoula.

— Bom dia, dona Skeeter. Quer seu café da manhã de sempre?

— Sim, por favor — digo.

Pascagoula é pequena e ligeira. Eu disse a ela em junho que gostava de tomar café preto e torradas com pouca manteiga, e ela nunca mais precisou perguntar. Sob esse aspecto, ela é como Constantine, nunca se esquece de nada em relação a nós. Isso faz eu me perguntar quantos cafés da manhã de mulheres brancas ela tem gravados no cérebro. Eu me pergunto como é passar a vida toda tentando lembrar das preferências das outras pessoas quanto a torradas e farináceos e lençóis.

Ela coloca o café na minha frente. Não me entrega ele na mão. Aibileen me explicou que é assim que se faz, porque senão as mãos das duas pessoas podem se tocar. Não me lembro como Constantine fazia.

— Obrigada — digo —, muito obrigada.

Ela fica piscando por um momento e sorri ligeiramente.

— De... nada.

Percebo que essa foi a primeira vez que agradeci a ela sinceramente. Ela parece desconfortável.

— Skeeter, está pronta? — Ouço mamãe chamar lá dos fundos. Grito que sim. Como a torrada e espero que a gente consiga terminar rapidamente essa ida às compras. Tenho dez anos a mais do que a idade em que a minha mãe ainda poderia escolher roupas para mim. Vejo que Pascagoula está junto à pia, me observando. Ela desvia o olhar quando olho para ela.

Folheio o *Jackson Journal* que está em cima da mesa. Minha próxima coluna da sra. Myrna só vai sair na segunda-feira que vem, desvendando o mistério das manchas de água em madeira. Na seção de notícias nacionais, há um artigo sobre um novo remédio, "Valium", é como estão chamando, "para ajudar as mulheres a suportarem os desafios cotidianos". Deus, eu bem que poderia tomar umas dez dessas pílulas agora.

Levanto os olhos e, surpresa, vejo Pascagoula parada ao meu lado.

— Você está... você precisa de alguma coisa, Pascagoula? — pergunto.

— Preciso dizer uma coisa pra senhorita, dona Skeeter. Uma coisa sobre...

— Você não pode usar macacão na Kennington — diz mamãe junto à porta de entrada. Feito vapor, Pascagoula desaparece do meu lado. Está de volta junto à pia, esticando um pedaço de mangueira de borracha preta da torneira até a máquina de lavar louças.

— Suba e vista alguma coisa apropriada.

— Mãe, estou vestida com isto. Qual o objetivo de se arrumar para ir comprar roupas novas?

— Eugenia, por favor, não torne isso mais difícil do que já é.

Mamãe volta para o quarto, mas sei que as coisas não vão terminar por aí. O zumbido da máquina de lavar louças enche o cômodo. O chão vibra sob meus pés descalços, e a vibração é tranquilizante, alta o suficiente para esconder uma conversa. Olho Pascagoula junto à pia.

— Você queria me dizer alguma coisa, Pascagoula? — pergunto.

Pascagoula lança um olhar para a porta. Ela é bem pequena, praticamente metade da minha altura. Seu jeito é muito tímido, e abaixo a cabeça ao falar com ela. Ela se aproxima um pouco.

— Yule May é minha *prima* — fala Pascagoula, acima do som da máquina. Ela está sussurrando, mas não tem nada de tímido no tom da sua voz, agora.

— Eu... não sabia disso.

— A gente é bem próxima, e ela vai na minha casa um final de semana sim, outro não, pra ver como eu tou. Ela me contou o que a senhorita tá fazendo. — Ela aperta os olhos, e penso que está prestes a me dizer para deixar a prima dela em paz.

— Eu... nós estamos mudando os nomes. Ela contou isso para você, não? Não quero arranjar problemas para ninguém.

— Ela me disse que vai ajudar a senhorita no sábado. Tentou ligar pra Aibileen, mas não achou ela. Eu queria ter avisado a senhorita antes, mas... — De novo ela lança um olhar para a porta.

Estou estupefata.

— Ela vai? Vai mesmo? — Eu me levanto. Apesar do meu bom-senso, não consigo deixar de convidá-la: — Pascagoula, você... você também quer me ajudar com as histórias?

Ela me lança um olhar longo e inabalável.

— A senhorita quer dizer, contar como é trabalhar pra... sua mãe?

Olhamos uma para a outra, pensando provavelmente a mesma coisa. O desconforto dela falando, o meu desconforto ouvindo.

— Não sobre a minha mãe — respondo, rapidamente. — Outros empregos, outros lugares que você tenha trabalhado antes daqui.

— Esse é meu primeiro trabalho como doméstica. Eu costumava trabalhar no Lar das Senhoras, servindo almoço. Antes dele ser transferido para Flowood.

— Você quer dizer que minha mãe não se importou de este ser seu primeiro emprego numa casa?

Pascagoula olha para o linóleo vermelho do chão da cozinha, tímida de novo.

— Ninguém mais queria trabalhar pra ela — diz. — Não depois do que aconteceu com Constantine.

Com cuidado, coloco a mão sobre a mesa.

— O que você achou... do que aconteceu?

O rosto de Pascagoula perde toda a expressão. Ela pisca algumas vezes, claramente entendendo a minha intenção.

— Não sei de nada. Eu só queria dizer pra senhorita o que Yule May disse. — Ela vai até o refrigerador, abre e se inclina lá para dentro.

Eu dou um longo e profundo suspiro. Uma coisa de cada vez.

FAZER COMPRAS COM A MINHA MÃE não é tão insuportável quanto costuma ser, provavelmente porque estou muito bem-humorada por ter tido notícias de Yule May. Mamãe fica sentada numa cadeira no provador, e eu escolho o primeiro traje social que experimentei, de popelina azul-clara com um casaquinho de gola careca. Deixamos na loja para que aumentem a bainha. Fico surpresa ao ver que mamãe não experimenta nada. Depois de apenas uma hora e meia, ela diz que está cansada, então volto dirigindo até Longleaf. Mamãe vai direto para o quarto, para tirar uma soneca.

Quando chegamos em casa, ligo para a casa de Elizabeth, com o coração aos pulos, mas é Elizabeth quem atende o telefone. Não tenho coragem de pedir para falar com Aibileen. Depois do susto da bolsa, prometi a mim mesma que seria mais cuidadosa.

Então espero até a noite, com esperança de que Aibileen esteja em casa. Eu me sento na lata de farinha, os dedos brincando com um saco de arroz. Ela responde no primeiro toque.

— Ela vai nos ajudar, Aibileen. Yule May disse sim!

— Disse o quê? Quando você descobriu?

— Hoje à tarde. Pascagoula me disse. Yule May não conseguiu falar com você.

— Senhor, meu telefone foi cortado porque tou curta de dinheiro esse mês. Você falou com Yule May?

— Não, pensei que seria melhor você falar com ela antes.

— O estranho é que liguei pra casa da dona Hilly hoje à tarde, da casa da dona Leefolt, mas ela disse que Yule May não trabalha mais lá e desligou. Andei perguntando por aí, mas ninguém sabe de nada.

— Hilly a demitiu?

— Não sei. Eu tava esperando que ela tivesse pedido demissão.

— Vou ligar para Hilly e descobrir. Deus, espero que ela esteja bem.

— E agora que meu telefone tá funcionando de novo, vou continuar tentando falar com Yule May.

Ligo quatro vezes para a casa de Hilly, mas o telefone só chama. Finalmente ligo para a casa de Elizabeth, e ela me diz que Hilly foi para Port Gibson passar a noite. Que o pai de William está doente.

— Aconteceu alguma coisa... com a empregada dela? — pergunto tão casualmente quanto possível.

— Ela mencionou, sim, alguma coisa sobre Yule May, mas então disse que estava atrasada e que precisava levar as bagagens para o carro.

Passo o resto da noite na varanda atrás da casa, ensaiando perguntas, nervosa por causa das histórias que Yule May pode contar sobre Hilly. Apesar das nossas diferenças, Hilly ainda é uma das minhas amigas mais próximas. Mas o livro, agora que está andando novamente, é mais importante do que tudo.

À meia-noite, me deito na cama de armar. Os grilos cantam no lado de fora da tela. Deixo meu corpo afundar no colchão fino contra as molas. Meus pés sobram na ponta da cama de armar, dançam nervosamente, aliviados pela primeira vez em meses. Não é uma dúzia de empregadas, mas é uma a mais.

NO DIA SEGUINTE, estou sentada em frente à tevê assistindo ao noticiário do meio-dia. Charles Warring está me dizendo que sessenta soldados americanos foram mortos no Vietnã. Parece tão triste. Sessenta homens, num lugar muito distante dos seus entes queridos, precisaram morrer. Acho que é por causa de Stuart que isso me incomoda tanto, mas Charles Warring parece lugubremente entusiasmado com tudo.

Pego um cigarro, mas torno a guardá-lo no maço. Tento não fumar, mas estou nervosa por causa de hoje à noite. Mamãe está me enchendo a paciência por eu fumar, e sei que deveria parar, mas também não é uma coisa que vai me matar. Eu queria fazer mais perguntas a Pascagoula sobre o que Yule May disse, mas Pascagoula ligou hoje de manhã e disse que estava com um problema e que só conseguiria vir à tarde.

Posso ouvir mamãe na varanda dos fundos, ajudando Jameso a fazer sorvete. Mesmo na frente da casa, posso ouvir o barulho de gelo sendo quebrado, do sal sendo esmagado. O som é delicioso, me dá vontade de tomar sorvete agora mesmo, mas vai demorar horas até ficar pronto. Claro, ninguém faz sorvete ao meio-dia de um dia quente, é uma tarefa para a noite, mas mamãe enfiou na cabeça de fazer sorvete de pêssego, e o calor que se dane.

Vou até a varanda dos fundos e olho. A enorme máquina prateada está gelada e suada. O chão da varanda vibra. Jameso está sentado em um balde emborcado, com as pernas abertas abraçando a máquina, girando a manivela de madeira com as mãos enfiadas em luvas. Vapor se levanta do recipiente de gelo seco.

— Pascagoula já chegou? — pergunta mamãe, colocando mais nata na máquina.

— Ainda não — respondo. Mamãe está suando. Ela puxa uma mecha solta de cabelo para trás da orelha. — Deixe que eu coloco um pouco a nata, mamãe. Parece que a senhora está com calor.

— Você não vai fazer direito. Eu preciso fazer — diz e faz sinal para eu entrar na casa.

No noticiário, Roger Sticker está relatando os acontecimentos na frente da agência de correios de Jackson com o mesmo sorriso estúpido repórter de guerra.

— ... este sistema moderno de codificação postal é chamado C-C-CEP, é isso aí, eu disse C-C-CEP, cinco números a serem escritos na parte inferior do seu envelope...

Ele está exibindo uma carta, mostrando onde os números devem ser escritos. Um homem desdentado, usando macacão, diz:

— Ninguém vai usar esses números. O povo ainda tá tentando se acostumar com o telefone.

Ouço a porta da frente se fechar. Um minuto se passa, e Pascagoula entra na sala de estar.

— A mamãe está lá na varanda dos fundos — digo, mas Pascagoula não sorri, nem levanta a cabeça para me olhar nos olhos. Ela só me entrega um pequeno envelope.

— Ela ia colocar no correio, mas falei que era melhor eu trazer pra senhorita.

O envelope está endereçado a mim, sem nome de remetente. Certamente sem número de CEP. Pascagoula sai caminhando em direção à varanda dos fundos.

Abro a carta. A caligrafia é em caneta preta, escrita sobre as linhas azuis e paralelas de papel pautado:

Prezada srta. Skeeter,

Quero que a senhorita saiba como lamento não poder lhe ajudar com as histórias. Mas agora não posso e quero ser eu a lhe dizer por quê. Como a senhorita sabe, eu trabalhava para uma amiga sua. Eu não gostava de trabalhar para ela e muitas vezes quis pedir demissão, mas tinha medo. Eu tinha medo de nunca mais conseguir nenhum emprego quando ela falasse de mim.

A senhorita provavelmente não sabe que, depois de terminar a escola secundária, fui para a faculdade. Eu teria me formado, só que decidi me casar. É um dos meus poucos arrependimentos na vida, não ter obtido meu diploma universitário. Mas tenho dois meninos gêmeos que fazem tudo valer a pena. Durante dez anos, meu marido e eu economizamos nosso dinheiro para mandá-los para Tougaloo College, mas não importava o quanto trabalhássemos, não tínhamos o suficiente para dois. Meus meninos são igualmente espertos, igualmente sedentos por educação. Mas só tínhamos dinheiro para um, e eu lhe pergunto: como é que você escolhe qual dos seus filhos deve ir para a faculdade e qual deve arranjar um emprego espalhando piche? Como é que você diz para um que você o ama tanto quanto o outro, mas decidiu que não vai ser ele quem vai ter uma chance na vida? Não se faz isso. Você encontra uma maneira de tornar a coisa possível. Qualquer maneira que seja.

Acho que a senhorita pode ler esta carta como uma carta de confissão de culpa. Eu roubei daquela mulher. Um anel de rubi feioso, esperando que cobrisse os custos universitários restantes. Algo que ela nunca usou e que eu sentia que ela me devia por tudo que eu havia passado trabalhando para ela. Claro que agora nenhum dos meus meninos vai para a faculdade. O valor da multa do tribunal chega quase ao que havíamos poupado.

Sinceramente,

Yule May Crookle

Pavilhão feminino 9

Penitenciária Estadual do Mississippi

A *penitenciária*. Estremeço. Olho ao redor, procurando por Pascagoula, mas ela saiu do cômodo. Quero perguntar a ela quando isso aconteceu, como aconteceu tão rápido, droga? O que pode ser feito? Mas Pascagoula foi lá para fora, para ajudar mamãe. Não podemos falar lá fora. Eestou me sentindo enjoada, com náuseas. Desligo a televisão.

Penso em Yule May, sentada numa cela da prisão, escrevendo essa carta. Aposto que sei até mesmo a que anel Yule May está se referindo — a mãe de Hilly deu a ela pelo aniversário de dezoito anos. Hilly mandou fazer uma avaliação, alguns anos atrás, e descobriu que o anel sequer era de rubi, era só uma granada, quase não vale nada. Hilly nunca mais usou o anel. Minhas mãos se fecham.

O som do sorvete sendo batido lá fora parece o de ossos sendo esmigalhados. Vou até a cozinha, para esperar por Pascagoula, esperar por respostas. Vou falar sobre isso com papai. Vou ver se tem algo que ele possa fazer. Se ele conhece algum advogado que estaria disposto a ajudá-la.

NAQUELA NOITE, subo os degraus que levam até a porta de Aibileen às oito em ponto. Essa deveria ser a primeira entrevista com Yule May, e, mesmo sabendo que ela não vai acontecer, decidi vir. Está chovendo e ventando muito forte, de forma que aperto bem minha capa de chuva contra meu corpo e contra a bolsa. Pensei em ligar para Aibileen para conversar sobre a situação, mas não consegui reunir a coragem necessária. Em vez disso, praticamente arrastei Pascagoula até o meu quarto, para mamãe não nos ver conversando e perguntar tudo a ela depois.

— Yule May pegou um advogado muito bom — disse Pascagoula. — Mas todo mundo tava dizendo que a mulher do juiz é amiga da dona Holbrook e que uma sentença normal seria seis meses por furto, mas a dona Holbrook, bem, ela conseguiu quatro anos. O julgamento tava feito antes mesmo de começar.

— Eu posso falar com o papai. Ele podia tentar arranjar... um advogado branco.

Pascagoula balança a cabeça e diz:

— Esse *era* um advogado branco.

Bato à porta de Aibileen e sinto uma enxurrada de vergonha. Eu não devia estar pensando nos meus próprios problemas, agora que Yule May está na prisão, mas sei o que isso significa para o livro. Se as empregadas estavam com medo de nos ajudar ontem, hoje tenho certeza de que estão apavoradas.

A porta se abre, e um homem negro fica parado à minha frente, olhando para mim. Seu colarinho branco de clérigo reluz. Não dá para enxergar o chão. Aibileen levou as cadeiras da cozinha para a sala, mas a maioria das pessoas está de pé. Vejo Minny num dos cantos, ainda de uniforme. Ao lado dela reconheço Louvenia, a empregada de Lou Anne Templeton, mas todos os demais são estranhos para mim.

— Oi, dona Skeeter — sussurra Aibileen. Ela ainda está usando o uniforme branco e os sapatos brancos ortopédicos.

— Será que eu... — Aponto atrás de mim. — Eu volto mais tarde — sussurro.

Aibileen balança a cabeça:

— Uma coisa terrível aconteceu com Yule May.

— Eu sei — digo. O cômodo está em silêncio, exceto por alguns pigarros. O rangido de uma cadeira. Livros de hinos religiosos estão empilhados sobre uma mesinha baixa de madeira.

— Só fiquei sabendo hoje — diz Aibileen. — Ela foi presa na segunda-feira, levada pra penitenciária na terça. Dizem que o julgamento todo só levou quinze minutos.

— Ela me mandou uma carta — digo. — Ela falou nos filhos. Pascagoula me entregou.

— Ela contou que tavam faltando só setenta e sete dólares pra pagar a matrícula? Ela pediu um empréstimo pra dona Hilly, sabe? Disse que pagaria de volta um pouco a cada semana, mas a dona Hilly disse que não. Que um cristão de verdade não faz caridade a quem tá bem e saudável. Disse que é mais solidário deixar as pessoas resolverem as coisas sozinhas.

Jesus, consigo imaginar Hilly fazendo esse maldito discurso. Mal consigo olhar Aibileen no rosto.

— Mas as igrejas se uniram. Vão mandar os dois rapazes para a faculdade.

O cômodo está num silêncio sepulcral, exceto por Aibileen e pelo meu sussurro.

— Acha que há algo que eu possa fazer? Ajudar de alguma maneira? Dinheiro ou...

— Não. A igreja já traçou um plano pra pagar o advogado. Pra ficar com ele até ela poder pedir liberdade condicional. — Aibileen deixa a cabeça pender pro lado. Tenho certeza de que é de tristeza por Yule May, mas desconfio que ela também sabe que o livro acabou. — Eles já vão ser estudantes seniores quando ela for solta. A corte deu uma sentença de quatro anos e uma multa de quinhentos dólares.

— Sinto muito, Aibileen — digo. Olho ao redor, para as pessoas na sala, com as cabeças caídas, como se olhar para mim pudesse queimá-las. Olho para baixo.

— É má, essa mulher! — Minny rosna do outro lado do sofá, e eu estremeço, esperando que ela não esteja se referindo a mim. — Hilly Holbrook foi mandada pra cá pelo demônio pra estragar o maior número possível de vidas! — Minny enxuga o nariz com a manga do uniforme.

— Minny, está tudo bem — diz o reverendo. — Vamos descobrir alguma coisa que possamos fazer para ela. — Olho para as caras amarradas, me perguntando que coisa seria essa.

O cômodo se torna insuportavelmente quieto de novo. O ar está quente e cheira a café queimado. Sinto uma profunda singularidade aqui, em um lugar onde quase aprendi a me sentir confortável. Sinto a onda quente do ódio e da culpa.

O reverendo careca enxuga os olhos com um lenço.

— Obrigado, Aibileen, por nos receber na sua casa para rezar. — As pessoas começam a se movimentar, dizendo boa-noite umas às outras, com solenes sinais de cabeça. Bolsas são apanhadas, chapéus são colocados na cabeça. O reverendo abre a porta, deixando entrar o ar úmido lá de fora. Uma mulher com cabelos crespos e grisalhos e um casaco preto o segue de perto, mas então para bem em frente de onde estou abraçada à minha bolsa.

A capa de chuva dela se abre e revela um uniforme branco.

— Dona Skeeter — diz ela, sem sorrir. — Vou ajudar a senhorita com as histórias.

Eu me viro e olho para Aibileen. Suas sobrancelhas se arqueiam, sua boca se abre. Eu me viro de volta para a mulher, mas ela já está saindo pela porta.

— Eu vou ajudar, dona Skeeter. — É outra mulher quem fala, alta e magra, com o mesmo olhar calmo da primeira.

— Ãhn, obrigada... — digo.

— Eu também, dona Skeeter. Vou ajudar. — Uma mulher vestida num casaco vermelho passa caminhando rápido, sem me olhar nos olhos.

Depois da seguinte, começo a contar. Cinco. Seis. Sete. Aceno a cabeça para elas, não posso dizer mais nada além de obrigada. Obrigada. Sim, obrigada, para cada uma. Meu alívio é amargo, foi preciso o encarceramento de Yule May para nos levar a isso.

Oito. Nove. Dez. Onze. Ninguém está sorrindo quando diz que quer ajudar. A sala se esvazia, exceto por Minny. Ela está de pé no canto mais distante, os braços dobrados em cima do peito. Quando todo mundo se foi, ela levanta os olhos, e nossos olhares se cruzam por um segundo ou menos, então ela olha para as cortinas marrons, presas com cuidado sobre as janelas. Mas eu vejo um movimento nos seus lábios, um esboço de doçura por baixo da raiva. Foi Minny quem fez aquilo acontecer.

COM TODO MUNDO VIAJANDO, nosso grupo não joga bridge há um mês. Na quarta-feira, nos encontramos na casa de Lou Anne Templeton, nos cumprimentamos com tapinhas amistosos e que-bom-ver-você.

— Lou Anne, coitadinha, de manga comprida nesse calor. É o eczema de novo? — pergunta Elizabeth, pois Lou Anne está usando um vestido cinza de lã no auge do verão.

Lou Anne olha para o próprio colo, claramente constrangida.

— Sim, está piorando.

Mas não suporto encostar em Hilly quando ela vem me cumprimentar. Quando recuo do abraço, ela faz que não percebeu. Mas, durante o jogo, ela não para de me observar, de relance.

— O que você vai fazer? — pergunta Elizabeth a Hilly. — Você pode levar as crianças lá para casa quando quiser, mas... bem... — Antes do encontro do clube do bridge, Hilly deixou Heather e William na casa de Elizabeth para Aibileen cuidar enquanto jogamos bridge. Mas já compreendi a mensagem no sorriso amarelo de Elizabeth: ela venera Hilly, mas não dividiria a empregada com ninguém.

— Eu sabia. Eu sabia que aquela moça era uma ladra no dia em que ela começou lá em casa. — Enquanto nos conta a história de Yule May, Hilly faz um grande círculo no ar com o dedo para indicar uma pedra enorme, o valor inimaginável do "rubi". — Peguei ela levando leite com o prazo de validade vencido para casa, e é assim que começa, sabem? Primeiro é sabão em pó, depois começam a roubar toalhas e casacos. Quando você se dá conta, estão levando as joias de família, para empenhar e comprar bebida. Deus sabe o que mais ela roubou.

Eu me controlo para não quebrar cada um dos seus dedos, mas consigo segurar a língua. Deixar ela pensar que está tudo bem. É mais seguro para todo mundo.

Depois do jogo, volto correndo para Longleaf a fim de me preparar para ir à casa de Aibileen, aliviada que não há ninguém em casa.

Dou uma passada rápida nos recados que Pascagoula anotou para mim — Patsy, minha parceira de jogar tênis, Celia Foote, a quem mal conheço. Por que a mulher de Johnny Foote ligaria para mim? Minny fez eu jurar que jamais ligaria de volta para ela, e não tenho tempo para pensar nisso agora. Preciso me aprontar para as entrevistas.

EU ME SENTO À MESA DA COZINHA de Aibileen às seis em ponto. Combinamos que virei quase todas as noites, até termos terminado. A cada dois dias, uma nova mulher de cor vai bater à porta dos fundos da casa de Aibileen e sentar à mesa junto comigo, me contar as suas histórias. Onze empregadas concordaram em conversar conosco, sem contar Aibileen e Minny. Isso dá um total de treze, e a sra. Stein pediu uma dúzia, então acho que estamos com sorte. Aibileen fica no fundo da cozinha, ouvindo. O nome da primeira empregada é Alice. Não pergunto o sobrenome de ninguém.

Explico a Alice que o projeto é uma coletânea de histórias reais sobre empregadas e suas experiências de trabalhar para famílias brancas. Entrego a ela um envelope com quarenta dólares que guardei da coluna da sra. Myrna, da minha mesada e do dinheiro que mamãe várias vezes enfiou nas minhas mãos para eu gastar no instituto de beleza, sem que eu nunca tivesse ido.

— Tem uma boa chance de que não chegue a ser publicado — digo a cada uma individualmente —, e, mesmo se for, vai render muito pouco dinheiro. — Baixo os olhos na primeira vez que digo isso, envergonhada, não sei bem por quê. Por ser branca, sinto que é meu dever ajudá-las.

— Aibileen deixou isso bem claro — dizem várias. — Não é por dinheiro que tou participando.

Eu lhes repito algo que já foi decidido entre elas. Que elas precisam manter em segredo a sua identidade para todas as pessoas fora do grupo. Os nomes serão trocados no papel, assim como também serão trocados os nomes da cidade e das famílias para as quais elas trabalharam. Eu bem que gostaria de acrescentar sorrateiramente, como uma última pergunta, "Por falar nisso, você conheceu Constantine Bates?", mas tenho certeza de que Aibileen me diria que não é uma boa ideia. Elas já têm bastante medo do jeito que as coisas estão.

— Agora, com Eula vai ser como abrir um marisco morto. — Aibileen me prepara antes de cada entrevista. Ela tem tanto medo quanto eu de que eu as assuste antes mesmo de a entrevista começar. — Não fique frustrada se ela não falar muito.

Eula, o marisco morto, começa a falar antes mesmo de sentar na cadeira, antes de eu explicar qualquer coisa, e não para até as dez da noite.

— Quando pedi um aumento, eles me deram. Quando precisei comprar uma casa, eles compraram uma pra mim. Dr. Tucker veio em pessoa até a minha casa e tirou uma bala do braço do meu marido porque ele ficou com medo de Henry pegar alguma coisa no hospital dos negros. Trabalho pro dr. Tucker e pra dona Sissy há quarenta e quatro anos. Eles são bons pra mim. Lavo o cabelo dela todas as sextas-feiras. Nunca vi aquela mulher lavar o próprio cabelo. — Ela para pela primeira vez na noite, parece solitária e preocupada. — Se eu morrer antes dela, não sei como é que a dona Sissy vai fazer pra lavar o cabelo.

Eu me esforço para não sorrir muito afobadamente. Não quero parecer suspeita. Alice, Fanny Amos e Winnie são tímidas, precisam ser incentivadas, não levantam os olhos do colo. Flora Lou e Cleontine parecem escancarar as portas e deixam as palavras cair enquanto datilografo o mais rápido possível, pedindo a cada cinco minutos para, por favor, por favor, irem mais devagar. Muitas histórias são tristes, amargas. Eu esperava por isso. Mas há um número surpreendente de histórias positivas, também. Todas as mulheres, em algum momento, olham para Aibileen, como que perguntando: *Tem certeza? Posso mesmo contar isso pra uma mulher branca?*

— Aibileen? O que vai acontecer se... isso for impresso e as pessoas descobrirem quem a gente é? — pergunta a tímida Winnie. — O que acha que vão fazer com a gente?

Nossos olhos formam um triângulo na cozinha, cada uma olhando para a outra. Respiro fundo, pronta para tranquilizá-la dizendo que estamos sendo muito cuidadosas.

— O primo do meu marido... arrancaram a língua dele. Foi há algum tempo. Por ter falado com umas pessoas de Washington sobre a Klan. Acha que vão arrancar as nossas línguas? Por falar com a senhorita?

Não sei o que dizer. *Línguas*... Deus, isso não tinha passado pela minha cabeça. Só prisão e talvez acusações falsas ou multas.

— Eu... nós estamos sendo extremamente cuidadosas — digo, mas as palavras saem fracas e pouco convincentes. Olho para Aibileen, mas ela também parece preocupada.

— A gente só vai saber quando chegar a hora, Winnie — diz Aibileen, com calma. — Mas não vai ser como você vê no noticiário. Uma mulher branca faz as coisas de um jeito diferente de um homem branco.

Olho para Aibileen. Ela nunca compartilhou comigo os detalhes do que ela acha que vai acontecer. Quero mudar de assunto. Não vai nos fazer bem falar sobre isso.

— Não. — Winnie balança a cabeça. — Acho que não. Na verdade, uma mulher branca pode fazer as coisas de um jeito pior.

— AONDE VOCÊ ESTÁ INDO? — grita mamãe da sala de estar íntima. Estou carregando minha bolsa e as chaves da caminhonete. Eu me dirijo para a porta, sem parar.

— Para o cinema — grito.

— Você foi ao cinema na noite passada. Venha aqui, Eugenia.

Recuo uma parte do caminho, fico parada no vão da porta. A úlcera da minha mãe está piorando. No jantar, ela não tem comido nada a não ser caldo de galinha, e me sinto mal por ela. Papai foi se deitar já faz uma hora, mas não posso ficar lhe fazendo companhia.

— Sinto muito, mamãe, estou atrasada. A senhora quer que eu lhe traga alguma coisa?

— Que filme e com quem? Você saiu quase todas as noites esta semana.

— Só... umas moças. Chego em casa às dez horas. A senhora está bem?

— Estou bem — suspira ela. — Vá, vá então.

Eu me dirijo para o carro, me sentindo culpada porque estou deixando mamãe sozinha quando ela não está se sentindo bem. Graças a Deus, Stuart está no Texas, porque duvido que eu conseguisse mentir para ele tão facilmente. Quando ele veio me ver, há três noites, ficamos sentados no balanço da varanda ouvindo os grilos. Eu estava tão cansada de ter ficado trabalhando até tarde na noite anterior que mal conseguia manter os olhos abertos, mas não queria que ele fosse embora. Deitei a cabeça no colo dele. Ergui o braço e esfreguei a mão contra os pelos de sua barba.

— Quando é que você vai deixar eu ler alguma coisa do que você escreveu? — perguntou ele.

— Você pode ler a coluna da sra. Myrna. Fiz um texto ótimo sobre bolor na semana passada.

Ele sorriu, balançou a cabeça.

— Não, quero dizer que quero ler o que você está *pensando*. Tenho certeza de que não é sobre cuidados domésticos.

Eu me perguntei, então, se ele sabia que eu estava escondendo algo. Me assustei de pensar que ele pudesse descobrir sobre as histórias das empregadas, e fiquei maravilhada por ele ter se interessado.

— Quando você estiver pronta. Não vou pressioná-la — disse ele.

— Talvez um dia eu deixe você ler — falei, sentindo meus olhos se fecharem.

— Durma, meu bem — disse ele, tirando o cabelo de cima do meu rosto. — Deixe só eu ficar um pouco sentado aqui com você.

Com Stuart fora da cidade pelos próximos seis dias, posso me concentrar unicamente nas entrevistas. Vou até a casa de Aibileen todas as noites tão nervosa quanto da primeira vez. As mulheres são altas, baixas, pretas como asfalto ou marrom-caramelo. Se sua pele é clara demais, me disseram, você nunca vai ser contratada. Quanto mais preta, melhor. A conversa, às vezes, se torna um pouco mundana, com reclamações sobre salários baixos, jornada de trabalho muito longa, crianças malcriadas. Mas então há histórias sobre bebês brancos morrendo nos braços delas. Aquele olhar tranquilo e vazio nos olhinhos azuis e parados.

— Olivia era o nome dela. Um nenê bem pequenininho, com a mãozinha segurando o meu dedo, respirando com tanta dificuldade — diz Fanny Amos, nossa quarta entrevistada. — A mãe dela nem tava em casa, tinha ido comprar uma pomada. Era só eu e o pai. Ele não me deixava largar ela, disse que era pra eu segurar ela até o médico chegar. O nenê ficou gelado nos meus braços.

Há um ódio aberto contra as mulheres brancas, há um amor inexplicável. Faye Belle, já um pouco paralisada e com a pele acinzentada, não consegue lembrar a própria idade. Suas histórias se desdobram como um lençol macio. Ela se lembra de se esconder em um baú com uma garotinha branca enquanto soldados ianques marchavam casa adentro. Vinte anos atrás, tomou nos braços essa mesma garotinha branca, então uma velha senhora, quando ela morreu. Cada uma professou à outra seu amor de melhor amiga. Juraram que a morte não mudaria isso. Que cor não significava nada. O neto da mulher branca ainda paga o aluguel de Faye Belle. Quando está se sentindo bem, Faye Belle, às vezes, vai até a casa do rapaz e limpa a sua cozinha.

Louvenia é minha quinta entrevistada. Ela é empregada de Lou Anne Templeton, e a reconheço de me servir no clube do bridge. Louvenia me conta que seu neto, Robert, foi cegado no início deste ano por um homem branco, porque usou um banheiro de brancos. Lembro de ler sobre isso nos jornais, enquanto Louvenia balança a cabeça, esperando que eu e a máquina de escrever a alcancemos. Não há raiva alguma na sua voz. Fico sabendo que Lou Anne, que eu até então achava sem graça e insípida e para quem nunca dei muita atenção, concedeu a Louvenia duas semanas de folga remunerada para que ela pudesse cuidar do neto. Sete vezes levou panelas de comida até a casa de Louvenia nessas duas semanas. Ela tinha levado Louvenia correndo até o hospital dos negros quando chegara a notícia sobre Robert e esperou lá seis horas com ela, até que a cirurgia tivesse terminado. Lou Anne nunca mencionou isso para nenhuma de nós. È entendo perfeitamente por quê.

Histórias furiosas brotam, de homens brancos que tentaram tocá-las. Winnie conta que foi forçada inúmeras vezes. Cleontine disse que se debateu até tirar sangue do rosto do agressor, e que ele nunca mais tentou. Mas a dicotomia de amor e desprezo vivendo lado a lado é o que me surpreende. A maioria é convidada para o casamento das crianças brancas, mas só se for de uniforme. Essas coisas eu já sei; no entanto, ouvi-las da boca de pessoas de cor é como ouvi-las pela primeira vez.

FICAMOS VÁRIOS minutos sem dizer nada, depois que Gretchen vai embora.

— Vamos seguir em frente — diz Aibileen. — Não precisamos... contar essa aí.

Gretchen é prima de primeiro grau de Yule May. Ela compareceu à reunião que aconteceu na casa de Aibileen semanas atrás para rezar por Yule May, mas pertence a outra igreja.

— Não entendo por que ela concordou se... — Quero ir para casa. Os músculos do meu pescoço se enrijeceram. Meus dedos estão tremendo de datilografar e de ouvir as palavras de Gretchen.

— Desculpe, eu não fazia ideia que ela ia fazer isso.

— Não é culpa sua — digo. Quero lhe perguntar quanto do que Gretchen falou é verdade. Mas não consigo. Não consigo olhar para o rosto de Aibileen.

Eu havia explicado as "regras" para Gretchen, exatamente como fizera para as outras. Gretchen se recostara na cadeira. Achei que ela estava pensando numa história para contar. Mas ela disse: "Olhe só para você. Outra mulher branca tentando lucrar um dólar com os negros."

Olhei para Aibileen, sem ter certeza de como responder ao que ela acabara de dizer. Será que eu não tinha sido clara quanto à parte do dinheiro? Aibileen virou a cabeça, como se não tivesse certeza de ter ouvido bem.

— Você acha que alguém algum dia vai ler isso? — Gretchen ria. Ela estava bem arrumada, no seu uniforme. Usava batom, do mesmo tom de rosa que eu e as minhas amigas usamos. Era jovem. Falava pronunciando bem as palavras e com calma, como um branco. Não sei bem por quê, mas isso só piorou as coisas.

— Todas as mulheres de cor que você entrevistou, elas foram muito gentis, não foram?

— Sim — respondi. — Muito gentis.

Gretchen me fitou nos olhos.

— Elas odeiam você. Você sabe disso, não é? Odeiam tudo em você. Você é muito burra em achar que está fazendo um favor a elas.

— Você não precisa participar — disse eu. — Você se ofereceu...

— Sabe qual foi a melhor coisa que uma mulher branca já fez por mim? Me dar o bico do seu pão. As mulheres de cor que estão vindo aqui, elas estão só pregando uma peça em você. Elas nunca vão lhe dizer a verdade, senhorita.

— Você não tem ideia do que as outras mulheres me disseram — falei. Fiquei surpresa em ver como era forte a minha fúria e a facilidade com que brotou.

— Diga, senhorita, diga a palavra que você pensa cada vez que uma de nós entra pela porta. *Negra.*

Aibileen se levantou do banquinho onde estava sentada.

— Já basta, Gretchen. Vá pra casa.

— E sabe do que mais, Aibileen? Você é burra como ela — disse Gretchen.

Fiquei chocada ao ver Aibileen apontar para a porta e dizer:

— *Saia já da minha casa.*

Gretchen foi embora, mas, através da porta de tela, ela me dirigiu um olhar tão furioso que me deu calafrios.

DUAS NOITES DEPOIS, sentei à mesa com Callie. Ela tem cabelo crespo, quase todo grisalho. Está com sessenta e sete anos de idade e ainda usa uniforme. É gorda e pesada, e quase não cabe na cadeira. Ainda estou nervosa por causa da entrevista com Gretchen.

Espero Callie mexer o chá. Há um saco de supermercado no canto da cozinha de Aibileen. Está cheio de roupas, com um par de calças brancas saindo pela boca. A casa de Aibileen é muito arrumada. Não sei por que ela nunca faz nada com esse saco.

Callie começa a falar devagar, e eu começo a datilografar, grata pelo ritmo calmo. Ela olha para o alto, como se visse uma tela de cinema atrás de mim onde aparecem as cenas que ela descreve.

— Trabalhei pra dona Margaret durante trinta e oito anos. A dona Margaret tinha uma nenezinha que sofria de cólica, e a única coisa que aliviava a dor era segurar ela. Então, fiz uma tira de pano. Amarrei a tira na minha cintura, e carreguei ela pra cima e pra baixo o dia todo, durante um ano inteiro. Aquele nenê quase me quebrou as costas. Eu fazia compressas de gelo todas as noites, e ainda faço. Mas eu amava aquela criança. E eu amava a dona Margaret.

Ela beberica o chá enquanto datilografo as últimas palavras. Olho para ela e ela continua.

— A dona Margaret sempre fez eu prender o cabelo embaixo de um lenço; dizia que sabia que gente de cor não lava o cabelo. Contava todas as peças de prata depois que eu polia. Quando a dona Margaret morreu de problemas de senhoras trinta anos depois, eu fui ao enterro. O marido dela me abraçou, chorou nos meus braços. Quando terminou, ele me entregou um envelope. Lá dentro, uma carta da dona Margaret, dizendo, "Obrigada. Por fazer passar a dor do meu nenê. Nunca me esqueci."

Callie tira os óculos de aro preto e seca os olhos.

— Se alguma mulher branca ler a minha história, é isso que quero que elas saibam. Dizer obrigada quando é de coração, quando você lembra o que alguém fez por você — ela balança a cabeça e olha para baixo, para a mesa riscada —, é muito bom.

Callie levanta os olhos para mim, mas não consigo encará-la.

— Eu... só preciso de um segundo — digo. Pressiono a mão sobre a testa. Não posso deixar de pensar em Constantine. Nunca agradeci a ela, não como deveria. Nunca me ocorreu que eu não teria a oportunidade de fazê-lo.

— Está se sentindo bem, dona Skeeter? — pergunta Aibileen.

— Estou bem... — digo. — Vamos continuar.

Callie passa para a próxima história. A caixa de sapato amarela do Dr. Scholl está sobre a bancada, atrás de mim, ainda cheia de envelopes. Exceto por Gretchen, todas as dez mulheres pediram que o dinheiro fosse para a educação dos meninos de Yule May.

CAPÍTULO 20

A FAMÍLIA PHELAN está tensa, aguardando sobre os degraus de tijolos da casa do senador Whitworth. A casa fica no Centro da cidade, na North Street. É grande e tem colunas brancas, devidamente ornadas de azaleias. Uma placa dourada a declara um sítio histórico. Lamparinas a querosene emitem uma luz bruxuleante, apesar do sol das seis da tarde.

— Mãe — sussurro, pois não consigo repetir vezes suficientes. — Por favor, por favor, não se esqueça do que conversamos.

— Eu já disse que não vou falar. — Ela toca o alfinete que está segurando seu cabelo. — A menos que seja apropriado.

Estou vestindo a nova saia Lady Day azul-clara e um casaco combinando. Papai, seu paletó preto de ir a funerais. Seu cinto está apertado demais para sentir-se confortável. Mamãe está usando um vestido branco liso — como uma noiva do interior usando um vestido barato, penso de repente, e sinto uma onda de pânico à ideia de que nos arrumamos demais, todos nós. Mamãe vai falar no fundo fiduciário da garota feia e nós parecemos interioranos numa grande e maldita visita à cidade.

— Papai, afrouxe um pouco o cinto, está deixando sua calça toda pregueada.

Ele franze o cenho para mim e olha para as próprias calças. Eu nunca disse ao meu pai o que fazer. A porta se abre.

— Boa noite. — Uma mulher de cor, num uniforme branco, nos cumprimenta. — Eles tão aguardando os senhores.

Atravessamos o hall de entrada, e a primeira coisa que vejo é o lustre, brilhante, resplandecente de luz. Meus olhos se erguem para o redemoinho vazio da escada, e é como se estivéssemos dentro de uma gigantesca concha do mar.

— Ora, olá!

Baixo os olhos da minha divagação. A sra. Whitworth está entrando no hall ao som dos saltos altos, com as mãos estendidas à frente. Ela está usando um traje como o meu, graças a Deus, mas carmim. Quando ela mexe a cabeça, o cabelo loiro-acinzentado não se move um só milímetro.

— Olá, sra. Whitworth, sou Charlotte Boudreau Cantrelle Phelan. Muito obrigada por nos receber.

— Encantada — diz ela, e aperta as mãos dos meus pais. — Eu sou Francine Whitworth. Sejam bem-vindos à nossa casa.

Ela se vira para mim.

— E você deve ser Eugenia. Ora, ora. É tão bom finalmente conhecê-la. — A sra. Whitworth pega meu braço e me olha nos olhos. Os dela são azuis, lindos, como água fresca. Seu rosto, em torno dos olhos, é suave. Em cima dos seus sapatos de salto pele de pêssego, ela é quase da minha altura.

— É um prazer conhecê-la — digo. — Stuart me falou muito na senhora e no senador Whitworth.

Ela sorri e desliza a mão pelo meu braço. Fico sem ar quando um dente do seu anel belisca a minha pele.

— Aí está ela! — Atrás da sra. Whitworth, um homem alto, grande como um touro, se move pesadamente na minha direção. Ele me abraça com força, me segurando contra si, e então desfaz o abraço com a mesma rapidez. — Eu disse para o pequeno Stu um mês atrás para trazer essa moça aqui em casa. Mas, francamente — ele baixa a voz —, ele ainda está um pouco ressabiado depois da outra.

Fico ali, piscando.

— É um prazer conhecê-lo, senhor.

O senador ri sonoramente:

— Você sabe que estou apenas brincando — diz ele, me dá mais um abraço drástico, acompanhado de tapinhas nas costas. Eu sorrio e tento recuperar o fôlego. Lembrar a mim mesma que ele é pai só de garotos.

Ele se vira para mamãe, se curva solenemente e estende a mão.

— Olá, senador Whitworth — diz mamãe. — Eu sou Charlotte.

— É um prazer conhecê-la, Charlotte. E você me chame de Stooley. Todos os meus amigos me chamam assim.

— Senador — diz papai, e aperta a mão dele com vigor. — Muito obrigado por tudo que o senhor fez naquela lei agrária. Representou uma diferença e tanto.

— Ora! Aquele Billups tentou sapatear em cima dela e eu disse para ele, falei, Chico, se o Mississippi não tem algodão, diabos, então o Mississippi não tem *nada*.

Ele dá um tapa no ombro do papai e percebo como meu pai parece pequeno ao lado dele.

— Entrem, todos vocês — diz o senador. — Não consigo falar de política sem um drinque na mão.

O senador avança, pesado, saindo do hall. Papai o segue, e eu tremo à vista de um pouco de lama na parte de trás do sapato dele. Mais uma esfregada teria dado cabo, mas papai não está acostumado a usar sapato social num sábado.

Mamãe o segue para fora do hall e eu dou uma última olhadela para o enorme e reluzente lustre. Quando me viro, vejo a empregada olhando para mim de junto da porta. Sorrio para ela, e ela acena a cabeça. Então ela acena de novo e deixa os olhos caírem para o chão.

Oh. Meu grau de nervosismo sobe como um redemoinho na minha garganta quando me dou conta: *ela sabe.* Fico ali parada, congelada à constatação de como a minha vida se tornou dupla. Ela podia muito bem aparecer na casa de Aibileen, começar a me contar como é trabalhar para o senador e a mulher.

— Stuart ainda está vindo de Shreveport — brada o senador. — Tem um grande negócio estourando por lá, parece.

Tento não pensar na empregada e respiro fundo. Sorrio como se tudo estivesse bem, perfeitamente bem. Como se eu já tivesse conhecido muitos pais de namorados antes.

Vamos para uma sala de estar formal com frisos no teto e poltronas de veludo azul, tão cheia de móveis pesados que mal se pode ver o chão.

— O que posso servir para vocês beberem? — O sr. Whitworth sorri como se oferecendo doces para crianças. Ele tem uma testa larga, pesada, e os ombros de um velho jogador de futebol americano. Suas sobrancelhas são grossas e espetadas. Elas se mexem quando ele fala.

Papai pede uma xícara de café, mamãe e eu, chá gelado. O sorriso do senador murcha e ele olha para a empregada, mandando ela providenciar essas bebidas mundanas. No canto, ele serve para si e para a mulher uma bebida marrom. O sofá de veludo geme quando ele senta.

— Sua casa é adorável. Ouvi falar que é a atração principal da excursão — diz mamãe. Isso é o que mamãe está morrendo de vontade de comentar desde que ficou sabendo do jantar. Mamãe faz parte do conselho dos Lares Históricos do Condado de Ridgeland desde sempre, mas se refere à turnê dos lares históricos de Jackson como "algodão do bom" comparada às deles. —Vocês fazem algum tipo de encenação ou usam roupas especiais para as visitas guiadas?

O senador e a sra. Whitworth trocam um olhar. Então, a sra. Whitworth sorri.

— Tiramos ela da excursão este ano. Era... demais.

— Tiraram? Mas é uma das casas mais importantes de Jackson. Ora, ouvi falar que Sherman disse que a casa era bonita demais para ser incendiada.

A sra. Whitworth se limita a concordar, dá uma fungada. Ela é dez anos mais nova que a minha mãe, mas parece mais velha, especialmente agora, que o rosto dela ficou mais comprido e empertigado.

— Certamente vocês sentem algum tipo de obrigação, pelo bem da história... — diz mamãe, e lanço-lhe um olhar que diz para ela abandonar o assunto.

Ninguém diz nada por um segundo, e então o senador ri alto.

— Houve uma certa confusão — despeja ele. — A mãe de Patricia van Devender é presidente do conselho, então, depois de toda aquela... escaramuça com as crianças, decidimos que seria melhor tirar a casa da excursão.

Olho para a porta, rezando para que Stuart chegue de uma vez. É a segunda vez que *ela* foi mencionada. A sra. Whitworth lança um olhar enregelante para o senador.

— Bem, o que é que podemos fazer, Francine? Nunca mais falar nela? Mandamos construir o maldito gazebo lá atrás para o casamento.

A sra. Whitworth respira fundo, e eu me lembro do que Stuart me falou, sobre o senador saber apenas parte da história, mas que a mãe dele sabe a história inteira. E o que ela sabe deve ser muito pior do que só uma "escaramuça".

— Eugenia — a sra. Whitworth sorri —, se entendi bem, você quer ser escritora. Que tipo de coisas você gosta de escrever?

Trato de sorrir novamente. De um assunto delicado para outro.

— Eu escrevo a coluna da sra. Myrna no *Jackson Journal*. Sai todas as segundas-feiras.

— Oh, acho que Bessie lê essa coluna, não lê, Stooley? Vou perguntar a ela quando eu for à cozinha.

— Bem, se ela não lê, com certeza vai passar a ler agora. — O senador ri.

— Stuart disse que você estava querendo tratar de assuntos mais sérios. Algum em particular?

Agora todos estão olhando para mim, inclusive a empregada, diferente da que abriu a porta, enquanto me entrega um copo de chá. Não olho para o rosto dela, apavorada com o que posso ver.

— Estou trabalhando em... alguns...

— Eugenia está escrevendo sobre a vida de Jesus Cristo — mamãe se intromete e me lembro da minha mentira mais recente para encobrir as saídas noturnas, chamando-as de "pesquisa".

— Bem — aquiesce a sra. Whitworth, parecendo impressionada —, esse com certeza é um assunto louvável.

Tento sorrir, detestando o som da minha própria voz:

— E tão... importante. — Lanço um olhar para a mamãe. Ela está sorrindo.

A porta da frente se fecha, lançando todas as lamparinas num tremelicar furioso.

— Me desculpem o atraso. — Stuart aparece, todo amassado do carro, vestindo seu casaco esportivo. Ficamos em pé, e a mãe estende os braços para ele, mas ele vem direto para mim. Põe as mãos sobre os meus ombros e beija a minha bochecha.

— Me desculpe — sussurra ele e eu expiro, finalmente relaxando. Viro-me e vejo a mãe dele sorrindo como se eu tivesse pego a melhor toalha de visitas e limpado minhas mãos sujas nela.

— Sirva-se de um drinque, filho, sente-se — diz o senador.

Com seu drinque na mão, Stuart se acomoda ao meu lado no sofá, aperta minha mão e não a larga.

A sra. Whitworth dá um olhar para nossas mãos enlaçadas e diz:

— Charlotte, que tal eu mostrar a casa para você e Eugenia?

Nos quinze minutos seguintes, acompanho mamãe e a sra. Whitworth de um quarto cheio de ostentação para outro. Mamãe se engasga diante de um legítimo buraco de bala ianque na sala da frente, a bala ainda alojada na madeira. Há cartas de soldados confederados sobre uma escrivaninha confederada, óculos antigos e lenços estrategicamente dispostos. A casa é um altar à Guerra Civil da União, e me pergunto como deve ter sido para Stuart crescer numa casa onde não se podia tocar em nada.

No terceiro andar, mamãe perde a fala diante de uma cama de dossel onde Robert E. Lee dormiu. Quando finalmente descemos por uma escadaria "secreta", fico olhando as fotos de família no corredor. Vejo Stuart e seus dois irmãos ainda bebês, Stuart segurando uma bola vermelha. Stuart no traje de batismo, no colo de uma mulher de cor que está usando um uniforme branco.

Mamãe e a sra. Whitworth seguem pelo corredor, mas eu continuo olhando, pois há algo profundamente afetuoso no rosto de Stuart quando menino. Suas bochechas eram fofas, e os olhos azuis, herdados da mãe, cintilam do mesmo jeito que agora. O cabelo era do mesmo amarelo-claro de um dente-de-leão. Aos nove ou dez anos, ele posa com um rifle de caça e um pato. Aos quinze, ao lado de um veado morto. Ele já é bonito, forte. Peço a Deus que ele nunca veja as minhas fotos de adolescente.

Dou mais alguns passos e vejo a formatura da escola, Stuart orgulhoso em um uniforme da escola militar. No centro da parede há um espaço vazio sem moldura, um retângulo de papel de parede ligeiramente mais escuro. Uma fotografia que foi tirada de lá.

— Papai, será que basta de... — ouço Stuart dizer, a voz tensa. Mas, com a mesma rapidez, faz-se silêncio.

— O jantar está servido — ouço uma empregada anunciar e eu refaço meu caminho de volta até a sala de estar. Todos nós nos dirigimos à sala de jantar, para uma mesa longa e escura. Os Phelan estão sentados a um lado da mesa, os Whitworth, no outro. Estou na diagonal de Stuart, colocada o mais longe possível dele. Ao redor, na sala, os lambris foram pintados de forma a representar cenas de tempos pré-Guerra Civil, negros felizes colhendo algodão, cavalos puxando carroças, estadistas de barba branca sobre os degraus do nosso Capitólio. Esperamos enquanto o senador se demora na sala de estar.

— Já estou indo, vocês vão começando. — Ouço o barulho de gelo, o tilintar de uma garrafa sendo duas vezes colocada sobre uma superfície dura antes de ele finalmente chegar e se sentar à cabeceira da mesa.

Saladas waldorfs são servidas. Stuart olha para mim e sorri a cada poucos minutos. O senador Whitworth se debruça para o lado de papai e diz:

— Eu vim do nada, sabe? Condado de Jefferson, Mississippi. Meu pai torrava amendoins a onze centavos a onça.

Papai balança a cabeça.

— Mais pobre do que o condado de Jefferson, é difícil.

Observo enquanto a mamãe corta um pedaço minúsculo da maçã. Ela hesita, mastiga por um tempão, estremece ao engolir. Ela não deixou que eu contasse aos pais de Stuart sobre seu problema de estômago. Em vez disso, mamãe derrama elogios degustatórios à sra. Whitworth. Mamãe vê este jantar como um lance importante do jogo chamado "Será Que a Minha Filha Vai Agarrar o Seu Filho?".

— Os *jovens* se divertem tanto na companhia um do outro. — Mamãe sorri. — Ora, Stuart vai lá em casa nos visitar quase duas vezes por semana.

— É mesmo? — diz a sra. Whitworth.

— Ficaríamos encantados se a senhora e o senador pudessem ir até a nossa quinta alguma hora dessas para jantar, dar um passeio no pomar.

Olho para mamãe. *Quinta* é um termo fora de moda que ela gosta de usar para dourar um pouco a fazenda, enquanto "pomar" é uma macieira que não dá frutos. Uma pereira com problema de larvas.

Mas a sra. Whitworth, de repente, ficou com a boca rígida.

— Duas vezes por semana? Stuart, eu não fazia ideia que você vinha tanto à cidade.

O garfo de Stuart para no ar. Ele lança um olhar envergonhado para a mãe.

— Vocês são tão jovens. — A sra. Whitworth sorri. — Divirtam-se um pouco. Não há necessidade nenhuma de as coisas ficarem sérias assim tão rápido.

O senador coloca o cotovelo sobre a mesa.

— Para uma mulher que praticamente pediu a mão do outro em casamento, ela estava com bastante pressa.

— *Pai* — diz Stuart entredentes, deixando o garfo cair sobre o prato.

A mesa fica em silêncio, exceto pela mastigação cuidadosa e metódica de mamãe, tentando transformar comida sólida em pasta. Toco o arranhão no meu braço, ainda rosado.

A empregada coloca frango empanado nos nossos pratos, além de um montinho de molho à base de maionese, e todos nós sorrimos, aliviados pelo gelo sendo quebrado. Enquanto comemos, papai e o senador conversam sobre o preço do algodão, sobre gorgulhos. Ainda posso ver a raiva no rosto de Stuart, de quando o senador mencionou Patricia. Olho para ele a cada poucos segundos, mas a raiva não parece estar diminuindo. Eu me pergunto se foi sobre isso que eles discutiram antes, quando eu estava no corredor.

O senador se reclina na cadeira.

— Você viu aquela reportagem que fizeram na revista *Life*? Um número antes de Medgar Evers, sobre, como é mesmo o nome dele?, Carl... Roberts?

Levanto os olhos, surpresa ao ver que o senador dirige a pergunta para mim. Pisco, confusa, esperando que seja por causa do meu trabalho no jornal.

— Ele foi... linchado. Por dizer que o governador era... — paro, não porque tenha esquecido das palavras, mas porque me lembro muito bem delas.

— *Patético* — diz o senador, agora se voltando para o meu pai. — *Com a moral de um mendigo.*

Respiro, aliviada que o foco de atenção não está mais sobre mim. Olho para Stuart tentando avaliar sua reação. Nunca perguntei sua opinião quanto aos direitos civis. Mas acho que ele não está prestando atenção na conversa. A raiva em torno da boca dele se tornou insípida e fria.

Meu pai limpa a garganta.

— Vou ser franco — diz ele, lentamente. — Fico doente em ouvir a respeito desse tipo de brutalidade. — Em silêncio, papai deposita o garfo sobre o prato. Ele olha nos olhos do senador Whitworth. — Tenho vinte e cinco negros trabalhando nos meus campos e, se alguém tocar num fio de cabelo deles ou de suas famílias... — O olhar de papai é firme. Então, ele baixa os olhos. — Tenho vergonha, às vezes, senador. Vergonha do que acontece no Mississippi.

Os olhos de mamãe estão arregalados, fixos em papai. Fico chocada em ouvir a sua opinião. Até mesmo mais chocada por ele ter expressado isso nesta mesa, para um político. Lá em casa, os jornais são dobrados de forma que as fotografias fiquem viradas para baixo, troca-se o canal de tevê quando questões raciais são abordadas. De repente, fico muito orgulhosa do meu pai, por muitas razões. Por um segundo, juro, vejo esse orgulho nos olhos de mamãe também, por trás da sua preocupação de que papai possa ter ofuscado o meu futuro. Olho para Stuart, e seu rosto demonstra preocupação, mas em que sentido, não sei dizer.

O senador tem os olhos fixos em papai.

— Vou lhe dizer uma coisa, Carlton — diz o senador. Ele revira o gelo do seu copo. — Bessie, me traga outro drinque, por favor. — Ele entrega o copo à empregada. Ela volta rapidamente com outro copo, cheio. — Essas não foram palavras sábias para serem ditas sobre o nosso governador — diz o senador.

— Concordo cem por cento — fala papai.

— Mas o que tenho me perguntado, ultimamente, é: são verdadeiras?

— *Stooley* — sibila a sra. Whitworth. Mas, então, igualmente rápido, ela sorri e se endireita. — Ora, Stooley — diz ela, como se falando com uma criança —, nossos convidados não querem se envolver na sua política durante...

— Francine, deixe-me falar o que penso. Deus sabe que não posso fazer isso das nove às cinco, então deixe-me falar o que eu acho na minha própria casa.

O sorriso da sra. Whitworth não cede, mas um toque rosado surge nas suas bochechas. Ela estuda as rosas brancas no centro da mesa. Stuart olha fixamente para o prato, com a mesma raiva fria de antes. Ele não olhou para mim, desde o frango. Todo mundo fica em silêncio, e então alguém muda de assunto para falar sobre o tempo.

QUANDO O JANTAR FINALMENTE termina, pedem que a gente vá para a varanda atrás da casa para drinques e café. Stuart e eu nos demoramos um pouco no corredor. Eu toco seu braço, mas ele o retira.

— Eu sabia que ele ia ficar bêbado e começar a falar de tudo.

— Stuart, está tudo bem — digo, porque acho que ele está falando sobre as opiniões políticas do pai. — Estamos todos nos divertindo.

Mas Stuart está suando, parece febril.

— É Patricia isso, Patricia aquilo, a noite inteira — diz ele. — Quantas vezes ele consegue mencionar o nome dela?

— Esqueça isso, Stuart. Está tudo bem.

Ele passa a mão sobre o cabelo e olha para todos os lados, menos para mim. Começo a ter a sensação de que, para ele, sequer estou ali. E, então, me dou conta de algo que eu soube a noite inteira. Ele está olhando para mim, mas está pensando... *nela*. Ela está em toda parte. Na raiva nos olhos de Stuart, nas línguas do senador e da sra. Whitworth, na parede, onde decerto esteve a fotografia dela.

Digo a ele que preciso ir ao toalete.

Ele me acompanha pelo corredor.

— Encontre-se conosco lá atrás — diz ele, mas não sorri.

No banheiro, encaro meu reflexo, digo para mim mesma que é só hoje. Tudo vai ficar bem depois que estivermos fora desta casa.

Saindo do banheiro, passo pela sala de estar, onde o senador está se servindo de mais uma dose. Ele ri consigo mesmo, respinga bebida na própria camisa, então olha ao redor para verificar se alguém viu. Tento passar pé ante pé até a porta antes que ele me veja.

— Aí está você! — ouço ele exclamar, enquanto tento me esgueirar. Volto lentamente até a porta, e o rosto dele se acende. — O que foi, se perdeu? — Ele vem até o hall.

— Não, senhor, eu só estava... indo me encontrar com todo mundo.

— Venha aqui, mocinha. — Ele coloca o braço ao meu redor e o cheiro de bourbon queima os meus olhos. Vejo que a parte da frente da sua camisa está molhada. — Está se divertindo?

— Sim, senhor. Muito obrigada.

— Bem, a mãe de Stuart, não deixe ela assustar você. Ela é superprotetora, só isso.

— Oh, não, ela está sendo... muito gentil. Está tudo ótimo. — Lanço um olhar para o hall, onde se podem ouvir as vozes deles.

Ele suspira e olha para longe.

— Passamos um ano difícil com Stuart. Imagino que ele tenha lhe contado o que aconteceu.

Faço que sim, sentindo minha pele pinicar.

— Oh, foi muito ruim — diz ele. — Muito ruim. — De repente ele sorri. — Olhe aqui! Olhe só quem está vindo cumprimentá-la. — Ele fisga um cachorrinho branco e enrola no braço como uma toalha de tênis. — Diga oi, Dixie — cantarola ele —, diga oi para a srta. Eugenia. — O cachorro se debate, afasta o focinho do cheiro forte da camisa.

O senador me olha com uma expressão vazia. Acho que ele esqueceu o que eu estou fazendo ali.

— Eu estava indo para a varanda dos fundos — digo.

— Vamos, venha aqui. — Ele me puxa pelo cotovelo e me conduz por uma porta almofadada. Entro em um cômodo pequeno, com uma escrivaninha pesada, uma luz amarela brilhando mortiçamente nas paredes verde-escuro. Ele fecha a porta atrás de mim, e eu imediatamente sinto o ar mudar, ficar pesado e claustrofóbico. — Olhe, todo mundo diz que eu falo demais depois de algumas doses, mas... — o senador aperta os olhos na minha direção, como se fôssemos velhos comparsas — quero lhe dizer uma coisa.

O cachorro desistiu de lutar, sedado pelo cheiro da camisa. Repentinamente fico desesperada para ir falar com Stuart, como se o estivesse perdendo a cada minuto que fico longe dele. Eu recuo.

— Acho... que é melhor eu ir me encontrar... — Procuro a maçaneta da porta, com a certeza de que estou sendo terrivelmente rude, mas sem conseguir suportar o ar ali dentro, o cheiro da bebida e do charuto.

O senador suspira, balança a cabeça afirmativamente enquanto estou com a mão na maçaneta.

— Oh, você também, é? — Ele se reclina contra a escrivaninha, parecendo derrotado.

Começo a abrir a porta, mas o olhar no rosto do senador é o mesmo olhar perdido que Stuart tinha quando apareceu na varanda da casa dos meus pais. Sinto que não tenho alternativa senão perguntar:

— Eu também o quê, senhor?

O senador olha para o retrato da sra. Whitworth, enorme e frio, pendurado na parede do seu escritório, como um aviso.

— Eu vejo, só isso. Nos seus olhos. — Ele sorri com amargura. — E aqui estava eu, esperando que você fosse aquela que, pelo menos, simpatizaria com o velho. Quero dizer, se você se juntasse a esta velha família.

Olho para ele, atingida pelas suas palavras... *juntasse a esta velha família*.

— Eu não... tenho nada contra o senhor — digo, mexendo os pés.

— Não quero enterrá-la nos nossos problemas, mas as coisas têm andado difíceis aqui, Eugenia. Ficamos doentes de preocupação depois dessa confusão no ano passado. Com a outra. — Ele balança a cabeça e olha para o copo na mão. — Stuart, ele simplesmente abandonou o apartamento dele em Jackson, levou tudo para a casa de campo de Vicksburg.

— Sei que ele ficou muito... chateado — digo, ao passo que, na verdade, não sei quase nada.

— Ficou como morto, isso sim. Diabos, eu ia até lá para vê-lo e lá estava ele, sentado na frente da janela, descascando nozes. Nem mesmo comia as nozes, só tirava a casca e jogava no lixo. Não falou comigo nem com a mãe durante... *meses*.

Ele se dobra sobre si mesmo, esse homem gigantesco como um touro, e eu quero escapar e tranquilizá-lo ao mesmo tempo, ele parece tão patético, mas então ele levanta para mim seus olhos injetados e diz:

— Parece que faz dez minutos que eu estava ensinando a ele como carregar seu primeiro rifle, pegar a primeira pomba. Mas, desde a história com aquela garota, ele ficou... diferente. Ele não me conta nada. Eu só quero saber: o meu filho está bem?

— Eu... acho que sim. Mas, honestamente, não tenho... certeza. — Desvio o olhar. Dentro de mim, começo a perceber que não conheço Stuart. Se isso o danificou tanto, e ele não consegue sequer conversar comigo a respeito, então o que eu sou para ele? Só uma distração? Algo sentado ao lado dele para fazê-lo não pensar sobre aquilo que o está arrasando por dentro?

Olho para o senador e tento pensar em algo reconfortante, algo que a minha mãe diria. Mas tudo fica em silêncio.

— Francine me esfolaria vivo se soubesse que estou perguntando isso a você.

— Não tem problema, senhor — digo. — Não me importo que o senhor tenha perguntado.

Ele parece exaurido e tenta sorrir.

— Obrigado, querida. Vá lá com o meu filho. Já me junto a vocês.

FUJO PARA A VARANDA DOS FUNDOS e me aproximo de Stuart. Trovões rompem o céu, dando-nos um flash dos jardins assustadoramente brilhantes, então a escuridão traga tudo de novo. O gazebo, esquelético, paira ao final da alameda do jardim. Eu me sinto enjoada por causa de um cálice de sherry que bebi depois do jantar.

O senador aparece, com uma aparência curiosamente mais sóbria, vestindo uma camisa limpa, xadrez e passada, exatamente como a última. Mamãe e a sra. Whitworth estão dando uma volta, apontando para algumas rosas raras que pendem na direção da varanda. Stuart coloca a mão nos meus ombros. Ele está melhor, de alguma forma, mas eu estou cada vez pior.

— A gente pode...? — Aponto para dentro e Stuart me segue até ali. Eu paro no corredor que dá para a escadaria secreta.

— Tem muita coisa que eu não sei sobre você, Stuart — digo.

Ele aponta para a parede de fotografias atrás de mim, incluindo o espaço vazio.

— Bem, está tudo aqui.

— Stuart, seu pai, ele me falou... — Tento encontrar uma forma de colocar a questão.

Ele estreita os olhos para mim.

— Ele lhe disse o quê?

— Como foi ruim. Como foi difícil para você — digo. — O que aconteceu com Patricia.

— Ele não sabe *nada*. Ele não sabe quem foi nem o que foi ou...

Ele se encosta na parede e cruza os braços, e vejo aquela mesma raiva de novo, profunda e vermelha. Ele está imerso nela.

— Stuart. Você não precisa me contar agora. Mas uma hora nós vamos ter de conversar sobre isso. — Fico surpresa ao ver como pareço confiante, quando, na verdade, eu certamente não me sinto assim.

Ele me olha fundo nos olhos, encolhe os ombros.

— Ela dormiu com outra pessoa. Pronto.

— Alguém... que você conhecesse?

— Ninguém conhecia ele. Era um desses sanguessugas, sempre rodeando a faculdade, tentando convencer os professores a fazerem alguma coisa em relação às leis integracionistas. Bem, ela com certeza fez alguma coisa.

— Você quer dizer... que ele era um ativista? Pelos direitos civis...?

— É isso. Agora você sabe.

— Ele era... de cor? — Engulo em seco ao pensamento das consequências que isso poderia ter, porque, mesmo para mim, seriam horríveis, desastrosas.

— *Não*, ele não era de cor. Ele era escória. Um ianque de Nova York, do tipo que você vê na tevê, com cabelo comprido e cartazes pedindo paz.

Procuro na minha cabeça a pergunta certa a fazer, mas não consigo pensar em nada.

— Sabe qual é a parte mais doida, Skeeter? Eu podia ter superado isso. Eu podia tê-la perdoado. Ela me pediu perdão, disse o quanto estava arrependida. Mas eu sabia que, se algum dia vazasse a informação sobre quem ele era, que a nora do senador Whitworth tinha ido para a cama com um maldito ianque ativista, isso acabaria com o meu pai. Arruinaria a carreira dele num piscar de olhos. — Ele estala os dedos.

— Mas o seu pai, na mesa. Ele disse que pensa que Ross Barnett está errado.

— Você sabe que não é assim que funciona. Não importa o que ele acha. É o que o Mississippi acha. Ele está concorrendo ao Senado federal agora no outono, e eu tenho a má sorte de saber disso.

— Então você rompeu com ela por causa do seu pai?

— Não, rompi com ela porque ela me traiu. — Ele baixa os olhos para as mãos, e posso ver a vergonha o consumindo. — Mas não a aceitei de volta por causa... do meu pai.

— Stuart, você ainda é... apaixonado por ela? — pergunto, e tento sorrir, como se isso não fosse nada, apenas uma pergunta, apesar de eu sentir o sangue fugindo para os meus pés. Sinto que vou desmaiar, perguntando isso.

O corpo dele cede um pouco contra o papel de parede de padrões dourados. A voz dele sai mais suave.

— Você jamais faria isso. Mentir desse jeito. Não comigo, nem com ninguém.

Ele não faz ideia do número de pessoas para as quais estou mentindo. Mas essa não é a questão.

— Me responda, Stuart. Você é?

Ele esfrega as têmporas, estendendo os dedos em cima dos olhos. Escondendo os olhos, é o que eu penso.

— Acho que a gente devia dar um tempo — sussurra ele.

Estendo a mão na direção dele, com um reflexo, mas ele recua.

— Preciso de um tempo, Skeeter. Espaço, acho. Preciso ir trabalhar e furar poços de petróleo e... acertar a cabeça por uns tempos.

Sinto minha boca se abrir. Lá na varanda, ouço os chamados suaves dos nossos pais. É hora de ir embora.

Sigo Stuart até a frente da casa. Os Whitworth param no saguão com a escada espiralada enquanto os três Phelan se dirigem para a porta. Em um coma distante, escuto enquanto todos clamam para que se faça de novo, na casa dos Phelan, na próxima vez. Digo até logo, obrigada, minha própria voz soando estranha para mim. Stuart acena dos degraus e sorri na minha direção, para que nossos pais não percebam que algo mudou.

CAPÍTULO 21

ESTAMOS na sala de estar íntima, mamãe, papai e eu, olhando para a caixa metálica na janela. É do tamanho de um motor de caminhão, com saliências em formato de alças, reluzente por causa do cromado, brilhante de esperança pelos tempos modernos. *Fedders*, está escrito.

— Quem são esses Fedders, afinal de contas? — pergunta mamãe. — De onde são essas pessoas?

— Vá lá e gire o botão, Charlotte.

— Oh, não posso. É muito cafona.

— Jesus! Mãe, o dr. Neal disse que você precisa. Agora, atenção. — Meus pais arregalam os olhos para mim. Eles não sabem que Stuart rompeu comigo depois do jantar dos Whitworth. Nem do alívio que espero dessa máquina. Que a cada minuto que sinto tanto calor, tão malditamente chamuscada e ferida, eu acho que posso pegar fogo.

Giro o botão para "1". Em cima das nossas cabeças, as lâmpadas do lustre enfraquecem. O ronco aumenta devagar, como que abrindo caminho montanha acima. Observo alguns fios de cabelo da mamãe se erguerem lentamente no ar.

— Oh... *nossa* — mamãe fala e fecha os olhos. Ela tem estado tão cansada, e sua úlcera tem piorado. Dr. Neal disse que refrescar a casa, pelo menos, a faria se sentir mais confortável.

— Nem está na potência máxima — digo e viro mais um pouco o botão, para "2". O ar é soprado com um pouco mais de força agora, fica mais frio, e nós três sorrimos, com o suor evaporando das nossas testas.

— Ora, diabos, vamos ligar no máximo — diz papai, virando o botão para "3", que é a regulagem mais alta, mais fria, mais maravilhosa de todas, e mamãe dá umas risadinhas. Ficamos ali parados, boquiabertos, como se fosse possível comer o ar-condicionado. As luzes se acendem de novo, o ronco fica ainda mais alto, nossos sorrisos se abrem ainda mais, e então tudo para, morre. Escuridão.

— O que... aconteceu? — pergunta mamãe.

Papai olha para o teto. Vai até o corredor.

— Esse troço maldito derrubou a chave de luz.

Mamãe abana o pescoço com o lenço.

— Céus, Carlton, vá consertar.

Durante uma hora, papai e Jameso lidam com interruptores e ferramentas, há barulho de botas na varanda. Depois de eles arrumarem a eletricidade e eu ouvir um sermão do papai sobre nunca mais girar o botão até o "3", senão a casa vai explodir, mamãe e eu observamos enquanto uma fina camada de água gelada se condensa nas janelas. Mamãe cabeceia na sua cadeira azul estilo rainha Anne, com o cobertor verde puxado até o peito. Espero até ela pegar no sono, observo o ronco suave, o franzido da sua testa. Na ponta dos pés, desligo todas as lâmpadas, a televisão, tudo que consome energia no andar de baixo, menos o refrigerador. Fico diante da janela e desabotoo a minha blusa. Com cuidado, giro o botão até "3". Porque quero não sentir nada. Quero congelar por dentro. Quero que o frio gelado sopre diretamente no meu coração.

A energia se vai novamente em cerca de três segundos.

Durante as duas semanas seguintes, faço uma imersão nas entrevistas. Deixo a máquina de escrever na varanda dos fundos e trabalho quase o dia inteiro e noite adentro. As telas contra insetos dão ao verde do jardim e dos campos uma aparência enevoada. Às vezes me pego olhando para longe, para os campos, mas não estou ali. Estou nas velhas cozinhas de Jackson com as empregadas, acaloradas e suadas em seus uniformes brancos. Sinto os corpos macios de bebês brancos respirando contra o meu. Sinto o que Constantine sentiu quando mamãe me trouxe do hospital e me entregou a ela. Deixo que suas memórias de cor me desviem da minha própria e miserável vida.

— Skeeter, faz semanas que não temos notícias de Stuart — diz mamãe, pela oitava vez. — Ele não está aborrecido com você, está?

No momento, estou escrevendo a coluna da sra. Myrna. Outrora adiantada em três meses, de algum jeito estou quase perdendo o meu prazo de entrega.

— Ele está bem, mãe. Ele não precisa ligar todos os minutos do dia. — Mas então minha voz amolece. A cada dia, ela parece mais magra. A magreza da sua clavícula basta para amainar minha irritação com o comentário. — Ele só está viajando, mamãe.

Isso parece aplacá-la por um momento, e conto a mesma história para Elizabeth, com alguns detalhes a mais para Hilly, me beliscando para conseguir suportar seu sorriso insípido. Mas não sei o que dizer a mim mesma. Stuart precisa de "espaço" e "tempo", como se estivéssemos falando de física, e não de um relacionamento humano.

Então, em vez de ficar sentindo pena de mim mesma a cada minuto do dia, eu trabalho. Datilografo. Suo. Quem diria que uma briga de amor seria tão quente, diabos? Quando mamãe está deitada em sua cama, levo minha cadeira até o ar-condicionado e enfio a cara na frente dele. Em julho, ele se torna um santuário metálico. Encontro Pascagoula fazendo de conta que está espanando com uma mão, enquanto, com a outra, levanta as tranças diante do aparelho. Não é como se fosse uma nova invenção, o ar-condicionado, mas toda loja da cidade que tem um coloca uma placa na vitrine e inclui uma menção a ele em seus anúncios, pois é algo vital. Faço um cartaz em papelão para a casa dos Phelan, penduro na maçaneta da frente, AGORA COM AR-CONDICIONADO. Mamãe sorri, mas finge não achar graça.

Em uma rara noite passada em casa, sento com mamãe e papai à mesa de jantar. Mamãe mordisca a comida. Passou a tarde tentando impedir que eu descobrisse que ela estava vomitando. Ela pressiona os dedos no alto da cabeça para aliviar a dor e diz:

— Eu estava pensando no dia 25, você acha que é cedo demais para recebê-los? — E ainda não consigo contar a ela que Stuart e eu rompemos.

Mas vejo no seu rosto que agora à noite ela está se sentindo pior do que o normal. Está pálida e tentando permanecer sentada por mais tempo do que, na verdade, gostaria. Pego suas mãos e digo:

— Vou verificar, mamãe. Tenho certeza de que 25 será bom.

Ela sorri pela primeira vez no dia.

AIBILEEN SORRI PARA A PILHA de folhas sobre a mesa da sua cozinha. Tem uma polegada de espessura, datilografada em espaço duplo, e começa a se parecer com algo que pode merecer uma prateleira. Aibileen está tão exausta quanto eu, certamente mais, já que ela trabalha o dia inteiro e volta para casa à noite para fazer as entrevistas.

— Olhe só — diz ela. — Isso já é quase um *livro*.

Concordo, tento sorrir, mas há muito trabalho ainda a ser feito. Já é quase agosto, e, apesar de o prazo ser janeiro, ainda temos mais cinco entrevistas às quais dar o formato final. Com a ajuda de Aibileen, moldei, cortei e organizei os capítulos de cinco mulheres, incluindo o de Minny, mas eles ainda precisam ser trabalhados. Graças aos céus, o capítulo de Aibileen está pronto. São vinte e uma páginas belamente escritas, simples.

Há dúzias de nomes inventados, tanto de personagens brancos quanto de cor, e, às vezes, é difícil manter a coerência. Durante todo o livro, Aibileen foi Sarah Ross. Minny escolheu Gertrude Black, não sei por que razão. Eu escolhi Anônimo, embora Elaine Stein ainda não saiba disso. Niceville, Mississippi, é o nome da nossa cidade porque não existe, mas decidimos que o nome de um estado de verdade chamaria a atenção. E, já que Mississippi é o pior disponível, achamos que seria melhor usá-lo.

Uma brisa sopra da janela, e as páginas de cima voejam. Nós duas batemos com as palmas nas superfícies para pegá-las.

— Você acha... que ela vai querer publicar? — pergunta Aibileen. — Quando ficar pronto?

Tento sorrir para Aibileen, demonstrar uma falsa confiança.

— Espero que sim — digo, o mais entusiasmada possível. — Ela pareceu interessada na ideia e ela... bem, a marcha está se aproximando e...

Ouço minha própria voz morrer. Na verdade, não sei se a sra. Stein vai querer publicá-lo. Mas o que eu sei é: a responsabilidade do projeto recai sobre os meus ombros, e vejo nos rostos cansados de tanto trabalhar, com vincos, o quanto as empregadas querem ver esse livro impresso. Estão assustadas, olhando para a porta dos fundos a cada dez minutos, com medo de serem pegas falando comigo. Com medo de serem espancadas como o neto de Louvenia ou trucidadas na porta de casa como Medgar Evers. O risco que estão correndo é a prova de que querem ver isso impresso, e querem muito.

Não me sinto mais protegida só porque sou branca. Costumo olhar por cima dos ombros enquanto dirijo até a casa de Aibileen. O policial que me parou alguns meses atrás é o meu lembrete: agora sou uma ameaça para toda família branca na cidade. Apesar de muitas das histórias serem positivas, apesar de celebrarem os elos entre as mulheres e os elos da família, as histórias negativas é que chamarão a atenção dos brancos. Vão fazer o sangue deles ferver e suas mãos se fecharem em punhos. Precisamos manter tudo perfeitamente em segredo.

ESTOU DELIBERADAMENTE CINCO MINUTOS ATRASADA para a reunião de segunda à noite da Liga, nossa primeira em um mês. Hilly estava no litoral, jamais ousaria permitir que se fizesse uma reunião sem a sua presença. Ela está bronzeada e pronta para liderar. Segura seu martelinho de madeira como se fosse uma arma. Ao redor de mim, mulheres sentadas fumam seus cigarros, batem as cinzas em copos transformados em cinzeiros, no chão. Mordisco as unhas, para não fumar um. Não fumei nos últimos seis dias.

Além do cigarro que falta na minha mão, estou nervosa por causa dos rostos ao meu redor. Facilmente identifico no salão sete mulheres que são, de alguma forma, relacionadas a alguém do livro, se é que não aparecem nele. Quero fugir daqui e voltar ao trabalho, mas duas longas e quentes horas se passam até que Hilly finalmente bata o martelo. Até ela parece cansada do som da própria voz.

As moças se levantam e esticam os braços. Algumas vão embora, ansiosas para cuidar dos maridos. Outras se demoram um pouco, aquelas que têm a cozinha cheia de crianças e sem nenhuma empregada, que já foi para casa. Junto rapidamente as minhas coisas, esperando conseguir evitar de falar com qualquer pessoa, sobretudo com Hilly.

Porém, antes de eu conseguir fugir, Elizabeth me vê e acena para mim. Não a vejo há semanas e não posso deixar de falar com ela. Sinto culpa por não ter ido visitá-la. Ela agarra o espaldar da cadeira e se levanta. Está grávida de seis meses, lenta por causa dos tranquilizantes para grávidas.

— Como você está? — pergunto. Tudo no corpo dela está igual, a não ser pela barriga, grande e inchada. — Está sendo melhor desta vez?

— Deus, não, é horrível, e ainda tenho três meses pela frente.

Ficamos as duas quietas. Elizabeth arrota baixinho e olha para o relógio. Finalmente, ela apanha a bolsa, pronta para ir embora, mas então pega a minha mão.

— Fiquei sabendo — sussurra ela — sobre você e o Stuart. Sinto muito.

Olho para baixo. Não fico surpresa que ela saiba, apenas que tenha demorado tanto para as pessoas descobrirem. Não contei a ninguém, mas imagino que Stuart tenha falado. Hoje mesmo de manhã tive que mentir à mamãe e dizer a ela que os Whitworth não estariam na cidade no dia 25, a data do suposto jantar que mamãe está organizando.

— Desculpe por não ter lhe contado — digo. — Não gosto de falar sobre isso.

— Eu entendo. Oh, droga, é melhor eu ir para casa, Raleigh provavelmente está tendo um ataque sozinho com ela. — Ela lança um último olhar para Hilly. Hilly sorri e a libera com um aceno.

Junto rapidamente as minhas anotações e me dirijo para a porta. Antes de atravessá-la, eu a ouço.

— Espere um segundo, sim, Skeeter?

Suspiro, me viro e dou de cara com Hilly. Ela está usando um traje marinheiro azul-marinho, algo que se vestiria numa criança de cinco anos. As pregas na sua cintura estão esgarçadas como a sanfona de um acordeão. O salão está vazio agora, exceto por nós duas.

— Podemos, por favor, conversar sobre isto, senhorita? — Ela ergue o boletim mais recente, e sei o que está por vir.

— Não posso ficar. Mamãe está doente...

— Eu disse para você *há cinco meses* para publicar o texto sobre o meu projeto e, agora, outra semana se passou e você ainda não seguiu minhas instruções.

Olho para ela e minha raiva é repentina, feroz. Tudo aquilo que sufoquei durante meses se ergue e entra em erupção na minha garganta.

— *Não* vou publicar esse projeto.

Ela olha para mim, sem se mexer.

— Quero esse projeto no boletim antes das eleições — diz ela, apontando para o teto — ou vou recorrer às instâncias superiores, senhorita.

— Se você tentar me expulsar da Liga, eu mesma vou ligar para Genevieve von Hapsburg na cidade de Nova York — sibilo, pois acontece que sei que Genevieve é a heroína de Hilly. Ela é a mais jovem presidente nacional da Liga da história, talvez a única pessoa nesse mundo de quem Hilly tem medo. Mas Hilly sequer pisca.

— E dizer o quê a ela, Skeeter? Que você não está cumprindo suas tarefas? Que você anda carregando por aí material ativista de negros?

Estou furiosa demais para permitir que isso me enerve.

— Eu quero aqueles folhetos *de volta*, Hilly. Você pegou e eles não são seus.

— Claro que peguei. Você não tem nada que andar carregando esse tipo de coisa por aí. E se alguém visse?

— Quem é você para dizer o que posso e o que não posso carregar...?

— É problema meu, Skeeter! Você sabe tão bem quanto eu que as pessoas não vão comprar uma fatia sequer de pão de ló de uma organização que protege integracionistas raciais!

— Hilly. — Preciso ouvi-la dizer. — Para quem mesmo o dinheiro dessa fatia de pão de ló está sendo levantado?

Ela revira os olhos.

— Para as Pobres Crianças Famintas da África.

Espero que ela entenda a ironia da coisa: mandar dinheiro para gente de cor no outro lado do Atlântico, mas não para o outro lado da cidade. Mas uma ideia melhor me ocorre.

— Vou ligar para Genevieve agora mesmo. Vou contar a ela a hipócrita que você é.

Hilly recebe o golpe. Penso, por um segundo, que encontrei com essas palavras uma rachadura na casca dela. Mas então ela passa a língua nos lábios, dá uma fungada funda e sonora.

— Sabe, não é de admirar que Stuart Whitworth tenha largado você.

Mantenho a mandíbula cerrada, para que ela não veja os efeitos que essas palavras têm sobre mim. Mas, lá dentro, sou uma coluna de mercúrio que cai lentamente. Sinto tudo dentro de mim desaguar no chão.

— Quero aquelas leis de volta — digo, com a voz trêmula.

— Então publique o projeto.

Eu me viro e saio. Jogo a bolsa dentro do Cadillac e acendo um cigarro.

A LUZ DO QUARTO de mamãe está apagada quando chego em casa, e dou graças a Deus por isso. Ando pé ante pé pelo corredor, até a varanda dos fundos, fecho a porta de tela, que range. Sento à máquina de escrever.

Mas não consigo escrever nada. Olho para os minúsculos quadrados cinza da tela da varanda dos fundos. Olho com tanta força que os atravesso. Sinto alguma coisa dentro de mim se abrir. Estou etérea. Estou louca. Fico surda para aquele telefone estúpido, silencioso. Surda para mamãe enjoando dentro de casa. Para a voz dela que sai pela janela: "Estou bem, Carlton, já passou." Ouço tudo isso e, ainda assim, não ouço nada. Só um zumbido muito alto nos ouvidos.

Pego a bolsa e tiro de lá a página contendo o projeto higiênico de Hilly. O papel está amarrotado, até mesmo úmido. Uma mariposa pousa no canto, depois sai voando, deixando uma mancha marrom do pó das suas asas.

Com golpes lentos e deliberados, começo a datilografar o boletim: Sarah Shelby vai se casar com Robert Pryor; por favor, compareça a uma exibição de roupas de bebê organizada por Mary Katherine Simpson; um chá em homenagem aos nossos patrocinadores locais. Então, datilografo o projeto de Hilly. Coloco-o na segunda página, oposta às fotos. Este é o lugar onde todos, com certeza, verão a notícia, depois de olharem para si mesmos no Summer Fun Jamboree.* Só o que consigo pensar enquanto datilografo é: *O que Constantine pensaria de mim?*

---

* Evento que reúne pessoas vestidas com roupas das décadas de 1940-50. São personagens inspirados, por exemplo, em James Dean, Marilyn Monroe e Marlon Brando em início de carreira. (N.T.)

AIBILEEN

CAPÍTULO 22

— Quantos aninhos você faz hoje, Nenezinha?

Mae Mobley ainda tá na cama. Ela estica dois dedinhos sonolentos e diz:

— Mae Moe tem dois.

— Nã-nã, hoje a gente tem três! — Levanto mais um dos dedinhos dela, canto aquilo que meu pai costumava cantar pra mim nos aniversários: — Três soldadinhos saem da toca, dois dizem "parem", um diz "em frente".

Ela tá numa cama de criança grande agora, já que o quarto de bebê tá sendo preparado pro novo nenê.

— No próximo ano, a gente faz quatro soldadinhos, eles vão procurar alguma coisa pra comer.

O nariz dela se franze porque agora ela tem que lembrar de dizer que Mae Mobley tem três, enquanto a vida toda que ela consegue lembrar, ela dizia pra todo mundo que Mae Mobley tinha *dois* anos. Quando a gente é pequena, só nos fazem duas perguntas, qual o seu nome e que idade você tem, então é melhor saber responder direitinho.

— Eu sou Mae Mobley, três anos — diz ela. Ela sai da cama com algum esforço, o cabelo despenteado num ninho de rato. Aquela careca que ela tinha quando nenê tá voltando. Normalmente, consigo escovar o cabelo e esconder o vazio por alguns minutos, mas não por muito tempo. Ele tá fino e perdendo os cachos. No final do dia, tá todo arrepiado. Não me preocupa que ela não é bonita, mas tento arrumar ela o melhor que posso pra mãe.

— Venha até a cozinha — digo. — Vamos fazer um café da manhã de aniversário pra você.

A dona Leefolt saiu pra fazer o cabelo. Ela não dá bola pra estar presente na manhã que a única filha dela acorda pro primeiro aniversário de que ela vai se lembrar. Mas, pelo menos, a dona Leefolt comprou pra Mae Mobley o que ela queria. Me puxou até o quarto dela e apontou pra uma caixa grande no chão.

— Ela não vai ficar feliz? — diz a dona Leefolt. — Anda, fala e até chora.

É uma enorme caixa rosa com bolinhas brancas. Tem papel celofane na frente, e lá dentro tem uma boneca imitando um nenê, do tamanho de Mae Mobley. O nome é Allison. Tem cabelos cacheados dourados e olhos azuis. Um vestido rosa todo cheio de frufrus. Cada vez que o comercial dá na tevê, Mae Mobley corre até o aparelho e agarra a caixa nos dois lados, enfia o rosto na tela e fica olhando, muito séria. Até a dona Leefolt parece que vai chorar, olhando pro brinquedo. Acho que a mãe malvada dela nunca deu pra ela o que ela queria, quando pequena.

Na cozinha, faço um mingau sem tempero nenhum e coloco pequenos marshmallows em cima. Torro tudo pra deixar um pouco crocante. Então, enfeito tudo com pedaços de morango. É isso que mingau é: um veículo. Pra seja lá o que for que você prefere comer.

As três velinhas cor-de-rosa que eu trouxe de casa tão no meu bolso. Pego e desenrolo o pacote de papel manteiga onde eu trouxe elas pra não quebrarem. Depois de acender as velas, trago o mingau pra perto da cadeirinha alta, junto da mesa de linóleo branco, no meio do cômodo.

Digo:

— Feliz aniversário, Mae Mobley, dois aninhos!

Ela ri e diz:

— Eu sou Mae Mobley, três aninhos!

— Muito bem! Agora assopre as velas, Nenezinha. Antes que elas derretam no mingau.

Ela olha fixo pras chamas, sorrindo.

— Assopre, minha menina.

Ela assopra todas elas. Chupa o mingau das velas e começa a comer. Depois de um tempo, sorri pra mim e diz:

— Quantos anos você tem?

— Aibileen tem cinquenta e três.

Os olhos delas se escancaram. É o mesmo que dizer mil anos.

— Você... faz aniversário?

— Sim. — Sorrio. — É uma pena, mas faço, sim. Meu aniversário é na semana que vem. — Não acredito que vou fazer cinquenta e quatro anos. Pra onde foi o tempo?

— Você tem nenê? — pergunta ela.

Eu rio:

— Tenho dezessete nenês.

Ela ainda não chegou até dezessete nos números, mas sabe que é um número grande.

— É nenê suficiente pra encher toda a cozinha — digo.

Os olhos castanhos dela ficam redondos e enormes.

— Onde tão os nenês?

— Por toda a cidade. Todos os nenês que eu cuidei.

— Por que eles não vêm brincar comigo?

— Porque a maior parte deles já cresceu. Muitos deles já tão tendo nenês, também.

Senhor, ela parece confusa! Ela pensa, como quem tá tentando contar todos os nenês. Finalmente, digo:

— Você é um deles, também. Todos os nenês que eu cuido, eu conto como meus.

Ela faz que entende, cruza os braços.

Começo a lavar a louça. A festa de aniversário hoje à noite vai ser só pra família, e eu preciso fazer os bolos. Primeiro vou fazer o bolo de morango, com cobertura de morango. Toda refeição seria de morango, se dependesse de Mae Mobley. Então, faço o outro.

— Vamos fazer um bolo de chocolate — disse a dona Leefolt ontem. Ela tá grávida de sete meses e adora comer bolo de chocolate.

Eu já tinha planejado tudo na semana passada. Tou com tudo pronto. É uma coisa importante demais pra me ocorrer só na véspera.

— Hum-hum. Que tal de morango? É o favorito de Mae Mobley, sabe?

— Oh, não, ela quer de chocolate. Vou até o armazém hoje pra comprar tudo que você precisa.

Chocolate uma ova. Então, pensei em fazer os dois. Assim, pelo menos, ela pode assoprar dois conjuntos de velinhas.

Lavo o prato do mingau. Dou um pouco de suco de uva pra ela beber. Ela tá com a boneca velha na cozinha, o nenê que ela chama de Claudia, com cabelo pintado e olhos que abrem e fecham. Faz um som de gemido quando a gente derruba ela no chão.

— Aí tá o seu nenê — digo, e ela acaricia as costas da boneca pra fazer ela arrotar, faz que sim.

Então, ela diz:

— Aibee, você é a minha mamãe de verdade. — Ela nem me olha, fala isso como quem comenta o tempo lá fora.

Eu me ajoelho no chão, onde ela tá brincando.

— A sua mamãe saiu pra arrumar o cabelo. Nenezinha, você sabe quem é a sua mamãe.

Mas ela balança a cabeça, abraçando forte a boneca.

— Eu sou o *seu* nenê — diz ela.

— Mae Mobley, você sabe que eu tou só brincando, sobre os dezessete nenês serem meus? Não são, na verdade. Eu só tive um nenê.

— Eu sei — diz ela. — Eu sou o seu nenê de verdade. Os outros são de mentirinha.

Já tive nenês confusos antes. John Green Dudley, a primeira palavra a sair da boca daquele menino foi "mamã", e ele tava olhando direto pra mim. Mas então logo ele tava chamando todo mundo, até ele mesmo, de "mamã", e chamando o pai de "mamã" também. Fez isso durante muito tempo. Ninguém se preocupou muito. Claro que, quando ele começou a brincar de usar as saias rodadas da irmã Jewel Taylor e colocar Chanel No. 5, todo mundo ficou meio preocupado.

Cuidei da família Dudley tempo demais, mais de seis anos. O pai dele levava ele até a garagem e batia nele com uma mangueira de borracha, tentando afugentar a menina nele, até que não aguentei mais. Treelore quase sufocava quando eu chegava em casa, de tão forte que eu abraçava ele. Quando a gente começou a trabalhar nas histórias, a dona Skeeter perguntou qual tinha sido o pior dia da minha carreira como empregada doméstica. Eu disse pra ela que tinha sido um nenê que tinha nascido morto. Mas não foi. Foram todos os dias de 1941 a 1947, esperando do lado da porta de tela até a surra terminar. Deus sabe que eu queria ter dito a John Green Dudley que ele não ia pro inferno. Que ele não era nenhuma aberração por gostar de meninos. Deus sabe que eu queria ter enchido os ouvidos dele com coisas boas, como tou tentando fazer com Mae Mobley. Em vez disso, eu só ficava sentada na cozinha, esperando pra colocar emplasto nos vergões deixados pela mangueira.

Bem aí ouvimos a dona Leefolt estacionando na entrada da garagem. Fico um pouco nervosa em pensar no que a dona Leefolt vai fazer se ouvir essa história de "mamã". Mae Mobley também tá nervosa. As mãozinhas dela começam a bater como as asas de uma galinha.

— Psiu! Não conta pra ela! — diz ela. — Senão ela me bate.

Então, quer dizer que ela já teve essa conversa com a mãe. E a dona Leefolt não gostou nem um pouco.

Quando a dona Leefolt entra, com seu novo penteado, Mae Mobley nem chega a dizer oi e vai correndo pro quarto. Parece que tem medo que a mãe veja o que se passa na sua cabecinha.

TUDO DÁ CERTO NA FESTA DE ANIVERSÁRIO de Mae Mobley, ou, pelo menos, é isso o que a dona Leefolt me conta, no dia seguinte. Sexta de manhã chego e vejo três quartos de um bolo de chocolate em cima da bancada. O de morango acabou. Naquela tarde, a dona Skeeter faz uma visita pra entregar uns papéis pra dona Leefolt. Assim que a dona Leefolt sai caminhando devagar pro banheiro, a dona Skeeter se esgueira até a cozinha.

— Tudo certo pra hoje à noite? — pergunto.

— Tudo certo. Vou estar lá. — A dona Skeeter não sorri muito desde que o seu Stuart e ela deixaram de namorar sério. Ouço a dona Hilly e a dona Leefolt falando muito disso.

A dona Skeeter pega uma Co-Cola da geladeira, fala em voz baixa.

— Hoje vamos terminar a entrevista de Winnie, e nesse próximo final de semana vou começar a editá-la. Mas só vou poder me reunir de novo na próxima quinta-feira. Prometi à minha mãe que a levaria a Natchez, na segunda-feira, para uma coisa do DAR. — A dona Skeeter meio que aperta os olhos, trejeito que ela tem quando pensa em alguma coisa muito, muito importante. — Vou ficar fora durante três dias, está bem?

— Isso é bom — digo. — Você precisa de um descanso.

Ela se dirige pra sala de jantar, mas olha pra trás e diz:

— Lembre-se: vou viajar na segunda de manhã e vou ficar fora durante três dias, entendeu?

— Sim, senhorita — digo, me perguntando por que ela acha que precisa repetir isso.

AINDA NÃO SÃO OITO E MEIA DA MANHÃ de segunda-feira e o telefone da dona Leefolt já tá tocando que nem louco.

— Residência da dona Leefo...

— *Coloque a Elizabeth no telefone!*

Vou chamar a dona Leefolt. Ela sai da cama, entra meio tonta na cozinha, de bobes e camisola, e pega o fone. A dona Hilly parece que tá usando um megafone, e não um telefone. Consigo ouvir tudo que ela fala.

— *Você esteve aqui na minha casa?*

— O quê? O que você está faland...

— *Ela colocou no boletim sobre as privadas. Eu disse especificamente que casacos velhos deveriam ser deixados na minha casa, não...*

— Deixa eu... pegar a correspondência. Não sei o que você está...

— *Quando eu a encontrar, vou matá-la com as minhas próprias mãos.*

E desliga na cara da dona Leefolt. Ela fica ali em pé um segundo, olhando pro fone, então joga um casaco por cima da camisola.

— *Preciso* ir — diz ela, olhando ao redor atrás das chaves. — Já volto.

Ela corre, toda grávida, porta afora, se joga no carro e sai acelerando. Eu olho pra Mae Mobley e ela olha pra mim.

— Não me pergunte, Nenezinha. Também não sei de nada.

O que eu sei é: Hilly e a família chegaram hoje de manhã de Memphis. Sempre que a dona Hilly vai viajar, a dona Leefolt só sabe falar sobre onde ela tá e quando vai voltar.

— Vem cá, Nenezinha — digo, depois de um tempo. — Vamos dar um passeio, preciso descobrir o que é que tá acontecendo.

A gente sobe a Devine, dobra à esquerda, então à esquerda de novo, e entra na rua da dona Hilly, que é a Myrtle. Apesar de ser agosto, é uma caminhada agradável, ainda não tá quente demais. Passarinhos voam de um lado pro outro, cantando. Mae Mobley segura a minha mão e a gente balança bem os braços, se divertindo. Muitos carros passam por nós hoje, o que é estranho, pois a Myrtle é uma rua sem saída.

Fazemos a curva na direção da casa branca e enorme da dona Hilly. E lá tão elas.

Mae Mobley aponta e ri.

— Olha, olha, Aibee!

Nunca na minha vida tinha visto uma coisa dessas. Três dúzias delas. Privadas. Em cima da grama da dona Hilly. De cores, formatos e tamanhos diferentes. Algumas são azuis, algumas são rosa, algumas são brancas. Algumas não têm tampa, algumas não têm tanque de água. Tem privadas velhas, novas, com correntinha em cima, com botão de descarga. Quase parece uma multidão de pessoas, algumas com as tampas abertas, conversando, algumas com as tampas fechadas, ouvindo.

A gente se aproxima do meio-fio, porque o trânsito nessa pequena rua tá ficando mais engarrafado. As pessoas se aproximam nos seus carros e contornam o pequeno canteiro de grama ao final da rua, com as janelas abaixadas. Riem em voz alta e dizem "Olhem só a casa da Hilly", "Olhem só isso". Olham pras privadas como se nunca tivessem visto uma antes.

— Uma, duas, três — Mae Mobley começa a contar. Ela chega em doze, e aí eu preciso assumir. — Vinte e nove, trinta, trinta e uma. Trinta e duas privadas, Nenezinha.

A gente se aproxima um pouco e então vejo que as privadas não tão só no jardim. Tem duas na garagem, uma ao lado da outra, como um casal. Tem uma no degrau de entrada, parece que tá esperando a dona Hilly atender a porta.

— Não é engraçada aquela ali com...

Mas a Nenezinha se livrou da minha mão. Tá correndo pelo quintal, vai até a privada rosa, no meio, e levanta a tampa. Antes de eu me dar conta, ela baixou as calcinhas e trepou na privada e, quando vejo, tou correndo atrás dela com uma dúzia de buzinas fazendo barulho e um homem tirando fotos.

O carro da dona Leefolt tá na garagem, atrás do carro da dona Hilly, mas as duas não tão à vista. Devem estar lá dentro, discutindo aos gritos sobre o que vão fazer com essa bagunça. As cortinas tão todas fechadas, e não vejo movimento nenhum. Cruzo meus dedos, espero que não tenham visto a Nenezinha fazendo as necessidades na frente de toda Jackson. Tá na hora de voltar pra casa.

Todo o caminho até chegar em casa, a Nenezinha faz perguntas sobre as privadas. Por que tão lá? De onde vieram? Ela pode ir visitar a Heather e brincar mais um pouco com as privadas?

Quando chego de volta na casa da dona Leefolt, o telefone passa o resto da manhã tocando, estridente. Não atendo. Tou esperando ele parar um pouco pra eu poder ligar pra Minny. Mas quando a dona Leefolt chega fazendo estardalhaço na cozinha, ela se gruda no telefone e fica ali tagarelando a um milhão de quilômetros por hora. Ouvindo a conversa dela, não demoro muito a juntar os pedacinhos de toda a história.

A dona Skeeter publicou o artigo sobre os banheiros de Hilly no boletim. A lista de razões pros brancos e pretos não poderem usar a mesma privada. E então, embaixo dessa lista, ela colocou um lembrete sobre a doação de casacos ou, pelo menos, era isso que ela devia ter feito. Mas, em vez de casacos, dizia alguma coisa como "Entreguem suas privadas usadas no número 228 da Myrtle Street. Estaremos viajando, mas deixem-nas na porta". Ela trocou uma palavra, só isso. Pelo menos, acho que é isso que ela vai dizer.

QUE AZAR DA DONA HILLY que não tinha outras notícias. Nada sobre o Vietnã ou sobre a estiagem. Não tem nenhuma novidade sobre a grande marcha se aproximando de Washington com o reverendo King. No dia seguinte, a casa da dona Hilly, cheia de privadas, tá na primeira página do *Jackson Journal*. Preciso admitir que é uma visão muito engraçada. Pena que não era em cores, pra se comparar todos os tons de rosa, azul e branco. Dessegregação dos vasos sanitários, é como deveriam ter chamado.

A manchete é: VENHA, SENTE-SE! Do lado da foto não tem nenhum artigo sobre ela. Só a foto e uma legenda que diz: "O lar de Hilly e William Holbrook, de Jackson, Mississippi, era uma visão para se admirar, hoje de manhã".

E não quero dizer que não tinha nada acontecendo em Jackson, quero dizer que não tinha nada acontecendo em todos os Estados Unidos. Lottie Freeman, que trabalha na mansão do governador, onde recebem todos os grandes jornais, me disse que viu na seção de decoração do *The New York Times*. E, em todos os jornais, dizia: "Lar de Hilly e William Holbrook, Jackson, Mississippi".

NA CASA DA DONA LEEFOLT, tem mais conversas telefônicas naquela semana do que o normal, a dona Leefolt não para de balançar a cabeça afirmativamente, cheia até as orelhas da dona Hilly. Parte de mim quer rir por causa das privadas, a outra parte quer chorar. É um risco grande demais pra dona Skeeter correr, fazer a dona Hilly se virar contra ela. Ela tá voltando pra casa hoje à noite, de Natchez, tomara que me ligue. Agora acho que sei por que ela viajou.

Na terça de manhã, ainda não tive notícias da dona Skeeter. Monto a tábua de passar roupa na sala de estar. A dona Leefolt chega em casa com a dona Hilly e elas se sentam na mesa de jantar. Não vi a dona Hilly por aqui desde o episódio das privadas. Acho que ela não tem saído muito de casa. Abaixo bem o volume do aparelho de tevê e apuro os ouvidos.

— Aqui está. Foi sobre isto aqui que eu lhe falei. — A dona Hilly tá com um livreto aberto nas mãos. Tá correndo os dedos sobre as linhas do texto. A dona Leefolt balança a cabeça.

—Você sabe o que isso significa, não sabe? Ela quer mudar as leis. Por que outra razão ela as carregaria por aí?

— Não posso acreditar nisso — diz a dona Leefolt.

— Não posso provar que ela colocou aquelas privadas no meu jardim. Mas isto — ela ergue o livreto e dá tapinhas na capa —, isto aqui é uma prova incontestável de que ela anda aprontando alguma coisa. E pretendo falar sobre isso com Stuart Whitworth, também.

— Mas eles não estão mais namorando.

— Bem, mesmo assim ele precisa saber. Caso ele esteja inclinado a retomar as coisas com ela. Pelo bem da carreira do senador Whitworth.

— Mas talvez tenha sido mesmo um engano, o boletim. Talvez ela...

— Elizabeth. — Hilly cruza os braços. — Não estou falando de privadas. Estou falando das leis deste grande Estado. Agora, quero lhe fazer uma pergunta: você quer Mae Mobley sentada ao lado de um menino de cor na aula de inglês? — A dona Hilly lança um olhar pra mim, que tou passando roupa. Ela baixa o tom da voz, mas a dona Hilly nunca soube sussurrar muito bem. —Você quer gente negra morando aqui, nesta vizinhança? Passando a mão na sua bunda quando você caminha pela rua?

Dou uma olhada e vejo que a dona Leefolt tá começando a entender. Ela tá sentada toda reta e empertigada.

—William teve um ataque quando viu o que ela fez na nossa casa, e eu não posso sujar meu nome andando com ela, não com as eleições se aproximando. Eu já pedi a Jeanie Caldwell para ficar no lugar de Skeeter no clube do bridge.

—Você a expulsou do clube do bridge?

— Claro que sim. E pensei em expulsá-la da Liga, também.

— E você pode fazer isso?

— Claro que posso. Mas decidi que quero ela sentada naquele salão, vendo o papel de tola que fez. — A dona Hilly faz que sim com a cabeça. — Ela precisa aprender que não pode continuar desse jeito.

Quero dizer, perto da gente é uma coisa, mas perto de outras pessoas, ela vai se meter em sérias encrencas.

— É verdade. Há gente racista nesta cidade — diz a dona Leefolt.

A dona Hilly acena mais uma vez a cabeça:

— Oh, eles estão à espreita.

Depois de algum tempo, elas se levantam e saem de carro juntas. Fico feliz por não ter que ver o rosto delas por um tempo.

NA HORA DO ALMOÇO, o seu Leefolt vem comer em casa, o que é raro. Ele se senta na mesa pequena de café da manhã.

— Aibileen, faça um almoço para mim, por favor. — Ele levanta o jornal, vira a capa ao contrário pra poder ler direito. — Pode ser um pouco de rosbife.

— Sim, senhor. — Coloco sobre a mesa um jogo americano e um guardanapo e talheres de prata. Ele é alto e magro. Não vai demorar pra ficar careca. Tem um anel preto em torno da cabeça e nada no cocuruto.

— Você vai ficar para ajudar Elizabeth com o bebê? — pergunta ele, lendo o jornal. Normalmente ele não me dá a mínima.

— Sim, senhor.

— Porque ouvi dizer que você gosta de mudar de emprego.

— Sim, senhor — digo. É verdade. A maioria das empregadas fica com a mesma família a vida inteira, mas eu não. Tenho minhas razões pra ir embora quando as crianças têm uns oito, nove anos de idade. Demorou alguns empregos até eu aprender isso. — Sou melhor cuidando de nenês.

— Então você, na verdade, não se considera uma empregada. Você é mais como uma babá. — Ele larga o jornal e olha pra mim. — Você é uma especialista, como eu.

Não digo nada, só balanço um pouco a cabeça, concordando.

— Veja, eu só cuido dos impostos de empresas, e não de todo e qualquer indivíduo que declare imposto de renda.

Tou ficando nervosa. Ele nunca falou tanto assim comigo, e tou aqui há três anos.

— Deve ser difícil encontrar um emprego novo cada vez que a criança chega na idade de ir para a escola.

— Sempre aparece alguma coisa.

Ele não diz mais nada, então me afasto e tiro o assado da geladeira.

— É preciso manter boas referências, trocando de clientela como você troca.

— Sim, senhor.

— Ouvi falar que você conhece Skeeter Phelan. Uma antiga amiga de Elizabeth.

Mantenho a cabeça baixa. Bem devagar, eu fatio, fatio, fatio a carne daquele filé. Meu coração tá pulando na velocidade tripla agora.

— Ela me pede dicas de limpeza, às vezes. Pra coluna.

— É mesmo? — diz o seu Leefolt.

— Sim, senhor. Ela só me pede umas dicas.

— Não quero mais você conversando com essa mulher, nem sobre dicas de limpeza, nem pra dar oi, está me ouvindo?

— Sim, senhor.

— Se eu ficar sabendo que vocês duas andaram conversando, você vai se ver em maus lençóis. Está entendendo?

— Sim, senhor — respondo, me perguntando o que esse homem sabe.

O seu Leefolt pega de novo o jornal.

— Vou comer essa carne num sanduíche. Ponha um pouco de maionese. E não torre demais, não quero que fique seco.

NAQUELA NOITE, eu e Minny estamos sentadas na mesa da minha cozinha. Minhas mãos começaram a tremer hoje à tarde e não pararam mais.

— Aquele branco idiota horroroso — diz Minny.

— Eu só queria saber o que tá se passando na cabeça dele.

Alguém bate na porta dos fundos, e Minny e eu olhamos uma pra outra. Só uma pessoa bate na minha porta desse jeito, todas as outras simplesmente entram. Abro e lá tá a dona Skeeter.

— A Minny tá aqui — sussurro, pois é sempre mais seguro saber quando você vai entrar numa sala onde tá Minny.

Fico feliz que a dona Skeeter esteja aqui. Tenho tanto pra contar a ela que nem sei por onde começar. Mas fico surpresa ao ver que ela tem algo como um sorriso no rosto. Acho que ainda não deve ter falado com a dona Hilly.

— Olá, Minny — diz ela, ao entrar.

Minny se vira pra janela:

— Olá, dona Skeeter.

Antes de eu poder interferir, a dona Skeeter já se sentou e começou a falar.

— Tive algumas ideias enquanto estive fora. Aibileen, acho que devemos abrir o livro com o seu capítulo. — Ela tira alguns papéis daquela bolsa desajeitada. — Então, o capítulo de Louvenia nós trocamos pela história de Faye Belle, já que não queremos três histórias dramáticas uma depois da outra. O miolo a gente decide depois, mas, Minny, acho que sua parte definitivamente deve ser a última.

— Dona Skeeter... tenho umas coisas pra lhe contar.

Minny e eu olhamos uma pra outra.

— Já vou indo — diz Minny, fazendo uma cara feia como se a cadeira dela de repente tivesse ficado dura demais. Ela se dirige pra porta, mas no caminho toca de leve o ombro da dona Skeeter, bem rápido, sem virar os olhos, como quem não fez nada. Então se vai.

—Você esteve fora um bom tempo, dona Skeeter. — Esfrego a nuca.

Então, conto pra ela que a dona Hilly pegou aquele livreto e mostrou ele pra dona Leefolt. E Deus sabe pra quem mais na cidade ela tá espalhando aquilo.

A dona Skeeter faz que sim e diz:

— Eu cuido da Hilly. Isso não envolve você, nem as outras empregadas, nem o livro, de jeito nenhum.

E então conto pra ela o que o seu Leefolt disse, sobre como ele foi muito claro que não devo mais falar com ela sobre a coluna de limpeza. Não quero contar essas coisas pra ela, mas ela vai ficar sabendo e prefiro que saiba por mim.

Ela ouve com atenção e faz algumas perguntas. Quando termino de falar, ela diz:

— Raleigh, ele não é de nada. Mas vou ter que tomar mais cuidado, quando for à casa de Elizabeth. Não vou mais entrar pela cozinha — e dá pra ver que ela ainda não percebeu o que está acontecendo. A encrenca que ela tá com as amigas. Que a gente precisa ficar alerta. Conto pra ela o que a dona Hilly disse sobre fazer ela sofrer através da Liga. Conto que ela foi expulsa do clube do bridge. Conto pra ela que a dona Hilly vai contar tudo ao seu Stuart, pra caso ele esteja "inclinado" a reatar com ela.

Skeeter desvia os olhos e tenta sorrir.

— Seja como for, não me importo com nada. — Ela sorri, e isso faz meu coração doer. Porque todo mundo se importa. Preto, branco, lá no fundo, todo mundo se importa.

— Eu... eu queria que você ficasse sabendo por mim e não por aí — digo. — Assim, fica sabendo o que esperar. Pra poder tomar bastante cuidado.

Ela morde o lábio e concorda.

— Obrigada, Aibileen.

CAPÍTULO 23

O VERÃO se desenrola diante dos nossos olhos que nem máquina de espalhar piche quente. Todas as pessoas de cor de Jackson se enfiam na frente da primeira tevê pra ver Martin Luther King na capital do país nos dizendo que tem um sonho. Tou assistindo no porão da igreja. Até o nosso reverendo Johnson foi lá marchar, e eu me pego examinando a multidão, procurando o rosto dele. Não posso acreditar que tantas pessoas tão lá — duzentas e cinquenta *mil*. E o mais curioso é: sessenta mil delas são *brancas*.

— O Mississippi e o mundo lá fora são dois lugares bem diferentes — diz o diácono, e todo mundo concorda, pois não é que é verdade?

Chega o mês de setembro e explodem em mil pedacinhos uma igreja em Birmingham, com quatro menininhas de cor lá dentro. Isso tira o sorriso dos nossos rostos bem rapidinho. Senhor, a gente chora pra valer, e parece que a vida não pode continuar. Mas ela continua.

Toda vez que vejo a dona Skeeter, ela parece mais magra, com os olhos um pouco mais assustados. Ela tenta sorrir, tenta aparentar que não é tão difícil não ter mais nenhuma amiga.

Em outubro, a dona Hilly se senta na mesa da sala de jantar da dona Leefolt. A dona Leefolt tá tão grávida que mal consegue focar os olhos. É inacreditável, mas a dona Hilly tá com uma pele enorme enrolada no pescoço, mesmo fazendo sessenta graus lá fora. Ela estica o dedinho mínimo enquanto segura a xícara de chá e diz:

— Skeeter pensou que era muito esperta, largando todas aquelas privadas no meu jardim. Bem, estão funcionando muito bem. Já instalamos três delas nas garagens e nas áreas de serviço de várias pessoas. Até mesmo o William disse que foi uma bênção disfarçada.

Não vou contar isso pra dona Skeeter. Que ela acabou ajudando a causa que ela tá combatendo. Mas logo vejo que não faz diferença, pois a dona Hilly diz:

— Decidi escrever um cartão de agradecimento para Skeeter ontem à noite. Contar como ela ajudou a acelerar o projeto.

COM A DONA LEEFOLT tão ocupada fazendo roupas pro nenê que vai nascer, Mae Mobley e eu passamos praticamente todos os minutos do dia juntas. Ela tá ficando grande demais pra eu carregar ela o tempo todo, ou vai ver eu tou velha demais. Em vez disso, vou lá e abraço ela bem apertado várias vezes.

— Vem me contar a minha história secreta — sussurra ela, abrindo um sorriso enorme. Ela sempre quer a história secreta dela pra já, a primeira coisa assim que eu chego. As histórias secretas são as que eu invento.

Mas então a dona Leefolt entra com a bolsa no braço, pronta pra sair.

— Mae Mobley, estou indo. Venha dar um abraço na mamãe.

Mas Mae Mobley não se mexe.

A dona Leefolt tá com uma das mãos na cintura, esperando pela filha.

— Vai lá, Mae Mobley — falo baixinho. Dou um empurrãozinho nela e ela vai dar um abraço apertado na mãe, meio desesperado, mas a dona Leefolt já tá vasculhando a bolsa atrás das chaves, quase se livrando da filha. Mas isso não parece incomodar tanto Mae Mobley como antes, e é pra isso que quase não consigo olhar.

— Vamos lá, Aibee — me diz Mae Mobley, depois que a mãe dela já se foi. — Hora da minha história secreta.

Vamos até o quarto dela, onde a gente gosta de ficar. Eu me sento na cadeira grande, ela se senta no meu colo e sorri, pulando um pouquinho.

— Me conta, me conta sobre o pacote marrom. E sobre o presente. — Ela tá tão excitada que tá se contorcendo. Ela precisa pular do meu colo, se sacudir um pouco mais pra se acalmar. Então ela sobe de novo em cima de mim.

Essa é a história favorita dela, porque, quando eu conto, ela recebe dois presentes. Rasgo um pedaço de papel pardo da minha sacola de compras do Piggly Wiggly e enrolo alguma coisa lá dentro, como uma bala. Então uso o papel branco da minha sacola de compras da farmácia Cole's e enrolo um doce igualzinho. Ela leva muito a sério, abrir os pacotes. Espera eu contar a história sobre como não é a cor do pacote que conta, mas o que tá dentro dele.

— Hoje vamos contar uma história diferente — digo, mas primeiro fico parada e ouço, só pra ter certeza que a dona Leefolt não tá voltando porque esqueceu alguma coisa. A barra tá limpa.

— Hoje vou contar a você sobre um homem do espaço. — Ela adora ouvir sobre seres do espaço. O programa preferido dela na tevê é *Meu marciano favorito*. Pego os chapéus de antenas que fiz ontem à noite com papel-alumínio e coloco nas nossas cabeças. Um pra ela, outro pra mim. Parecemos duas doidas usando esses troços.

— Um dia, um marciano sábio veio à Terra pra ensinar umas coisinhas pra nós, humanos — digo.

— Marciano? De que tamanho?

— Oh, ele tem quase um metro e noventa.

— Como é o nome dele?

— Marciano Luther King.

Ela respira bem fundo e deita a cabecinha no meu ombro. Sinto o coraçãozinho de três anos de idade batendo perto do meu, palpitando como borboletas junto do meu uniforme branco.

— Ele era um marciano muito bacana, o seu King. Parecia exatamente como nós, nariz, boca, cabelo na cabeça, mas às vezes as pessoas olhavam de um jeito engraçado pra ele, e às vezes, bem, acho que às vezes as pessoas simplesmente eram malvadas.

Eu podia me meter numa encrenca *braba* contando essas historinhas, especialmente com o seu Leefolt. Mas Mae Mobley sabe que essas são as nossas "histórias secretas".

— Por quê, Aibee? Por que elas eram más com ele? — pergunta ela.

— Porque ele era verde.

DUAS VEZES HOJE DE MANHÃ o telefone da dona Leefolt tocou, e duas vezes não consegui atender a tempo. Uma vez porque eu tava correndo atrás da Nenezinha andando pelada pelo quintal dos fundos, e na outra porque eu tava usando o banheiro na garagem, e com a dona Leefolt tendo passado três — sim, *três* — semanas do termo da gravidez, não espero que ela saia correndo pra atender telefone nenhum. Mas também não espero que ela fique brava comigo porque não consegui atender. Senhor, eu devia ter desconfiado quando acordei hoje de manhã.

Ontem de noite, trabalhei com a dona Skeeter nas histórias até quinze pra meia-noite. Tou cansada até os ossos, mas conseguimos terminar o capítulo oito, e isso significa que ainda temos mais quatro pela frente. Dez de janeiro é o prazo, e não sei se a gente vai conseguir cumprir.

Já é a terceira quarta-feira de outubro, então é a vez da dona Leefolt receber o clube do bridge. Tudo mudou, depois que a dona Skeeter foi expulsa. Fazem parte agora a dona Jeanie Caldwell, aquela que chama todo mundo de querida, e a dona Lou Anne, que substituiu a dona Walter, e todo mundo é muito educado e empertigado, e elas passam duas horas concordando umas com as outras. Não tem mais muita graça ouvir a conversa delas.

Tou servindo o último copo de chá gelado quando a campainha faz *blim-blom*. Vou rápido até a porta, mostrando pra dona Leefolt que não sou tão lerda que nem ela me acusou.

Quando abro, a primeira coisa que vem à minha cabeça é *rosa*. Nunca vi ela antes, mas já conversei com Minny o suficiente pra saber que é ela. Pois quem mais por aqui usa peitos extragrandes com um suéter extrapequeno?

— Olá — diz ela, passando a língua nos lábios cheios de batom. Ela estende a mão pra mim e acho que ela quer me entregar alguma coisa. Eu estendo a mão pra pegar seja lá o que for e ela me dá um aperto de mão um pouco bizarro.

— Meu nome é Celia Foote e estou aqui para ver a dona Elizabeth Leefolt, por gentileza.

Tou tão enfeitiçada por todo aquele rosa que demoro alguns segundos pra me dar conta que posso me dar mal com isso. E Minny também. Foi há muito tempo, mas a mentira pegou.

— Eu... ela... — eu diria pra ela que não tem ninguém em casa, mas a mesa do bridge tá a um metro e meio atrás de mim. Olho pra trás, e todas as quatro madames tão olhando pra porta, com as bocas abertas como se pra comer mosca. A dona Caldwell sussurra alguma coisa pra dona Hilly. A dona Leefolt se levanta, vacilante, e veste rápido um sorriso.

— Olá, Celia — diz a dona Leefolt. — Faz tempo, não?

A dona Celia limpa a garganta, e diz, meio que alto demais:

— Olá, Elizabeth. Estou vindo aqui hoje para... — Os olhos dela chegam até a mesa onde as outras madames tão sentadas. — Oh, não, estou interrompendo. Eu vou... Eu volto. Outra hora.

— Não, não, o que posso fazer por você? — diz a dona Leefolt.

A dona Celia respira fundo dentro daquela saia rosa apertada dela e, por um segundo, acho que todo mundo pensa que ela vai estourar.

— Estou aqui para oferecer ajuda para o Baile Beneficente.

A dona Leefolt sorri e diz:

— Oh. Bem, eu...

— Tenho jeito com arranjo de flores, quero dizer, lá em Sugar Ditch todo mundo dizia isso, até a minha empregada me disse, logo depois de dizer que eu sou a pior cozinheira que ela já viu na vida. — Nesse segundo, ela dá um risinho e eu seguro a respiração quando ouço a palavra *empregada*. Então, ela fica séria de novo. — Mas posso endereçar envelopes e lamber selos e...

A dona Hilly se levanta da mesa. Ela se intromete na conversa, dizendo:

— Realmente não precisamos mais de nenhuma ajuda, mas ficaríamos encantadas se você e o Johnny fossem ao Baile, Celia.

A dona Celia sorri e parece tão grata que é de cortar o coração de qualquer um. De qualquer um que tenha um coração.

— Oh, obrigada — diz ela. — Eu *adoraria*.

— É na sexta à noite, dia 15 de novembro, no...

— ... Robert E. Lee Hotel — a dona Celia termina a frase. — Sei tudo sobre o Baile.

— Adoraríamos lhe vender algumas entradas. Johnny vai com você, não vai? Vá pegar uns ingressos para ela, Elizabeth.

— E, se houver alguma coisa que eu possa fazer para ajudar...

— Não, não. — Hilly sorri. — Já tomamos conta de tudo.

A dona Leefolt volta com o envelope. Ela fisga lá dentro alguns ingressos, mas então a dona Hilly tira o envelope da mão dela.

— Enquanto você está aqui, Celia, por que não aproveita e compra alguns ingressos para seus amigos?

A dona Celia congela por um segundo:

— Ãhn, está bem.

— Que tal dez? Você e Johnny e mais oito amigos. Aí você ficaria com uma mesa inteira.

A dona Celia tá sorrindo tanto que começa a tremer.

— Acho que só dois ingressos serão suficientes.

A dona Hilly pega dois ingressos e devolve o envelope pra dona Leefolt, que sai pra guardar ele.

— Deixe eu preencher o cheque. Tenho sorte por estar com esse trambolho comigo hoje. Falei para a minha empregada, Minny, que eu pegaria um pernil para ela na cidade hoje.

A dona Celia se esforça pra preencher o cheque sobre o joelho. Fico o mais parada possível, pedindo a Deus que a dona Hilly não tenha ouvido o que ela acabou de dizer. Ela entrega o cheque, mas a dona Hilly tá com a cara toda franzida, pensando.

— Quem? Quem você disse que é a sua empregada?

— Minny Jackson. Oh, droga! — A dona Celia tapa a boca com a mão. — Elizabeth me fez jurar que eu não diria que foi ela que me recomendou Minny, e acabei de dar com a língua nos dentes.

— Elizabeth... recomendou Minny Jackson?

A dona Leefolt volta do quarto:

— Aibileen, ela acordou. Vá pegá-la agora. Não consigo levantar nem uma lixa de unha com as minhas costas.

Vou correndo pro quarto de Mae Mobley, mas, assim que entro lá, Mae Mobley acabou de pegar no sono de novo. Corro de volta pra sala de estar. A dona Hilly tá fechando a porta da frente.

A dona Hilly se senta, com cara de quem comeu o gato que comeu o canário.

— Aibileen — diz a dona Leefolt —, pode ir preparar as saladas agora, estamos esperando.

Vou até a cozinha. Quando volto, os pratos de salada tremem como dentes na bandeja de servir.

— ... dizer aquela que roubou toda a prataria da sua mãe e...

— ... pensei que todo mundo na cidade sabia que aquela negra é uma ladra...

— ... nunca, nem em um milhão de anos, eu recomendaria...

— ... vocês viram a roupa dela? Quem ela acha que...

— Vou descobrir essa história nem que seja a última coisa que eu vou fazer na vida — diz a dona Hilly.

MINNY

CAPÍTULO 24

TOU JUNTO À PIA DA COZINHA esperando a dona Celia voltar pra casa. O trapo que eu não paro de puxar tá em fiapos. Aquela mulher louca acordou hoje de manhã, se enfiou na blusa rosa mais apertada que ela tem, o que não é dizer pouco, e gritou: "Estou indo na casa de Elizabeth Leefolt. Agora, enquanto tenho coragem, Minny." Então ela saiu dirigindo o Bel Aire conversível, com a saia presa pra fora da porta.

Até o telefone tocar, eu só tava nervosa. Aibileen tava soluçando, de tão perturbada. Não apenas a dona Celia contou pras madames que Minny Jackson trabalha pra ela, como também informou que foi a dona Leefolt quem me "recomendou". E foi só isso que Aibileen conseguiu ouvir. Aquelas galinhas cacarejantes vão levar uns cinco minutos pra descobrir tudo.

Então, agora, preciso esperar. Esperar pra descobrir se, Número Um, a minha melhor amiga no mundo vai ser despedida por ter me arranjado um emprego. E Número Dois, se a dona Hilly disse pra dona Celia aquelas mentiras sobre eu ser uma ladra. E Número Dois e Meio, se a dona Hilly contou pra dona Celia como eu me vinguei dela por me chamar de ladra por aí. Não me arrependo da Coisa Terrivelmente Horrível que fiz pra ela. Mas, agora que a dona Hilly mandou a própria empregada apodrecer na prisão, me pergunto o que essa mulher vai fazer comigo.

Só dez minutos depois das quatro, uma hora passada do meu horário de ir embora, é que vejo o carro da dona Celia estacionar. Ela sobe rebolando o caminho até a casa, como se tivesse alguma coisa pra contar. Eu me preparo.

— Minny, já está muito tarde! — grita ela.

— O que aconteceu com a dona Leefolt? — Nem tento ser discreta. Quero saber.

— Vá embora, por favor! Johnny vai estar em casa a qualquer minuto. — Ela tá me empurrando pro banheiro onde guardo as minhas coisas.

— Amanhã a gente conversa — diz ela, mas, pela primeira vez, não quero ir pra casa, quero ouvir o que a dona Hilly disse de mim. Ouvir que sua empregada é uma ladra é como ouvir que a professora do seu filho é uma vagabunda. Não se dá a ela o benefício da dúvida, você simplesmente se livra dela.

Mas a dona Celia não vai me contar nada. Ela tá me enxotando da casa dela pra poder manter a mentira, tão retorcida que mais parece uma folha de kudzu. O seu Johnny sabe sobre mim. A dona Celia sabe que o seu Johnny sabe sobre mim. Mas o seu Johnny não sabe que a dona Celia sabe que ele sabe. E, por causa dessa coisa ridícula, eu preciso ir embora às quatro e dez e ficar me preocupando com a dona Hilly a noite inteira.

NA MANHÃ SEGUINTE, ANTES DO TRABALHO, Aibileen liga pra minha casa.

— Liguei pra pobre da Fanny bem cedinho agora de manhã porque eu sabia que você devia ter passado a noite toda remoendo isso. —

A pobre da Fanny é a nova empregada da dona Hilly. Deveria se chamar Fanny, a Tola, por trabalhar lá. — Ela ouviu a dona Leefolt e a dona Hilly concluírem que você inventou toda a história da recomendação, pra dona Celia lhe dar o emprego.

Ufa. Respiro fundo, aliviada.

— Que bom que você não vai ter problemas — digo. Ainda assim, a dona Hilly tá me chamando de mentirosa *e* de ladra.

— Não se preocupe comigo — diz Aibileen. — Só não deixe a dona Hilly falar com a sua patroa.

Quando chego no trabalho, a dona Celia tá saindo esbaforida pra comprar um vestido pro Baile, que é no próximo mês. Ela diz que quer ser a primeira pessoa na loja. Não é como nos velhos tempos, quando ela tava grávida. Agora ela mal pode esperar pra sair porta afora.

Vou pisando firme até o quintal dos fundos e passo um pano nas cadeiras do jardim. Os passarinhos piam, contrariados, quando eu me aproximo, e fazem o arbusto de camélias estremecer. Na primavera passada, a dona Celia ficava sempre pegando no meu pé pra eu levar essas flores pra casa. Mas conheço flor de camélia. Você leva um ramo pra dentro de casa, pensando que tão tão frescas que tão quase se mexendo, e, quando você se abaixa pra dar uma cheiradinha, vê que trouxe um exército de aranhinhas pra dentro de casa.

Ouço o barulho de um galho se quebrando, então outro, atrás dos arbustos. Corro pra dentro, fico parada. A gente tá no meio do nada, e ninguém, num raio de quilômetros, ouviria a gente gritar. Empino as orelhas, mas não ouço mais nada. Digo pra mim mesma que é apenas o velho medo de esperar pelo seu Johnny. Ou talvez eu esteja paranoica porque trabalhei com a dona Skeeter ontem à noite no livro. Sempre fico meio nervosa depois de falar com ela.

Finalmente, volto a limpar as cadeiras da piscina, catar as revistas de cinema da dona Celia e os lenços que a desleixada deixa lá fora. O telefone toca lá dentro. Não é pra eu atender o telefone, porque a dona Celia tá tentando manter a mentira da grossa com o seu Johnny. Mas ela não tá ali e pode ser Aibileen com mais novidades. Entro e tranco a porta atrás de mim.

— Residência da dona Celia. — Senhor, espero que não seja a dona Celia ligando.

— É Hilly Holbrook quem fala. Quem está falando?

Meu sangue foge do meu cabelo até o meu pé. Sou uma casca vazia e sem sangue por uns cinco segundos.

Baixo a minha voz, deixo ela mais grave, tentando disfarçar.

— É Doreena. A empregada da dona Celia. — *Doreena? Por que usar o nome da minha irmã?*

— Doreena. Pensei que Minny Jackson fosse a empregada da sra. Foote.

— Ela... pediu demissão.

— É mesmo? Me deixe falar com a sra. Foote.

— Ela... não tá na cidade. Tá no litoral. Pra um... um... — Meu cérebro tá pedalando a mil quilômetros por hora, tentando inventar detalhes.

— Bem, e quando é que ela volta?

— Ih, vai demorar.

— Bem, quando ela voltar, diga que liguei. Hilly Holbrook, Emerson, três sessenta e oito quarenta.

— Sim, madame. Digo a ela. — Só daqui a uns cem anos.

Eu me seguro na quina da bancada, espero o coração desacelerar. Não é que a dona Hilly não tenha como me encontrar. Quero dizer, ela podia simplesmente procurar Minny Jackson, na Tick Road, na lista telefônica, e conseguir meu endereço. E não é que eu não possa contar pra dona Celia o que aconteceu, explicar a ela que não sou ladra. Talvez ela acredite em mim, no final das contas. Mas é a Coisa Terrível que estraga tudo.

Quatro horas depois, a dona Celia entra, carregando cinco enormes caixas empilhadas uma em cima da outra. Ajudo a levar elas até o quarto e fico bem parada do lado de fora da porta pra ver se ela vai ligar pras madames da sociedade como faz todos os dias. Claro, ouço ela pegar o fone. Mas ela volta a colocar ele no gancho. A idiota tá conferindo a linha de novo, pra caso alguém tente ligar.

APESAR DE SER a terceira semana de outubro, o verão fustiga com o ritmo de uma secadora de roupas. A grama no jardim da dona Celia ainda é de um verde vivo. As dálias laranja ainda tão sorrindo, embriagadas de sol. E todas as noites, os malditos mosquitos saem pra caça ao sangue, meus absorventes de axila subiram pra três centavos a caixa, e meu ventilador elétrico tá estragado, na minha cozinha.

Nessa manhã de outubro, três dias depois da dona Hilly ter ligado, chego pra trabalhar meia hora mais cedo. Coloquei Sugar pra mandar as crianças pra escola. O café moído vai na cafeteira metida, a água vai na jarra. Encosto a bunda no balcão. Silêncio. Foi por isso que esperei a noite toda.

A Frigidaire recomeça a fazer o zumbido. Coloco a mão sobre ela, pra sentir a vibração.

— Como você chegou cedo, Minny!

Abro o refrigerador e enfio a cabeça lá dentro.

— Bom dia — digo, da prateleira dos legumes. Só o que consigo pensar é: *Ainda não.*

Mexo nas alcachofras, os caules gelados espetam a minha mão. Dobrada pra frente desse jeito, a minha cabeça lateja ainda mais.

— Vou fazer um assado pra senhora e pro seu Johnny e vou... fazer uns... — Mas as palavras saem esganiçadas.

— *Minny*, o que aconteceu? — A dona Celia contornou a porta da geladeira sem eu perceber. Meu rosto incha. O corte na minha sobrancelha se abre de novo, o sangue quente espeta como uma lâmina. Normalmente meus machucados não aparecem.

— Querida, sente-se. Você levou um tombo? — Ela põe a mão na cintura, sobre a camisola rosa. — Tropeçou no fio do ventilador de novo?

— Tou bem — digo, tentando me virar pra ela não me ver. Mas a dona Celia se move atrás de mim, examinando com uns olhos grandes o corte, como se nunca tivesse visto uma coisa tão terrível. Uma vez uma dona branca me disse que o sangue parece mais vermelho numa pessoa de cor. Pego um chumaço de algodão do bolso e coloco contra o rosto. — Não é nada — digo. — Bati a cabeça na banheira.

— Minny, isso aí está sangrando. Acho que você precisa levar uns pontos. Espere, vou chamar o dr. Neal aqui. — Ela pega o telefone da parede, mas volta a bater o fone com força. — Oh, ele está no campo, caçando com o Johnny. Vou ligar para o dr. Steele, então.

— Dona Celia, não preciso de médico.

— Você precisa de cuidados médicos, Minny — diz ela, pegando o fone de novo.

Vou mesmo precisar dizer? Cerro os dentes e falo de uma vez.

— Os doutores não vão tratar de uma pessoa de cor, dona Celia.

Ela coloca o telefone no gancho mais uma vez.

Eu me viro e olho pra pia. Continuo pensando: *Isso não é da conta de ninguém, apenas faça o seu trabalho*, mas não preguei os olhos um minuto. Leroy gritou comigo a noite inteira, atirou o açucareiro na minha cabeça, jogou minhas roupas pra fora de casa. Quero dizer, quando ele bebe o Thunderbird, é uma coisa, mas... *oh*. A vergonha é tão pesada que acho que vai me arrastar pro chão. Leroy... dessa vez a culpa não foi dos Thunderbirds. Dessa vez ele me bateu sóbrio, frio como uma pedra.

— Sai daqui, dona Celia, deixe eu trabalhar — digo, porque preciso de um tempo sozinha. Primeiro pensei que Leroy tinha descoberto que eu tava ajudando a dona Skeeter. Foi a única razão que consegui pensar, enquanto ele me estapeava. Mas ele não falou nada a respeito. Só tava me batendo pelo prazer da coisa.

— Minny? — diz a dona Celia, olhando pro corte novamente. — Tem certeza de que você fez isso na banheira?

Abro a torneira, só pra fazer algum barulho na cozinha.

— Se eu disse que foi na banheira é porque foi na banheira. Tá bem?

Ela me lança um olhar suspeito e aponta o dedo pra mim.

— Tudo bem, mas vou fazer uma xícara de café para você e quero que você tire o dia de folga, combinado? — A dona Celia vai até a cafeteira e serve duas xícaras, mas então para. Olha pra mim, meio surpresa.

— Não sei como você toma o seu café, Minny.

Reviro os olhos.

— Que nem o seu.

Ela coloca dois torrões de açúcar nas duas xícaras. Ela me entrega o café e fica ali parada, olhando pela janela dos fundos toda tensa. Começo a lavar os pratos sujos da noite anterior, querendo que ela me deixe em paz.

— Sabe — diz ela, meio baixinho —, você pode falar comigo sobre qualquer coisa, Minny.

Continuo lavando e sinto as narinas se dilatando.

— Já vi muita coisa, quando eu vivia em Sugar Ditch. Na verdade...

Levanto os olhos da louça, pronta pra ralhar com ela por se meter na minha vida, mas a dona Celia fala, numa voz estranha:

— Precisamos chamar a polícia, Minny.

Coloco a xícara de café na bancada com tanta força que ele derrama.

— Olhe aqui, não quero polícia nenhuma envolvida...

Ela aponta pra fora da janela.

— Tem um homem ali, Minny! Lá fora!

Eu me viro pra onde ela tá olhando. Um homem — *pelado* — tá lá fora, junto das azaleias. Eu pisco, pra ver se é verdade. Ele é alto, flácido e branco. Tá de costas pra nós, a uns cinco metros de distância. O cabelo dele, todo solto, é longo como o de um mendigo. Mesmo de costas dá pra ver que ele está se acariciando.

— Quem é ele? — sussurra a dona Celia. — O que ele está fazendo aqui?

O homem se vira e nos olha, quase como se tivesse nos ouvido. Nossos queixos caem. Ele tá mostrando aquilo como se tivesse nos oferecendo um sanduíche de frutos do mar.

— Oh... *Deus* — diz a dona Celia.

Os olhos dele examinam a janela. Eles caem bem nos meus, olhando uma linha escura por sobre o gramado. Estremeço. É como se ele me conhecesse. Ele tá olhando com a boca retorcida, como se eu merecesse todos os dias ruins que já vivi, todas as noites que não dormi, todos os socos que Leroy já me deu. Como se merecesse isso e muito mais.

E, com a mão em punho, ele começa a socar a palma da outra mão, num ritmo lento. Soco. Soco. Soco. Como se soubesse exatamente o que vai fazer comigo. Sinto meus olhos latejando de novo.

— Precisamos chamar a polícia! — sussurra a dona Celia. Seus olhos esbugalhados tão fixos no telefone, do outro lado da cozinha, mas ela não se move um centímetro.

— Vão levar quarenta e cinco minutos só pra achar a casa — digo. — Até lá ele pode pôr a porta abaixo.

Corro pra porta dos fundos e fecho o trinco. Olho pra porta da frente e tranco ela também, me abaixando quando passo pela janela. Fico na ponta dos pés e espio pela janelinha quadrada da porta dos fundos. A dona Celia olha pelo canto da janela grande.

O homem pelado caminha bem devagarzinho na direção da casa. Ele sobe os degraus da varanda. Experimenta a maçaneta, e eu vejo ela se mexer, sentindo meu coração bater contra as costelas. Ouço a dona Celia no telefone, dizendo:

— Polícia? Estamos sendo invadidas! Tem um homem! Um homem pelado tentando entrar na...

Eu me afasto da janelinha quadrada da porta num pulo, bem a tempo da pedra entrar voando e sinto a chuva de caquinhos sobre o rosto. Pela janela grande, vejo o homem recuando pra olhar melhor, como se tentando ver onde atacar agora. *Senhor*, rezo, *não quero fazer isso, não me faça fazer isso...*

De novo, ele nos encara pela janela. E sei que não podemos simplesmente ficar aqui paradas como patas, esperando ele entrar. Tudo que ele precisa fazer é quebrar uma das janelas.

Senhor, eu sei o que preciso fazer. Preciso ir lá fora. Preciso chegar até ele *antes*.

— Fique aqui, dona Celia — digo, e a minha voz tá tremendo. Vou pegar a faca de caça do seu Johnny, ainda embainhada, junto do urso. Mas a lâmina é tão curta que ele vai ter que estar perto demais pra eu conseguir cortar ele, então também pego a vassoura. Olho pra fora, e ele tá no meio do jardim, olhando pra casa. Decidindo o que fazer.

Abro a porta dos fundos e saio, rápido. Mais adiante no quintal, o homem sorri pra mim, mostrando uma boca só com dois dentes. Ele para de socar a própria mão e começa a se apalpar de novo, devagar agora.

— Tranque a porta — sussurro pra trás. — Deixe ela trancada. — Ouço o clique.

Enfio a faca no cinto do meu uniforme, vejo se tá bem presa. E seguro a vassoura com as duas mãos.

— Vem cá, seu idiota! — grito. Mas o homem não se mexe. Eu me aproximo uns passos. E então ele faz o mesmo, e eu me ouço rezar: *Senhor, me proteja desse branco pelado...* — Tou com uma faca! — grito. Dou mais uns passos, e ele também. Quando chego a um metro, um metro e meio dele, tou arfando. Nós nos encaramos.

— Ora, você é uma preta gorda — grita ele numa voz estranha, aguda, e se apalpa a valer.

Respiro fundo. E então corro na direção dele e dou um golpe com a vassoura. *Vuuuu!* Errei por pouco, e ele se esquiva. Dou o bote de novo, e o homem corre na direção da casa. Ele vai direto pra porta traseira, bem onde o rosto da dona Celia tá na janela.

— A negra não consegue me pegar! É gorda demais pra correr!

Ele chega perto dos degraus e eu entro em pânico, pensando que ele vai tentar arrombar a porta, mas então ele se vira e corre pro lado do jardim, agitando aquele sanduíche enorme na minha direção.

— Vai embora daqui! — grito atrás dele, sentindo uma dor aguda, sabendo que meu corte tá se abrindo ainda mais.

Corro atrás dele, fazendo ele ir dos arbustos pra piscina, bufando e arquejando. Ele para de correr na beira da água, chego perto e dou uma boa vassourada na bunda dele, *pow!* O cabo vacila e a escova da vassoura cai.

— Não doeu! — Ele agita a mão entre as pernas, dobrando os joelhos. — Quer um pouco de torta de pau, negra? Vem aqui, come um pouco de torta de pau!

Contorno ele correndo, de volta pro meio do quintal, mas o homem é alto demais e rápido demais e eu tou ficando mais lenta. Meus movimentos tão ficando descontrolados e logo não consigo mais correr. Paro, me viro, ofegante, com o cabo da vassoura na mão. Olho pra faca — *não tá mais ali.*

Assim que levanto de novo o olhar, *bam*! Então eu fico tonta. O zumbido é forte e alto, me faz cambalear. Tapo a minha orelha, mas o zumbido fica mais alto ainda. Ele me deu um soco no mesmo lado do corte.

Ele se aproxima e eu fecho os olhos, sabendo o que vai acontecer comigo, sabendo que preciso me afastar, mas não consigo. Onde tá a faca? Tá com ele? O zumbido é como um pesadelo.

— Sai daqui antes que eu mate você — ouço, o som como que vindo de uma lata. Não tou ouvindo nada direito, e abro os olhos. Lá tá a dona Celia, na sua camisola rosa de cetim. Ela tá com um atiçador de fogo na mão, pesado, afiado.

— A mulher branca também quer experimentar a torta de pau? — Ele ginga e aponta o pênis pra ela, e ela chega mais perto dele, bem devagar, como um gato. Respiro fundo, enquanto o homem pula pra esquerda, depois pra direita, rindo e mastigando as gengivas sem dente. Mas a dona Celia fica parada.

Depois de alguns segundos, ele franze a testa, parece desapontado que a dona Celia não tá fazendo nada. Ela não tá fugindo nem fazendo cara de assustada nem gritando. Ele, então, olha pra mim.

— E você? A preta tá cansada demais para...

Crack!

A mandíbula dele voa pro lado e o sangue espirra da boca dele. Ele cambaleia, e a dona Celia dá com o atiçador no outro lado da cabeça dele, também. Parece que quer emparelhar o homem.

Ele dá uns passos trôpegos pra frente, sem olhar pra nenhum lugar em especial. Então, cai de cara no chão.

— Deus, a senhora... a senhora pegou ele de jeito... — digo, mas no fundo da minha cabeça tem uma voz me perguntando, bem calma, como se a gente tivesse tomando chá: *Isso tá mesmo acontecendo?* Uma mulher branca tá mesmo espancando um homem branco pra me salvar? Ou será que ele afrouxou o meu cérebro do lugar e, na verdade, tou ali morta no chão?

Tento achar o foco. A dona Celia tá com a boca torcida. Ela ergue o atiçador e, *cabum!*, bate de novo, dessa vez nas pernas dele.

Isso não tá acontecendo, decido. É estranho demais pra estar acontecendo.

Cabum! Ela golpeia ele nas costas, fazendo um *ugh* a cada vez.

— Eu... eu disse que a senhora pegou ele, dona Celia — digo. Mas, é claro, a dona Celia não concorda. Mesmo com os meus ouvidos zumbindo, o som é de ossos de galinha se quebrando. Eu me endireito um pouco, me obrigo a focar a vista antes que isso se transforme num assassinato. — Ele tá acabado, ele tá acabado, dona Celia — digo. — Na verdade... — eu me esforço pra pegar o atiçador — pode até ter batido as botas.

Finalmente pego o atiçador, ela larga e ele voa no jardim. A dona Celia se afasta alguns passos do homem, cospe na grama. Tem sangue na camisola de cetim rosa. O tecido se colou às pernas dela.

— Ele não está morto — diz a dona Celia.

— Mas tá quase — digo.

— Ele bateu muito forte em você, Minny? — pergunta ela, sem tirar os olhos do homem. — Ele machucou muito você?

Sinto sangue escorrendo pela minha testa, mas sei que é do corte do açucareiro, que se abriu de novo.

— Não tanto quanto a senhora machucou ele — digo.

O homem grunhe e nós duas damos um pulo pra trás. Pego o atiçador e a vassoura que tão na grama. Não entrego nenhum dos dois pra ela.

Ele rola no chão. Seu rosto tá ensanguentado nos dois lados, seus olhos tão fechados por causa do inchaço. A mandíbula foi deslocada, mas ele dá um jeito de se levantar. Então começa a se afastar, uma coisa patética e cambaleante. Nem nos olha. A gente fica ali, vendo ele atravessar, trôpego, os arbustos de buxo cheios de espinhos e desaparecer entre as árvores.

— Ele não vai muito longe — digo, e seguro com força aquele atiçador. — A senhora acabou com ele.

— Você acha? — pergunta ela.

Olho pra ela.

— Como o Joe Louis com uma chave de biela.

Ela tira uma mecha de cabelo loiro da frente do rosto e olha pra mim, como se tivesse desolada por eu ter apanhado. Então me dou conta que tenho que agradecer, mas, francamente, tou sem palavras. É uma invenção novinha em folha, isso que acabamos de fazer.

Só o que consigo dizer é:

— A senhora parecia... bem segura.

— Eu era boa de briga. — Ela olha pra além dos arbustos de buxo, limpa o suor com a palma da mão. — Se você tivesse me conhecido dez anos atrás...

Ela tá sem maquiagem no rosto, sem laquê no cabelo, sua camisola tá parecendo um vestido velho de camponesa. Ela respira muito fundo pelo nariz, e então eu vejo. Vejo o lixo branco que ela era dez anos atrás. Era forte. Não aceitava desaforo de ninguém.

A dona Celia se vira e eu sigo ela pra dentro de casa. Vejo a faca caída no canteiro de rosas e recolho ela do chão. Senhor, se aquele homem tivesse pegado isso aqui, a gente tava morta. No banheiro de visitas, limpo o corte, tapo ele com um curativo branco. A dor de cabeça é forte. Quando saio de lá, a dona Celia tá no telefone, falando com a polícia do condado de Madison.

Lavo as mãos, me pergunto como é que um dia ruim pode ficar ainda pior. Parece que, em algum ponto, as coisas vão além do terrível. Tento pensar na vida real de novo. Talvez eu vá passar a noite com a minha irmã Octavia hoje, pra mostrar pro Leroy que não vou mais ser tolerante. Entro na cozinha, coloco os feijões pra cozinhar. A quem tou tentando enganar? Já sei que vou acabar em casa à noite.

Ouço a dona Celia desligar o telefone, depois de falar com a polícia. E então ouço ela fazer a verificação ridícula de sempre, pra se certificar que a linha tá livre.

À TARDE, faço uma coisa terrível. Passo de carro por Aibileen, que tava fazendo a pé o caminho da parada de ônibus até a casa dela. Aibileen acena e eu faço que não vejo a minha melhor amiga na calçada, no seu uniforme branco reluzente.

Quando chego em casa, faço um saco de gelo pra colocar no olho. As crianças ainda não tão em casa e Leroy tá dormindo nos fundos. Não sei o que fazer com nada, nem com Leroy, nem com a dona Hilly. Isso pra não falar que levei um soco na orelha de um homem branco pelado hoje de manhã. Fico ali sentada, olhando pras minhas paredes amarelas engorduradas. Por que eu nunca consigo limpar direito essas paredes?

— Minny *Jackson*. Você é boa demais pra acompanhar a velha Aibileen?

Suspiro e mostro o lado machucado da minha cabeça, pra ela ver.

— Oh — diz ela.

Me viro de novo pra parede.

— Aibileen — digo, e me ouço suspirar. — Você não vai acreditar no dia que eu tive.

— Vamos lá em casa. Vou fazer um café pra você.

Antes de sair, tiro aquele esparadrapo reluzente da testa e enfio no bolso, junto com a bolsa de gelo. Em algumas pessoas das redondezas, uma sobrancelha cortada não provocaria nenhum comentário. Mas eu tenho filhos bem educados, um carro com pneus bons e uma geladeira com freezer. Tenho orgulho da minha família, e a vergonha por causa do meu olho é pior que a dor.

Sigo Aibileen pelo caminho que cruza os quintais dos fundos, evitando o tráfego e os olhares. Fico feliz que ela me conheça tão bem.

Na pequena cozinha de Aibileen, ela acende a cafeteira pra mim, a chaleira pra ela.

— Então, o que você vai fazer a respeito? — pergunta Aibileen, e eu sei que ela tá falando do olho. Não conversamos sobre a possibilidade de eu deixar Leroy. Muitos negros abandonam suas famílias como lixo numa vala, mas as mulheres negras não. A gente precisa pensar nas crianças.

— Pensei em ir de carro até a casa da minha irmã. Mas não posso levar as crianças, elas têm escola.

— Não tem problema nenhum se as crianças perderem uns dias de escola. Não se você tá se protegendo.

Amarro o curativo de novo, seguro o saco de gelo sobre ele, pro inchaço não estar tão mal hoje de noite, quando as crianças me virem.

— Você disse pra dona Celia que escorregou na banheiro de novo?

— É, mas ela sabe.

— Por quê, o que ela disse? — pergunta Aibileen.

— Não é o que ela disse, mas a que ela fez. — E conto a Aibileen como ela espancou o homem pelado com o atiçador de fogo essa manhã. Parece que foi há dez anos.

— Se aquele homem fosse preto, tava morto agora. A polícia ia ter colocado um alerta máximo pra cinquenta e três Estados — diz Aibileen.

— Com todo esse jeito de menina, salto alto e tal, e ela quase matou ele — digo.

Aibileen ri.

— Como é que ele chamava, mesmo?

— Torta de pau. Maldito louco de Whitfield. — Faço força pra não sorrir, pois sei que isso faria o corte se abrir de novo.

— Jesus, Minny, quanta coisa aconteceu com você.

— Como é que ela conseguiu se defender daquele homem louco? E fica correndo atrás da dona Hilly, pedindo pra ser insultada? — digo, apesar de que a dona Celia correr o risco de se magoar seja a menor das minhas preocupações agora. É que dá um pouco de alívio falar da vida fodida de outra pessoa.

— Quase parece que você se importa — diz Aibileen, sorrindo.

— Ela não vê. Os *limites*. Não vê os limites entre eu e ela, nem entre ela e Hilly.

Aibileen toma um gole longo do chá. Finalmente olho pra ela.

— Por que você tá tão quieta? Sei que você tem uma opinião sobre isso tudo.

— Você vai dizer que eu tou filosofando.

— Pode falar — digo. — Não tenho medo de filosofia nenhuma.

— Não é verdade.

— Como?

— Você tá falando de uma coisa que não existe.

Balanço a cabeça pra minha amiga:

— Não só os limites existem, como você sabe tão bem quanto eu onde tão esses limites.

Aibileen balança a cabeça.

— Eu costumava acreditar neles. Não acredito mais. Tão na nossa cabeça. Gente como a dona Hilly tá sempre tentando fazer a gente acreditar que eles existem. Mas não existem.

— Sei que existem porque a gente é punida quando ultrapassa eles — digo. — Pelo menos, eu sou.

— Muita gente acha que, se você retrucar pro seu marido, você passou dos limites. E que isso justifica uma punição. Você acredita nisso?

Ergo as sobrancelhas enquanto olho pra mesa.

— Você sabe que eu não tou falando desses limites.

— Por que esse limite não tá aí. Só na cabeça do Leroy. Limites entre pretos e brancos também não existem. Algumas pessoas inventaram que existiam, há muito tempo. E isso vale pro lixo branco e pras madames da sociedade também.

Pensando na dona Celia saindo de casa com um atiçador de fogo quando podia muito bem ter se escondido atrás da porta, eu fico na dúvida. Sinto como uma pontada. Quero que ela entenda como são as coisas com a dona Hilly. Mas como explicar isso pra uma tola que nem ela?

— Então você tá dizendo que não tem um limite separando as empregadas e as patroas, também?

Aibileen faz que não.

— Existem posições, só isso, como num tabuleiro de damas. Quem trabalha pra quem não significa nada.

— Então eu não tou passando dos limites se eu disser pra dona Celia a verdade, que a dona Hilly não acha que ela tá à altura dela? — Pego a minha xícara. Tou tentando entender isso, mas o corte tá latejando no meu cérebro. — Mas espera aí, se eu disser pra ela que a dona Hilly não é da turma dela... então não tou dizendo que *existe* um limite entre elas?

Aibileen ri. Dá uns tapinhas na minha mão.

— Só o que tou dizendo é: a bondade não conhece limites.

— Humpf. — Coloco o gelo de volta na cabeça. — Bem, talvez eu tente contar pra ela. Antes dela ir no Baile e fazer papel de boba cor-de-rosa.

— Você vai, esse ano?

— Se a dona Hilly vai estar na mesma sala que a dona Celia contando mentiras sobre mim, eu quero estar lá. Além do mais, Sugar quer levantar um dinheirinho pro Natal. É bom ela começar a aprender a servir em festas.

— Também vou estar lá — diz Aibileen. — A dona Leefolt me pediu três meses atrás pra fazer uma torta de biscoito champanhe pro leilão.

— Esse negócio sem graça de novo? Por que os brancos gostam tanto de biscoito champanhe? Sei fazer uma dúzia de tortas mais gostosas do que essa.

— Eles acham que é muito europeu. — Aibileen balança a cabeça. — Me sinto mal pela dona Skeeter. Sei que ela não quer ir, mas a dona Hilly disse que, se ela não for, ela perde o cargo na Liga.

Termino o resto do café gostoso que Aibileen fez e observo o sol se pondo. O ar entra mais fresco pela janela.

— Acho que preciso ir — digo, embora eu preferisse passar o resto da minha vida bem ali, na cozinha aconchegante de Aibileen, ouvindo ela explicar o mundo pra mim. É isso que eu adoro em Aibileen: ela consegue pegar as coisas mais complicadas da vida e embrulhar tudo tão pequenino e de um jeito tão simples que elas acabam cabendo no seu bolso.

— Você e as crianças querem vir ficar comigo?

— Não. — Eu tiro a bandagem, guardo de novo no bolso. — Quero que ele me veja — digo, olhando pra xícara de café vazia. — Que veja o que fez com a mulher dele.

— Me telefone, se ele engrossar. Tá me ouvindo?

— Não preciso de telefone nenhum. Você vai ouvir ele daqui, gritando por misericórdia.

O TERMÔMETRO junto da janela da cozinha da dona Celia cai de vinte e seis graus pra quinze e então pra treze graus em menos de uma hora. Finalmente uma frente fria chega, trazendo ar frio do Canadá ou de Chicago ou sei lá de onde. Tou catando o feijão-branco, pra tirar pedrinhas, pensando como é que a gente pode estar respirando o mesmo ar que as pessoas de Chicago respiraram dois dias atrás. Me perguntando se, caso eu sem razão nenhuma começasse a pensar na Sears and Roebuck ou na Shake'n Bake, seria porque alguém de Illinois pensou nisso dois dias atrás. Isso mantém a minha cabeça livre de problemas por mais ou menos cinco segundos.

Levei alguns dias, mas finalmente bolei um plano. Não é um plano muito bom, mas já é alguma coisa. Sei que cada minuto que eu espero aumenta a chance da dona Celia ligar pra dona Hilly. Se eu esperar demais, elas vão acabar se falando no Baile, na semana que vem. Fico doente de pensar na dona Celia correndo pra aquelas moças como se fossem as melhores amigas, o olhar na cara maquiada dela quando ouvir sobre mim. Essa manhã, vi uma lista no lado da cama da dona Celia. Do que ela precisa fazer pro Baile: Fazer as unhas. Mandar lavar a seco e passar o terno. Ligar pra Hilly Holbrook.

— Minny, essa nova cor de cabelo parece vulgar?

Fico só olhando pra ela.

— Amanhã vou até a Fanny Mae para pintar de novo. — Ela tá sentada na mesa da cozinha com um punhado de mostruários de cor, espalhados que nem um jogo de cartas. — O que você acha? Polvilho ou Marilyn Monroe?

— Por que a senhora não gosta da sua cor natural? — Não que eu faça alguma ideia de que cor seja essa. Mas, com certeza, não é o loiro dourado nem o branco doentio dos mostruários nas mãos dela.

— Acho que polvilho é um pouco mais alegre, para as festas de final de ano e tudo o mais. Não acha?

— Se a senhora quer que a sua cabeça pareça um peru congelado.

A dona Celia ri. Ela acha que tou brincando.

— Oh, e preciso lhe mostrar um esmalte de unha novo. — Ela vasculha a bolsa, encontra um frasco de alguma coisa tão rosa pink que até parece de comer. Ela abre o frasco e começa a pintar as unhas.

— Por favor, dona Celia, não faça essa confusão na mesa, isso mancha...

— Olhe, não é o máximo? E encontrei dois vestidos exatamente dessa cor!

Ela se levanta correndo e volta segurando dois vestidos de um rosa bem forte, sorrindo e se derretendo pra eles. O comprimento dos vestidos chega até o chão, e eles são cobertos de brilhos e lantejoulas, com uma fenda na lateral, na perna. As alças dos dois são finas como arame. Vão acabar com ela no Baile.

— Qual você acha melhor? — pergunta a dona Celia.

Aponto para o menos decotado.

— Oh, olha só, eu teria escolhido este outro aqui. Escute só o chiadinho que ele faz quando eu caminho. — Ela faz barulho com o vestido, de um lado pro outro.

Imagino ela circulando no Baile vestida naquilo. Seja qual for a versão branca de uma vagabunda de espelunca de blues, é disso que ela vai ser chamada. Ela nem vai se dar conta. Vai ficar só ouvindo os cochichos.

— Sabe, dona Celia — falo, meio baixo, como se só agora a ideia me ocorresse. — Em vez de ligar pra essas outras madames, talvez a senhora devesse ligar pra dona Skeeter Phelan. Ouvi dizer que ela é muito legal.

Pedi esse favor pra dona Skeeter uns dias atrás: tentar ser gentil com a dona Celia, manter ela longe das outras duas. Até agora, eu dizia pra dona Skeeter não ousar ligar de volta pra dona Celia. Mas agora é a única opção que eu tenho.

— Acho que a senhora e a dona Skeeter se dariam bem — digo, e trato de dar um sorriso bem grande.

— Oh, não. — A dona Celia olha pra mim com olhos enormes, ainda segurando na mão aqueles vestidos estilo saloon. — Você não sabe? As mulheres da Liga não *suportam* mais Skeeter Phelan.

Minhas mãos se fecham em punho.

— A senhora conheceu ela?

— Oh, fiquei sabendo de tudo no salão de beleza de Fanny Mae, enquanto estava com a cabeça no secador de cabelo. Dizem que ela é a maior vergonha que esta cidade já viu. Dizem que foi ela quem colocou todas aquelas privadas no jardim de Hilly Holbrook. Lembra da foto que saiu nos jornais, há alguns meses?

Cerro os dentes pra evitar de falar o que eu penso.

— A senhora já conversou com ela alguma vez?

— Bem, não. Mas se todas aquelas moças não gostam dela, então ela deve ser... bem, ela... — As palavras escoam, como se ela se desse conta do que tá dizendo.

Raiva, nojo, descrença — tudo isso se fecha sobre mim como um rolinho de presunto. Pra evitar de terminar aquela frase por ela, eu me viro pra pia. Seco as mãos com força, até doer. Eu sabia que ela era estúpida, mas nunca achei que fosse hipócrita.

— Minny? — fala a dona Celia atrás de mim.

— Senhora?

Ela mantém a voz baixa. Mas eu percebo a vergonha nela.

— Elas nem me convidaram para entrar. Me fizeram ficar parada na porta, como um vendedor de aspirador de pó.

Eu me viro, e os olhos dela tão fixos no chão.

— Por quê, Minny? — sussurra ela.

O que posso dizer? Suas roupas, seu cabelo, seus peitões explodindo em blusas tamanho PP. Lembro do que Aibileen falou sobre limites e sobre bondade. Lembro do que Aibileen ouviu na casa da dona Leefolt, sobre por que as mulheres da Liga não gostam dela. Me parece a razão mais bondosa em que consigo pensar.

— Porque elas sabem que a senhora engravidou daquela primeira vez. E ficam furiosas da senhora ter engravidado e casado com um dos homens delas.

— Elas *sabem* sobre isso?

— Mais ainda porque a dona Hilly e o seu Johnny namoraram durante muito tempo.

Por um segundo, ela fica piscando pra mim.

— Johnny disse que costumava sair com ela, mas... foi assim por tanto tempo?

Encolho os ombros, como se não soubesse, mas sei, sim. Quando comecei a trabalhar pra dona Walters, há oito anos, só o que a dona Hilly falava era que ela e o Johnny iam se casar, algum dia.

Digo:

— Acho que eles romperam bem perto de quando ele conheceu a senhora.

Espero que ela perceba que a vida social dela tá fadada ao fracasso. Que não faz sentido continuar ligando pras mulheres da Liga. Mas a dona Celia parece que tá fazendo cálculos complicados, pelo jeito que tá com as sobrancelhas levantadas. Então, o rosto dela se ilumina, parece que ela descobriu alguma coisa.

— Então, Hilly... ela decerto pensa que eu estava saindo com Johnny enquanto eles ainda namoravam.

— Decerto. E, pelo que ouvi dizer, a dona Hilly ainda tem uma queda por ele. Nunca superou ele. — Tou pensando que qualquer mulher normal automaticamente fica com raiva de uma mulher que tem inclinações pelo seu marido. Mas esqueço que a dona Celia não é uma pessoa normal.

— Bem, não é à toa que ela não me suporta! — diz ela, sorrindo a valer. — Elas não *me* odeiam, elas odeiam o que acham que eu fiz.

— O quê? Elas odeiam a senhora porque acham que a senhora é lixo branco!

— Bem, vou ter que explicar para Hilly, deixar ela saber que não sou ladra de namorados. Na verdade, vou falar com Hilly na sexta à noite, quando a encontrar no Baile.

Ela sorri com cara de quem acabou de descobrir a cura para a paralisia infantil, por causa do seu plano pra conquistar a dona Hilly.

A essa altura, tou cansada demais pra protestar.

Na sexta-feira do Baile, trabalho até tarde limpando a casa de cima a baixo. Depois, frito um prato de costeletas de porco. Do jeito que eu vejo as coisas, quanto mais brilhante estiver o chão, quanto mais limpos estiverem os vidros da janela, melhores são as minhas chances de continuar tendo um emprego na segunda-feira. Mas a coisa mais inteligente que consigo fazer, se o seu Johnny tem alguma voz ativa na história, é colocar as minhas costeletas de porco nas mãos dele.

Ele não deve chegar antes das seis horas hoje, então às quatro e meia passo um pano nos móveis mais uma vez e vou até onde a dona Celia tá se aprontando, há quatro horas. Gosto de fazer a cama e o banheiro deles por último, pra que estejam limpos quando o seu Johnny chegar em casa.

— Dona Celia, o que tá acontecendo aqui? — Quero dizer, há meias-calças penduradas nas cadeiras, bolsas jogadas no chão, bijuterias suficientes pra toda uma família de prostitutas, quarenta e cinco pares de sapatos de salto alto, roupas de baixo, sobretudos, calcinhas, sutiãs e uma garrafa de vinho branco pela metade sobre a cômoda, sem nenhum porta-copos embaixo.

Começo a catar todos os objetos de seda estúpidos dela e empilho tudo na poltrona. O mínimo que posso fazer é passar um aspirador de pó.

— Que horas são, Minny? — pergunta dona Celia, do banheiro. — Johnny vai estar em casa às seis, sabe?

— Ainda não são nem cinco horas — respondo —, mas vou ter que ir daqui a pouco. — Preciso pegar Sugar e dar um jeito da gente chegar no Baile às seis e meia pra servir.

— Oh, Minny, tou tão excitada. — Ouço o vestido da dona Celia fazendo aquele *suish-suish* atrás de mim. — O que você acha?

Eu me viro.

— Oh, Senhor. — Eu podia muito bem ser o pequeno Stevie Wonder, tão cegada eu fico por aquele vestido. Rosa forte e lantejoulas prateadas brilham dos peitos extragrandes dela até os dedos dos pés, também pintados de rosa.

— Dona Celia — sussurro. — Entre pra dentro do vestido, antes que a senhora perca alguma coisa.

A dona Celia alisa o vestido.

— Não é maravilhoso? Não é a coisa mais linda que você viu na vida? Eu me sinto uma estrela de Hollywood.

Ela pisca os cílios postiços. Tá com rouge, com sombra e com base. O cabelo cor de polvilho tá armado como um chapéu de Páscoa. Uma das pernas sai pra fora numa fenda reveladora, e eu desvio o olhar, constrangida demais. Tudo nela exala sexo, sexo e mais sexo.

— Onde é que a senhora fez as unhas?

— No Beauty Box, esta manhã. Oh, Minny, estou tão nervosa, estou com um frio na barriga.

Ela toma um talagaço do cálice de vinho e se desequilibra um pouco em cima dos saltos.

— O que a senhora comeu hoje?

— Nada. Estou nervosa demais para comer. E esses brincos? Estão balançando o suficiente?

— Tire esse vestido, vou fazer uns pãezinhos pra senhora.

— Oh, não, meu estômago não pode ficar inchado. Não posso comer nada.

Eu me dirijo até a garrafa de vinho sobre o armário de milhares de dólares, mas a dona Celia pega a garrafa antes de mim e serve o resto no cálice. Ela me entrega a garrafa vazia e sorri. Pego o casaco de pele que ela jogou no chão. Ela bem que tá se acostumando a ter uma empregada.

Vi aquele vestido quatro dias atrás e eu soube que era vulgar — claro que ela tinha que escolher o modelo com o decote bem cavado —, mas eu não fazia ideia do que ia acontecer quando ela se enfiasse no vestido. Tá saltando pra fora como uma espiga de milho na banha quente. Com doze festas beneficentes nas costas, nunca cheguei a ver nem mesmo um cotovelo à mostra lá, o que dizer peitos e ombros.

Ela vai até o banheiro e aplica um pouco mais de rouge nas bochechas já maquiadas.

— Dona Celia — digo, e fecho os olhos, pedindo a Deus inspiração pras palavras certas. — Hoje à noite, quando a senhora vir a dona Hilly...

Ela sorri pro espelho.

— Já planejei tudo. Quando Johnny for ao banheiro, vou lá e digo a ela. Que eles já tinham terminado, quando Johnny e eu começamos a sair juntos.

Suspiro.

— Não é isso que quero dizer. É que... ela pode falar... de mim.

— Você quer que eu diga a Hilly que você mandou lembranças? — pergunta ela, saindo do banheiro. — Já que você trabalhou tantos anos para a mãe dela?

Fico só olhando pra dona Celia, no seu traje pink, tão entupida de vinho que tá quase vesga. Ela dá um arrotinho. Realmente, não vai adiantar nada falar pra ela agora, com ela nesse estado.

— Não, senhora. Não diga nada — suspiro.

Ela me dá um abraço.

—Vejo você mais tarde. Estou contente que você vai estar lá, assim vou ter com quem conversar.

—Vou estar na cozinha, dona Celia.

— Oh, e eu preciso encontrar aquele brochezinho... — Ela caminha se desequilibrando até a cômoda e tira pra fora todas as coisas que acabei de guardar.

Fique em casa, sua tola, é o que quero dizer pra ela, mas não digo. É tarde demais. Com a dona Hilly à frente do evento, é tarde demais pra dona Celia, e, sabe Deus, é tarde demais pra mim, também.

O BAILE

CAPÍTULO 25

O Baile Anual da Liga Júnior de Jackson é conhecido simplesmente como "o Baile" por qualquer pessoa que viva num raio de quinze quilômetros da cidade. Às sete em ponto de uma noite fresca de novembro, convidados chegarão ao bar do Hotel Robert E. Lee para o coquetel. Às oito horas serão abertas as portas que levam do saguão para o salão de festas. Cortinas de veludo verde foram penduradas em torno das janelas, com buquês de azevinho.

Ao longo das janelas estão as mesas com as listas de leilões e com os prêmios. Os prêmios foram doados por membros e estabelecimentos comerciais locais, e espera-se que o leilão gere mais de seis mil dólares este ano — quinhentos a mais do que no ano passado. Os rendimentos irão para as Pobres Crianças Famintas da África.

No centro do salão, sob um gigantesco lustre de candelabros, vinte e oito mesas estão postas e prontas para o jantar à francesa a ser servido às nove. Uma pista de dança e um palco para a banda ficam na lateral, em oposição ao púlpito de onde Hilly Holbrook fará seu discurso.

Após o jantar haverá o baile. Alguns dos maridos ficarão bêbados, mas nunca as esposas, que são membros da Liga. Cada membro se considera uma anfitriã e será ouvida, perguntando para outro membro:

— Está tudo correndo bem? Hilly falou alguma coisa?

Todo mundo sabe que é a noite de Hilly.

Às sete em ponto, os primeiros casais entram pela porta principal, entregando suas peles e seus sobretudos aos homens de cor vestidos em trajes cinza de passeio. Hilly, que está ali desde as seis em ponto, usa um vestido longo de tafetá marrom. Pregas fecham-se junto da sua garganta, faixas e mais faixas de tecido escondem seu corpo. Luvas bem apertadas estendem-se braços acima. As únicas partes genuínas de Hilly que se podem ver são os dedos e o rosto.

Algumas mulheres usam vestidos de baile ligeiramente mais apetitosos, um ombro nu aqui, outro ali, mas luvas de pelica longas garantem que não mais do que alguns centímetros de epiderme sejam expostos. Claro, todos os anos alguma convidada aparece com uma sugestão de perna ou uma sombra de decote. Mas não se fala muito nisso. Não são membros da Liga esse tipo de gente.

Celia Foote e Johnny chegam mais tarde do que haviam planejado, às sete e vinte e cinco. Quando Johnny chegou do trabalho, ele parou na porta do quarto, olhou surpreso para a esposa, com a maleta ainda na mão:

— Celia, será que esse vestido não é um pouco... hum... aberto demais em cima?

Celia então o empurra para dentro do banheiro.

— Oh, Johnny, vocês homens não entendem nada de moda. Agora se apresse e se arrume de uma vez.

Johnny desistiu antes mesmo de começar a tentar dissuadir Celia. Já estavam muito atrasados.

Eles entram logo atrás do dr. e da sra. Ball. Os Ball dão um passo à esquerda, Johnny dá um passo à direita, e, por um momento, somente Celia fica ali, parada sob os ramos de azevinho, em seu vestido rosa-choque cintilante.

No saguão, o ar parece parar. Maridos bebendo seus uísques congelam no meio de um gole, espreitam aquela coisa pink à porta. Demora um segundo até a imagem ser registrada. Eles encaram abertamente, mas não veem, ainda não. Porém, à medida que a imagem se torna real — a pele é real, o decote é real, talvez o cabelo loiro não seja tão real —, seus rostos se iluminam lentamente. Todos parecem pensar a mesma coisa — *Finalmente...* Mas, então, sentindo as unhas das esposas — que também assistem a tudo — se cravarem nos seus braços, as testas deles se enrugam. Seus olhos transparecem remorso, enquanto casamentos são desdenhados (ela nunca me deixa fazer nada divertido), a mocidade é relembrada (por que não viajei para a Califórnia naquele verão?), primeiros amores são rememorados (ah, a Roxanne...). Tudo isso acontece num intervalo de cerca de cinco segundos, e então tudo acaba e eles ficam apenas olhando.

William Holbrook derruba metade do seu gin martíni em um par de sapatos de verniz. Os sapatos estão nos pés do maior doador da sua campanha eleitoral.

— Oh, Clairborne, perdoe o meu marido trapalhão — diz Hilly. — William, dê um lenço para ele! — Mas nenhum dos homens se mexe. Nenhum, na verdade, se preocupa com qualquer outra coisa senão olhar.

Os olhos de Hilly seguem a direção dos olhares e finalmente aterrissam em Celia. Os três centímetros e meio de pele à mostra no pescoço de Hilly se enrijecem.

— Olhe o peito daquela ali — diz um velhote. — Até parece que só tenho setenta e cinco anos, olhando para aquelas belezuras.

A esposa do senhor em questão, Eleanor Causwell, fundadora da Liga, faz cara feia.

— Seios — anuncia ela, com mão sobre os próprios — são para quartos matrimoniais e para a amamentação. Não para ocasiões formais.

— Bem, o que você quer que ela faça, Eleanor? Que deixe eles em casa?

— Eu *quero.* Que ela. Cubra.

Celia agarra a mão de Johnny enquanto eles entram no salão. Ela vacila um pouco ao caminhar, mas não está claro se por causa do álcool ou dos saltos altos. Dão uma volta no salão, conversando com outros casais. Ou, pelo menos, Johnny conversa; Celia se limita a sorrir. Algumas vezes ela enrubesce, olha para baixo, examinando a si mesma.

— Johnny, você acha que talvez eu tenha me arrumado demais para esse negócio? O convite dizia traje formal, mas essas moças aqui parecem que estão vestidas para ir à igreja.

Johnny lhe dirige um sorriso terno. Ele nunca diria a ela "eu avisei", e, em vez disso, sussurra:

— Você está fantástica. Mas, se estiver com frio, pode vestir o meu casaco.

— Não posso vestir um casaco de homem sobre um vestido de baile. — Ela revira os olhos para ele e suspira. — Mas obrigada, meu bem.

Johnny aperta a mão da esposa, pega para ela outro drinque no bar — o quinto, embora ele não saiba disso.

— Tente fazer algumas amigas. Já volto. — Ele vai na direção do banheiro masculino.

Celia é deixada sozinha, em pé. Ela ajusta um pouco o decote do vestido, ajeita a cintura.

— *...there's a hole in the buck-et, dear Liza, dear Liza...** — Celia canta para si mesma, baixinho, uma velha canção regional, batendo de leve o pé no chão, olhando ao redor, procurando alguém conhecido. Ela fica na ponta dos pés e abana para a multidão. — Ei, Hilly, iú-hú.

Hilly levanta os olhos da sua conversa, a distância de alguns casais. Sorri e acena, mas, quando Celia vai na sua direção, Hilly se enfia na multidão.

Celia para onde está e toma outro gole do seu drinque. Ao seu redor, pequenos grupinhos se formaram, conversando e rindo, ela imagina, sobre todas as coisas sobre as quais as pessoas conversam e riem nas festas.

— Oh, olá, Julia — exclama Celia. Elas se conheceram em uma das poucas festas a que Celia e Johnny foram, logo depois de se casarem.

Julia Fenway sorri, olha ao redor.

— Sou a Celia. Celia Foote. Como você está? Oh, amei o seu vestido. Onde você comprou? Lá na Jewel Taylor Shoppe?

— Não, Warren e eu fomos a Nova Orleans há alguns meses... — Julia olha ao redor, mas não há ninguém perto o suficiente para salvá-la. — E você está... muito glamorosa hoje.

Celia se inclina na direção dela.

— Bem, perguntei ao Johnny, mas você sabe como são os homens. Acha que eu estou um tantinho arrumada demais?

Julia ri, mas não olha nos olhos de Celia nenhuma vez.

— Oh, não. Você está *perfeita*.

Uma companheira de Liga aperta o antebraço de Julia.

---

* "... há um buraco no balde, querida Liza, querida Liza...". (N.T.)

— Julia, precisamos que você venha aqui um minuto, com licença. — Elas saem dali, as cabeças próximo uma da outra, e Celia fica sozinha mais uma vez.

Cinco minutos depois, as portas do salão de jantar são abertas. A multidão avança. Os convidados encontram suas mesas usando os minúsculos cartões que têm nas mãos, enquanto oohs e aahs chegam das mesas de leilão, ao longo da parede. Estão cheias de peças de prata e vestidos feitos à mão para crianças, lenços de algodão, toalhas de mão bordadas com monogramas, um aparelho de chá de brinquedo importado da Alemanha.

Minny está junto de uma mesa, lá nos fundos, polindo copos.

— Aibileen — sussurra ela. — Lá está ela.

Aibileen levanta os olhos e enxerga a mulher que bateu à porta da sra. Leefolt um mês atrás.

— É melhor as senhoras se agarrarem bem aos maridos, hoje — diz ela.

Minny esfrega a flanela na boca de um copo.

— Me avise se você vir ela conversando com a dona Hilly.

— Aviso. Passei o dia todo numa reza superpoderosa pra você.

— Olhe, ali tá a dona Walters. Velha megera. E ali tá a dona Skeeter.

Skeeter está com um vestido de veludo preto de mangas compridas, com um decote recatado destacando seu cabelo loiro, o batom vermelho. Foi ao Baile sozinha e está parada como que num bolsão de vácuo. Varre o salão com os olhos, parece entediada, então enxerga Aibileen e Minny. Todas as três desviam o olhar imediatamente.

Uma das outras criadas de cor, Clara, vai até a mesa delas e pega um copo.

— Aibileen — sussurra ela, mas não tira o olhos do copo que está polindo. — É aquela?

— Aquela o quê?

— Aquela que tá anotando as histórias sobre as empregadas de cor. Por que ela tá fazendo isso? Por que o interesse? Ouvi dizer que ela vai na sua casa todas as semanas.

Aibileen abaixa com a mão o queixo da conhecida.

— Escute, precisamos manter ela em segredo.

Minny olha para outro lado. Ninguém fora do grupo sabe que ela está participando. Só sabem sobre Aibileen.

Clara faz que sim.

— Não se preocupe, não vou contar nada pra ninguém.

Skeeter rabisca algumas palavras numa caderneta, anotações para o artigo do boletim sobre o Baile. Ela olha em torno no salão, observa as cortinas verdes, os ramos de azevinho, as rosas vermelhas e os arranjos feitos com folhas secas de magnólia que são o centro de todas as mesas. Então seus olhos pousam em Elizabeth, a poucos metros, procurando algo na bolsa. Ela parece exausta, pois teve o bebê há menos de um mês. Skeeter observa Celia Foote se aproximar de Elizabeth. Quando Elizabeth levanta o olhar e vê por quem está sendo cercada, ela tosse e leva a mão até a garganta, como que se protegendo de algum tipo de ataque.

— Não sabe para onde se virar, Elizabeth? — pergunta Skeeter.

— O quê? Oh, Skeeter, como está? — Elizabeth dá um sorriso amplo, rápido. — Eu estava... com tanto calor aqui. Acho que preciso de um pouco de ar fresco.

Skeeter observa Elizabeth fugir, com Celia Foote tilintando logo atrás no seu vestido horroroso. *Essa é que é a matéria*, pensa Skeeter. *Não os arranjos de flores nem quantas pregas tem na parte de trás do vestido de Hilly. Este ano, o grande assunto é a Catástrofe de Moda de Celia Foote.*

Momentos depois, o jantar é servido, e todo mundo se acomoda nos lugares designados. Celia e Johnny foram colocados com um punhado de casais de fora da cidade, amigos de amigos que, na verdade, não são amigos de absolutamente ninguém. Skeeter está sentada com alguns casais locais, não com a presidente Hilly nem com a secretária Elizabeth, este ano. O salão está imerso em conversas, elogios ao Baile, elogios ao filé chateaubriand. Depois do prato principal, Hilly se posta atrás do púlpito. Há uma onda de aplausos, e ela sorri para a multidão.

— Boa noite. Agradeço a todos por virem aqui hoje. Todo mundo está gostando do jantar?

Acenos de cabeça e murmúrios de concordância.

— Antes dos anúncios, eu gostaria de agradecer às pessoas que estão fazendo desta noite um sucesso. — Sem desviar os olhos da plateia, Hilly faz um aceno à esquerda, onde duas dúzias de mulheres de cor se colocaram lado a lado, vestidas em seus uniformes brancos. Uma dúzia de homens de cor está atrás delas, em trajes cinza e branco. — Vamos dar uma salva de palmas especial para nossas auxiliares, por toda a maravilhosa comida que elas prepararam e serviram, e pelas sobremesas que fizeram para o leilão. — A essa altura, Hilly apanha um cartão e lê: — À sua maneira, elas também estão ajudando a Liga a atingir seu objetivo de alimentar as Pobres Crianças Famintas da África, uma causa, tenho certeza, que também é cara aos seus corações.

Os brancos à mesa batem palmas para as empregadas e para os garçons. Alguns dos garçons retribuem e sorriem. Muitos, porém, simplesmente olham para o ar vazio acima das cabeças da multidão.

— Em seguida, gostaríamos de agradecer às pessoas que não são membros e que nos deram seu tempo e sua ajuda, pois vocês tornam muito mais fácil o nosso trabalho.

Há uma salva de palmas moderada, alguns sorrisos frios e acenos de cabeça entre membros e não membros. *Que pena*, as que são membros parecem pensar. *Que pena, meninas, que vocês não têm a nobreza necessária para entrar para o nosso clube.* Hilly continua, agradecendo e fazendo homenagens em uma voz patriótica, musical. O café é servido, e os maridos bebem os seus, mas a maioria das mulheres não desvia a atenção de Hilly.

— ... agradecemos à Boone Hardware... não nos esqueçamos da loja de bugigangas Ben Franklin... — Ela conclui a lista com: — E claro que agradecemos a nosso colaborador anônimo que contribuiu com, *aham*, *material de construção*, para o Projeto de Higiene para Empregadas Domésticas.

Algumas pessoas riem nervosamente, mas a maioria se volta para ver se Skeeter teve a coragem de comparecer ao Baile.

— Eu só desejaria que, em vez de ser tão tímido, você viesse até aqui e aceitasse a nossa gratidão. Francamente, não teríamos conseguido fazer tantas instalações sem você.

Skeeter mantém os olhos fixos no púlpito, o rosto estoico e inalterado. Hilly dá um sorriso rápido e contagiante.

— E, finalmente, um agradecimento especial ao meu marido, William Holbrook, pela doação de um final de semana na sua propriedade de caça. — Ela olha para baixo, para o marido, e sorri, acrescentando, num tom mais baixo: — E não se esqueçam, eleitores. Holbrook para o Senado estadual.

Os convivas dão uma risada amigável para a piadinha de Hilly.

— O que foi, Virginia? — Hilly protege o ouvido com a mão em concha, então se endireita. — Não, não estou concorrendo junto com ele. Mas, congressistas que estejam conosco hoje à noite, se os senhores não resolverem isso das escolas segregadas, não pensem que não vou até aí para resolver isso eu mesma.

Mais risos. O senador e a sra. Whitworth, sentados a uma mesa bem à frente, acenam a cabeça e sorriem. Em sua mesa ao fundo, Skeeter baixa os olhos para o colo. Eles se falaram mais cedo, durante o coquetel. A sra. Whitworth puxou o senador para longe de Skeeter, antes que ele pudesse lhe dar um segundo abraço. Stuart não compareceu.

Uma vez encerrados o jantar e o discurso, as pessoas começam a dançar, os maridos se dirigem ao bar. Há uma certa correria junto às mesas de leilão, para lances de última hora. Duas avós estão travando uma guerra de lances por causa de um aparelho de chá de brinquedo antigo. Alguém começou a fofoca de que havia pertencido a alguém da realeza e que havia sido contrabandeado para fora do país em uma carroça puxada por mulas, através de toda a Alemanha, até que acabou na loja de antiguidades Magnolia, na Fairview Street. O preço subiu de quinze dólares para oitenta e cinco num piscar de olhos.

No canto, junto ao bar, Johnny boceja. As sobrancelhas de Celia estão contraídas.

— Não posso acreditar no que ela falou, sobre a ajuda de não membros. Ela me disse que não precisavam de ajuda nenhuma este ano.

— Bem, você pode ajudar no ano que vem — diz Johnny.

Celia procura por Hilly. No momento, Hilly está com poucas pessoas ao redor.

— Johnny, já volto — diz Celia.

— E aí vamos dar no pé. Estou cansado dessa roupa de pinguim.

Richard Cross, que é membro do mesmo campo de caça a patos que Johnny, lhe dá um tapa nas costas. Trocam um cumprimento, então riem. Seus olhares varrem a multidão.

Celia quase consegue chegar até Hilly dessa vez, mas apenas para ver Hilly deslizar por trás da mesa junto ao pódio. Celia recua, como se tivesse medo de abordar Hilly onde ela parecia tão poderosa, há poucos minutos.

Assim que Celia desaparece no banheiro feminino, Hilly se dirige para o canto do salão.

— Ora, ora, Johnny Foote — diz Hilly. — Estou surpresa em vê-lo aqui. Todo mundo sabe que você não suporta festas grandes que nem esta. — Ela dá um aperto no braço dele.

Johnny suspira.

— Você sabe que a temporada da corça abre amanhã?

Hilly lhe dá um sorriso de batom castanho-avermelhado. A cor combina tão perfeitamente com seu vestido que ela deve ter levado dias para encontrá-lo.

— Estou tão cansada de ouvir isso de todo mundo. Você pode perder um dia de caça, Johnny Foote. Você costumava fazer isso por mim.

Johnny revira os olhos.

— Celia não perderia este Baile por nada no mundo.

— Onde está essa sua *mulher*? — pergunta ela. Hilly ainda está com a mão no braço de Johnny e lhe dá mais um puxão. — Não está no jogo do LSU vendendo cachorros-quentes, está?

Johnny olha para ela com o cenho franzido, apesar de ter sido assim que eles se conheceram.

— Oh, você sabe que estou só brincando. Nós namoramos tempo suficiente para que eu possa brincar com você, não é?

Antes que Johnny consiga responder, alguém dá um tapinha no ombro de Hilly, e ela desliza para conversar com o casal logo adiante, rindo. Johnny suspira quando vê Celia vindo na sua direção.

— Ótimo — diz ele a Richard —, agora podemos ir para casa. Preciso levantar em — ele confere o relógio — cinco horas.

Richard não tira os olhos de Celia, enquanto ela desfila na direção deles. Ela para e se curva para a frente a fim de apanhar o seu guardanapo que caiu, oferecendo uma visão generosa dos próprios seios.

— Ir de Hilly para Celia deve ter sido uma mudança e tanto, Johnny.

Johnny balança a cabeça.

— Como morar na Antártica por toda a vida e um dia me mudar para o Havaí.

Richard ri:

— Como ir para a cama no seminário e acordar na Ole Miss — diz Richard, e ambos riem.

Então, Richard acrescenta, numa voz mais baixa:

— Como uma criança comendo sorvete pela primeiríssima vez.

Johnny o olha meio torto.

— É da minha mulher que você está falando.

— Desculpe, Johnny — diz Richard, baixando os olhos. — Não foi por mal.

Celia se aproxima e suspira com um sorriso desalentado.

— Oi, Celia, como vai? — Richard diz. — Você está muito bonita hoje.

— Obrigada, Richard. — Celia dá um arroto sonoro e franze o cenho, cobrindo a boca com um lenço de papel.

— Está ficando tontinha? — pergunta Johnny.

— Ela só está se divertindo, não é, Celia? — diz Richard. — Na verdade, vou pegar para você um drinque que você vai adorar. Se chama "Alabama Slammer".

Johnny revira os olhos para o amigo.

— Depois disso nós vamos para casa.

Três Alabama Slammers depois, as vencedoras do leilão silencioso são anunciadas. Susie Pernell fica atrás do púlpito enquanto as pessoas passeiam, bebendo e fumando pelas mesas, dançando ao som de músicas de Glenn Miller e Frankie Valli, falando mais alto que o zumbido do microfone. Enquanto os nomes são lidos, os itens de leilão são recebidos com a excitação de alguém que vence um concurso de verdade, como se o prêmio fosse gratuito, e não pago ao preço de três, quatro ou cinco vezes o seu valor. Toalhas de mesa e camisolas com renda bordada a mão provocam lances altos. Excêntricas colheres de prata fazem sucesso, para servir salada de ovo, remover de azeitonas o recheio de pimentão, quebrar pernas de codornas. Então há as sobremesas: tortas, pratos de nozes carameladas, merengues. E, claro, a torta de Minny.

— ... e a vencedora da mundialmente famosa torta de creme de chocolate de Minny é... Hilly Holbrook!

Há um pouco mais de aplausos para esse anúncio, não apenas porque Minny é conhecida pelos seus quitutes, mas porque o nome *Hilly* incita aplauso em qualquer ocasião.

Hilly se vira da conversa do momento:

— O quê? Foi o meu nome que chamaram? Não fiz lance nenhum.

Ela nunca faz, pensa Skeeter, sentada sozinha, a uma mesa de distância.

— Hilly, você acabou de ganhar a torta de Minny Jackson! Parabéns! — diz a mulher à sua esquerda.

Hilly varre o salão com os olhos cheios de suspeita.

Minny, tendo ouvido seu nome ser pronunciado na mesma frase que o de Hilly, de repente se põe em alerta. Ela está segurando uma xícara suja de café numa das mãos e uma pesada bandeja de prata na outra. Mas fica imóvel como uma pedra.

Hilly a vê, mas também não se mexe, apenas sorri, muito de leve.

— Ora. Que simpático. Alguém deve ter feito um lance no meu nome por essa torta.

Ela não tira os olhos de Minny, e Minny o sente. Ela coloca o resto das xícaras na bandeja e se dirige para a cozinha o mais rápido possível.

— Ora, parabéns, Hilly. Eu não sabia que você era tão fã das tortas da Minny! — A voz de Celia é estridente. Ela chegou por trás, sem Hilly perceber. Enquanto trota na direção de Hilly, Celia tropeça na perna de uma cadeira. Há risinhos maldisfarçados.

Hilly fica parada, observando ela se aproximar.

— Celia, isso é algum tipo de piada?

Skeeter também se aproxima. Ela está entediada à morte por esta noite previsível. Cansada de ver rostos constrangidos de velhas amigas medrosas demais para se aproximar e falar com ela. Celia é a única coisa interessante que aconteceu a noite toda.

— Hilly — diz Celia, agarrando o braço de Hilly —, estou a noite toda tentando falar com você. Acho que houve algum tipo de mal-entendido entre nós e acho que se eu *explicasse* tudo...

— O que você fez? Me larga... — diz Hilly, entredentes. Ela balança a cabeça e tenta se afastar.

Mas Celia se agarra à manga comprida de Hilly.

— Não, espere! Espere, você precisa me ouvir...

Hilly se afasta, mas mesmo assim Celia não a solta. Há um momento de disputa entre elas — Hilly tentando escapar, Celia a segurando, e então o som de algo se rasgando corta o ar.

Celia olha estarrecida para o tecido na sua mão. Ela rasgou o punho castanho-avermelhado da manga de Hilly.

Hilly olha para baixo e toca o próprio braço exposto.

— O que você está tentando fazer comigo? — diz ela, em meio a um grunhido. — Aquela empregada negra está por trás disso? Porque, seja lá o que ela tenha lhe dito, seja lá o que você tenha fofocado para qualquer pessoa aqui...

Várias pessoas se juntaram em torno delas, ouvindo, todas observando Hilly com expressões preocupadas no rosto.

— Fofocado? Não sei o que você...

Hilly agarra o braço de Celia.

— Para *quem* você falou? — rosna ela.

— Minny me contou. Sei que você não quer ser minha amiga. — A voz de Susie Pernell no microfone, anunciando os vencedores, fica mais alta, forçando Celia a levantar também a voz. — Sei que você acha que Johnny e eu enganamos você — grita ela, e há risos na parte da frente do salão por causa de um comentário, e mais aplausos. Assim que Susie Pernell faz uma pausa no microfone para conferir suas anotações, Celia grita: — ... mas eu engravidei *depois* que vocês terminaram.

O salão ecoa as palavras. Tudo fica em silêncio por alguns longos segundos.

As mulheres ao redor delas torcem o nariz, algumas começam a rir.

— A mulher do Johnny está *b-ê-b-a-d-a* — diz alguém.

Celia olha ao redor. Ela seca o suor que está brotando na sua testa maquilada.

— Não a culpo por não gostar de mim, já que você pensava que Johnny a tinha traído comigo.

— Johnny jamais faria...

— ... e desculpe por eu ter falado aquilo, achei que você ficaria feliz por ter ganho aquela torta.

Hilly se inclina e pega seu botão de pérola do chão. Ela se aproxima de Celia, para ninguém mais ouvir.

— Diga à negra da sua empregada que, se ela contar a alguém sobre aquela torta, eu vou fazê-la sofrer. Você se acha muito engraçadinha, colocando o meu nome naquele leilão, não acha? Você acha que pode entrar na Liga graças à chantagem?

— O quê?

— Diga-me *neste minuto* a quem mais você contou sob...

— Não falei nada a ninguém sobre torta nenhuma, eu...

— Sua *mentirosa* — diz Hilly, mas retoma rapidamente a compostura e sorri. — Lá está Johnny. Johnny, acho que sua mulher está precisando dos seus *cuidados*. — Hilly lança um olhar faiscante para as moças ao redor, como se todas estivessem participando da brincadeira.

— Celia, qual é o problema? — pergunta Johnny.

Celia olha com desgosto para ele, então para Hilly.

— Ela não está falando coisa com coisa, me chamou de... mentirosa, e agora está me acusando de colocar o nome dela no leilão daquela torta e... — Celia para, olha ao redor e não reconhece ninguém. Tem lágrimas nos olhos. Então, emite um grunhido e passa mal. O vômito se derrama no carpete.

— Oh, merda! — diz Johnny, segurando-a.

Celia afasta o braço de Johnny. Corre para o banheiro, e ele a segue.

As mãos de Hilly estão fechadas em punho. Seu rosto está rubro, quase da cor do seu vestido. Ela marcha até um garçom e o pega pelo braço.

— Limpe isso antes que comece a feder.

E, então, Hilly é cercada por mulheres, rostos preocupados fazendo perguntas, braços como que tentando protegê-la.

— Ouvi falar que Celia está passando por maus bocados com a bebida, mas, agora, esse problema da mentira? — diz Hilly para uma das Susies. É uma fofoca que ela decidiu espalhar sobre Minny, caso a história da torta vazasse. — Como é que eles chamam isso, mesmo?

— Mentirosa compulsiva?

— Isso, mentirosa compulsiva. — Hilly se afasta das mulheres. — Celia montou uma armadilha para ele se casar com ela, dizendo que estava grávida. Acho que, naquela época, ela já era mentirosa compulsiva.

Depois de Celia e Johnny irem embora, o Baile não demora a murchar. Esposas que são membros da Liga parecem exaustas e cansadas de sorrir. Fala-se sobre o leilão, sobre babás que precisam ser liberadas, mas, no geral, fala-se de Celia Foote vomitando no meio do salão.

Quando o salão está quase vazio, à meia-noite, Hilly sobe no púlpito. Ela folheia os lances silenciosos do leilão. Seus lábios se mexem enquanto ela faz cálculos mentais. Mas toda hora ela tira os olhos das folhas, balançando a cabeça. Então volta a olhar para baixo e pragueja, pois tem que começar tudo de novo.

— Hilly, estou voltando para a sua casa.

Hilly levanta os olhos das contas. É sua mãe, a sra. Walters, parecendo mais frágil que o normal no traje formal. Está usando um vestido que vai até o chão, azul-celeste e bordado com contas, de 1943. Uma orquídea branca está murchando junto à sua clavícula. Uma mulher de cor, usando um uniforme branco, não sai do lado dela.

— Mamãe, não vá até a geladeira esta noite. Não vou aguentar você me acordando a noite toda por causa da sua indigestão. Vá direto para a cama, está me ouvindo?

— Não posso nem comer um pouco da torta da Minny?

Hilly olha furiosa para a mãe.

— Aquela *torta* está no lixo.

— Ora, por que você foi jogar fora? Fiz o lance por você.

Hilly fica parada um segundo, absorvendo a notícia.

— *Você*? Você pôs o meu nome naquela lista?

— Pode ser que eu não me lembre do meu nome nem em que país eu moro, mas você e aquela torta é uma coisa que nunca vou esquecer.

— Sua... sua velha inútil... — Hilly joga no chão os papéis que estava segurando, e eles se espalham para todos os lados.

A sra. Walters se vira e toma a direção da porta, içando a enfermeira de cor.

— Bem, convoque a imprensa, Bessie — diz ela. — Minha filha está furiosa comigo de novo.

MINNY

CAPÍTULO 26

NA MANHÃ DE SÁBADO, acordo me sentindo cansada e doída. Vou até a cozinha, onde Sugar tá contando seus nove dólares e cinquenta centavos, o dinheiro que ela ganhou no Baile na noite passada. O telefone toca e Sugar atende mais rápido do que gordura pegando fogo. Sugar agora tem um namorado e não quer que a mãe saiba.

— Sim, senhor — sussurra Sugar e me passa o telefone.

— Alô? — digo.

— É Johnny Foote — diz ele. — Estou na estação de caça, mas queria lhe dizer que Celia está muito aborrecida. Ela passou por maus bocados no Baile ontem à noite.

— Sim, senhor, eu sei.

— Você ficou sabendo, então? — Ele suspira. — Bem, fique de olho nela na semana que vem, por favor, Minny. Não vou estar aí e... Não sei. Me ligue se ela não se sentir melhor. Se precisar, volto antes do planejado.

— Eu cuido dela. Ela vai ficar bem.

Não vi com meus próprios olhos o que aconteceu no Baile, mas fiquei sabendo enquanto eu lavava os pratos na cozinha. Todos os garçons tavam falando sobre isso.

"Você viu isso?", me disse Farina. "Aquela mulher toda vestida de rosa pra quem você trabalha, bêbada como um índio em dia de pagamento."

Levantei os olhos da pia e vi Sugar vindo na minha direção com a mão na cintura.

"É, mãe, ela embagulhou todo o chão. E *todo mundo* que tava no Baile viu!" Então, Sugar se virou, rindo com os outros. Não viu o tapa indo na sua direção. Bolhas de sabão voaram no ar.

"Cale a boca, Sugar." Arrastei ela até o canto. "Nunca mais quero ouvir você falando mal da mulher que coloca comida no seu prato e roupa sobre o seu lombo! Tá me ouvindo?"

Sugar fez que sim e eu voltei pros pratos, mas ouvi ela resmungando. "*Você* fala, o tempo *todo*."

Eu me virei e enfiei o dedo na cara dela. "Eu tenho esse direito. Trabalho todos os dias pra aquela maluca."

QUANDO CHEGO PRA TRABALHAR na segunda-feira, a dona Celia ainda tá deitada na cama com o rosto enfiado debaixo dos lençóis.

— Bom dia, dona Celia.

Mas ela só rola para o outro lado e não me olha.

Na hora do almoço, levo uma bandeja com sanduíches de presunto pra cama dela.

— Não estou com fome — diz, tapando a cabeça com o travesseiro.

Fico ali, olhando pra ela, que mais parece uma múmia entre os lençóis.

— O que a senhora vai fazer, ficar deitada aí o dia todo? — pergunto, apesar de já ter visto ela fazer isso várias vezes antes. Mas dessa vez é diferente. Ela tá sem maquiagem nenhuma, nem sorriso nenhum.

— Por favor, me deixe sozinha.

Começo a dizer que ela precisa se levantar, colocar as roupas cafonas e esquecer, mas, pelo jeito que ela tá deitada ali, de dar dó, acabo me calando. Não sou psiquiatra dela e não é pra isso que ela me paga.

Na terça de manhã, a dona Celia ainda tá na cama. A bandeja do lanche de ontem tá no chão, sem uma mordida sequer. Ela ainda tá usando aquela camisola pobrezinha que mais parece uma sobra dos tempos do condado de Tunica, com o franzido rasgado junto à gola. Algo que se parece com manchas de carvão, na frente.

— Vamos lá, deixe eu tirar os lençóis. O programa já vai começar e a dona Julia vai se dar mal. A senhora não vai acreditar no que aquela tola fez ontem com o dr. Bigmouth.

Mas ela continua deitada ali.

Mais tarde, levo pra ela uma bandeja com torta de galinha. Mesmo se o que quero fazer, na verdade, é gritar com a dona Celia pra ela se aprumar e ir até a cozinha comer direito.

— Ouça, dona Celia, sei que foi terrível o que aconteceu no Baile. Mas a senhora não pode ficar o resto da vida enfiada aqui, com pena da senhora.

A dona Celia se levanta e se tranca no banheiro.

Começo a tirar os lençóis da cama. Quando termino, cato todos os lenços de papel úmidos e os copos da mesa de cabeceira. Vejo uma pilha de correspondência. Pelo menos, a mulher foi até a caixa de correio pegar a correspondência. Levanto tudo pra passar um pano na mesa e então vejo as letras H W H na parte de cima de um cartão. Antes mesmo de eu me dar conta, leio a carta inteira:

Prezada Celia,

Em vez de me indenizar pelo vestido que você rasgou, nós da Liga ficaríamos contentes de receber uma doação de não menos de duzentos dólares. Ademais, por favor, não se ofereça para nenhuma atividade para não membros no futuro, já que seu nome foi colocado em uma lista negra. Apreciamos sua cooperação nessa questão.

Por gentileza, preencha o cheque para a Liga Regional de Jackson.

Cordialmente,
Hilly Holbrook
Presidente e diretora de recursos

NA MANHÃ DE QUARTA-FEIRA, a dona Celia *ainda* tá embaixo das cobertas. Faço meu trabalho na cozinha, tentando aproveitar o fato de que ela não tá aqui comigo. Mas não consigo relaxar, porque o telefone toca a manhã toda, e, pela primeira vez desde que comecei a trabalhar pra ela, a dona Celia não atende. Depois da décima vez, não aguento mais ouvir o toque e finalmente agarro o fone e digo:

— Alô.

Vou até o quarto dela:

— O seu Johnny tá no telefone.

— O quê? Não é para ele saber que eu sei que ele sabe sobre você.

Dou um suspiro bem comprido pra deixar bem claro que não dou mais a mínima bola pra essa mentira.

— Ele ligou pra minha *casa*. A mentira já era, dona Celia.

Ela fecha os olhos.

— Diga a ele que estou dormindo.

Pego a linha no quarto e olho sério pra dona Celia e digo pra ele que ela tá no chuveiro.

— Sim, senhor, ela tá bem — digo, e olho pra ela com uma cara bem feia.

Desligo o telefone e encaro a dona Celia.

— Ele queria saber como a senhora tava.

— Eu ouvi.

— Menti pela senhora, sabia?

Ela puxa o travesseiro de novo pra cima da cabeça.

No dia seguinte à tarde, não aguento mais nem um minuto. A dona Celia ainda tá exatamente no mesmo lugar em que teve toda a semana. O rosto dela tá emagrecido e o loiro-polvilho tá com aparência sebosa. O quarto também tá começando a cheirar, cheiro de gente suja. Aposto que ela não toma banho desde sexta-feira.

— Dona Celia — digo.

Ela me olha, mas não sorri, não fala nada.

— O seu Johnny vai chegar hoje à noite, e eu disse pra ele que ia cuidar da senhora. O que ele vai pensar se encontrar a senhora deitada com essa camisola imunda?

Ouço a dona Celia fungar, depois soluçar e começar a chorar desbragadamente.

— Nada disso teria acontecido se eu tivesse ficado no meu lugar. Ele teria se casado com alguém do nível dele. Ele teria se casado... com a *Hilly*.

— Ora, dona Celia. Não é...

— O jeito como Hilly olhou para mim... como se eu fosse *nada*. Como se eu fosse algum lixo no acostamento de uma estrada.

— Mas a dona Hilly não conta. A senhora não pode se julgar pelo jeito que aquela mulher vê a senhora.

— Não fui feita para esse tipo de vida. Não preciso de uma mesa de doze lugares para sentar. Eu não conseguiria fazer doze pessoas virem até aqui nem se eu implorasse.

Balanço a cabeça pra ela. Reclamando de novo porque tem demais.

— Por que ela me odeia tanto? Ela nem me conhece. — A dona Celia chora. — E não é por causa do Johnny, ela me chamou de mentirosa, me acusou de ter ganho para ela aquela... *torta*. — Ela bate os punhos fechados contra os joelhos. — Eu *nunca* teria vomitado, se não fosse por isso.

— Que torta?

— H-H-Hilly ganhou a torta que você fez. E me acusou de ter colocado o nome dela no leilão. De pregar alguma... peça nela. — Ela geme e soluça. — Por que eu faria isso? Colocar o nome dela na lista do leilão?

Começo a entender o que tá acontecendo. Não sei quem foi que colocou o nome de Hilly no leilão daquela torta, mas com certeza *sei* por que ela comeria vivo qualquer um que tivesse feito isso.

Lanço um olhar pra porta. Aquela voz na minha cabeça diz: *Trate de sair daí, Minny. Simplesmente saia daí de fininho.* Mas olho pra dona Celia chorando aos borbotões naquela camisola velha, e fico com uma culpa pesada que nem cimento Yazoo.

— Não posso mais fazer isso com o Johnny. Já decidi, Minny. Vou voltar. — Ela soluça. — Voltar pra Sugar Ditch.

— A senhora vai deixar seu marido só porque vomitou numa festa? — *Alto lá*, penso, meus olhos se arregalando. A dona Celia não pode deixar o seu Johnny. Senão, o que vai ser de mim?

A dona Celia chora ainda mais forte depois do meu lembrete. Suspiro e olho pra ela, me perguntando o que fazer.

Senhor, acho que chegou a hora. Hora de contar pra ela a única coisa no mundo que nunca quero contar pra ninguém. Vou perder o emprego de qualquer jeito, então posso muito bem tentar a minha sorte.

— Dona Celia... — digo e me sento na poltrona amarela ao canto. Nunca me sentei em nenhum lugar nessa casa a não ser na cozinha e no chão do banheiro, mas o dia de hoje pede medidas extremas.

— Eu sei por que a dona Hilly ficou tão furiosa — digo. — Por causa da torta, quero dizer.

A dona Celia dá uma assoada forte e sonora num lenço de papel. Olha pra mim.

— Eu fiz uma coisa pra ela. Foi terrível. Horrível. — Meu coração começa a pular só de pensar no assunto. Me dou conta que não posso ficar sentada nessa poltrona ao mesmo tempo que conto a história pra dona Celia. Eu me levanto e caminho até os pés da cama.

— O quê? — Ela funga. — O que aconteceu, Minny?

— A dona Hilly, ela ligou pra minha casa no ano passado, quando eu ainda tava trabalhando pra dona Walters. Pra me dizer que tava mandando a mãe pra uma casa de velhas. Fiquei com medo, porque tenho cinco filhos pra alimentar. Leroy já tava trabalhando em dois turnos.

Sinto um calorão subir no meu peito.

— Agora eu sei que o que eu fiz não foi muito cristão. Mas que tipo de pessoa manda a própria mãe pra um asilo, pra ser cuidada por gente estranha? Fazer mal pra aquela mulher até parece *certo*.

A dona Celia senta na cama e assoa o nariz. Parece que agora ela tá prestando atenção.

— Durante três semanas, procurei emprego. Todos os dias, depois de sair da casa da dona Walters, lá ia eu. Bati na casa da dona Childs. Ela não me quis. Bati na casa dos Rawley, eles também não me quiseram. Os Rich, os Patrick Smith, os Walkers, nem aqueles católicos Thibodeaux com sete filhos. Ninguém me queria.

— Oh, Minny... — diz a dona Celia. — Que terrível.

Mordo a mandíbula com força.

— Desde que eu era menininha, minha mãe me dizia pra eu não praguejar e reclamar por aí. Mas não dei ouvidos e fiquei conhecida na cidade toda por ser desbocada. E acho que foi por isso que ninguém queria me contratar.

"Quando eu só tinha mais dois dias de trabalho na casa da dona Walters e ainda não tinha emprego nenhum, comecei a ficar assustada mesmo. Com a asma de Benny e Sugar ainda na escola e Kindra e... a gente já tava apertado de dinheiro. E foi aí que a dona Hilly foi até a casa da dona Walters pra falar comigo.

"Ela disse: 'Vem trabalhar pra mim, Minny. Pago vinte e cinco centavos a mais por dia pra você do que a minha mãe pagava.' Uma 'proposta e tanto', foi como ela chamou, como se eu fosse algum tipo de burro de carga."

Sinto meus punhos se fecharem.

— Como coisa que fosse me passar pela cabeça a ideia de tirar o emprego da minha amiga Yule May. A dona Hilly acha que todo mundo tem duas caras que nem ela.

Passo a mão sobre o rosto. Tou suando. A dona Celia tá ouvindo de queixo caído, parecendo enfeitiçada.

— Eu disse pra ela: "Não, obrigada, dona Hilly." E então ela disse que ia me pagar cinquenta centavos a mais, e eu disse: "Não, senhora, obrigada". Então, ela caiu de pau em mim, dona Celia. Disse que sabia que os Child e os Rawley e todos os outros tinham me recusado. Disse que tinha sido porque ela tinha espalhado pra todo mundo que eu era uma ladra. Nunca roubei nada na vida, mas ela disse pra todo mundo que eu roubei e ninguém na cidade ia contratar uma negra ladra e desbocada como empregada e que eu devia mais era trabalhar pra ela de graça. E foi por isso que eu fiz o que fiz.

A dona Celia pisca pra mim.

— O quê, Minny?

— Mandei ela à merda.

A sra. Celia fica ali, incrédula.

— Então fui pra casa. Misturei os ingredientes daquela torta de creme de chocolate. Coloquei açúcar e chocolate em pó Baker e baunilha de verdade que a minha prima me trouxe do México. Levei aquilo até a casa da dona Walters, onde eu sabia que a dona Hilly ia estar sentada, esperando a casa de velhas ir pegar a mãe dela, pra ela poder vender a casa. Pegar a prataria da mãe. Pegar o butim. Assim que coloquei aquela torta na bancada da cozinha, a dona Hilly sorriu, achando que era um presente de quem tá querendo fazer as pazes, como se fosse o meu jeito de pedir desculpas pelo que eu tinha dito. E então fiquei só olhando ela. Fiquei olhando ela comer aquilo. Duas fatias bem grandes. Ela enfiou aquilo na boca como se nunca tivesse comido uma coisa tão boa na vida. Então disse: "Eu sabia que você ia mudar de ideia, Minny. Eu sabia que eu ia conseguir as coisas do meu jeito, no final." E ela ria, meio exagerada, como se aquilo fosse realmente muito engraçado. Foi então que a dona Walters disse que também tava ficando com uma fome dos diabos e pediu um pedaço daquela torta. Eu disse pra ela: "Não, senhora. Essa aí é especial pra dona Hilly." A dona Hilly disse: "A mamãe pode comer um pouco, se quiser. Mas só um pedacinho. O que você coloca nessa torta, Minny, que deixa ela tão deliciosa?". Eu disse: "Aquela baunilha boa do México", e continuei. Contei o que mais eu pus na torta dela.

A dona Celia continua que nem uma pedra, me olhando, mas não consigo olhar ela nos olhos agora.

— A dona Walters ficou de queixo caído. Ninguém naquela cozinha disse nada por tanto tempo que eu podia ter saído pela porta que elas não iam ter se dado conta. Mas então a dona Walters começou a rir. Riu tanto que quase caiu da cadeira. "Bem, Hilly, acho benfeito. E eu não sairia por aí fazendo fofoca sobre a Minny se eu fosse você, senão você vai ficar conhecida em toda a cidade como a mulher que comeu *duas* fatias do cocô da Minny."

Dou um olhar de soslaio pra dona Celia. Ela tá olhando, com os olhos arregalados, enojada. Começo a entrar em pânico por ter contado tudo pra ela. Ela nunca mais vai confiar em mim. Vou até a poltrona amarela e me sento.

— A dona Hilly achou que a senhora sabia da história. Que a senhora tava fazendo troça dela. Ela nunca teria atacado a senhora, se eu não tivesse feito o que eu fiz.

A dona Celia continua olhando pra mim.

— Mas quero que a senhora saiba: se a senhora deixar o seu Johnny, então a dona Hilly vai conseguir o que quer. Ela vai levar a melhor sobre mim, sobre a senhora... — Balanço a cabeça, pensando em Yule May na prisão, e na dona Skeeter, totalmente sem amigas. — Não sobrou muita gente nessa cidade que ela não derrotou.

A dona Celia fica quieta por um tempo. Então. ela olha pra mim e começa a dizer alguma coisa, mas então fecha a boca de novo.

Finalmente, ela só diz:

— Obrigada. Por... me contar.

E se deita de novo. Mas, antes de sair do quarto, vejo que os olhos dela tão bem abertos.

NA MANHÃ SEGUINTE, descubro que a dona Celia finalmente conseguiu se arrastar pra fora da cama, lavar o cabelo e colocar de novo toda aquela maquiagem. Tá frio lá fora, então ela tá de novo usando uma daquelas blusas apertadas.

— Feliz que o seu Johnny tenha voltado pra casa? — pergunto. Não que eu me importe, mas quero saber se ela ainda tá considerando a possibilidade de ir embora.

Mas a dona Celia não fala muito. Tem um certo cansaço no seu olhar. Não tá sorrindo tão rápido pra toda e qualquer coisinha que vê. Ela aponta o dedo pra fora da janela da cozinha.

— Acho que vou plantar uma fileira de roseiras. Percorrendo todo o fundo do terreno.

— Quando vão dar flor?

— Devemos ver algumas flores na próxima primavera.

Considero isso um bom sinal, de que ela tá planejando o futuro. Imagino que alguém que tá pra fugir não se dá ao trabalho de plantar flores que só vão abrir no ano que vem.

Durante o resto do dia, a dona Celia trabalha nos canteiros de flores, cuidando dos crisântemos. Na manhã seguinte, chego e encontro ela na mesa da cozinha. Ela tá com o jornal, mas tá olhando pra aquele arbusto de mimosas. Tá chuvisquento e frio lá fora.

— Bom dia, dona Celia.

— Oi, Minny. — A dona Celia fica lá sentada, olhando pro arbusto, brincando com uma caneta na mão. Começou a chover.

— O que a senhora quer pro almoço hoje? A gente tem carne assada ou um pouco de sobra daquela torta de galinha... — Me inclino na frente da geladeira. Preciso tomar uma decisão quanto a Leroy, dar um ultimato nele. *Ou você para de bater em mim ou eu vou embora. E não vou levar as crianças.* O que não é verdade sobre as crianças, mas isso vai assustar ele mais do que qualquer coisa.

— Não quero nada. — A dona Celia se levanta, tira um dos sapatos de salto alto vermelho, depois o outro. Ela alonga as costas, ainda olhando pra fora da janela, pra aquele arbusto. Ela estala os dedos. E então sai pela porta dos fundos.

Vejo ela do outro lado do vidro, e então vejo o machado. Fico um pouco assustada porque ninguém gosta de ver uma mulher louca com um machado na mão. Ela golpeia ele forte no ar, como um taco. Pra ver se ainda tem prática.

— Dona Celia, a senhora pirou de vez. — A chuva encharca a dona Celia, mas ela não se importa. Começa a derrubar aquela árvore. Folhas tão caindo em cima dela, ficam presas no seu cabelo.

Coloco o prato com carne assada na mesa da cozinha e olho, esperando que as coisas não piorem. Ela torce o lábio, limpa a água da chuva dos olhos. Em vez de ficar cansada, cada machadada é mais forte que a anterior.

— Dona Celia, sai da chuva — grito eu. — Deixe o seu Johnny fazer isso quando ele chegar.

Mas ela não quer nem saber. Já chegou na metade daquele tronco, e a árvore tá começando a balançar um pouco, bêbada que nem meu pai. Finalmente me deixo cair na cadeira onde a dona Celia tava lendo e espero ela terminar o trabalho. Balanço a cabeça e olho pro jornal. É aí que eu vejo o bilhete da dona Hilly enfiado embaixo do jornal e o cheque da dona Celia de duzentos dólares. Olho mais de perto. Na parte de baixo do cheque, no pequeno espaço pra observações, a dona Celia escreveu as seguintes palavras numa bela letra cursiva bem bonita: *Para Hilly-Duas-Fatias.*

Ouço um grunhido e vejo a árvore tombar. Folhas e galhos mortos voam pelo ar, grudando no loiro-polvilho.

SRTA. SKEETER

CAPÍTULO 27

OLHO PARA O TELEFONE da cozinha. Faz tanto tempo que ninguém liga para cá que ele parece uma coisa morta grudada na parede. Há uma atmosfera terrivelmente silenciosa por aqui — na biblioteca, na farmácia onde pego o remédio de mamãe, na High Street onde compro fita para a máquina de escrever, na nossa própria casa. O assassinato do presidente Kennedy, há menos de duas semanas, deixou todo mundo apatetado. É como se ninguém quisesse ser o primeiro a quebrar o silêncio. Nada parece importante o suficiente para isso.

Na rara ocasião em que o telefone toca ultimamente, é o dr. Neal ligando para dar mais resultados ruins de exames, ou algum parente ligando para saber de mamãe. E, no entanto, às vezes ainda penso: *Stuart*, apesar de já fazer cinco meses desde a última vez que ele ligou. Apesar de eu finalmente ter caído em mim e contado a mamãe que nós rompemos. Mamãe pareceu chocada, como suspeitei que aconteceria, mas, graças a Deus, só suspirou.

Respiro fundo, disco zero e me fecho na despensa. Digo à operadora local o número de longa distância e espero.

— Editora Harper and Row, com quem gostaria de falar?

— Escritório de Elaine Stein, por favor.

Desejando ter feito isso antes, espero que a secretária dela atenda. Mas pareceu errado ligar na semana da morte de Kennedy, e ouvi no noticiário que a maior parte das empresas estavam fechadas. Depois veio a semana de Ação de Graças, e, quando liguei, a operadora me disse que ninguém estava atendendo no escritório dela, então agora estou ligando mais de uma semana depois do que eu havia planejado.

— Elaine Stein.

Pisco, surpresa que não seja a secretária dela.

— Sra. Stein, me desculpe, aqui é... Eugenia Phelan. De Jackson, Mississippi.

— Sim... Eugenia. — Ela suspira, evidentemente irritada por ter se arriscado a atender ela mesma o telefone.

— Estou ligando para lhe dizer que o manuscrito vai estar pronto logo após o Ano-novo. Vou colocá-lo no correio para a senhora na segunda semana de janeiro. — Sorrio, tendo pronunciado perfeitamente as falas que eu havia ensaiado.

Há um silêncio, exceto pela fumaça de cigarro sendo expirada. Eu me remexo em cima da lata de farinha de trigo.

— Eu... sou aquela que está escrevendo sobre as mulheres de cor. No Mississippi.

— Sim, eu me lembro — diz ela, mas não posso afirmar com certeza que é verdade.

E então ela diz:

— Você é aquela que se ofereceu para o cargo sênior. Como está indo aquele projeto?

— Está quase pronto. Só precisamos terminar mais duas entrevistas, e eu estava me perguntando se deveria mandar diretamente para a senhora ou para sua secretária.

— Oh, não, janeiro não é possível.

— Eugenia? Você está em casa? — Ouço mamãe chamar.

Tapo o bocal do telefone.

— Só um minuto, mamãe — respondo para ela aos gritos, sabendo que, se eu não responder, ela virá bater aqui.

— A última reunião de editores do ano será no dia 21 de dezembro — continua a sra. Stein. — Se quiser ter uma chance de que isso seja lido, preciso estar com o original nas minhas mãos nesse dia. Senão, ele vai para A Pilha. Você não quer ir para A Pilha, srta. Phelan.

— Mas... a senhora me disse janeiro... — Hoje é dia 2 de dezembro. Isso me dá apenas dezenove dias para terminar tudo.

— Dia 21 de dezembro é quando todo mundo sai de férias, e no Ano-novo estamos afundados em projetos de autores da casa e jornalistas. Se a senhorita é uma ninguém, como é, srta. Phelan, sua brecha é antes do dia 21. Sua única brecha.

Engulo em seco.

— Não sei se...

— Aliás, era com a sua mãe que você estava falando? Ainda mora na casa dos seus pais?

Tento pensar numa mentira — ela só está de visita, ela está doente, ela está de passagem, porque não quero que a sra. Stein saiba que não fiz nada da minha vida. Mas acabo suspirando.

— Sim, ainda moro na casa dos meus pais.

— E a mulher negra que a criou, imagino que ela ainda esteja aí?

— Não, ela se foi.

— Hum. Que pena. Você sabe o que aconteceu com ela? É que me ocorreu que você vai precisar de um capítulo sobre a sua própria empregada.

Fecho os olhos, me debatendo com a frustração.

— Eu não sei... na verdade.

— Bem, descubra e, sem dúvida alguma, inclua isso no livro. Vai dar um toque pessoal.

— Sim, senhora — digo, apesar de não fazer ideia de como vou terminar a entrevista de duas empregadas nesse ínterim, que dirá escrever histórias sobre Constantine. O mero pensamento de escrever sobre ela faz eu desejar, lá no fundo, que ela estivesse aqui agora.

— Até logo, srta. Phelan. Espero que consiga cumprir o prazo de entrega — diz ela, mas antes de desligar, resmungando: —, e, pelo amor de Deus, você é uma mulher de vinte e quatro anos, formada. Vá arranjar um apartamento.

LARGO O TELEFONE, ainda surpresa com a notícia do prazo e com a insistência da sra. Stein de que Constantine seja incluída no livro. Preciso começar a trabalhar imediatamente, mas vou dar uma olhadela em mamãe, no quarto dela. Nos últimos três meses, a úlcera dela piorou muito. Ela perdeu mais peso e não consegue passar dois dias sem vomitar. Até o dr. Neal pareceu surpreso quando a levei para uma consulta, na semana passada.

Deitada na cama, mamãe me olha da cabeça aos pés.

— Você não tem o clube do bridge hoje?

— Foi cancelado. O bebê de Elizabeth está com cólicas — minto. Tantas mentiras foram contadas que o quarto está impregnado delas. — Como a senhora está se sentindo? — pergunto. A velha bacia esmaltada está sobre a cama, ao seu lado. — A senhora vomitou?

— Estou bem. Não franza a testa desse jeito, Eugenia. Não faz bem para a pele.

Mamãe ainda não sabe que fui expulsa do clube do bridge, nem que Patsy Joiner tem uma nova parceira de tênis. Não sou mais convidada para festas nem para chás de bebês, nem para nenhum evento onde Hilly esteja. Exceto a Liga. Nas reuniões, as moças são monossilábicas comigo, vão direto ao ponto, ao tratar de questões do boletim da Liga. Tento me convencer que não ligo. Me aboleto na frente da máquina de escrever e, na maior parte dos dias, não saio. Digo a mim mesma que é isso que acontece quando você coloca trinta e uma privadas no jardim da moça mais popular da cidade. As pessoas tendem a tratar você de um jeito um pouco diferente.

FAZ QUASE QUATRO MESES que a porta foi fechada entre Hilly e eu, uma porta feita de um gelo tão espesso que precisaria de mil verões do Mississippi para derretê-la. Não é que eu não estivesse esperando consequências. Apenas não havia pensado que elas durariam tanto.

A voz de Hilly ao telefone era grave, baixa, como se ela tivesse passado a manhã inteira gritando. "Você é doente", sussurrou ela para mim. "Não fale comigo, não olhe para mim. Não diga oi para os meus filhos."

"Tecnicamente foi um erro de revisão, Hilly", foi só o que consegui pensar para dizer.

"Vou pessoalmente até a casa do senador Whitworth e vou dizer a ele que você, Skeeter Phelan, vai ser uma mancha na campanha dele em Washington. Uma verruga na reputação dele, se Stuart, algum dia, voltar a namorar você!"

Vacilo à menção do nome dele, apesar de já fazer semanas que rompemos. Imagino ele desviando o olhar, desinteressado, sem se importar mais com o que eu faço ou deixo de fazer.

"Você transformou meu gramado num espetáculo de segunda classe", disse Hilly. "Há quanto tempo você vem planejando humilhar a minha família?"

O que Hilly não entendeu foi que eu não havia planejado absolutamente nada. Quando comecei a datilografar o texto sobre seu projeto de higiene, datilografar palavras como *doença* e *proteja-se* e *de nada!*, foi como se uma revelação se abrisse dentro de mim, não muito diferente de uma melancia, fresca, calmante e doce. Sempre pensei que a insanidade era um sentimento escuro, amargo, mas é inebriante e delicioso, se você se deixa levar. Paguei vinte e cinco centavos a cada um dos irmãos de Pascagoula para colocar aquelas privadas de ferro-velho sobre o gramado de Hilly. Eles ficaram assustados, mas toparam. Lembro como a noite estava escura. Lembro de dar graças a Deus que algum prédio velho havia sido demolido por dentro e que havia muitas privadas no ferro-velho para escolher. Duas vezes sonhei que eu estava lá de novo, fazendo tudo mais uma vez. Não me arrependo, mas não me sinto tão sortuda quanto antes.

"E você se diz uma *cristã*", foram as últimas palavras de Hilly para mim, e eu pensei: *Deus. Quando na minha vida eu fiz isso?*

Este mês de novembro, Stooley Whitworth venceu a corrida pelo cargo de senador em Washington. Mas William Holbrook não venceu a eleição local, para o Senado estadual. Tenho quase certeza de que Hilly está pondo a culpa disso em mim, também. Para não falar que todo o esforço que ela fez para me apresentar a Stuart foi em vão.

ALGUMAS HORAS após conversar ao telefone com a sra. Stein, eu volto na ponta dos pés para dar uma olhadela em mamãe, uma última vez. Papai já pegou no sono ao lado dela. Mamãe tem um copo de leite sobre o criado-mudo. Ela está sentada, amparada por travesseiros, mas seus olhos estão fechados. Enquanto a estou examinando, ela os abre.

— Quer que eu traga alguma coisa para você, mamãe?

— Só estou descansando porque o dr. Neal mandou. Aonde você está indo, Eugenia? Já são quase sete horas.

— Volto daqui a pouquinho. Vou só dar uma volta de carro. — Dou-lhe um beijo, torcendo para que ela não faça mais perguntas. Quando fecho a porta, ela já está dormindo.

Atravesso a cidade bem rápido. Estou apavorada com a ideia de ter de contar a Aibileen sobre o novo prazo. A velha caminhonete chacoalha e faz barulho ao passar por buracos. Está em decadência acelerada, após outra dura colheita de algodão. Minha mão praticamente chega ao teto, pois alguém recolocou as molas do assento muito apertadas. Preciso dirigir com a janela aberta, com o braço para fora, para a porta não ficar batendo. O vidro dianteiro tem uma rachadura nova, no formato do pôr do sol.

Paro num sinal de trânsito na State Street, diante da loja de papéis. Quando olho, lá estão Elizabeth e Mae Mobley e Raleigh apertados no banco da frente do Corvair branco deles, voltando para casa após fazer compras de supermercado, acho. Congelo, sem ousar olhar de novo, com medo de que ela me veja e pergunte o que estou fazendo na caminhonete. Deixo eles tomarem a dianteira, observando suas luzes traseiras, combatendo um calor que sobe pela minha garganta. Faz tempo que não falo com Elizabeth.

Depois do incidente das privadas, Elizabeth e eu nos esforçamos por continuar amigas. Ainda falávamos ao telefone ocasionalmente. Mas, nas reuniões da Liga, ela parou de me falar qualquer coisa além de olá e algumas frases vazias, pois Hilly a observava. A última vez que fui à casa de Elizabeth foi há um mês.

"Não acredito como Mae Mobley está crescida", falei. Mae Mobley tinha sorrido, tímida, e se escondido atrás das pernas da mãe. Estava mais alta, mas ainda rechonchuda como um bebê.

"Crescendo como erva daninha", disse Elizabeth, olhando pela janela, e eu pensei, que coisa estranha com a qual comparar a própria filha. Uma erva daninha.

Elizabeth ainda estava de roupão, com bobes, já magra de novo depois da gravidez. Seu sorriso estava rígido. Ela não parava de olhar para o relógio, tocando os bobes a cada poucos segundos. Ficamos pela cozinha mesmo.

"Quer ir almoçar no clube?", perguntei. Então, Aibileen apareceu pela porta da cozinha. Na sala de jantar, vi de soslaio prataria e rendas.

"Não posso, e detesto apressá-la, mas... mamãe vai se encontrar comigo na Jewel Taylor Shoppe." Ela lançou os olhos na direção da janela da frente de novo. "Você sabe que mamãe detesta esperar." O sorriso dela crescia exponencialmente.

"Oh, me desculpe, não se atrase por mim." Dei um tapinha no seu ombro e me dirigi para a porta. E, então, me dei conta. Como é que eu podia ser tão burra? É quarta-feira, meio-dia. Meu velho clube do bridge.

Dei marcha a ré no Cadillac na entrada, lamentando tê-la constrangido de tal maneira. Quando me virei, vi seu rosto colado à janela, observando eu ir embora. E foi então que entendi: ela não estava constrangida por ter feito eu me sentir mal. Elizabeth Leefolt estava constrangida por ser vista comigo.

ESTACIONO NA RUA DE AIBILEEN, várias casas além da dela, sabendo que precisamos ter mais cuidado do que nunca. Apesar de que Hilly jamais viria a esta parte da cidade, ela é uma ameaça para todas nós, e sinto como se seus olhos estivessem por toda parte. Sei que ela ficaria encantada de me pegar em flagrante. Não subestimo até onde ela iria para garantir que eu sofresse o resto da minha vida.

É uma noite fria e limpa de dezembro, e a chuva acabou de começar a cair. Com a cabeça abaixada, desço a rua correndo. Minha conversa hoje à tarde com a sra. Stein ainda está se repetindo na minha cabeça. Tentei estabelecer uma prioridade em relação a tudo que falta fazer. Mas a parte mais difícil é que preciso perguntar a Aibileen, de novo, o que aconteceu com Constantine. Não posso simplesmente escrever sobre a história de Constantine se não sei o que aconteceu com ela. Vai contra toda a ideia do livro apresentar só uma versão da história. Não seria dizer a verdade.

Entro correndo na cozinha de Aibileen. A expressão do meu rosto decerto deixa claro para ela que tem alguma coisa errada.

— O que foi? Alguém viu você?

— Não — digo, tirando alguns papéis da bolsa. — Conversei com a sra. Stein hoje de manhã. — Conto a ela tudo que eu sei, sobre o prazo de entrega do manuscrito, sobre "A Pilha".

— Bem, então... — Aibileen faz mentalmente a conta dos dias, do mesmo jeito que passei a tarde inteira fazendo. — Então, a gente tem duas semanas e meia em vez de seis semanas. Oh, Senhor, não é tempo suficiente. A gente ainda precisa escrever a parte da Louvenia e melhorar o texto de Faye Belle. E a parte da Minny ainda não tá bem terminada... Dona Skeeter, a gente ainda nem tem um título.

Apoio a cabeça nas mãos, desanimada. Sinto como se estivesse afundando.

— Tem mais — digo. — Ela... quer que eu escreva sobre Constantine. A sra. Stein me perguntou... o que aconteceu com ela.

Aibileen larga a xícara de chá sobre a mesa.

— Não posso escrever, se não sei o que aconteceu, Aibileen. Então, se você não pode me contar... eu estava me perguntando se tem alguma outra pessoa que possa.

Aibileen balança a cabeça.

— Acho que tem, sim — diz ela —, mas não quero ninguém contando essa história pra você.

— Então... você vai me contar?

Aibileen tira os óculos de aros pretos e esfrega os olhos. Ela volta a colocar os óculos e espero ver um rosto cansado. Ela trabalhou o dia inteiro e vai trabalhar ainda com mais afinco agora, para tentar entregar tudo no prazo. Eu me mexo na cadeira, esperando a resposta.

Mas ela não parece cansada, de modo algum. Ela está sentada bem reta e balança a cabeça com segurança.

— Vou escrever. Me dê uns dias. Vou lhe contar tudo que aconteceu com Constantine.

TRABALHO QUINZE HORAS sem parar na entrevista de Louvenia. Na terça à noite, vou à reunião da Liga. Estou desesperada para sair de casa, apreensiva, nervosa, ansiosa por causa do prazo. A árvore de Natal está começando a exalar um cheiro forte, com as rodelas de laranja seca se estragando. Mamãe está sempre com frio, e na casa dos meus pais parece que estou mergulhada em um pote de manteiga derretida.

Paro sobre os degraus que levam até a sede da Liga, respiro fundo o ar limpo do inverno. É patético, mas estou contente por ainda ter o boletim. Uma vez por semana, ainda me sinto parte de alguma coisa. E quem sabe? Talvez desta vez seja diferente, com o início das festas de final de ano e tal.

Mas no minuto em que entro no salão, as costas se viram na minha direção. Minha exclusão é palpável, como se paredes de concreto tivessem sido levantadas ao meu redor. Hilly me dá um sorriso amarelo e faz um meneio com a cabeça para falar com outra pessoa. Adentro mais um pouco a multidão e vejo Elizabeth. Ela sorri e eu aceno. Quero falar com ela sobre a minha mãe, dizer a ela que estou ficando preocupada, mas, antes de conseguir me aproximar, Elizabeth se vira, baixa a cabeça e se afasta. Vou para o meu lugar. Isso é novidade, vindo dela, aqui.

Em vez do meu lugar de sempre lá na frente, me enfio na fileira de trás, furiosa por Elizabeth sequer ter me dado oi. Além de mim, na fileira está Rachel Cole Brant. Rachel quase nunca vem às reuniões, pois tem três filhos e está escrevendo sua dissertação de mestrado em Língua Inglesa, no Millsaps College. Eu bem que gostaria que fôssemos mais amigas, mas sei que ela é ocupada demais. Ao meu lado está a maldita Leslie Fullerbean e sua nuvem de laquê no cabelo. Ela arrisca a própria vida cada vez que acende um cigarro. Me pergunto se sairia laquê pela boca de Leslie se alguém apertasse o topo da sua cabeça.

Quase todas as moças na sala estão de pernas cruzadas, um cigarro aceso na mão. A fumaça sobe e forma ondas junto ao teto. Faz dois meses que não fumo, e o cheiro me deixa enjoada. Hilly vai até o púlpito e anuncia as próximas campanhas de doação (de casacos, de latas, de livros, e uma campanha de doação de dinheiro, pura e simplesmente), e então chegamos à parte da reunião que é a favorita de Hilly: a lista de problemas. Esse é o momento em que ela chama o nome de qualquer uma que esteja em falta com suas tarefas ou que tenha chegado atrasada às reuniões ou que não esteja cumprindo com seus deveres filantrópicos. Hoje em dia, estou sempre na lista de problemas por alguma razão.

Hilly está usando um vestido de lã folgado com uma pelerine por cima, estilo Sherlock Holmes, mesmo estando quente que nem o inferno aqui. De tempos em tempos, ela joga para trás a parte da frente da pelerine, como se a estivesse atrapalhando, mas parece que ela aprecia demais esse gesto para que seja mesmo um problema. A auxiliar dela, Mary Nell, está ao seu lado, entregando-lhe anotações. Mary Nell parece um cachorrinho de madame, do tipo pequinês com pezinhos pequenos e um nariz que se arrebita demais na ponta.

— Agora temos uma coisa muito interessante para discutir. — Hilly pega as notas que a pequinesa está lhe entregando e passa os olhos por elas. — O comitê concluiu que nosso boletim está precisando ser modernizado.

Eu me endireito na cadeira. Não deveria ser eu a decidir sobre eventuais mudanças no boletim?

— Em primeiro lugar, estamos mudando o boletim de semanal para mensal. É gasto demais, com os selos subindo para seis centavos etc. E estamos acrescentando uma coluna de moda, salientando alguns dos melhores trajes usados pelos nossos membros, e uma coluna de maquiagem com todas as novas tendências. Oh, e a lista de problemas, claro. Isso também vai passar a fazer parte do boletim. — Ela balança a cabeça afirmativamente, olhando nos olhos de alguns dos membros. — E, finalmente, a mudança mais interessante: decidimos dar a esse novo boletim o nome de *The Tattler**. Em homenagem à revista europeia que todas as senhoras de lá leem.

— Não é uma graça o nome? — diz Mary Lou White, e Hilly explode de orgulho, nem mesmo bate o martelo por ela ter falado sem pedir permissão.

---

* Algo como "A faladeira". (N.T.)

— Muito bem, então. É hora de escolher um editor para o nosso novo e moderno periódico mensal. Alguma indicação?

Várias mãos se levantam. Não me mexo.

— Jeanie Price, que tal?

— Eu digo Hilly. Sugiro Hilly Holbrook.

— Que querida! Muito bem, mais alguma?

Rachel Cole Brant se vira e olha para mim como quem diz: *Você está acreditando nisso?* Evidentemente, ela é a única pessoa na sala que não sabe sobre mim e Hilly.

— Quem apoia... — Hilly baixa os olhos para o púlpito, como se não conseguisse se lembrar direito dos nomes que foram sugeridos. — Hilly Holbrook para editora?

— Eu.

— E eu.

O martelo faz *bang-bang*, e eu perco meu cargo de editora.

Leslie Fullerbean me olha com olhos tão arregalados que vejo que não há nada no lugar onde deveria estar seu cérebro.

— Skeeter, esse não é o *seu* cargo? — diz Rachel.

— *Era* meu — murmuro e me dirijo direto para a porta quando a reunião termina. Ninguém fala comigo, ninguém me olha nos olhos. Caminho de cabeça erguida.

No saguão, Hilly e Elizabeth estão conversando. Hilly coloca o cabelo escuro para trás das orelhas e me dá um sorriso diplomático. Ela sai para falar com mais alguém, mas Elizabeth fica onde está. Ela toca de leve o meu braço enquanto me dirijo para a saída.

— Oi, Elizabeth — murmuro.

— Sinto muito, Skeeter — sussurra ela, e nossos olhos se fitam mutuamente por um instante. Mas então ela desvia o olhar. Desço os degraus e sigo até o estacionamento. Achei que ela tinha mais alguma coisa para me dizer, mas acho que eu estava enganada.

Depois da reunião da Liga, não vou direto para casa. Baixo as janelas do Cadillac e deixo o ar da noite soprar no meu rosto. É morno e frio ao mesmo tempo. Sei que preciso ir para casa trabalhar nas histórias, mas entro nas alamedas amplas que cruzam a State Street e dirijo sem rumo. Nunca na vida me senti tão vazia. Não posso deixar de pensar em todo o peso que está sobre os meus ombros. *Nunca vou conseguir cumprir esse prazo, minhas amigas me desprezam, Stuart se foi, mamãe está...*

Não sei o que está acontecendo com a minha mãe, mas todos nós sabemos que é algo mais grave do que uma úlcera no estômago.

O Sun and Sand Bar está fechado, e eu passo por ele lentamente, observando como um letreiro de néon parece morto quando desligado. Passo ao lado do prédio Lamar Life, pelas luzes amarelas e piscantes da rua. São apenas oito horas da noite, mas todo mundo já foi para a cama. Todo mundo está dormindo nesta cidade, em todos os sentidos possíveis.

— Gostaria de poder ir embora daqui — digo, e a minha voz parece aguda, sem ninguém para escutá-la. No escuro, tenho uma visão distante de mim mesma, vista de cima, como num filme. Eu me tornei uma daquelas pessoas que vagam à noite em seus carros. Deus, sou o Boo Radley da cidade, como em *O sol é para todos*.

Giro o botão do rádio, desesperada por algum barulho que encha os meus ouvidos. "It's My Party" está tocando, e procuro sintonizar em outra coisa. Estou começando a detestar as músicas lamentosas de adolescentes sobre o amor e sobre o nada. Em um breve momento de boa recepção, capto a WKPO de Memphis, e eis que surge uma voz de homem, como que embriagada, cantando rápido e de um jeito meio bluesco. Em uma rua sem saída, entro de mansinho no estacionamento de uma loja Tote-Sum e ouço a música. É melhor do que qualquer coisa que já ouvi.

... you'll sink like a stone
For the times they are a-changin'.

Uma voz no microfone me informa que o nome do cantor é Bob Dylan, mas, quando a música seguinte começa, o sinal se vai. Recosto no banco e olho para fora, para as vitrines escuras da loja. Sinto uma onda de inexplicável alívio. Sinto como se tivesse acabado de ouvir algo vindo do futuro.

Na cabine telefônica no lado de fora da loja, insiro uma moeda e ligo para minha mãe. Sei que ela vai ficar acordada, esperando por mim, até eu chegar em casa.

— Alô? — é a voz do meu pai, às oito e quinze da noite.

— Papai... por que o senhor está acordado? O que aconteceu?

— É melhor você vir para casa agora, querida.

As luzes da rua de repente parecem brilhantes demais para os meus olhos, e a noite, fria demais.

— É a mamãe? Ela está passando mal?

— Stuart está sentado na varanda há quase duas horas. Está esperando você.

Stuart? Não faz sentido nenhum.

— Mas a mamãe... ela...

— Oh, a mamãe está bem. Na verdade, está até mais corada. Venha para casa, Skeeter, e fale com Stuart.

O CAMINHO DE VOLTA para Longleaf nunca me pareceu tão longo. Dez minutos mais tarde, estaciono na frente de casa e vejo Stuart sentado no último degrau da escada que leva até a varanda. Papai está numa cadeira de balanço. Os dois se levantam quando desligo o motor do carro.

— Oi, papai — digo. Não olho para Stuart. — Onde está a mamãe?

— Está dormindo. Acabei de ir vê-la. — Papai boceja. Há dez anos que não o vejo acordado depois das sete da noite, desde a vez em que a lavoura de algodão congelou em plena primavera.

— Boa noite, vocês dois. Desliguem as luzes depois. — Papai entra, e Stuart e eu ficamos sozinhos. A noite está tão negra, tão silenciosa, que não consigo ver nem estrelas nem a lua, nem mesmo um cachorro no quintal.

— O que você está fazendo aqui? — pergunto, e minha voz soa frágil.

— Vim falar com você.

Eu me sento no degrau e apoio a cabeça nas mãos.

— Então fale de uma vez e vá embora. Eu estava melhorando. Dez minutos atrás ouvi uma música e estava quase me sentindo bem.

Ele se aproxima de mim, mas não chega a me tocar. Bem que queria que estivéssemos nos tocando.

— Eu vim lhe contar uma coisa. Vim para dizer que a vi.

Levanto a cabeça. A primeira palavra que me vem à mente é *egoísta*. Seu filho-da-puta egoísta, vem aqui me falar de Patricia.

— Fui até lá, até São Francisco. Há duas semanas. Entrei na minha caminhonete e dirigi durante quatro dias e bati à porta do prédio cujo endereço a mãe dela me deu.

Tapo meu rosto. Só o que consigo ver é Stuart afastando o cabelo dela do rosto, exatamente como ele fazia comigo.

— Não quero saber.

— Eu disse para ela que achava que aquilo era a pior coisa que alguém podia fazer com uma pessoa. Mentir daquele jeito. Ela me pareceu tão diferente. Estava com um vestido meio de camponesa e um símbolo de paz e o cabelo dela está comprido e ela não estava usando batom nenhum. E ela riu quando me viu. E depois me chamou de prostituta. — Ele esfrega os olhos com força, com os nós das mãos. — Ela, que tirou a roupa para aquele sujeito, disse que eu era uma puta do meu pai, uma puta do Mississippi.

— Por que você está me contando isso? — Meus punhos estão cerrados. Sinto gosto de metal na boca. Mordi a língua.

— Dirigi até lá por sua causa. Depois que a gente rompeu, eu sabia que precisava tirar Patricia da cabeça. E fiz isso, Skeeter. Dirigi mais de três mil quilômetros para ir até lá e voltar, e estou aqui para contar a você. Está morto. Acabou.

— Bem, que bom, Stuart — digo. — Que bom para você.

Ele se aproxima e se inclina para frente, para me forçar a olhá-lo. Eu me sinto enjoada, literalmente nauseada pelo cheiro de bourbon no hálito dele. E, ainda assim, quero me dobrar, ficar pequenininha, e colocar todo o meu corpo nos braços dele. Estou amando e odiando Stuart ao mesmo tempo.

— Vá para casa — digo, mal acreditando em mim mesma. — Não tem mais lugar para você dentro de mim.

— Não acredito nisso.

— Você está atrasado demais, Stuart.

— Posso vir aqui no sábado? Para a gente conversar mais um pouco?

Dou de ombros, com os olhos cheios de lágrimas. Não vou deixar ele me jogar fora de novo. Já aconteceu vezes demais, com ele, com as minhas amigas. Seria estúpido deixar isso acontecer de novo.

— Pode fazer o que quiser, não me importo.

LEVANTO ÀS CINCO DA MANHÃ e começo a trabalhar nas histórias. Faltando apenas dezessete dias para o nosso prazo, trabalho dia e noite com uma velocidade e uma eficiência que eu não sabia que era capaz. Termino a história de Louvenia na metade do tempo que levei para escrever as outras e, com uma dor de cabeça fustigante, apago as luzes quando os primeiros raios de sol entram pela janela. Se Aibileen me entregar a história de Constantine no início da próxima semana, pode ser que eu consiga terminar tudo a tempo.

E então me dou conta de que não tenho dezessete dias. Como sou idiota. Tenho dez dias, porque não contabilizei o tempo que vai levar para o manuscrito chegar até Nova York pelo correio.

Eu choraria, se tivesse tempo para isso.

Algumas horas depois, me levanto e volto ao trabalho. Às cinco da tarde, ouço um carro estacionar e vejo Stuart saindo da sua caminhonete. Com esforço me afasto da máquina de escrever e vou até a varanda na frente de casa.

— Olá — digo, parada na porta.

— Oi, Skeeter. — Ele faz um aceno de cabeça para mim, tímido, me parece, comparado com seu jeito de duas noites atrás. — Boa tarde, sr. Phelan.

— Olá, filho. — Papai se levanta da cadeira de balanço. —Vou deixar vocês conversarem à vontade, crianças.

— Não se levante, papai. Desculpe, mas estou ocupada hoje, Stuart. Mas sinta-se à vontade para ficar sentado com papai aqui fora quanto tempo quiser.

Volto para dentro de casa, passo pela mamãe, sentada à mesa da cozinha, bebendo leite morno.

— Era o Stuart que eu vi lá fora?

Vou até a sala de jantar. Me mantenho longe das janelas, onde sei que Stuart não pode me ver. Fico olhando até que ele vai embora. E continuo olhando depois disso.

NAQUELA NOITE, COMO SEMPRE, vou até a casa de Aibileen. Conto a ela sobre o prazo de apenas dez dias, e ela parece prestes a chorar. Então, entrego o capítulo de Louvenia para ela ler, o capítulo que escrevi na velocidade da luz. Minny está sentada à mesa da cozinha conosco, bebendo uma Coca-Cola, olhando para fora, pela janela. Eu não sabia que ela estaria aqui hoje à noite e gostaria que ela nos deixasse trabalhar.

Aibileen larga as folhas e balança a cabeça afirmativamente.

— Acho que esse capítulo tá bem bom. Tão bom de ler quanto os que foram escritos com calma.

Suspiro, me recostando na cadeira, pensando no que mais precisa ser feito.

— Precisamos decidir o título — digo, e esfrego as têmporas. — Andei pensando em alguns. Acho que devemos chamá-lo *Empregadas domésticas de cor e as famílias sulistas para as quais elas trabalham.*

— Como é? — diz Minny, olhando para mim pela primeira vez.

— É a melhor maneira de descrever o livro, não acha? — digo.

— Se você tá com uma espiga de milho enfiada na bunda.

— Isso não é ficção, Minny. É sociologia. Tem que parecer preciso.

— Mas isso não quer dizer que tem que ser um título chato — diz Minny.

— Aibileen — suspiro, esperando que possamos resolver isso essa noite. — O que você acha?

Aibileen dá de ombros, e de cara vejo que ela está tratando de vestir seu sorriso pacificador. Parece que ela precisa aparar as arestas sempre que Minny e eu estamos no mesmo cômodo.

— É um título bom. Claro que você vai cansar de datilografar isso tudo na parte de cima de todas as páginas — diz ela. Eu havia falado para ela que era assim que precisava ser.

— Bem, podemos encurtar um pouco... — digo, e pego o lápis.

Aibileen coça o nariz. Diz:

— O que você acha de chamar ele só de... *Ajuda?*

— *Ajuda* — repete Minny como se nunca tivesse ouvido a palavra antes.

— *Ajuda* — digo.

Aibileen dá de ombros e baixa os olhos envergonhada, como se estivesse um pouco constrangida.

— Não tou tentando acabar com a sua ideia, eu só... acho que é bom manter as coisas simples, sabe?

— Acho que *Ajuda* me parece bom — diz Minny, e cruza os braços.

— Eu gosto... de *Ajuda* — digo, porque é verdade. E acrescento: — Acho que ainda assim vamos precisar colocar um subtítulo embaixo, para que a categoria do livro fique clara, mas acho que esse é um bom título.

— Resolvido, então — diz Minny. — Porque, se esse negócio for publicado, Deus sabe que vamos precisar de ajuda.

NO DOMINGO À TARDE, faltando apenas oito dias para o prazo de entrega, desço as escadas, tonta e piscando os olhos de tanto olhar para as letrinhas datilografadas o dia todo. Fiquei quase feliz quando ouvi o carro de Stuart estacionar diante da casa. Esfrego os olhos. Talvez eu fique sentada um pouco com ele, para desanuviar a cabeça, depois volto e trabalho noite adentro.

Stuart desce da caminhonete suja de lama. Ele ainda está com a gravata de domingo, e tento ignorar como ele está bonito. Alongo os braços. Está ridiculamente quente aqui fora, considerando que faltam duas semanas e meia para o Natal. Mamãe está sentada na varanda, em uma cadeira de balanço, enrolada em cobertores.

— Olá, sra. Phelan. Como está se sentindo hoje? — pergunta Stuart.

Mamãe faz um aceno de cabeça majestático.

— Bem. Obrigada por perguntar.

Fico surpresa pela frieza da voz da minha mãe. Ela se volta para o seu boletim e não posso deixar de sorrir. Mamãe sabe que ele tem vindo aqui, mas não mencionou o fato uma só vez. Não tenho como não me perguntar quando o assunto virá à tona.

— Ei — diz ele baixinho para mim, e nos sentamos no último degrau da varanda. Em silêncio, ficamos olhando enquanto o nosso velho gato, Sherman, espreita em torno de uma árvore, seu rabo balançando, perseguindo uma criatura que não conseguimos ver.

Stuart coloca a mão no meu ombro.

— Não posso me demorar hoje. Vou agora mesmo a Dallas para uma reunião sobre petróleo e vou ficar fora da cidade por três dias — diz ele. — Só vim para lhe avisar.

— Tudo bem, então. — Dou de ombros, como se não fizesse diferença.

— Tudo bem, então — diz ele e volta para a caminhonete.

Quando ele desaparece de vista, mamãe limpa a garganta. Não me viro para olhar para ela na cadeira de balanço. Não quero que ela veja o desapontamento no meu rosto por ele ter ido embora.

— Vá em frente, mamãe — finalmente murmuro. — Diga o que a senhora quer dizer.

— Não deixe ele fazer pouco de você.

Então me viro e olho desconfiada para ela, apesar de ela parecer tão frágil embaixo daquele cobertor de lã. Tenho pena do tolo que algum dia subestimar a minha mãe.

— Se Stuart não sabe que criei você para ser inteligente e boa, ele pode tratar de voltar para a State Street. — Ela olha para os campos invernais com olhos estreitados. — Francamente, não acho Stuart grande coisa. Ele não sabe a sorte que teve em conhecer você.

Deixo as palavras da minha mãe se assentarem, como um doce minúsculo na minha língua. Forçando-me a levantar do degrau, me dirijo à porta da frente. Há muito trabalho a ser feito e muito pouco tempo para isso.

— Obrigada, mãe. — Eu lhe dou um beijo suave no rosto e volto para dentro de casa.

ESTOU EXAUSTA E IRRITADIÇA. Durante quarenta e oito horas não fiz nada além de datilografar. Estou estupidificada pelos fatos das vidas de outras pessoas. Meus olhos ardem por causa do cheiro da tinta da máquina de escrever. Meus dedos estão riscados por cortes de papel. Quem diria que papel e tinta seriam tão nocivos.

Com apenas seis dias pela frente, vou até a casa de Aibileen. Ela tirou um dia de folga, apesar da chateação de Elizabeth. Vejo que ela sabe o que precisamos discutir antes mesmo de eu abrir a boca. Ela me deixa só na cozinha e volta com uma carta na mão.

— Antes de entregar isso pra você... acho que eu devia explicar umas coisas. Pra você poder entender direito.

Concordo. Estou tensa na cadeira. Quero rasgar o envelope e terminar logo com isso.

Aibileen alinha seu caderno sobre a mesa da cozinha. Observo enquanto ela o alinha com seus dois lápis amarelos.

— Lembra que eu falei que Constantine tinha uma filha? Bem, Lulabelle era o nome dela. Senhor, ela nasceu branca que nem a neve. Seu cabelo era da cor de palha. Nem ondulado que nem o seu. Era completamente liso.

— Ela era tão branca assim? — pergunto. Fiquei pensando nisso desde que Aibileen me contou sobre a filha de Constantine, lá na cozinha de Elizabeth. Imagino como Constantine deve ter ficado surpresa em segurar no colo um bebê branco, sabendo que era dela.

Ela balança a cabeça.

— Quando Lulabelle tinha quatro anos de idade, Constantine... — Aibileen se remexe na cadeira. — Ela levou a menina pra um... orfanato. Lá em Chicago.

— Um orfanato? Você quer dizer... ela deu a filha? — Por mais que Constantine me amasse, não posso deixar de imaginar que ela deve ter amado muito a própria filha.

Aibileen me olha bem nos olhos. Vejo algo que muito raramente se vê nela — decepção, antipatia.

— Muitas mulheres de cor precisam dar os filhos, dona Skeeter. Mandar os filhos embora, porque precisam cuidar de uma família branca.

Baixo os olhos, me perguntando se Constantine não podia cuidar da filha porque precisava cuidar de nós.

— Mas a maioria manda os filhos pra uma família. Um orfanato é... completamente diferente.

— Por que ela não mandou o bebê para a irmã dela? Ou para outro parente?

— A irmã dela... simplesmente não conseguiu. Ser negro com pele branca... no Mississippi, é como não pertencer a ninguém. Mas não era difícil só pra menina. Era difícil pra Constantine. Ela... as pessoas olhavam pra ela. Gente branca parava ela, perguntava, cheia de suspeita, o que ela tava fazendo, carregando uma criança branca por aí. Policiais paravam ela na State Street, diziam que ela precisava vestir o uniforme. Até mesmo gente preta... tratava ela diferente, não confiava, como se ela tivesse feito alguma coisa errada. Era difícil pra ela encontrar alguém pra cuidar de Lulabelle enquanto ela trabalhava. Chegou num ponto que Constantine não queria muito... levar Lulabelle pra rua.

— Ela já trabalhava para a minha mãe, então?

— Fazia uns anos que ela tava com a sua mãe. Foi lá que ela conheceu o pai, Connor. Ele trabalhava na sua fazenda, morava lá fora, em Hotstack. — Aibileen balança a cabeça. — Todo mundo ficou surpreso que Constantine ia... se aquietar e criar uma família. Algumas pessoas da igreja não foram tão bondosas, ainda mais quando o bebê nasceu branco. Mesmo se o pai era preto que nem eu.

— Tenho certeza de que a minha mãe não deve ter gostado muito, também. — Minha mãe, tenho certeza, sabia disso tudo. Ela sempre sabia da vida de seus serviçais de cor: onde moravam, se eram casados, quantos filhos tinham. Mais como controle do que como interesse genuíno. Ela gosta de saber quem é que está andando na sua propriedade. — Era um orfanato para crianças de cor ou para crianças brancas? — Porque estou pensando, estou esperando, que talvez Constantine apenas quisesse uma vida melhor para a filha. Talvez tenha pensado que ela seria adotada por uma família branca, e não se sentiria mais tão diferente.

— De cor. Os orfanatos pra crianças brancas não queriam receber ela, ouvi dizer. Acho que sabiam... talvez já tivessem visto esse tipo de coisa antes. Quando Constantine foi até a estação de trem com Lulabelle pra levar ela até lá, ouvi dizer que as pessoas brancas ficaram observando na plataforma, querendo saber por que uma menininha branca tava viajando no vagão pra gente de cor. E, quando Constantine deixou ela naquele lugar lá em Chicago... quatro anos é... a criança já é grande demais pra ser dada. Lulabelle gritou. Foi o que Constantine contou pra alguém da nossa igreja. Disse que Lula gritou e esperneou, tentando fazer a mãe voltar pra ela. Mas Constantine, mesmo com aqueles gritos desesperados nos ouvidos... deixou ela lá.

Enquanto escuto, começo a entender o que Aibileen está me contando. Se eu não tivesse a mãe que tenho, talvez não tivesse pensado nisso.

— Ela deu a filha porque estava... envergonhada? Porque a filha dela era branca?

Aibileen abre a boca para discordar, mas não fala nada, só olha para o chão.

— Alguns anos depois, Constantine escreveu pro orfanato, disse pra eles que tinha cometido um erro, que queria a menina de volta. Mas Lula já tinha sido adotada. Não tava mais lá. Constantine sempre dizia que dar a filha pra adoção foi o pior erro que cometeu na vida. — Aibileen se recosta na cadeira. — E ela dizia que, se algum dia conseguisse Lulabelle de volta, nunca mais ia deixar ela ir embora.

Fico sentada, em silêncio, com o coração doendo por Constantine. Estou começando a temer o que tudo isso pode ter a ver com a minha mãe.

— Faz uns dois anos, Constantine recebeu uma carta de Lulabelle. Acho que ela tinha uns vinte e cinco, então, e dizia que os pais adotivos tinham dado pra ela o endereço. Elas começaram a se corresponder, e Lulabelle disse que queria vir e ficar com ela um pouco. Senhor, Constantine ficou tão nervosa que nem caminhava direito. Nervosa demais pra comer, nem água ela bebia. Vomitava tudo. Coloquei ela na minha lista de rezas.

Dois anos atrás. Eu estava na faculdade, nessa época. Por que Constantine não me contou, nas cartas, o que estava acontecendo?

— Ela pegou todas as economias e comprou roupas novas pra Lulabelle, coisas pro cabelo, fez o grupo da igreja costurar uma colcha nova pra cama onde Lulabelle ia dormir. Ela nos contou, num encontro de reza: *E se ela me odiar? Ela vai me perguntar por que eu dei ela, e se eu contar a verdade... ela vai me odiar pelo que fiz.*

Aibileen levanta os olhos da xícara de chá e sorri um pouco.

— Ela nos disse, "mal posso esperar pra Skeeter conhecer ela, quando voltar pra casa da faculdade". Eu tinha esquecido isso. Eu não sabia quem era Skeeter, nessa época.

Lembro da última carta que recebi de Constantine, dizendo que tinha uma surpresa para mim. Compreendo agora que ela queria me apresentar à filha. Trato de engolir as lágrimas que se insinuam garganta acima.

— O que aconteceu quando Lulabelle veio ver a mãe?

Aibileen empurra o envelope sobre a mesa.

— Acho que essa parte é melhor você ler em casa.

UMA VEZ EM CASA, subo para o meu quarto. Sem nem mesmo parar para me sentar, abro a carta de Aibileen. Está escrita em folhas de caderno, com uma letra cursiva cobrindo toda a frente e todo o verso.

Depois, fico olhando para as oito folhas que eu já havia escrito sobre ir a pé até Hotstack com Constantine, sobre os quebra-cabeças nos quais trabalhamos juntas, sobre ela pressionando o dedão na minha mão. Respiro fundo e elevo as mãos acima das teclas da máquina de escrever. Não posso perder mais tempo. Preciso terminar a sua história.

Escrevo sobre o que Aibileen me contou, que Constantine tinha uma filha e precisou dá-la para poder trabalhar para a nossa família — os Miller é como nos chamo, em homenagem a Henry, meu escritor proibido favorito. Não escrevo que a filha de Constantine tinha pele amarelada; só quero mostrar que o amor de Constantine por mim começou com a saudade que ela sentia da própria filha. Talvez tenha sido isso que tornou esse amor tão único, tão profundo. Não importava que eu fosse branca. Enquanto ela desejava ter a própria filha de volta, eu desejava não desapontar a minha mãe.

Durante dois dias, conto toda a história da minha infância, meus tempos de faculdade, quando trocávamos cartas todas as semanas. Mas então paro e ouço minha mãe tossindo lá embaixo. Ouço os passos de papai, indo até ela. Acendo um cigarro e o apago, pensando: *Não comece de novo.* A água da descarga passa pela casa, contendo mais um pouco do corpo da minha mãe. Acendo outro cigarro e o fumo inteirinho. Não posso escrever sobre o que está na carta de Aibileen.

Naquela noite, ligo para Aibileen, na casa dela.

— Não posso colocar isso no livro — digo a ela. — Sobre minha mãe e Constantine. Decidi terminar na época em que eu vou para a faculdade. Eu só...

— Dona Skeeter...

— Sei que eu deveria. Sei que eu deveria me sacrificar tanto quanto você e Minny e todas as outras. Mas não posso fazer isso com a minha mãe.

— Ninguém espera que você faça, dona Skeeter. A verdade é que eu não pensaria muito bem de você, se fizesse.

NA NOITE SEGUINTE, vou até a cozinha para tomar chá.

— Eugenia? Você está aqui embaixo?

Sigo a trilha até o quarto de mamãe. Papai ainda não está na cama. Ouço o som da tevê na sala de estar íntima.

— Estou aqui, mamãe.

Ela está na cama às seis da tarde, com a bacia branca ao lado.

— Você andou chorando? Você sabe que isso faz a pele envelhecer, querida.

Sento na cadeira de palha ao lado da cama dela. Penso em como abordar o assunto. Parte de mim entende por que a minha mãe agiu como agiu, porque, realmente, quem não ficaria furioso com Lulabelle por ter feito o que fez? Mas preciso ouvir o lado da minha mãe na história. Se há qualquer coisa que possa redimir minha mãe e que Aibileen tenha deixado de fora, eu preciso saber.

— Quero falar sobre Constantine — digo.

— Oh, Eugenia — resmunga ela e dá um tapinha na minha mão. — Já faz quase dois anos.

— Mamãe — digo, e me forço a olhar para seus olhos. Embora ela esteja terrivelmente magra e com a clavícula saliente abaixo da pele, seus olhos continuam tão aguçados como sempre. — O que aconteceu? O que aconteceu com a filha dela?

A mandíbula da minha mãe se tensiona, e vejo que ela está surpresa ao ver que sei sobre a filha de Constantine. Fico aguardando ela se recusar a falar sobre o assunto, como antes. Ela respira fundo, puxa a bacia branca mais para perto e diz:

— Constantine a mandou para Chicago, para viver lá. Não podia cuidar dela.

Aceno a cabeça e espero.

— Eles são diferentes sob esse aspecto, sabe? Essa gente tem filhos e só pensa nas consequências quando já é tarde demais.

Eles, essa gente. Isso me faz lembrar de Hilly. Minha mãe também vê isso no meu rosto.

— Agora, ouça aqui. Eu fui boa para Constantine. Oh, ela era respondona, muitas vezes, e eu aguentei. Mas, Skeeter, dessa vez ela não me deixou nenhuma alternativa.

— Eu sei, mãe. Eu sei o que aconteceu.

— Quem lhe contou? Quem mais sabe? — Vejo a paranoia se acendendo nos olhos de minha mãe. É o seu maior medo tornando-se realidade, e sinto pena dela.

— Nunca vou dizer à senhora quem me contou. Só o que posso dizer é que não foi ninguém... importante para a senhora — digo. — Não consigo acreditar que a senhora faria o que fez, mamãe.

— Como você ousa me julgar, depois do que ela me fez? Você sabe mesmo o que aconteceu? Você estava lá? — Vejo, então, a antiga fúria, uma mulher obstinada que sobreviveu a anos de sangramento de úlceras. — Aquela menina... — Ela agita o indicador ossudo à frente do meu rosto. — Ela apareceu aqui. Eu estava com todos os membros do DAR regional em casa. Você estava na faculdade, e a campainha da porta da frente não parava de tocar, e Constantine estava na cozinha, passando café manualmente, já que a cafeteira velha tinha queimado duas jarras de café. — Mamãe abana uma das mãos, para desfazer o cheiro de café queimado. — Estavam todos na sala de estar, comendo bolo, *noventa e cinco* pessoas na casa, e ela bebendo café. Ela está conversando com Sarah von Sistern e caminhando pela casa como uma convidada e se empanturrando de bolo e, quando vejo, ela está preenchendo o formulário para se tornar *membro*.

De novo, eu aquiesço. Talvez eu não soubesse desses detalhes, mas eles não mudam o que aconteceu.

— Ela parecia tão branca quanto qualquer pessoa, e ela sabia disso. Ela sabia exatamente o que estava fazendo, e então eu perguntei, *Como você vai?*, e ela ri e responde, *Bem*, então eu digo, *E qual é o seu nome?* e ela diz, *Quer dizer que não sabe? Sou Lulabelle Bates. Eu cresci e voltei para morar com a minha mãe. Cheguei ontem de manhã*. E então ela se afasta, para se servir de mais uma fatia de bolo.

— Bates — digo, pois esse é mais um detalhe que eu não sabia, ainda que insignificante. — Ela mudou o sobrenome de volta para o de Constantine.

— Graças a Deus que ninguém a ouviu. Mas então ela começou a conversar com Phoebe Miller, a presidente do DAR região Sul, e eu a puxei até a cozinha e disse, *Lulabelle, você não pode ficar aqui. Você precisa ir embora e*, oh, e ela me olhou com desdém. Ela disse: *Por quê, você não permite negros na sua sala de visitas, se não estiverem fazendo faxina?* Foi aí que Constantine entrou na cozinha, e ela parecia tão chocada quanto eu. Eu digo, *Lulabelle, saia desta casa antes que eu chame o sr. Phelan*, mas ela não se mexeu. Disse que, quando eu achava que ela era branca, eu tratava ela bem e cheia de gentilezas. Disse que lá em Chicago ela fazia parte de um grupo clandestino, então eu digo para Constantine: *Tire a sua filha da minha casa agora.*

Os olhos da minha mãe parecem mais fundos do que nunca. Suas narinas estão dilatadas.

— Então, Constantine diz para Lulabelle voltar para a casa delas, e Lulabelle diz, *Tudo bem, eu já estava mesmo indo embora,* e se dirige para a sala de jantar, e eu, claro, paro ela. *Oh, não,* digo, *você sai pela porta dos fundos, não pela frente, com os convidados brancos.* Eu não queria que o DAR descobrisse tudo aquilo. E falei para aquela menina petulante, para cuja mãe nós sempre demos dez dólares extras, todo Natal, que não era para ela pôr os pés nesta fazenda de novo. E você sabe o que ela fez?

Sim, penso, mas não expresso nada com o rosto. Ainda estou em busca da redenção.

— Cuspiu. Na minha cara. Uma negra, na minha casa. Tentando se fazer passar por branca.

Estremeço. Quem jamais teria a coragem de cuspir na minha mãe?

— Falei para Constantine que era melhor aquela menina não dar mais as caras por aqui. Nem em Hotstack, nem no estado do Mississippi. E que eu também não toleraria que ela se relacionasse com Lulabelle, não enquanto seu pai estivesse pagando o aluguel daquela casa onde Constantine morava.

— Mas foi Lulabelle quem agiu desse jeito. Não Constantine.

— E se ela ficasse? Eu não ia tolerar essa menina andando por Jackson, se fazendo de branca quando, na verdade, era negra, dizendo a todo mundo que havia entrado numa festa do DAR em Longleaf. Agradeço a Deus que ninguém nunca tenha descoberto nada. Ela tentou me constranger na minha própria casa, Eugenia. Cinco minutos antes, ela fez Phoebe Miller preencher o formulário para ela se tornar membro.

— Fazia vinte anos que ela não via a filha. A senhora não pode... dizer para alguém não ver a própria filha.

Mas mamãe está absorvida na história que está contando.

— E Constantine, ela achou que podia me fazer mudar de ideia. *Sra. Phelan, por favor, só deixe ela ficar lá em casa, ela não vai vir para esses lados de novo, eu não vejo ela há tanto tempo.* E aquela Lulabelle, com a mão no quadril, dizendo, "É, meu pai morreu e minha mãe estava doente demais para cuidar de mim quando eu era pequena. Ela precisou me dar. Você não pode nos separar".

Minha mãe baixa o tom de voz. Parece muito direta agora.

— Olhei para Constantine e senti vergonha por ela. Ficar grávida, para começar, e depois mentir...

Eu me sinto enjoada e com calor. Quero que isso termine de uma vez.

Mamãe estreita seus olhos.

— Está na hora de você saber, Eugenia, como as coisas realmente são. Você idealiza Constantine demais. Sempre idealizou. — Ela aponta o dedo para mim. — Eles não são *gente normal.*

Não consigo olhar para ela. Fecho os olhos.

— E então o que aconteceu, mamãe?

— Perguntei a Constantine, na lata, "Foi isso que você disse a ela? É assim que você apaga os seus erros?"

Essa era a parte que eu esperava que não fosse verdade. Era sobre isso que eu esperava que Aibileen tivesse se enganado.

— Contei a verdade a Lulabelle. Eu disse a ela: "Seu pai não *morreu*. Ele foi embora, um dia depois de você nascer. E sua mãe não esteve doente nem um só dia em toda a vida. Ela deu você porque você era amarela demais. Ela não queria você."

— Por que a senhora não deixou ela acreditar no que Constantine havia dito? Constantine estava com muito medo de que a filha não fosse gostar dela, foi por isso que contou essas coisas.

— Porque Lulabelle precisava saber a verdade. Ela precisava voltar para Chicago, que era o lugar dela.

Deixo minha cabeça cair sobre as mãos. Não há nada de redentor nessa história. Sei por que Aibileen não queria me contar. Um filho jamais deveria saber isso da própria mãe.

— Nunca pensei que Constantine iria para Illinois com ela, Eugenia. De verdade, fiquei... triste de vê-la ir embora.

— A senhora não ficou, não — digo. Penso em Constantine, depois de morar cinquenta anos no interior, sentada em um pequeno apartamento em Chicago. Como deve ter se sentido solitária. Como seus joelhos devem ter doído naquele frio.

— Fiquei, sim. E, apesar de eu ter dito para ela não lhe escrever, ela provavelmente teria escrito, se tivesse tido mais tempo.

— Mais tempo?

— Constantine morreu, Skeeter. Mandei um cheque para ela, no aniversário. Para o endereço que encontrei como sendo da filha dela, mas Lulabelle... devolveu o cheque. Com uma cópia do obituário.

— *Constantine...* — Eu choro. Eu queria ter ficado sabendo. — Por que a senhora não me contou, mamãe?

Minha mãe funga, olhando à frente. Ela seca os olhos, rápido.

— Porque eu sabia que você me culparia, apesar... apesar de não ser culpa minha.

— Quando ela morreu? Há quanto tempo ela estava morando em Chicago? — pergunto.

Mamãe aproxima mais a bacia, abraçando-a ao seu lado.

— Três semanas.

AIBILEEN ABRE A PORTA DOS FUNDOS e me deixa entrar. Minny está sentada à mesa, mexendo o café. Quando me vê, ela baixa a manga do vestido, mas vejo a ponta de um curativo no seu braço. Ela resmunga um olá, depois se volta para a sua xícara.

Coloco o manuscrito sobre a mesa e um som pesado se faz.

— Se eu colocar no correio amanhã de manhã, ainda sobram seis dias para ele chegar até lá. Pode ser que dê tempo. — Sorrio, apesar da minha exaustão.

— Senhor, isso já é alguma coisa. Olha só essas páginas. — Aibileen sorri e senta no seu banquinho. — Duzentas e sessenta delas.

— Agora nós... sentamos e esperamos — digo, e nós três ficamos olhando para a pilha de papel.

— Finalmente — diz Minny, e vejo uma nesga de algo, não exatamente um sorriso, mas algo próximo da satisfação.

A sala fica em silêncio. Do lado de fora da janela está escuro. O correio já está fechado, então eu trouxe o manuscrito para mostrar a Aibileen e Minny uma última vez antes de postá-lo. Normalmente, eu só trazia alguns capítulos.

— E se descobrirem? — diz Aibileen, em voz baixa.

Minny levanta os olhos do café.

— E se as pessoas descobrirem que Niceville é Jackson, ou se descobrirem quem é quem?

— Elas não vão saber — diz Minny. — Jackson não é um lugar especial. Existem umas dez mil cidades iguaizinhas.

Faz tempo que não discutimos esse assunto, além do comentário de Winnie envolvendo línguas arrancadas, a verdade é que não conversamos sobre as consequências concretas, além de as empregadas perderem seus empregos. Nos últimos oito meses, só pensamos em terminar de escrever o livro.

— Minny, você tem seus filhos pra pensar — diz Aibileen. — E Leroy... se ele ficar sabendo...

A segurança nos olhos de Minny se transfigura para algo assustadiço, paranoico.

— O Leroy vai ficar furioso. Com certeza. — Ela dá um puxão na manga do vestido, de novo. — Furioso e depois triste, se os brancos me pegarem.

—Você acha que talvez a gente deva encontrar um lugar aonde ir... se a coisa ficar preta? — pergunta Aibileen.

As duas pensam no assunto, então balançam a cabeça.

— Eu sei aonde a gente podia ir — diz Minny.

— Pense nisso, dona Skeeter. Algum lugar pra senhorita — diz Aibileen.

— Não posso deixar minha mãe — digo. Eu estava de pé até então, e me deixo cair numa cadeira. — Aibileen, você acha mesmo que eles... nos machucariam? Quero dizer, como o que aparece nos jornais?

Aibileen inclina a cabeça, confusa. Ela franze a testa como se tivéssemos tido um desentendimento.

— Espancariam a gente. Viriam aqui com tacos de beisebol. Talvez não nos matem, mas...

— Mas... quem exatamente faria isso? As mulheres brancas sobre quem escrevemos... elas não nos machucariam. Machucariam? — pergunto.

— Você não sabe? O que os homens brancos mais gostam é de "proteger" suas mulheres.

Sinto minha pele se repuxar. Não tenho tanto medo por mim, mas por aquilo que posso ter feito a Aibileen, a Minny. A Louvenia e a Faye Belle e a outras oito mulheres. O livro está sobre a mesa. Tenho vontade de enfiá-lo na bolsa e escondê-lo.

Em vez disso, olho para Minny, porque, por alguma razão, acho que ela é a única de nós que entende o que poderia acontecer. Ela não me retribui o olhar. Está perdida em pensamentos. Está passando o dedo de um lado para o outro sobre os lábios.

— Minny, o que você acha? — pergunto.

Minny não tira os olhos da janela e balança a cabeça afirmativamente para os seus próprios pensamentos.

— Acho que precisamos é de um *seguro*.

— Isso não existe — diz Aibileen. — Não pra nós.

— E se a gente colocar a Coisa Terrível no livro? — pergunta Minny.

— A gente não pode, Minny — diz Aibileen. — Isso nos entregaria.

— Mas se a gente colocar a Coisa Terrível no livro, então a dona Hilly não vai *poder* deixar ninguém descobrir que o livro é sobre Jackson. Ela não vai querer que *ninguém* saiba que a história é sobre ela. E se alguém começar a chegar perto de descobrir isso, ela vai levar essa pessoa noutra direção.

— Senhor, Minny, isso é muito arriscado. Ninguém pode prever o que aquela mulher vai fazer. Ninguém sabe dessa história, além da dona Hilly e da mãe dela — diz Minny. — E a dona Celia, mas ela não tem amiga nenhuma pra quem contar mesmo.

— O que aconteceu? — pergunto. — É assim *tão* terrível?

Aibileen olha para mim. Minhas sobrancelhas se arqueiam.

— Para quem ela vai admitir isso? — Minny pergunta para Aibileen. — Ela não vai querer que você e a dona Leefolt sejam identificadas também, Aibileen, pois aí as pessoas vão estar a dois passos de descobrir o resto. Estou dizendo pra vocês, a dona Hilly é a nossa melhor proteção.

Aibileen balança a cabeça discordando, mas termina por concordar. Então, balança negativamente de novo. Nós a observamos e esperamos.

— Se a gente incluir no livro a Coisa Terrível e as pessoas descobrirem que isso foi com você e com a dona Hilly, aí você vai ter um problema tão grande — Aibileen estremece — que nem quero pensar.

— É um risco que vou ter que correr. Eu já me decidi. Ou vocês colocam isso no livro ou tiram o meu capítulo inteiro.

Os olhos de Aibileen e Minny ficam presos uns aos outros. Não podemos tirar a parte de Minny; é o último capítulo do livro. É sobre ser demitida dezenove vezes na mesma cidade pequena. Sobre como é tentar acobertar a própria raiva, sem nunca conseguir. Começa com as regras da mãe dela sobre como trabalhar para mulheres brancas e vai até quando ela deixa a sra. Walters. Quero me pronunciar, mas fico de bico calado.

Finalmente, Aibileen suspira.

— Tá bem — diz Aibileen, balançando a cabeça. — Então acho que é melhor você contar pra ela.

Minny me olha com olhos apertados. Pego um lápis e uma caderneta de anotações.

— Só tou contando isso pra você por causa do livro, entendeu? Ninguém aqui tá dividindo segredo nenhum.

— Vou fazer mais café pra gente — diz Aibileen.

NO TRAJETO DE VOLTA até Longleaf, estremeço ao pensar na história de Minny sobre a torta. Não sei se estaríamos mais seguras deixando isso de fora ou incluindo no livro. Isso para não falar que, se eu não conseguir escrevê-la a tempo de colocar tudo no correio amanhã, vai nos atrasar mais um dia, diminuindo as nossas chances de cumprir o prazo. Posso imaginar a fúria vermelha no rosto de Hilly, o ódio que ela ainda sente por Minny. Conheço bem a minha ex-amiga. Se formos descobertas, Hilly vai ser a nossa mais feroz inimiga. Mesmo que não sejamos descobertas, publicar a história da torta vai deixar Hilly numa fúria que nunca se viu. Mas Minny tem razão — é a nossa melhor apólice de seguro.

Olho para trás, sobre os ombros, a cada quatrocentos metros. Me mantenho exatamente no limite de velocidade e nas estradas secundárias. *Vão nos espancar* fica ressoando nos meus ouvidos.

ESCREVO DURANTE TODA A NOITE, fazendo caretas para os detalhes da história de Minny, e durante todo o dia seguinte. Às quatro da tarde, jogo o manuscrito em uma caixa de papelão. Rapidamente, enrolo a caixa em papel pardo. Normalmente leva sete ou oito dias, mas de algum jeito vai precisar viajar até Nova York em seis dias para chegar dentro do prazo.

Acelero ao máximo até a agência dos correios, sabendo que fecha às quatro e meia, apesar do meu medo da polícia, e entro correndo até o guichê de atendimento. Faz dois dias que não durmo. Meu cabelo está literalmente todo espetado. Os olhos do homem do correio se arregalam.

— O vento está forte lá fora?

— Por favor. O senhor consegue mandar isso ainda hoje? É para Nova York.

Ele olha o endereço.

— O caminhão de envios para fora da cidade já foi, senhorita. Vai precisar esperar até amanhã.

Ele carimba os selos e eu volto para casa.

Assim que chego em casa, vou direto até o sótão e, em seguida, ligo para o escritório de Elaine Stein. A secretária dela transfere a ligação e eu lhe digo, com uma voz rouca e cansada, que coloquei o manuscrito no correio hoje.

— A última reunião de editores será daqui a seis dias, Eugenia. Não apenas o manuscrito terá de chegar aqui a tempo como precisarei ter tempo para lê-lo. Eu diria que é altamente improvável.

Não há mais nada a dizer, então eu só murmuro.

— Eu sei. Obrigada pela oportunidade. — E acrescento: — Feliz Natal, sra. Stein.

— Nós chamamos de Hanukkah, mas obrigada, srta. Phelan.

CAPÍTULO 28

DEPOIS DE DESLIGAR o telefone, vou até a varanda e fico observando os campos invernais. Estou tão exausta que nem percebi que o carro do dr. Neal está aqui. Ele deve ter chegado enquanto eu estava na agência dos correios. Encosto-me no anteparo e espero ele sair do quarto de mamãe. Lá no final do corredor, pela porta da frente, que está aberta, posso ver que a porta do quarto dela está fechada.

Depois de um tempo, o dr. Neal fecha com delicadeza a porta atrás de si e caminha até a varanda. Ele se coloca ao meu lado.

— Dei a ela um remédio para ajudar com a dor — diz ele.

— A... dor? Mamãe estava vomitando hoje de manhã?

O bom e velho dr. Neal me observa com seus enevoados olhos azuis. Ele me encara durante um bom tempo, como se tentando decidir algo a meu respeito.

— A sua mãe tem câncer, Eugenia. Na membrana do estômago.

Eu me apoio no parapeito. Estou chocada e, ao mesmo tempo, eu já não intuía isso?

— Ela não queria contar a você. — Ele balança a cabeça. — Mas, já que ela se recusa a ficar no hospital, você precisa saber. Os próximos meses vão ser... bem difíceis. — Ele arqueia as sobrancelhas. — Para ela e para você também.

— Meses? Isso é... tudo? — Tapo a boca com a mão e ouço a mim mesma soltar um gemido.

— Talvez mais tempo, talvez menos, querida. — Ele balança a cabeça. — Mas, conhecendo sua mãe — ele olha na direção da casa —, ela vai lutar com todas as forças.

Fico ali atônita, incapaz de falar.

— Pode me ligar a qualquer hora, Eugenia. No consultório ou na minha residência.

Entro em casa, de novo no quarto de mamãe. Papai está no sofá junto à cama, olhando para o nada. Mamãe está sentada reta na cama. Ela revira os olhos quando me vê.

— Bem, acho que ele contou a você — diz ela.

Lágrimas caem do meu queixo. Seguro as mãos dela.

— Há quanto tempo a senhora sabe?

— Há uns dois meses.

— Oh, *mamãe*.

— Pare com isso, Eugenia. Não há nada que se possa fazer.

— Mas o que eu posso... eu não posso ficar sentada, olhando a senhora... — Eu nem mesmo consigo dizer a palavra. Todas as palavras são terríveis demais.

— Com certeza você não vai ficar sentada. Carlton vai ser advogado e você... — Ela agita o indicador na minha direção. — Não pense que você pode se entregar, depois que eu me for. Vou ligar para Fanny Mae assim que eu for à cozinha e marcar horas para você cuidar do cabelo até 1975.

Afundo no sofá, e papai coloca o braço ao meu redor. Eu me aninho nele e choro.

A ÁRVORE DE NATAL que Jameso montou há uma semana seca e larga agulhas cada vez que alguém entra na sala de visitas. Ainda faltam seis dias para o Natal, mas ninguém se deu o trabalho de regá-la. Os poucos presentes que mamãe comprou e empacotou lá em julho estão embaixo da árvore, um para o papai, obviamente uma gravata para ir à igreja, algo pequeno e quadrado para Carlton, uma caixa pesada para mim, com, suspeito, uma bíblia nova. Agora que todo mundo sabe sobre o câncer da minha mãe, é como se ela tivesse largado os poucos fios que a sustinham. Os fios da marionete foram cortados, e até mesmo a cabeça dela parece meio vacilante. O máximo que ela consegue fazer é ir até o banheiro ou se sentar na varanda alguns minutos por dia.

À tarde, levo para ela a correspondência, a revista *Good Housekeeping*, boletins da igreja, folhetos do DAR.

— Como a senhora está se sentindo? — Aliso o cabelo dela para trás e ela fecha os olhos, como que gostando da sensação. Ela é a filha, agora, e eu, a mãe.

— Estou bem.

Pascagoula entra. Coloca sobre a mesa uma bandeja com caldo de carne. Quando Pascagoula sai, mamãe mal mexe a cabeça, olhando para o vão vazio da porta.

— Oh, não — diz ela, fazendo careta. — Não consigo comer.

— Você não precisa comer, mamãe. A gente tenta mais tarde.

— Não é a mesma coisa com Pascagoula por aqui, não é? — diz ela.

— Não — digo. — Não é a mesma coisa. — Esta é a primeira vez que ela menciona Constantine, desde a nossa terrível conversa.

— Dizem que uma boa criada é como o amor verdadeiro. Só se tem um a vida inteira.

Balanço a cabeça, concordando, pensando que eu deveria registrar isso, incluir no livro. Mas, claro, já é tarde demais, pois o manuscrito foi enviado. Não há nada que eu possa fazer, não há nada que nenhuma de nós possa fazer, exceto esperar pelo que está por vir.

A VÉSPERA DE NATAL É DEPRIMENTE, e chuvosa, e quente. A cada meia hora, papai vem do quarto de mamãe e olha pela janela da frente e pergunta, "ele chegou?", mesmo que ninguém o escute. Meu irmão, Carlton, está vindo de carro para casa da faculdade de direito de LSU, e nós dois ficaremos aliviados em vê-lo. Mamãe passou o dia inteiro vomitando e nauseada. Mal consegue manter os olhos abertos, mas tampouco consegue dormir.

— Charlotte, você precisa ir pro hospital — disse o dr. Neal, à tarde. Não sei quantas vezes ele falou isso, na última semana. — Pelo menos me deixe trazer uma enfermeira para cá, para ficar com você.

— Charles Neal — diz mamãe, sem nem mesmo levantar a cabeça do colchão —, não vou passar meus últimos dias em um hospital, nem vou transformar a minha casa num hospital.

O dr. Neal só suspirou, deu mais remédios a papai, um tipo novo, e explicou a ele como administrar o remédio.

— Mas isso vai ajudá-la? — Ouço papai sussurrar lá fora, no corredor. — Isso pode fazer ela melhorar?

Dr. Neal colocou a mão no ombro de papai:

— Não, Carlton.

Às seis horas daquele dia, à tardinha, Carlton finalmente estacionou o carro e entrou na casa.

— Olá, Skeeter. — Ele me abraça forte. Está todo amarrotado por causa da viagem no carro, bonito com o suéter de tricô trançado da sua faculdade. O ar fresco em torno dele tem um cheiro agradável. É bom ter outra pessoa na casa.

— Jesus, por que está tão quente aqui?

— Ela sente frio — falo baixinho —, o tempo todo.

Vou até os fundos com ele. Mamãe se senta quando o vê, estende os braços finos.

— Oh, Carlton, você chegou — diz ela.

Carlton fica parado. Então ele se reclina e a abraça, com muita delicadeza. Ele me lança um olhar, e vejo o susto no seu rosto. Eu me viro. Tapo a boca para não chorar, pois eu não conseguiria parar. O olhar de Carlton me diz mais do que eu gostaria de saber.

Quando Stuart aparece para fazer uma visita no dia de Natal, não o impeço quando ele tenta me beijar. Mas digo:

— Só estou deixando porque a minha mãe está morrendo.

— EUGENIA — ouço a minha mãe chamar.

É véspera de Ano-novo e estou na cozinha fazendo chá. O Natal passou, e Jameso levou embora a árvore, hoje de manhã. Ainda há agulhas do pinheiro por toda a casa, mas consegui guardar os enfeites em caixas e colocá-los no closet. Foi cansativo e frustrante tentar enrolar cada enfeite do jeito que mamãe gosta de fazer, acondicioná-los para o ano que vem. Não me permito questionar a futilidade da tarefa.

Não tive notícias da sra. Stein e nem mesmo sei se o pacote chegou a tempo. Na noite passada, não aguentei e liguei para Aibileen, para lhe dizer que não tinha notícias, apenas pelo alívio de poder falar sobre isso com alguém.

— Não paro de pensar em coisas pra incluir no livro — diz Aibileen. — Tenho que ficar o tempo todo me lembrando que a gente já mandou o livro.

— Eu também — digo. — Ligo para você assim que souber de alguma coisa.

Vou até os fundos da casa. Mamãe está sentada, recostada em seus travesseiros. Quando ela fica sentada, a gravidade ajuda a evitar o vômito. A bacia branca esmaltada está ao seu lado.

— Oi, mamãe — digo. — O que posso fazer para a senhora?

— Eugenia, você não pode usar essa calça preta na festa de Ano-novo dos Holbrook. — Quando mamãe pisca, ela mantém os olhos fechados um segundo a mais do que seria o normal. Ela está exausta, um esqueleto numa camisola branca com fitas e rendas bordadas absurdamente enfeitadas. Seu pescoço fica dançando dentro da gola como o pescoço de um cisne. Ela não consegue comer, a menos que seja com o auxílio de um canudo. Perdeu completamente o olfato. Ainda assim, consegue sentir, lá do quarto dela, se meu traje é apropriado ou não.

— Eles cancelaram a festa, mamãe. — Talvez ela esteja se lembrando da festa de Hilly do ano passado. Pelo que Stuart me falou, as festas foram todas canceladas por causa da morte do presidente. Não que eu seria convidada. Hoje à noite, Stuart vem aqui assistir Dick Clark na televisão.

Mamãe coloca a mão minúscula e ossuda sobre a minha, tão frágil que as juntas se mostram sob a pele. Aos onze anos, eu usava o mesmo tamanho de roupa da minha mãe.

Ela me olha, séria.

— Acho que você precisa colocar essas calças na lista.

— Mas elas são confortáveis e quentes e...

Ela balança a cabeça, fecha os olhos.

— Sinto muito, Skeeter.

Não há discussão, não mais.

— Está bem — suspiro.

Mamãe puxa uma agenda de debaixo das cobertas, enfiada no bolso invisível que ela mandou costurar em toda e qualquer roupa, onde ela guarda os comprimidos antienjoo, lenços de papel. Pequenas listas ditatoriais. Mesmo estando tão frágil, fico surpresa ao ver a firmeza da sua mão quando ela escreve na lista de Roupas Que Não Devem Ser Vestidas: "Calças masculinas cinza e largas". Ela sorri, satisfeita.

Soa macabro, mas, quando mamãe se deu conta de que, depois que morrer, não vai mais poder me dizer o que vestir, ela inventou esse engenhoso sistema póstumo. Ela está pressupondo que nunca vou comprar roupas novas e insatisfatórias sozinha. E provavelmente está certa.

— Ainda nada de vômito? — pergunto, pois são quatro horas e mamãe tomou duas tigelas de caldo e não enjoou nem uma vez hoje. Normalmente ela teria vomitado, pelo menos, três vezes até essa hora.

— Nenhuma vez — diz ela, mas então fecha os olhos e, em questão de segundos, pega no sono.

NO PRIMEIRO DIA do ano, desço para começar a fazer o feijão-fradinho, para dar sorte. Pascagoula colocou-o de molho na noite passada, me instruiu sobre como colocá-los na panela e acender o fogo, como adicionar à panela o pedaço de pernil. É um processo simples, mas, ainda assim, todo mundo parece nervoso com a ideia de eu ligar o fogão. Lembro que Constantine sempre costumava vir no primeiro dia de janeiro e fazer o feijão da sorte para nós, apesar de ser seu dia de folga. Ela fazia uma panela inteira, mas servia um só feijão no prato de cada um da família e ficava nos fiscalizando, para ter certeza de que tínhamos comido. Ela podia ser supersticiosa a esse ponto. Então lavava os pratos e voltava para casa. Mas Pascagoula não se oferece para vir no seu dia de folga, e, imaginando que ela deve estar com a própria família, não lhe peço para vir.

Todos nós ficamos tristes com o fato de Carlton ter tido que ir embora hoje de manhã. Foi bom ter o meu irmão por perto para conversar. Suas últimas palavras para mim, antes de me dar um abraço e voltar para a faculdade, foram: "Não ponha fogo na casa." Então, ele acrescentou: "Ligo amanhã, para saber como ela está."

Depois de desligar a chama do fogão, vou até a varanda. Papai está debruçado sobre o anteparo, brincando com sementes de algodão nas mãos. Ele está olhando para os campos vazios, que só serão semeados daqui a um mês.

— Papai, o senhor vai entrar para almoçar? — pergunto. — O feijão está pronto.

Ele se vira, e seu sorriso é fraco, sem razão de ser.

— Esse remédio que deram para ela... — Ele examina as sementes. — Acho que está funcionando. Ela diz que está se sentindo melhor.

Balanço a cabeça, incrédula. Não pode ser que ele acredite nisso de verdade.

— Ela só vomitou uma vez em dois dias...

— Oh, papai. Não... é só um... papai, ela ainda tem a doença.

Mas há um olhar vazio nos olhos do meu pai, e me pergunto se ele sequer me ouviu.

— Sei que você tem lugares mais interessantes para estar, Skeeter. — Há lágrimas em seus olhos. — Mas não passa um dia sem que eu agradeça a Deus porque você está aqui com ela.

Aceno com a cabeça concordando, me sentindo culpada por ele pensar que é uma escolha que eu fiz. Abraço-o e digo:

— Também estou contente por estar aqui, papai.

QUANDO O CLUBE REABRE na primeira semana de janeiro, visto minha saia e pego minha raquete. Caminho pelo bar, ignorando Patsy Joiner, minha ex-parceira de tênis que me largou, e três outras garotas, todas fumando nas mesas escuras de ferro. Elas se inclinam para a frente e cochicham umas com as outras quando eu passo. Não vou à reunião da Liga hoje à noite, nem nunca mais, aliás. Desisti, e mandei uma carta há três dias, com a minha demissão do cargo.

Bato a bola de tênis na parede, me esforçando por não pensar em nada. Ultimamente tenho me pego rezando, quando, na verdade, nunca fui uma pessoa muito religiosa. Eu me pego sussurrando frases longas, sem fim, para Deus, implorando que a minha mãe sinta algum alívio, pedindo notícias boas quanto ao livro, às vezes até mesmo solicitando alguma dica do que fazer com Stuart. Muitas vezes me surpreendo rezando quando nem sequer sabia que o estava fazendo.

Quando chego em casa do clube, o dr. Neal estaciona o carro logo atrás de mim. Eu o levo até o quarto de mamãe, onde papai está esperando, e eles fecham a porta atrás deles. Fico ali em pé, inquieta no corredor, como uma criança. Entendo por que papai está se segurando a esse fio de esperança. Faz quatro dias que mamãe não vomita a bile verde. Ela está tomando o mingau de aveia todos os dias, e até pede mais.

Quando o dr. Neal sai, papai se deixa ficar na cadeira junto à cama, e eu sigo o dr. Neal até a varanda.

— Ela contou ao senhor? — pergunto. — Que está se sentindo melhor?

Ele aquiesce, mas então balança a cabeça.

— Não faz sentido levá-la para fazer um raio X. Seria muito penoso para ela.

— Mas... ela está melhor? É possível que ela esteja melhorando?

— Já vi isso antes, Eugenia. Às vezes, as pessoas têm um sopro de força. É uma dádiva de Deus, acho. Para que elas possam seguir adiante e terminar suas tarefas. Mas isso é tudo, querida. Não espere mais.

— Mas o senhor viu a cor dela? Ela parece muito melhor e está conseguindo segurar a comida...

Ele balança a cabeça, negativamente.

— Tentem fazê-la se sentir confortável.

NA PRIMEIRA SEXTA-FEIRA DE 1964, não consigo mais esperar. Estico o telefone até a despensa. Mamãe está dormindo, depois de ter comido uma segunda tigela de mingau de aveia. Sua porta está aberta para eu poder ouvir, caso ela chame.

— Escritório de Elaine Stein.

— Olá, é Eugenia Phelan. Ela está disponível?

— Desculpe, srta. Phelan, mas a sra. Stein não está recebendo ligação nenhuma a respeito da seleção de manuscritos.

— Oh. Mas... a senhora pode pelo menos me dizer se ela recebeu? Coloquei no correio pouco antes do prazo e...

— Um momento, por favor.

A linha fica em silêncio; cerca de um minuto depois ela volta.

— Posso confirmar que ela recebeu seu pacote durante as festas de final de ano. Alguém do nosso escritório vai informá-la depois que a sra. Stein tiver tomado sua decisão. Obrigada por ligar.

Ouço o clique da linha sendo desligada do outro lado.

ALGUMAS NOITES DEPOIS, após uma fascinante tarde respondendo cartas da sra. Myrna, Stuart e eu nos sentamos na sala de visitas. Fico feliz em vê-lo e em poder erradicar, por algum tempo, o silêncio mortal da nossa casa. Ficamos sentados quietos, assistindo à televisão. Vemos um anúncio do Tareyton, aquele em que a moça fumando tem um olho roxo — *Nós, que fumamos Tareyton, preferimos brigar do que mudar de marca!*

Stuart e eu temos nos visto uma vez por semana agora. Fomos ao cinema depois do Natal e jantamos na cidade uma vez, mas normalmente ele vem até a nossa casa, pois não quero deixar a minha mãe sozinha. Ele se mostra hesitante comigo, meio que timidamente respeitoso. Há em seus olhos uma paciência que substituiu o pânico que eu antes sentia com ele. Não falamos sobre nada sério. Ele me conta histórias do verão, durante a faculdade, que ele passou trabalhando nas plataformas de petróleo no Golfo do México. Os chuveiros eram de água salgada. O oceano era de um azul cristalino até o fundo. Os outros homens faziam aquele trabalho brutal para alimentar suas famílias, ao passo que Stuart, o filho rico de pais ricos, tinha uma faculdade para a qual voltar. Foi a primeira vez, disse ele, em que realmente precisou trabalhar duro.

— Fico feliz de ter trabalhado na extração de petróleo naquela época. Eu não poderia deixar tudo e fazer isso hoje — disse ele, como se tivesse acontecido décadas atrás, e não apenas há cinco anos. Ele parece mais velho do que eu me lembrava.

— Por que você não poderia fazer isso agora? — perguntei, pois estou buscando um futuro para mim mesma. Gosto de ouvir sobre as possibilidades das outras pessoas.

Ele franze as sobrancelhas para mim.

— Porque eu não conseguiria deixar você.

Guardo isso como um contrabando, receosa de admitir o quanto foi bom ouvi-lo.

O comercial termina, e assistimos ao noticiário. Houve um embate no Vietnã. O repórter parece pensar que será resolvido sem muita dificuldade.

— Ouça — diz Stuart depois de um silêncio entre nós. — Eu não queria tocar no assunto antes, mas... sei o que as pessoas estão dizendo na cidade. Sobre você. E não me importo. Só quero que você saiba.

Meu primeiro pensamento é *o livro*. Ele ouviu falar de alguma coisa. Todo o meu corpo fica tenso.

— O que você ouviu?

— Você sabe. Sobre aquilo que você fez com Hilly.

Relaxo um pouco, mas não completamente. Nunca falei com ninguém sobre isso, a não ser com a própria Hilly. Eu me pergunto se Hilly chegou a ligar para ele, como havia ameaçado.

— E imagino como as pessoas podem ver isso, pensar que você é uma liberal louca, envolvida nessa confusão.

Fico olhando para as minhas mãos, ainda preocupada com o que ele pode ter ouvido falar e também um pouco irritada.

— Como você sabe — pergunto — no que estou envolvida?

— Porque conheço você, Skeeter — diz ele, com suavidade. — Você é esperta demais para se envolver em qualquer coisa desse tipo. E eu disse isso a eles.

Aceno a cabeça afirmativamente e tento sorrir. Apesar do que ele acha que "sabe" sobre mim, não posso deixar de apreciar o fato de alguém se importar comigo a ponto de me defender.

— Não precisamos falar sobre isso de novo — diz ele. — Eu só queria que você soubesse. Só isso.

NO SÁBADO À NOITE, digo boa-noite à minha mãe. Estou usando um casaco longo, para ela não ver a minha roupa. Mantenho as luzes desligadas, para ela não poder comentar sobre o meu cabelo. Pouca coisa mudou na saúde dela. Ela não parece estar piorando — os vômitos não recomeçaram —, mas a sua pele está acinzentada. Seu cabelo começou a cair. Seguro suas mãos, acaricio sua bochecha.

— Papai, o senhor liga para o restaurante se precisar de mim?

— Ligo, Skeeter. Vá se divertir um pouco.

Entro no carro de Stuart e ele me leva para o Robert E. Lee para jantar. O salão está cheio de vestidos, rosas vermelhas, talheres de prata tilintando. Há excitação no ar, o sentimento de que as coisas estão quase voltando ao normal desde a morte do presidente Kennedy; e 1964 é um ano novo, um ano fresco. Os olhares na nossa direção são abundantes.

— Você parece... diferente — diz Stuart. Sei que ele esteve guardando esse comentário a noite inteira, e ele parece mais confuso do que impressionado. — Esse vestido é tão... curto.

Faço que sim e coloco o cabelo atrás da orelha. Como ele costumava fazer.

Essa manhã, falei à mamãe que eu ia às compras. Mas ela parecia tão cansada que logo mudei de ideia. "Talvez seja melhor eu não ir."

Mas eu já havia falado. Mamãe me fez pegar seu talão de cheques. Quando voltei, ela destacou um cheque em branco e me entregou uma nota de cem dólares que ela trazia dobrada num recanto da carteira. A mera palavra *compras* pareceu fazê-la sentir-se melhor.

— Não seja frugal. E nada de calças. Peça para a srta. LaVole ajudar você. — Ela tornou a descansar a cabeça nos travesseiros. — Ela sabe como as jovens devem se vestir.

Mas eu não podia suportar a ideia das mãos enrugadas da srta. LaVole sobre o meu corpo, cheirando a café e naftalina. Dirigi para o Centro da cidade, entrei na autoestrada 51 e tomei o caminho de Nova Orleans. Deixei para trás a culpa de abandonar minha mãe por tanto tempo, sabendo que o dr. Neal faria uma visita naquela tarde e que papai estaria com ela em casa o dia todo.

Três horas depois, entrei na loja de departamentos Maison Blanche, na Canal Street. Eu já tinha estado lá inúmeras vezes com a mamãe e duas com Elizabeth e Hilly, mas fiquei encantada com a vastidão do chão de mármore branco, os quilômetros de chapéus e luvas, e mulheres empoadas parecendo tão felizes, tão *saudáveis*. Antes mesmo de eu solicitar ajuda, um homem magro me disse:

— Venha comigo, tenho tudo lá em cima. — E me levou rapidamente pelo elevador até o terceiro andar, para uma seção chamada ROUPAS PARA MULHERES MODERNAS.

— O que é isso tudo? — perguntei. Havia dúzias de mulheres lá, e rock'n'roll tocando e copos de champanhe e luzes fortes e piscantes.

— Emilio Pucci, minha querida. Finalmente! — Ele se afastou um passo de mim e disse: — Você não está aqui para ver o desfile? Você tem um convite, não tem?

— Ãhn, tenho, em algum lugar — disse, mas ele perdeu o interesse enquanto eu vasculhava a minha bolsa.

Ao meu redor, parecia que as roupas tinham brotado e florescido nas araras. Pensei na srta. LaVole e ri. Nada de roupas de Páscoa aqui. Flores! Listras largas e coloridas! E fendas (de vestidos) que mostravam *vários e vários centímetros de coxa*. Era uma coisa eletrizante e maravilhosa e estonteante. Esse tal de Emilio Pucci decerto enfia o dedo na tomada todas as manhãs.

Com o cheque em branco, comprei roupas suficientes para encher o banco traseiro do Cadillac. Então, na Magazine Street, paguei 45 dólares para clarear um pouco o cabelo, cortar e alisar. Ele havia crescido bastante durante o inverno e estava da cor de água suja depois de se lavar louça. Às quatro horas, dirigindo de volta sobre a ponte do lago Pontchartrain com o rádio tocando uma banda chamada Rolling Stones e o vento soprando pelo meu cabelo liso e acetinado, pensei: *Hoje à noite, vou despir essa armadura e deixar as coisas voltarem a ser como antes com Stuart.*

STUART E EU estamos comendo nossos filés chateaubriand sorrindo, conversando. Ele olha para as outras mesas, comentando sobre pessoas que conhece. Mas ninguém se levanta para nos cumprimentar.

— A novos começos — diz Stuart, e levanta seu copo com bourbon.

Eu concordo, meio que querendo dizer a ele que todos os começos são novos. Em vez disso, sorrio e brindo com meu segundo copo de vinho. Na verdade, nunca gostei de álcool, até hoje.

Depois do jantar, vamos até o saguão, e vejo o senador e a sra. Whitworth a uma mesa, tomando drinques. Há gente ao redor deles, bebendo e conversando. Vieram passar o final de semana em casa, Stuart havia me dito mais cedo, o primeiro final de semana desde que se mudaram para Washington.

— Stuart, olhe ali seus pais. Vamos lá dar um oi?

Mas Stuart me conduz na direção da porta e praticamente me empurra para fora.

— Não quero que mamãe veja você nesse vestido curto — diz ele. — Quero dizer, acredite em mim, fica lindo, mas... — Ele olha para baixo, para a bainha do vestido. — Talvez não tenha sido a melhor escolha para hoje. — No caminho para casa, penso em Elizabeth, nos seus bobes, no seu receio de que o clube do bridge me visse. Por que alguém sempre parece ter vergonha de mim?

Quando chegamos de volta a Longleaf já são onze horas. Aliso o vestido, pensando que Stuart está certo. É curto demais. As luzes no quarto dos meus pais estão desligadas, então nos sentamos no sofá.

Esfrego os olhos e bocejo. Quando torno a abri-los, ele está segurando um anel entre os dedos.

— Oh... Deus.

— Eu ia fazer isso no restaurante, mas... — Ele sorri. — Aqui é melhor.

Toco o anel. É frio e maravilhoso. Há três rubis em cada lado do diamante. Olho para ele, sentindo um calorão, de repente. Tiro o suéter dos ombros. Estou sorrindo e prestes a chorar ao mesmo tempo.

— Preciso lhe contar uma coisa, Stuart — cuspo. — Promete que não vai contar a ninguém?

Ele me olha atônito, então ri.

— Espere aí, você disse sim?

— Sim, mas... — Antes, preciso saber uma coisa. — Você me dá a sua palavra?

Ele suspira e parece desapontado por eu estar estragando o momento.

— Claro, você tem a minha palavra.

Estou em choque pela proposta dele, mas dou o melhor de mim para explicar. Olhando em seus olhos, exponho os fatos e os detalhes que posso partilhar com segurança sobre o livro e sobre o que tenho feito no último ano. Deixo de fora o nome de todas as envolvidas e faço uma pausa ao pensar nas implicações disso, sabendo que não são boas. Apesar de ele estar pedindo para ser meu marido, não o conheço o bastante para confiar nele completamente.

— É sobre isso que você vem escrevendo nos últimos doze meses? Não é sobre... Jesus Cristo?

— Não, Stuart. Não é sobre... Jesus.

Quando lhe conto que Hilly encontrou as leis Jim Crow na minha bolsa, seu queixo cai, e vejo que só confirmei algo que Hilly já lhe contara sobre mim — algo em que a confiança ingênua dele não o deixou acreditar.

— A fofocalhada... pela cidade. Eu disse a eles que estavam completamente enganados. Mas eles estavam... certos.

Quando lhe conto sobre as empregadas de cor passando por mim depois da reunião de rezas, sinto uma onda de orgulho por aquilo que fizemos. Ele olha para dentro do copo vazio de bourbon.

Então lhe conto que o manuscrito foi enviado a Nova York. Que, se decidirem publicá-lo, ele deve ser lançado em, acho, uns oito meses, talvez antes. Bem na época, penso comigo mesma, em que um noivado se transformaria em casamento.

— Foi escrito anonimamente — digo —, mas com Hilly por perto ainda há uma boa chance de as pessoas saberem que fui eu.

Ele não está assentindo com a cabeça, nem alisando o meu cabelo para trás da orelha, e o anel da avó dele está parado sobre o sofá de veludo da minha mãe, como uma metáfora ridícula. Nós dois ficamos em silêncio. Os olhos dele sequer fitam os meus. Ficam a cinco estáveis centímetros do meu rosto.

Depois de um minuto, ele diz:

— Eu... não entendo por que você faria isso. Você ao menos... se *importa* com isso, Skeeter?

Eu me irrito um pouco com o comentário, olho para o anel, tão afiado e brilhante.

— Eu não... quis dizer isso — começa ele de novo. — O que quero dizer é: as coisas estão bem aqui. Por que você iria procurar problemas?

Posso ver, pela voz dele, que ele sinceramente quer uma resposta de mim. Mas como explicar? Stuart é um homem bom. Por mais que eu saiba que o que fiz é certo, ainda assim entendo sua confusão e sua dúvida.

— Não estou procurando problemas, Stuart. O problema já está aqui.

Mas, claramente, não é essa a resposta que ele quer.

— Não conheço você.

Olho para o chão, lembrando que eu havia pensado exatamente a mesma coisa ainda há pouco.

— Acho que a gente vai ter o resto da vida para dar um jeito nisso — digo, tentando sorrir.

— Acho... que não consigo me casar com alguém que eu não conheço.

Respiro uma golfada de ar. Minha boca se abre, mas não consigo dizer nada por algum tempo.

— Eu precisava contar a você — digo, mais para mim do que para ele. —Você precisava saber.

Ele fica me olhando por alguns instantes.

—Você tem a minha palavra. Não vou contar a ninguém — diz ele, e eu acredito. Ele pode ser muitas coisas, mas não é mentiroso.

Ele se levanta. Então me dá um último olhar, perdido. E depois pega o anel e vai embora.

NAQUELA NOITE, depois de Stuart ir embora, fico caminhando, de um cômodo para o outro, com a boca seca, com frio. Frio era tudo que eu queria sentir quando Stuart rompeu comigo da primeira vez. Frio é o que estou sentindo.

À meia-noite, ouço a voz da minha mãe me chamando do seu quarto.

— Eugenia? É você aí?

Caminho pelo corredor. A porta está entreaberta e mamãe está sentada, vestida com sua camisola branca como farinha. Seu cabelo está solto sobre os ombros. Fico chocada ao ver como ela está bonita. A luz na varanda atrás da casa está acesa, lançando um halo branco em torno de todo o seu corpo. Ela sorri, e sua nova dentadura ainda está lá, a que o dr. Simon fez para ela quando seus dentes começaram a sofrer erosão por causa do ácido estomacal. Seu sorriso está mais branco até mesmo do que nas fotos sorridentes de quando ela era adolescente.

— Mamãe, o que posso fazer pela senhora? Está doendo muito?

—Venha aqui, Eugenia. Quero lhe contar uma coisa.

Eu me aproximo sem fazer barulho. Papai é uma massa disforme que dorme, com as costas virada para ela. E penso: eu poderia lhe contar uma versão melhorada da noite de hoje. Todo mundo sabe que o tempo é curto. Fazê-la feliz nos seus últimos dias, fingir que o casamento vai acontecer.

—Também tenho uma coisa para contar à senhora — digo.

— Oh? Fale você primeiro.

— Stuart me pediu em casamento — digo, fingindo um sorriso. Então, entro em pânico, ao me dar conta de que ela vai pedir para ver o anel.

— Eu sei — diz ela.

— Sabe?

Ela faz que sim.

— Claro. Ele veio até aqui duas semanas atrás e pediu a sua mão ao Carlton e a mim.

Há duas semanas? Quase começo a rir. Claro que a minha mãe seria a primeira pessoa a ficar sabendo de uma coisa assim tão importante. Fico feliz que ela tenha podido saborear a notícia por tanto tempo.

— E tenho uma coisa para lhe falar — diz ela. O brilho em torno da minha mãe é etéreo, fosforescente. É da luz da varanda, mas me pergunto por que nunca o vi antes. Ela aperta a minha mão no ar com a segurança saudável de uma mãe cumprimentando a filha que acabou de noivar. Papai se remexe, então se senta.

— O que foi? — pergunta ele, engasgado. — Você está passando mal?

— Não, Carlton. Estou bem, já falei.

Ele concorda, sonolento, fecha os olhos e pega no sono antes mesmo de encostar a cabeça no travesseiro.

— Qual é a sua novidade, mamãe?

— Tive uma conversa longa com o seu pai e tomei uma decisão.

— Oh, Deus — suspiro. Vejo ela explicando tudo a Stuart quando ele pediu a minha mão. — É sobre o fundo fiduciário?

— Não, não é isso — diz ela, e eu penso *Então deve ser alguma coisa sobre o casamento*. Sinto uma tristeza perturbadora, de que mamãe não vai estar aqui para planejar meu casamento, não apenas porque ela vai estar morta, mas também porque não vai haver casamento nenhum. E, mesmo assim, também sinto um alívio terrivelmente cheio de culpa por não ter que passar por isso com ela.

— Bem, sei que você percebeu que as coisas têm melhorado nessas últimas semanas — diz ela. — E sei o que o dr. Neal diz, que é algum tipo de canto do cisne, um absurdo sem... — Ela tosse e seu corpo magro se arqueia à frente como uma concha. Entrego-lhe um lenço de papel e ela franze o cenho, pressionando-o gentilmente contra a boca. — Mas, como eu disse, tomei uma decisão.

Balanço a cabeça, concordando e ouvindo com o mesmo ar aparvalhado do meu pai, momentos antes.

— Decidi não morrer.

— Oh.. mamãe. Deus, por favor...

— Tarde demais — diz ela, afastando a minha mão com um gesto rápido. — Tomei uma decisão, ponto final.

Ela espana as mãos uma contra a outra, como se jogando fora o câncer. Sentada reta e arrumada na sua camisola, com o halo de luz brilhando em torno do seu cabelo, não posso deixar de revirar os olhos. Que estúpido de minha parte. Claro que a minha mãe vai ser tão obstinada em relação à sua morte quanto tem sido em relação a todos os detalhes da sua vida.

A DATA É 18 DE JANEIRO DE 1964, sexta-feira. Estou usando um vestido preto folgado. Minhas unhas estão completamente roídas. Vou me lembrar de todos os detalhes deste dia, penso, do mesmo jeito que as pessoas dizem que nunca vão esquecer que sanduíche estavam comendo, ou a música que tocava no rádio, quando ficaram sabendo que Kennedy fora assassinado.

Entro no lugar que se tornou tão familiar para mim, a cozinha de Aibileen. Já está escuro lá fora, e a lâmpada incandescente parece forte demais. Olho para Minny e ela olha para mim. Aibileen se coloca entre nós, como se para bloquear alguma coisa.

— A Harper and Row — digo — quer publicar o livro.

Todo mundo fica em silêncio. Até mesmo as moscas param de fazer barulho.

— Você tá brincando comigo — diz Minny.

— Falei com ela agora à tarde.

Aibileen dá um grito como nunca ouvi antes.

— Senhor, não consigo acreditar! — explode ela, e então nos abraçamos, Aibileen e eu, depois Minny e Aibileen. Minny olha vagamente para onde eu estou.

— Sentem-se, vocês duas! — diz Aibileen. — Me conta o que ela disse. O que a gente faz agora? Por Deus, não tenho nem café pronto!

Nós nos sentamos, e as duas não tiram os olhos de mim, se inclinam à frente. Os olhos de Aibileen estão enormes. Fiquei em casa, esperando, com as notícias na mão durante quatro horas. A sra. Stein me disse, claramente, que se trata de algo pequeno. Para mantermos nossas expectativas entre baixas e nulas. Sinto-me obrigada a comunicar isso a Aibileen, para ela não ficar desapontada depois. Eu mesma ainda não entendi muito bem como devo me sentir a respeito.

— Escutem, ela disse para não nos entusiasmarmos muito. Que o número de exemplares que eles vão lançar vai ser muito, *muito* pequeno.

Espero para ver Aibileen fazer cara feia, mas ela só ri. Tenta esconder o riso com a mão.

— Provavelmente só alguns milhares de exemplares.

Aibileen aperta a mão com mais força ainda sobre os lábios.

— *Irrisório*... disse a sra. Stein.

O rosto de Aibileen fica mais escuro que o normal. Ela ri de novo, com a boca tapada pelas mãos. É evidente que ela não está entendendo o que estou falando.

— E ela disse que é um dos menores adiantamentos que ela já viu... — Estou tentando me manter séria, mas não consigo porque Aibileen está prestes a explodir. Lágrimas brotam nos seus olhos.

— Menor... quanto? — pergunta ela, por trás das mãos.

— Oitocentos dólares — digo. — Dividido em treze partes iguais.

Aibileen ri, agora desbragadamente. Não posso fazer outra coisa que não rir com ela. Mas não faz sentido. Alguns poucos milhares de cópias e 61,50 dólares por pessoa?

Lágrimas escorrem pelo rosto de Aibileen, e ela acaba por deitar a cabeça sobre a mesa.

— Não sei por que tou rindo. Pareceu tão engraçado, de repente.

Minny revira os olhos para nós.

— Eu *sabia* que vocês eram loucas. As duas.

Dou o melhor de mim para contar a elas os detalhes. Eu não havia me saído muito melhor ao telefone, com a sra. Stein. Ela soava tão prática, quase desinteressada. E o que fiz, então? Me mantive séria, como uma negociante, e fiz perguntas pertinentes? Agradeci a ela por aceitar publicar algo sobre um assunto tão arriscado? Não, em vez de rir, me pus a gaguejar no telefone, chorando como uma criança que recebe uma vacina antipoliomelite.

"Acalme-se, srta. Phelan", dissera ela, "esse livro não vai ser um best-seller", mas eu continuei chorando enquanto ela me fornecia os detalhes. "Estamos oferecendo apenas um adiantamento de quatrocentos dólares e então mais quatrocentos dólares quando estiver terminado... a senhorita está... ouvindo?"

"S-sim, senhora."

"E definitivamente vai ser necessário a senhorita editar um pouco o texto. O capítulo sobre Sarah está ótimo", dissera ela, e conto isso para Aibileen, que ri e se contorce.

Aibileen funga, limpa os olhos, sorri. Finalmente nos acalmamos, bebendo aquele café que Minny teve que se levantar e fazer para nós.

— E ela adorou a Gertrude, também — digo para Minny. Pego um papel e leio o que eu havia anotado, para não me esquecer das palavras exatas: — "Gertrude é o pesadelo de todas as mulheres brancas sulistas. Adoro ela."

Por um segundo, Minny me olha bem nos olhos. Seu rosto se amolece num sorriso infantil:

— Ela disse isso? De mim?

Aibileen ri.

— Até parece que ela conhece você, a oitocentos quilômetros de distância.

— Ela disse que vai demorar, pelo menos, seis meses até o livro ser lançado. Em algum momento, no mês de agosto.

Aibileen ainda está sorrindo, completamente alheia a tudo que eu disse. E, para ser franca, fico grata por isso. Eu sabia que ela ficaria entusiasmada, mas receei que também ficasse um pouco decepcionada. Vê-la desse jeito faz eu perceber que não estou nem um pouco decepcionada. Estou feliz, simplesmente.

Continuamos sentadas e conversamos por mais alguns minutos, bebendo café e chá, até que olho para o relógio.

— Falei para o meu pai que estaria em casa em uma hora. — Papai está em casa, com mamãe. Me arrisquei e deixei com ele o telefone de Aibileen, por via das dúvidas, dizendo que eu estava indo visitar uma amiga chamada Sarah.

As duas me levam até a porta, o que é uma novidade, tratando-se de Minny. Digo a Aibileen que vou ligar para ela assim que receber as observações da sra. Stein pelo correio.

— Então, daqui a seis meses, a gente finalmente vai saber o que acontece — diz Minny —, se alguma coisa boa, se alguma coisa ruim, ou nada.

— Pode ser que não aconteça nada — digo, me perguntando se alguém vai chegar a comprar o livro.

— Bem, eu tou contando que vai ser bom — diz Aibileen.

Minny cruza os braços sobre o peito:

— Então é melhor eu contar com uma coisa ruim. Alguém tem que fazer isso.

Minny não parece preocupada com as possíveis vendas do livro. Ela parece preocupada com o que vai acontecer quando as mulheres de Jackson lerem o que escrevemos sobre elas.

AIBILEEN

CAPÍTULO 29

O CALOR se infiltrou por tudo. Faz uma semana que a temperatura tá em trinta e oito, com noventa e nove por cento de umidade. Se ficar mais úmido, daqui a pouco a gente vai estar nadando. Não consigo fazer meus lençóis secarem direito, minha porta da frente não fecha, de tanto que inchou. Com certeza tá impossível de fazer um merengue. Até a minha peruca de ir à igreja tá começando a ficar toda crespa.

Hoje de manhã, nem consegui vestir as meias. Minhas pernas tão inchadas demais. Pensei: vou colocar quando chegar na casa da dona Leefolt, no ar-condicionado. Deve ser um recorde de calor, pois trabalho pra famílias brancas há quarenta e um anos, e essa é a primeira vez na história que eu fui trabalhar sem meias.

Mas a casa da dona Leefolt tá mais quente que a minha.

— Aibileen, coloque o chá de infusão e... pratos de salada... passe um pano neles agora.

Ela nem veio na cozinha hoje. Tá na sala de estar e puxou uma cadeira pra junto da saída do ar-condicionado; então, o que tem de vento frio tá levantando a combinação dela. É só isso que ela tá vestindo: a combinação e os brincos. Já trabalhei pra mulheres brancas que saíam do quarto usando apenas a sua personalidade, mas a dona Leefolt não é dessas.

De tempos em tempos, o motor do ar-condicionado faz *pfuuuu-uiiiii*. Como quem tá desistindo. A dona Leefolt já ligou pro homem do conserto duas vezes e ele disse que tá vindo, mas aposto que não tá vindo, não. Tá quente demais.

— E não esqueça... aquele negócio de prata... o garfo de servir conservas está no...

Mas ela desiste antes de terminar, tá quente demais até mesmo pra me dizer o que fazer. E isso significa que tá muito quente. Parece que todo mundo na cidade foi pego pela onda de calor. A gente sai na rua, e tudo tá parado, fantasmagórico, que nem antes de um tornado. Ou vai ver sou eu que tou nervosa por causa do livro. Vai sair na sexta-feira.

— A senhora acha que a gente devia cancelar o clube do bridge? — pergunto da cozinha. O clube do bridge mudou pras segundas-feiras agora e as madames vão chegar em vinte minutos.

— Não. Já está tudo... pronto — diz ela, mas sei que ela não tá raciocinando direito.

— Vou tentar bater o creme de novo. Depois preciso ir até a garagem. Colocar as minhas meias.

— Oh, não se preocupe com isso, Aibileen. Está quente demais para usar meias. — A dona Leefolt finalmente se levantou da frente do ar-condicionado e se arrastou até a cozinha, abanando um leque do restaurante chinês Chow-Chow. — Oh, Deus, deve estar uns oito graus mais quente aqui na cozinha do que na sala de jantar!

— Já vou desligar o forno. As crianças foram brincar lá fora.

A dona Leefolt olha pela janela pras crianças brincando com o irrigador do jardim. Mae Mobley tá só de calcinha, e Ross — chamo ele de Homenzinho — tá de fralda. Ele não tem nem um ano de idade e já caminha que nem um menino. Nem chegou a engatinhar.

— Não entendo como é que eles aguentam ficar lá fora — diz dona Leefolt.

Mae Mobley adora brincar com o irmãozinho e cuida dele como uma mãe. Mas Mae Mobley não fica mais o dia inteiro conosco em casa. Minha Nenezinha vai à Pré-Escola Batista Broadmoore todas as manhãs. Mas hoje é Dia do Trabalho, feriado pro resto do mundo, então não tem aula. Também tou contente. Não sei quantos dias ainda vou ter com ela.

— Olhe só para eles ali — diz a dona Leefolt, e eu chego perto da janela, junto de onde ela tá. O irrigador tá jogando pequenas gotinhas na direção da copa das árvores, fazendo um arco-íris. Mae Mobley tá segurando a mão do Homenzinho, e os dois tão embaixo das gotas do irrigador, com os olhos fechados, como se tivessem sendo batizados.

— Eles são mesmo especiais — diz ela, suspirando, como se só agora se desse conta disso.

— São mesmo — digo, e tenho a impressão que nós duas partilhamos um momento, eu e a dona Leefolt, olhando pra fora da janela, pras crianças que nós duas amamos. Faz eu me perguntar se as coisas não mudaram um pouco. É 1964, afinal de contas. Lá no Centro da cidade tão deixando os negros sentar no balcão da Woolworth.

Então me dá um sentimento muito ruim no coração e me pergunto se fui longe demais. Porque, depois que o livro sair, se as pessoas descobrirem que foi a gente, provavelmente nunca mais vou conseguir ver essas crianças. E se eu nem puder dar tchau pra Mae Mobley, e dizer pra ela que ela é uma menina boazinha, uma última vez? E o Homenzinho? Quem é que vai contar pra ele a história do Marciano Luther King, o homem verde?

Já pensei nisso tudo com os meus botões, umas vinte vezes. Mas é que hoje isso tá começando a parecer real. Toco a esquadria da janela como se tivesse tocando as crianças. Se ela descobrir... oh, vou sentir falta dessas crianças.

Olho pro outro lado e vejo que os olhos da dona Leefolt andaram passeando pelas minhas pernas nuas. Acho que ela deve ter ficado curiosa, sabe? Aposto que ela nunca viu pernas negras e nuas tão de perto antes. Mas então vejo que ela tá fazendo uma cara feia. Ela olha pra Mae Mobley, com aquele mesmo olhar torto. A Nenezinha esfregou lama e grama em toda a cara. Agora ela tá decorando o irmãozinho do mesmo jeito, como se ele fosse um porquinho numa pocilga, e vejo aquela velha aversão que a dona Leefolt tem pela própria filha. Não pelo Homenzinho, só por Mae Mobley. Especial só pra ela.

— Ela está estragando o jardim! — diz a dona Leefolt.

— Eu vou lá. Eu cuido...

— E você não pode trabalhar para nós assim, com as... pernas à mostra!

— Eu disse à senhora...

— Hilly vai chegar em cinco minutos e ela estragou *tudo*! — grita ela. Acho que Mae Mobley ouviu a mãe através da janela, pois olha pra nós, congelada. O sorriso se desfaz. Depois de um segundo, ela começa a limpar a lama do próprio rosto, bem devagarinho.

Visto um avental, pois preciso dar um banho de mangueira nas crianças. Depois vou até a garagem, pra vestir as meias. O livro vai sair em quatro dias. Já não era sem tempo.

A GENTE TEM VIVIDO na expectativa. Eu, Minny e a dona Skeeter, todas as empregadas que têm histórias no livro. Parece que a gente tava esperando que uma panela invisível cheia de água fervesse, nos últimos sete meses. Depois de mais ou menos o terceiro mês de espera, a gente parou de falar no assunto. Ficava excitada demais.

Mas, nas duas últimas semanas, uma alegria secreta e um medo secreto não pararam de se agitar dentro de mim, e nunca demorei tanto pra passar cera no assoalho, e lavar roupa de baixo virou uma corrida montanha acima. Passar pregas demora uma eternidade, mas o que se pode fazer? Todas têm bastante certeza de que ninguém vai falar nada, logo no início. Como a dona Stein disse pra dona Skeeter, esse livro não vai ser nenhum best-seller e é pra gente não esperar muito. A dona Skeeter diz que talvez é melhor não esperar nada, que a maior parte das pessoas do Sul é "reprimida". Se sentirem alguma coisa, pode ser que não falem nada. Vão só segurar a respiração e esperar passar, como gases.

Minny diz:

— Espero que ela segure a respiração até explodir em todo o condado de Hinds.

Com isso ela quer dizer a dona Hilly. Eu preferia que Minny desejasse uma mudança, no sentido da gentileza, mas a Minny é a Minny, o tempo todo.

— QUER FAZER UM LANCHINHO, Nenezinha? — pergunto quando ela chega em casa da escola na quinta-feira. Oh, ela tá uma menina crescida! Quatro anos, já. É alta pra idade: a maior parte das pessoas acha que ela tem cinco ou seis anos. Mesmo com a mãe tão magrinha, Mae Mobley é rechonchuda. E o cabelo dela não tá lá muito bonito. Ela decidiu cortar o próprio cabelo com a tesoura de cortar papel, não podia ficar diferente. A dona Leefolt teve de levar ela até o instituto de beleza de adultos, mas eles não puderam fazer muita coisa. Ainda assim, ficou curto de um lado, com quase nada de cabelo na frente.

Preparo um lanche de baixa caloria, pois é só isso que a dona Leefolt deixa eu dar pra ela. Bolachas água e sal e atum ou então gelatina sem nada de creme batido em cima.

— O que você aprendeu hoje? — pergunto, mesmo se ela não tá na escola de verdade ainda, só do tipo de mentirinha. Outro dia, quando fiz a pergunta a ela, ela disse: "Pais peregrinos. Eles vieram para cá e não crescia nada, então eles comeram os índios."

Ora, eu sabia que os peregrinos não comeram os índios coisíssima nenhuma. Mas essa não é a questão. A questão é: a gente tem que tomar cuidado com o que entra na cabeça dessas crianças. Toda semana ela ainda tem aula com Aibileen, a história secreta. Quando o Homenzinho ficar grande o suficiente pra ouvir, vou contar também pra ele. Quero dizer, se eu ainda estiver trabalhando aqui. Mas acho que não vai ser a mesma coisa com o Homenzinho. Ele me ama, mas é selvagem como um bicho. Ele vem e abraça forte os meus joelhos, depois sai correndo pra ir atrás de outra coisa. Mas mesmo se eu não puder fazer isso por ele, não me sinto muito mal. O que sei é: eu comecei tudo, e aquele menino, apesar de não saber dizer nem uma palavra, ele escuta tudo que Mae Mobley diz.

Hoje, quando pergunto o que ela aprendeu, Mae Mobley só diz "Nada", e faz beiço.

— Você gosta da professora? — pergunto.

— Ela é bonita — diz ela.

— Que bom — digo. — Você também é bonita.

— Por que você é de cor, Aibileen?

Bem, ouvi essa pergunta algumas vezes das minhas outras crianças brancas. Normalmente eu só ria, mas quero acertar isso direitinho com ela.

— Porque Deus me fez de cor — digo. — E não tem no mundo outra razão além dessa.

— A srta. Taylor diz que as crianças que são de cor não podem ir na minha escola porque não são espertas como nós.

Aí eu me viro da bancada. Levanto o queixo dela e aliso seu cabelo arrepiado.

— Você acha que eu sou burra?

— Não — sussurra ela, decidida, como que falando do fundo do coração. Parece arrependida de ter tocado no assunto.

— O que isso lhe diz sobre a srta. Taylor, então?

Ela pisca, prestando atenção.

— Significa que a srta. Taylor não tá sempre certa — digo.

Ela abraça o meu pescoço e diz:

—Você tá mais certa do que a srta. Taylor.

Então eu me desfaço. Isso é demais. Essas são palavras novas pra mim.

ÀS QUATRO DA TARDE em ponto, caminho o mais rápido que consigo da parada do ônibus até a Igreja Cordeiro de Deus. Espero lá dentro, fico cuidando da janela. Depois de dez minutos tentando respirar e tamborilando os dedos no banco, vejo o carro estacionar. Uma mulher branca sai dele e eu aperto meus olhos. Essa mulher parece uma das hippies que vi na tevê da dona Leefolt. Ela tá usando um vestido branco curto e sandálias. O cabelo é longo, sem nenhum laquê. O peso do cabelo eliminou qualquer cacho e qualquer ondulado. Rio, tapando a boca com a mão, querendo correr até lá e dar um abraço nela. Faz seis meses que não vejo a dona Skeeter em pessoa, desde que terminamos o trabalho de edição que a dona Stein pediu, transformando tudo na versão final.

A dona Skeeter tira uma caixa grande e marrom do banco de trás, então leva até a porta da igreja, como se estivesse entregando roupas usadas. Ela para um segundo e olha pra porta, mas depois entra no carro e vai embora. Fico triste que ela tenha que fazer isso desse jeito, mas a gente não quer estragar tudo antes mesmo de começar.

Assim que ela vai embora, eu vou até lá fora e carrego a caixa pra dentro e pego um exemplar e fico só olhando. Nem tento não chorar. É o livro mais lindo que eu já vi na vida. A capa é azul-clara, da cor do céu. E um pássaro grande e branco — uma pomba da paz — abre as asas de um lado até o outro. O título *Ajuda* tá escrito grande, na frente, em letras pretas e grossas. A única coisa que me incomoda é a parte de quem é que escreveu. Diz *Anônimo*. Eu gostaria que a dona Skeeter tivesse posto o nome no livro, mas o risco era grande demais.

Amanhã, vou levar os primeiros exemplares pra todas as mulheres que têm histórias contadas no livro. A dona Skeeter vai levar um exemplar até a Penitenciária Estadual, pra Yule May. De certo modo, foi por causa dela que as outras empregadas concordaram em ajudar. Mas acho que Yule May não vai receber a caixa. As prisioneiras só recebem uma de cada dez coisas que mandam pra elas, porque as guardas ficam com tudo. A dona Skeeter disse que vai lá outras dez vezes entregar um exemplar do livro, pra garantir.

Levo aquela caixa grande pra casa, tiro de lá um exemplar e coloco a caixa embaixo da minha cama. Vou correndo até a casa de Minny. Minny tá grávida de seis meses, mas ainda não dá pra ver. Quando chego lá, ela tá sentada na mesa da cozinha, bebendo um copo de leite. Leroy tá dormindo nos fundos, e Benny e Sugar e Kindra tão descascando amendoins no quintal. A cozinha tá silenciosa. Sorrio e entrego pra Minny o exemplar dela.

Ela examina.

— Acho que a pomba tá bonita.

— A dona Skeeter disse que a pomba da paz é o sinal de que melhores tempos tão por vir. Diz que as pessoas tão usando isso nas roupas lá na Califórnia.

— Não me interessa as pessoas na Califórnia — diz Minny, olhando fixo pra capa. — Só me interessa o que as pessoas em Jackson, Mississippi, vão dizer sobre o livro.

— Exemplares do livro vão chegar amanhã nas livrarias e nas bibliotecas. Dois mil e quinhentos no Mississippi, a outra metade em todos os Estados Unidos. — Isso é muito mais do que a dona Stein tinha dito, mas, já que começaram o movimento dos viajantes pela liberdade e já que aqueles trabalhadores manifestantes pelos direitos civis desapareceram naquela caminhonete aqui no Mississippi, ela diz que as pessoas tão prestando mais atenção no nosso Estado.

— Quantos exemplares vão pra biblioteca branca de Jackson? — pergunta Minny. — Zero?

Balanço a cabeça com um sorriso:

— Três. A dona Skeeter me disse hoje de manhã no telefone.

Até Minny, quem diria, parece impressionada. Faz só dois meses que a biblioteca dos brancos começou a receber gente de cor. Eu mesma já fui lá duas vezes.

Minny abre o livro e começa a ler ali mesmo. As crianças entram e, sem desgrudar os olhos, ela diz o que elas têm que fazer e como. Seus olhos não param de se mexer sobre a página. Já li o livro várias vezes, enquanto trabalhava nele no ano passado. Mas Minny sempre disse que não queria ler antes que ele fosse publicado com capa dura. Ela não queria estragar a experiência.

Fico ali sentada um pouco com Minny. De tempos em tempos, ela sorri. Algumas vezes, ri. E grunhe mais do que uma vez. Não pergunto por quê. Deixo ela lendo e tomo o caminho de casa. Depois de anotar todas as minhas rezas, vou pra cama com o livro repousando no travesseiro, do meu lado.

NO DIA SEGUINTE, no trabalho, só o que eu consigo pensar é que as lojas tão colocando o *meu* livro nas estantes. Limpo o chão, passo roupa, troco fraldas, mas não ouço nenhuma palavra sobre o livro na casa da dona Leefolt. Até parece que nem escrevi livro nenhum. Não sei o que eu esperava — *alguma* movimentação —, mas é só uma sexta-feira comum e quente, com moscas zunindo do outro lado da porta de tela.

Nessa noite, seis empregadas que participam do livro ligam pra minha casa perguntando se alguém comentou alguma coisa. A gente se demora na linha, como coisa que a resposta vá mudar se a gente ficar bastante tempo respirando no fone.

A dona Skeeter é a última a ligar.

— Fui até a Bookworm hoje à tarde. Fiquei por ali um tempo, mas ninguém nem pegou o livro na mão.

— Eula disse que foi na livraria dos negros. A mesma coisa.

— Está bem. — Ela suspira.

Durante todo esse final de semana e também na semana seguinte, não ficamos sabendo de nada. Os mesmos livros de sempre tão sobre a mesinha de cabeceira da dona Leefolt: *Etiqueta de Frances Benton*, *Peyton Place*, aquela Bíblia velha que ela guarda do lado da cama, só pra enfeite. Mas, Deus, não paro de olhar pra aquela pilha, o tempo todo.

Na quarta-feira, a água continua parada. Nenhum exemplar foi comprado na livraria dos brancos. A livraria da Farish Street diz que conseguiu vender mais ou menos uma dúzia, o que é bom. Mas pode ter sido só as outras empregadas, comprando o livro pros amigos.

Na quinta-feira, no sétimo dia, antes mesmo de eu sair pra trabalhar, meu telefone toca.

— Tenho uma novidade — sussurra a dona Skeeter. Decerto tá trancada na despensa de novo.

— O que foi?

— A sra. Stein ligou e disse que nós vamos aparecer no programa de Dennis James.

— *People Will Talk*? Aquele programa de tevê?

— Nosso livro vai ser resenhado. Ela disse que vai passar no Canal Três na próxima quinta-feira, à uma da tarde.

Senhor, nós vamos aparecer na WLBT-TV! É um programa regional de Jackson, e é transmitido em cores, logo depois do noticiário do meio-dia.

— Você acha que a crítica vai ser boa ou má?

— Não sei. Nem sei se Dennis lê os livros ou se ele só fala o que mandam ele dizer.

Fico animada e com medo ao mesmo tempo. Alguma coisa *precisa* acontecer depois disso.

— A sra. Stein disse que alguém no departamento de publicidade da Harper and Row deve ter ficado com pena de nós e feito algumas ligações. Ela disse que nós somos o primeiro livro em que ela trabalhou que não teve nenhuma verba publicitária.

Rimos, mas parecemos nervosas.

— Espero que você consiga ver o programa na casa de Elizabeth. Senão, ligo para você e conto tudo que eles falaram.

NA SEXTA À NOITE, uma semana depois do livro ser lançado, eu me arrumo pra ir à igreja. O diácono Thomas me ligou essa manhã e perguntou se eu poderia ir a uma reunião especial que eles organizaram, mas, quando perguntei sobre o que era, ele ficou todo apressado e disse que tinha que desligar. Minny disse que recebeu a mesma ligação. Então, passo um vestido de linho bonito da Miss Greenlee e vou até a casa de Minny. Caminhamos juntas até lá.

Pra variar, a casa de Minny parece um galinheiro pegando fogo. Minny ralha, coisas voam pelos ares, todas as crianças gritam. Vejo o início da barriga de Minny por baixo do vestido e dou graças a Deus que finalmente tá aparecendo. Leroy não bate na Minny quando ela tá grávida. E Minny sabe disso, então acho que ainda vai ter muitos outros bebês depois desse.

— Kindra! Tire o traseiro desse chão! — grita Minny. — É melhor esse feijão estar quente quando seu pai acordar!

Kindra — ela tá com sete agora — vai resmungando até o fogão com a bunda arrebitada e com o nariz empinado no ar. Barulho de panelas na cozinha inteira.

— Por que eu preciso fazer o jantar? É a vez de Sugar!

— Porque Sugar tá na dona Celia e você quer chegar viva até a terceira série.

Benny entra na cozinha e abraça a minha cintura. Ele sorri e me mostra um dente que tá faltando, depois sai correndo.

— Kindra, abaixe esse fogo antes que você ponha fogo na casa!

— É melhor a gente ir, Minny — digo, pois senão vamos passar a noite toda lá. — Vamos nos atrasar.

Minny dá uma olhada no relógio. Balança a cabeça.

— Por que Sugar ainda não chegou em casa? A dona Celia nunca me liberou tão tarde.

Na semana anterior, Minny começou a levar Sugar pro trabalho. Tá treinando a filha pra quando o bebê nascer, então Sugar vai ter que ficar no lugar dela. Hoje, a dona Celia pediu pra Sugar trabalhar até tarde, disse que trazia ela em casa de carro.

— Kindra, não quero ver nenhum grão de feijão nessa pia quando eu voltar. Limpe tudo direitinho. — Minny lhe dá um abraço. — Benny, vá dizer ao papai que é melhor ele deixar de ser preguiçoso e sair daquela cama.

— Ah, mamãe, por que *eu*...

— Vamos lá, não seja medroso. É só não ficar muito perto quando ele acordar.

Saímos porta afora e descemos a rua, então ouvimos Leroy gritando com Benny, por ter acordado ele. Trato de caminhar mais rápido, pra evitar de Minny dar meia-volta e ir mostrar pro Leroy com quantos paus se faz uma canoa.

— Que bom que estamos indo à igreja hoje. — Minny suspira. Dobramos na Farish Street, começamos a subir os degraus. — Ter uma hora pra não ficar pensando nisso tudo.

Assim que a gente chega no saguão da igreja, um dos irmãos Brown tranca a porta atrás da gente. Tou prestes a perguntar por quê, e teria me assustado se tivesse tido tempo, mas então trinta e tantas pessoas na sala começam a bater palmas. Minny e eu começamos a bater palmas junto. Imagino que alguém deve ter entrado na faculdade ou algo assim.

— Quem é que a gente tá aplaudindo? — pergunto pra Rachel Johnson. Ela é a mulher do reverendo.

Ela ri e tudo fica em silêncio. Rachel se inclina na minha direção.

— Querida, estamos aplaudindo você. — Então, ela enfia a mão na bolsa e tira de lá um exemplar do livro. Olho ao redor, e agora todo mundo tá com um exemplar na mão. Todos os presbíteros e diáconos importantes da igreja tão aqui.

O reverendo Johnson se aproxima de mim.

— Aibileen, esse é um momento importante, para você e para a nossa igreja.

— Vocês devem ter limpado a livraria — digo, e a multidão ri de um jeito muito educado.

— Queremos que você saiba que, para sua segurança, esta vai ser a única vez que a igreja vai parabenizá-la pelo seu feito. Sei que muitas pessoas contribuíram para esse livro, mas ouvi dizer que ele não teria sido escrito se não fosse por você.

Olho pro lado, e Minny tá sorrindo, e vejo que ela também tá envolvida nisso.

— Uma mensagem muito discreta foi passada para toda a congregação e para toda a comunidade, de que, se alguém sabe quem são as pessoas que aparecem no livro ou quem o escreveu, que isso não deve ser assunto de conversa. Exceto hoje. Me desculpe — ele sorri, balança a cabeça —, mas simplesmente não podíamos deixar isso passar sem algum tipo de comemoração.

Ele me entrega o livro.

— Sabemos que você não pôde pôr o seu nome nele, então todos nós colocamos nossas assinaturas para você. — Abro o livro e lá estão, não trinta nem quarenta nomes, mas centenas, talvez uns quinhentos, nas primeiras páginas, nas páginas ao fim do livro, espalhados pelas margens. Todas as pessoas da minha igreja e pessoas de outras igrejas, também. Oh, eu simplesmente começo a chorar. É como se dois anos de trabalho e de tentativas e de esperança explodissem, tudo de uma vez só. Então, todo mundo entra numa fila e vem me abraçar. Dizer como sou corajosa. Eu digo que há muitas outras pessoas que também são corajosas. Detesto ter toda a atenção pra mim, mas dou graças a Deus que eles não mencionam mais nenhum nome. Não quero que elas tenham problemas. Acho que eles nem sabem que Minny tá no livro.

— Quiçá haverá tempos difíceis à frente — me diz o reverendo Johnson. — Se isso acontecer, a Igreja vai ajudar você de todas as maneiras.

Choro sem parar ali mesmo, na frente de todo mundo. Olho pra Minny, e ela tá rindo. Engraçado como as pessoas demonstram sentimentos de jeitos diferentes. Eu me pergunto o que a dona Skeeter faria se estivesse aqui, e isso me deixa um pouco triste. Sei que ninguém nessa cidade vai assinar um livro pra ela e dizer que ela é corajosa. Ninguém vai dizer que vai cuidar dela.

Então, o reverendo me entrega uma caixa, enrolada em papel branco, amarrada com uma fita azul-clara, as mesmas cores do livro. Ele estende a mão sobre a caixa, como numa bênção.

— Este aqui, este é para a senhorita branca. Diga a ela que a amamos, como sendo da nossa própria família.

NA QUINTA-FEIRA, me levanto junto com o sol e vou trabalhar bem cedo. Hoje é um grande dia. Faço bem rápido o meu trabalho na cozinha. É uma hora, e deixo todas as roupas por passar perto da tevê da dona Leefolt, que tá sintonizada no Canal Três. O Homenzinho tá tirando sua soneca e Mae Mobley tá na escola.

Tento passar algumas pregas, mas minhas mãos tremem e as pregas ficam tortas. Borrifo com água e começo tudo de novo, inquieta e preocupada. Finalmente, chega a hora.

Na tevê aparece Dennis James. Ele começa explicando do que se vai falar hoje. O cabelo preto dele tá penteado com tanto laquê que nem se mexe. Nunca vi nenhum sulista falar tão rápido quanto ele. O jeito dele falar faz eu sentir que estou numa montanha-russa. Fico tão nervosa que quase vomito ali mesmo, em cima do terno de igreja do sr. Raleigh.

— ... e terminaremos o programa com a crítica literária. — Depois do comercial, ele fala alguma coisa sobre a Sala da Selva de Elvis Presley. Então ele fala sobre a nova rodovia interestadual que vão construir, ligando Jackson a Nova Orleans. Então, às 13h22, se senta ao lado dele uma mulher chamada Joline French. Ela diz que é a crítica literária local.

Nesse exato instante, a dona Leefolt chega em casa. Ela tá toda arrumada, com seu traje de ir à Liga e seus sapatos de salto alto barulhentos, e vai direto pra sala de estar.

— Estou tão feliz que aquela onda de calor terminou que eu poderia sair por aí aos pulos — diz ela.

O seu Dennis tá tagarelando sobre um livro chamado *Little Big Man*. Tento concordar com ela, mas de repente sinto meu rosto ficar tenso.

— Vou... só desligar esse negócio.

— Não, deixe ligada! — diz a dona Leefolt. — É a Joline French na televisão! É melhor eu ligar para Hilly para avisar.

Ela sai batendo os saltos até a cozinha e fala no telefone com a terceira empregada da dona Hilly num mês. Ernestine só tem um braço. As alternativas da dona Hilly tão diminuindo.

— Ernestine, aqui é sra. Elizabeth... Oh, ela não está? Bem, assim que ela puser os pés em casa, diga que a nossa colega de irmandade está na televisão... É isso mesmo, obrigada.

A dona Leefolt volta correndo pra sala de estar e se senta no sofá, mas é um comercial que tá passando. Começo a respirar com dificuldade. O que ela tá fazendo? A gente nunca assistiu à televisão junto antes. E logo hoje ela se empoleira ali, como se fosse ver ela mesma na tevê!

De repente, termina o comercial de sabão Dial. E lá tá o seu Dennis com o meu livro nas mãos! O pássaro branco parece maior do que na vida real. Ele tá mostrando o livro e apontando o dedo para a palavra *Anônimo*. Por dois segundos fico mais orgulhosa do que com medo. Quero gritar — *Esse livro é meu! É meu esse livro na televisão!* Mas preciso ficar quieta, como se tivesse assistindo alguma coisa entediante. Mal consigo respirar!

— ... chamado *Ajuda*, com testemunhos de algumas empregadas domésticas do próprio estado do Mississippi...

— Oh, como eu queria que Hilly estivesse em casa! Para quem posso ligar? Olhe só que bonitos esses sapatos que ela está usando, aposto que comprou na The Papagallo.

Por favor, cale a boca! Eu me abaixo e levanto um pouco o volume, mas logo me arrependo. E se falarem nela? Será que a dona Leefolt reconheceria a sua própria vida?

— ... li na noite passada e agora a minha mulher está lendo... — fala o seu Dennis como um leiloeiro, rindo, sobrancelhas subindo e descendo, apontando pro nosso livro. — ... e é verdadeiramente tocante. Esclarecedor, eu diria, e usaram a cidade fictícia de Niceville, Mississippi, mas quem sabe? — Ele cobre a boca com a mão, e sussurra, mas bem alto: — Poderia ser Jackson!

O quê?

— Vejam bem, não estou afirmando que seja, poderia ser qualquer cidade, mas, por via das dúvidas, você precisa comprar esse livro e se certificar de que não é! Rá, rá, rá, rá...

Congelo, sinto um arrepio no pescoço. *Nada* ali diz que é Jackson. Diga de novo que poderia ser qualquer lugar, seu Dennis!

Vejo a dona Leefolt sorrindo pra amiga na tevê, até parece que a abobada tá vendo ela, o seu Dennis ri e fala, mas aquela moça da Liga, dona Joline, tá com o rosto vermelho que nem um sinal de trânsito.

— ... uma desgraça para o Sul! Uma desgraça para as boas mulheres sulistas que passaram as vidas cuidando das suas criadas. Pessoalmente, eu trato a minha como sendo da minha família, e todas as minhas amigas fazem o mesmo...

— Por que ela está com essa cara brava na televisão? — resmunga a dona Leefolt pro aparelho. — Joline! — Ela se inclina à frente e dá com o dedo — *tap-tap-tap* — na testa da dona Joline. — Não faça cara feia! Você não fica bem assim!

— Joline, você leu o final? Sobre a torta? Se a minha empregada, Bessie Mae, está me ouvindo, Bessie Mae, saiba que passei a respeitar mais ainda tudo que você faz todos os dias. E não vou mais comer torta de chocolate, de agora em diante! *Rá, rá, rá...*

Mas a dona Joline tá segurando o livro como se quisesse queimá-lo.

— Não comprem este livro! Senhoras de Jackson, não apoiem esta difamação com o suado dinheiro do seu marido...

— Ãhn? — pergunta a dona Leefolt pro seu Dennis.

E então *puf*: passamos pra um comercial de sabão Tide.

— Sobre o que eles estavam falando? — me pergunta a dona Leefolt.

Não respondo. Meu coração tá aos pulos.

— Minha amiga Joline estava com um livro nas mãos.

— Sim, madame.

— Como era o nome dele? *Ajuda*, ou algo assim?

Passo com força o colarinho de uma camisa do seu Raleigh. Preciso ligar pra Minny, pra dona Skeeter, pra descobrir se elas viram isso. Mas a dona Leefolt tá ali parada, esperando a minha resposta, e sei que ela não vai desistir. Ela nunca desiste.

— Ouvi eles dizerem que era sobre Jackson?

Continuo olhando pro ferro de passar.

— Acho que falaram em Jackson. Mas por que eles não querem que a gente compre o livro?

Minhas mãos tremem. Como é que isso pode estar acontecendo? Continuo passando, tentando alisar o que tá mais do que amassado.

Um segundo depois, o comercial de Tide termina e lá está Dennis James de novo, mostrando o livro, e a dona Joline ainda tá com o rosto todo afogueado.

— Isso é tudo por hoje — diz ele —, mas comprem seus exemplares de *Little Big Man* e *Ajuda* do nosso patrocinador, a State Street Bookstore. E concluam vocês mesmos: é ou não é sobre Jackson? — E, então, vem a música e ele grita: — Tenha um bom-dia, Mississippi!

A dona Leefolt me olha e diz:

— Viu? Eu disse que eles tinham falado que era sobre Jackson!

E, cinco minutos depois, ela sai pra ir na livraria comprar um exemplar do que eu escrevi sobre ela.

MINNY

CAPÍTULO 30

DEPOIS DO PROGRAMA *The People Will Talk*, pego o controle remoto e aperto o botão de "desligar". Minha novela tá pra começar, mas nem dou bola. O dr. Strong e a srta. Julia vão ter que se virar sem mim hoje.

Eu queria telefonar pra esse Dennis James e dizer: *Quem você acha que é, espalhando mentiras como essa?* Você não pode dizer a toda a região metropolitana que o nosso livro é sobre Jackson! Você não sabe de qual a cidade a gente escreveu o nosso livro!

Vou dizer a você o que aquele velho imbecil tá fazendo. Ele tá *desejando* que fosse sobre Jackson. Ele tá desejando que Jackson, Mississippi, fosse um lugar interessante o suficiente pra alguém escrever um livro inteiro sobre a cidade, e, apesar de ser sobre Jackson... bem, ele *não* sabe disso.

Corro até a cozinha e ligo pra Aibileen, mas depois de duas tentativas a linha ainda continua ocupada. Desligo. Na sala de estar, ligo o ferro de passar roupa, tiro a camisa branca do seu Johnny da cesta. Eu me pergunto, pela milésima vez, o que vai acontecer quando a dona

Hilly ler o último capítulo. Melhor ela começar a se mexer de uma vez e dizer às pessoas que não é sobre a nossa cidade. E ela pode passar a tarde inteira mandando a dona Celia me demitir que a dona Celia não vai fazer isso. O ódio pela dona Hilly é a única coisa que a maluca dessa mulher e eu temos em comum. Mas o que Hilly vai fazer quando isso não funcionar, não sei. Vai ser a nossa guerra particular, só nossa. Isso não vai afetar as outras.

Oh, agora fiquei de mau humor. De onde tou passando roupa, posso ver a dona Celia no quintal dos fundos usando uma calça indecentemente cor-de-rosa e luvas pretas de borracha. Tá com os joelhos completamente sujos de terra. Já pedi a ela mil vezes pra parar de fuxicar na terra com as roupas boas. Mas essa mulher nunca me dá ouvidos.

O gramado na frente da piscina tá tapado por ancinhos e ferramentas de jardinagem. Só o que a dona Celia faz agora é capinar o quintal e plantar mais flores chamativas. Não importa que o seu Johnny tenha contratado um jardineiro em tempo integral alguns meses atrás, chamado John Willis. Ele queria que esse sujeito servisse como um tipo de segurança, depois que o homem nu apareceu, mas ele é tão velho que é todo curvado, parece um clipe de papel. E magro que nem um clipe, também. Eu me sinto na obrigação de dar uma olhada nele de tempos em tempos, só pra ter certeza que não teve um treco nem caiu por cima dos arbustos. Acho que o seu Johnny não teve coragem de mandar ele pra casa e contratar alguém mais jovem no lugar.

Borrifo um pouco mais de amido de milho no colarinho do seu Johnny. Ouço a dona Celia gritar instruções de como se planta um arbusto.

— Essas hortênsias, vamos colocar um pouco mais de ferro na terra. Concorda, John Willis?

— Sim, senhora — responde John Willis, também aos gritos.

— Cale a boca, dona — digo. Do jeito que grita com ele, ele acha que a surda é ela.

O telefone toca e eu corro pra atender.

— OH, MINNY — diz Aibileen no telefone. — Eles descobriram qual é a cidade, não vão demorar pra descobrir quem são as *pessoas*.

— Ele é um idiota, é isso que ele é.

— Como é que a gente pode ter certeza que a dona Hilly vai ler o livro? — diz Aibileen, com a voz ficando estridente. Espero que a dona Leefolt não esteja ouvindo ela. — Senhor, a gente devia ter pensado melhor nisso, Minny.

Nunca vi Aibileen desse jeito. Até parece que ela é eu e que eu sou ela.

— Escute — digo, porque uma coisa começa a fazer sentido. — Já que Dennis James fez tanto estardalhaço a respeito, a gente *sabe* que ela vai ler. Todo mundo na cidade vai ler, agora. — E, enquanto digo isso, me dou conta que é verdade. — Não chore ainda, porque talvez as coisas tão acontecendo bem do jeito que tinham que acontecer.

Cinco minutos depois de eu desligar, toca o telefone da dona Celia.

— Residência da sra. Cel...

— Acabei de falar com a Louvenia — sussurra Aibileen. — A dona Lou Anne acabou de chegar em casa com um exemplar do livro pra ela e outro pra melhor amiga dela. Hilly Holbrook.

E lá vamos nós.

DURANTE TODA A NOITE, juro, posso sentir a dona Hilly lendo o nosso livro. Ouço as palavras que ela tá lendo sendo sussurradas na minha cabeça, na sua voz inalterada, branca. Às duas da manhã, levanto da cama e abro o meu exemplar e tento adivinhar em que capítulo ela tá. No capítulo um, no dois ou no dez? Finalmente, fico só olhando pra capa azul. Nunca vi um livro numa cor tão bonita. Esfrego a capa pra limpar uma manchinha.

Então, volto a esconder ele no bolso do casaco de inverno que nunca usei, já que eu nunca li nenhum livro desde que me casei com Leroy e não quero deixar ele desconfiado com esse aqui. Finalmente volto pra cama, dizendo pra mim mesma que não tem como eu adivinhar até onde a dona Hilly já leu. Mas eu *sei* que ela não chegou no final. Sei porque não ouvi nenhum grito na minha cabeça, ainda.

De manhã cedo, juro que tou feliz por ir trabalhar. É dia de escovar o chão e quero tirar a cabeça disso tudo. Eu me iço pra dentro do carro e dirijo até o condado de Madison. A dona Celia foi consultar outro médico ontem à tarde sobre ter filhos, e eu quase disse pra ela, pode ficar com esse aqui, minha senhora. Tenho certeza que ela vai me contar todos os detalhes hoje. Pelo menos, a boba teve o bom-senso de largar aquele dr. Tate.

Estaciono perto da casa. Agora posso estacionar bem em frente, já que a dona Celia finalmente desistiu da encenação e disse pro seu Johnny o que ele já sabia. A primeira coisa que vejo é que a caminhonete do seu Johnny ainda tá em casa. Espero dentro do carro. É a primeira vez que chego e ele tá aqui.

Entro pela cozinha. Fico ali parada no meio do cômodo e olho ao redor. Alguém já fez café. Ouço uma voz de homem na sala de jantar. Alguma coisa tá se passando aqui.

Aproximo o ouvido da porta e ouço o seu Johnny, em casa num dia de semana, às 8h30 da manhã, e uma voz na minha cabeça me diz pra sair correndo pela porta que entrei. A dona Hilly ligou pra ele e disse que eu era uma ladra. Ele descobriu sobre a torta. Ele sabe sobre o livro.

— Minny? — ouço a dona Celia chamar.

Bem devagarinho, empurro a porta vaivém, espio pra dentro. Lá tá a dona Celia, sentada na cabeceira da mesa com o seu Johnny sentado do lado dela. Os dois olham pra mim.

O seu Johnny tá mais branco do que aquele velho albino que mora atrás da dona Walters.

— Minny, me traz um copo d'água, por favor? — pede ele, e eu fico com um pressentimento terrível.

Sirvo a água e levo até ele. Quando coloco o copo sobre o guardanapo, o seu Johnny se levanta. Ele me lança um olhar longo e pesado. Deus, lá vem.

— Contei a ele sobre o bebê — sussurra dona Celia. — Sobre todos os bebês.

— Minny, eu teria perdido ela, não fosse por você — diz ele, agarrando as minhas duas mãos. — Graças a Deus você estava aqui.

Olho pra dona Celia e seus olhos parecem mortos. Já sei o que o doutor falou pra ela. Dá pra ver: nunca nenhum bebê vai nascer com vida. O seu Johnny aperta a minha mão com força, depois volta pra junto dela. Ele se ajoelha no chão e deita a cabeça no colo da dona Celia. Ela alisa o cabelo dele sem parar.

— Não me deixe. Nunca me deixe, Celia. — Ele chora.

— Diz para ela, Johnny. Diga para Minny o que você me falou.

O seu Johnny levanta a cabeça. O cabelo dele tá todo desgrenhado, e ele olha pra cima, pra mim.

— Você sempre vai poder trabalhar conosco, Minny. Pelo resto da sua vida, se quiser.

— Obrigada, senhor — digo eu, e é pra valer. Essas são as melhores palavras que eu podia ouvir hoje.

Começo a me dirigir pra porta, mas a dona Celia fala, numa voz muito doce:

— Fique aqui um pouquinho. Por favor, Minny?

Então eu apoio a mão no bufê, porque o bebê tá ficando pesado. E me pergunto como é que pode eu ter tantos e ela não ter nenhum. Ele tá chorando. Ela tá chorando. Somos três panacas na sala de jantar, chorando.

— TOU DIZENDO PRA VOCÊ — digo a Leroy na cozinha, dois dias depois. — Você aperta o botão e o canal muda, e você nem precisa levantar da cadeira.

Os olhos de Leroy não se mexem do jornal.

— Isso não faz sentido, Minny.

— A dona Celia tem um, se chama Controle Remoto. Mais ou menos da metade do tamanho de um pão de forma.

Leroy balança a cabeça pros lados.

— Brancos preguiçosos. Não podem se levantar nem pra girar um botão.

— Acho que as pessoas vão voar até a lua logo logo — digo. Eu nem tou ouvindo as palavras que saem da minha boca. Tou escutando com atenção, esperando de novo aquele grito. Quando é que aquela mulher vai terminar?

— O que tem pro jantar? — pergunta Leroy.

— É, mamãe, quando é que vamos comer? — diz Kindra.

Ouço um carro estacionar lá fora. Presto atenção e a colher cai dentro da panela de feijão.

— Mingau.

— Eu não vou comer mingau de jantar! — diz Leroy.

— Eu comi isso no café da manhã! — resmunga Kindra.

— Quero dizer... presunto. E feijão. — Eu vou e bato a porta dos fundos e fecho o trinco. Olho pra fora da janela de novo. O carro tá dando ré e indo embora. Tava só fazendo a volta.

Leroy levanta e escancara a porta com estardalhaço.

— Tá um inferno de quente aqui! — Ele chega perto do fogão, onde eu tou. — Qual é o problema com você? — pergunta ele, a três centímetros da minha cara.

— Nada — digo, e me afasto um pouco. Normalmente ele não mexe comigo quando eu tou grávida. Mas ele chega mais perto de mim. Aperta o meu braço com força.

— O que foi que você fez dessa vez?

— Eu... eu não fiz nada — digo. — Só tou cansada.

Ele aperta o meu braço ainda mais forte. Tá começando a arder.

— Você não fica cansada. Não antes do décimo mês.

— Não fiz nada, Leroy. Vai sentar e me deixa fazer o jantar.

Ele me solta, me olhando com cara feia. Não consigo sustentar seu olhar.

AIBILEEN

CAPÍTULO 31

TODA A VEZ que a dona Leefolt vai às compras, ou no quintal, ou até mesmo no banheiro, eu dou uma olhada na mesinha de cabeceira, onde ela colocou o livro. Faço de conta que tou tirando pó, mas o que eu faço mesmo é olhar pra ver se o marcador de livros da Primeira Igreja Presbiteriana avançou alguma coisa. Ela tá lendo o dito-cujo já faz cinco dias, e eu abro ele hoje e ela ainda tá no Capítulo Um, página *quatorze*. Ela ainda tem duzentas e trinta e cinco páginas pela frente. Senhor, como ela lê devagar.

Ainda assim, tenho vontade de dizer a ela: a senhora tá lendo sobre a dona Skeeter, não sabia? Sobre a infância dela com Constantine. E tou morta de medo, mas quero dizer a ela: continue lendo, madame, pois o Capítulo Dois vai ser sobre *a senhora*.

Tou nervosa que nem um gato de ver aquele livro na casa dela. Durante toda a semana, fiquei pisando em ovos. Uma hora, o Homenzinho chegou por trás e me tocou na perna e eu pulei quase até o teto. Especialmente na quinta-feira, quando a dona Hilly veio aqui. Elas se sentaram na mesa da sala de jantar e ficaram trabalhando no Baile.

De tempos em tempos, elas trocavam um olhar e sorriam, me pediam pra servir um sanduíche de maionese ou um chá gelado.

Duas vezes a dona Hilly veio até a cozinha e ligou pra empregada dela, Ernestine.

—Você já deixou de molho o vestido de Heather como eu mandei? Ãrrã, e você já tirou o pó do dossel? Ah, não? Bem, vá lá e faça isso agora mesmo.

Entro na sala pra retirar os pratos e ouço a dona Hilly dizer:

— Estou no capítulo sete. — E congelo, os pratos na minha mão tremendo e fazendo barulho. A dona Leefolt levanta os olhos e torce o nariz pra mim.

Mas a dona Hilly tá balançando o dedo pra dona Leefolt.

— E acho que eles têm razão, eu *sinto* que é Jackson.

—Você acha?

A dona Hilly se inclina à frente e sussurra:

—Aposto que a gente conhece algumas dessas empregadas negras.

—Você acha mesmo? — pergunta a dona Leefolt, e de repente meu corpo fica frio. Mal consigo dar um passo na direção da cozinha. — Eu só li um pouquinho...

— Acho. E sabe o quê? — A dona Hilly sorri com um jeito de cobra. —Vou descobrir quem é toda essa gente.

NA MANHÃ SEGUINTE, tou quase hiperventilando na parada de ônibus, pensando no que a dona Hilly vai fazer quando chegar na parte dela, me perguntando se a dona Leefolt já leu o capítulo dois. E, quando entro na casa dela, lá tá a dona Leefolt, lendo o meu livro na mesa da cozinha. Ela me entrega o Homenzinho, do colo dela, sem nem tirar os olhos das páginas. Então, ela sai distraída até os fundos, lendo e caminhando ao mesmo tempo. De repente, ela não consegue desgrudar do livro, agora que a dona Hilly se interessou por ele.

Alguns minutos depois, vou até o quarto dela pra apanhar as roupas sujas. A dona Leefolt tá no banheiro, então abro o livro no marcador.

Ela já tá no capítulo *seis*, o capítulo da Winnie. Aquele quando a velha senhora fica com aquela doença de velhos e liga pra polícia todas as manhãs porque uma mulher de cor acabou de entrar na casa dela. Isso quer dizer que a dona Leefolt leu a própria parte e *foi em frente*.

Tou assustada, mas não consigo deixar de revirar os olhos. Aposto que a dona Leefolt não faz nem ideia que é sobre ela. Quero dizer, graças a Deus, mas ainda assim. Ela provavelmente tava balançando a cabeça, reprovadora, na cama ontem à noite, lendo sobre essa mulher terrível que não sabe amar a própria filha.

Assim que a dona Leefolt sai pra sua hora no cabeleireiro, ligo pra Minny. Só o que a gente faz ultimamente é aumentar a conta de telefone das nossas patroas brancas.

— Você ouviu alguma coisa? — pergunto.

— Não, nada. A dona Leefolt já terminou? — pergunta ela.

— Não, mas ela chegou na Winnie, na noite passada. A dona Celia ainda não comprou um?

— Aquela mulher não olha pra nada que não seja lixo. *Estou indo* — grita Minny. — A panaca ficou com a cabeça presa no secador de cabelo de novo. Eu disse pra ela não colocar a cabeça lá quando tá com os bobes grandes.

— Me ligue, se ficar sabendo de alguma coisa — digo. — Vou fazer o mesmo.

— Alguma coisa vai acontecer logo, Aibileen. Tem que acontecer.

NESSE DIA À TARDE, entro no Jitney pra pegar algumas frutas e queijo cottage pra Mae Mobley. Aquela dona Taylor conseguiu de novo. A Nenezinha saiu do carro, foi direto pro quarto e se jogou na cama.

"O que foi, bebê? O que aconteceu?"

"Eu me pintei de preto", resmungou ela.

"Como assim?", perguntei. "Com as canetinhas, você quer dizer?", peguei a mão dela, mas não tinha tinta nenhuma na pele.

"A srta. Taylor mandou desenhar o que a gente mais gosta na gente." Então, vi um papel amassado, meio tristonho, na mão dela. Virei ele e, é claro, ali tava a minha Nenezinha branca, pintada de preto por ela mesma.

"Ela disse que preto quer dizer que eu tenho um rosto sujo, mau." Ela enfiou a cara no travesseiro e chorou a valer.

Srta. Taylor. Depois de todo o tempo que passei ensinando Mae Mobley a amar todas as pessoas, a não julgar pela cor. Sinto um nó no meu peito, pois que pessoa no mundo não se lembra da primeira professora? Talvez não lembrem do que aprenderam, mas, acredite em mim, já criei muitas crianças pra saber: elas *se importam* com isso.

Pelo menos, no Jitney tá fresco. Eu me sinto culpada que esqueci de comprar o lanche de Mae Mobley hoje de manhã. Eu me apresso, pra ela não ter que ficar sentada com a mãe muito tempo. Ela escondeu o papel embaixo da cama pra mãe não ver.

Na parte de comidas enlatadas, pego duas latas de atum. Vou mais adiante pra procurar o pó de gelatina verde, e lá tá a doce Louvenia, de uniforme branco, comprando pasta de amendoim. Vou pensar na Louvenia como Capítulo Sete pelo resto da minha vida.

— Como vai o Robert? — pergunto, dando um tapinha no seu braço. Louvenia trabalha o dia inteiro pra dona Lou Anne e então ela volta pra casa todas as tardes e leva o Robert pra escola de cegos, pra ele poder aprender a ler com os dedos. E nunca ouvi Louvenia reclamar.

— Aprendendo a sair por aí. — Ela acena a cabeça afirmativamente. — Você tá bem? Tá se sentindo bem?

— Só nervosa. Você ficou sabendo de alguma coisa?

Ela faz que não.

— Mas a minha patroa tá lendo.

A dona Lou Anne, do clube do bridge da dona Leefolt. A dona Lou Anne foi muito boa com Louvenia quando Robert se machucou.

Passamos pelo corredor com as nossas cestas de compras. Lá estavam duas mulheres brancas, conversando junto dos biscoitos Graham.

Elas parecem meio familiares, mas não sei seus nomes. Assim que nos aproximamos, elas calam a boca e olham pra nós. Engraçado, elas não sorriem.

— Licença — digo, e a gente passa por elas. Quando a gente tá a menos de um metro de distância, ouço uma delas dizer:

— Essa é a negra que trabalha pra Elizabeth... — Um carrinho passa entre a gente fazendo barulho, encobrindo as palavras.

— Aposto que você tem razão — diz a outra. — Aposto que é ela...

Louvenia e eu, a gente continua caminhando com calma, olhando reto pra frente. Sinto calafrios no pescoço ao ouvir o barulho dos saltos altos das mulheres se distanciando. Sei que Louvenia ouviu melhor do que eu, pois os ouvidos dela são dez anos mais jovens que os meus. No final do corredor, a gente toma direções opostas, mas então a gente se vira e olha uma pra outra.

Será que ouvi direito?, dizem meus olhos.

Você ouviu direito, respondem os de Louvenia.

Por favor, dona Hilly, *leia de uma vez*. Rápido como o vento.

MINNY

CAPÍTULO 32

OUTRO DIA SE PASSA, e ainda ouço a voz da dona Hilly pronunciando as palavras, lendo linha por linha. Não ouço o grito. Ainda não. Mas ela tá chegando perto.

Aibileen me disse o que as mulheres no Jitney falaram ontem, mas a gente não ficou sabendo de mais nada desde então. Continuo deixando coisas caírem, quebrei meu último copo-medida agora de noite e Leroy tá me olhando como se soubesse. Agora mesmo ele tá bebendo café na mesa e as crianças tão espalhadas pela cozinha, fazendo o dever de casa.

Dou um pulo quando vejo Aibileen parada atrás da porta de tela. Ela leva o dedo diante da boca e acena. Então, desaparece.

— Kindra, pegue os pratos, Sugar, cuide do feijão, Felicia, faça o papai assinar aquela sua prova, mamãe precisa pegar um pouco de ar. — Puf, desapareço pela porta de tela.

Aibileen tá em pé no lado da casa, de uniforme branco.

— O que aconteceu? — pergunto.

Lá dentro, ouço Leroy gritar:

— Um *E*? — Ele não vai tocar nas crianças. Vai gritar, mas isso é o que os pais fazem.

— A maneta da Ernestine ligou e disse que a dona Hilly tá falando por toda a cidade sobre quem tá no livro. Ela tá dizendo pras mulheres brancas demitirem suas empregadas e nem tá adivinhando as pessoas certas! — Aibileen tá tão chateada que treme toda. Ela tá torcendo um pano de prato até fazer ele parecer uma corda branca. Aposto que ela nem se deu conta que saiu por aí carregando o guardanapo que usou no jantar.

— De quem ela tá falando?

— Ela mandou a dona Sinclair demitir Anabelle. Então, a dona Sinclair demitiu e pegou as chaves do carro de Anabelle porque tinha emprestado metade do dinheiro pra ela comprar o carro. Annabelle já tinha devolvido a maior parte do dinheiro, mas agora o carro se foi.

— Aquela *bruxa* — sussurro, rangendo os lábios.

— E não é só isso, Minny.

Ouço passos pesados de botas na cozinha.

— Fala de uma vez, antes que o Leroy pegue a gente cochichando.

— A dona Hilly disse pra dona Lou Anne, "A sua Louvenia está aqui. Eu sei disso, e você precisa demitir ela. Você devia mandar essa negra para a prisão".

— Mas Louvenia não falou absolutamente nada de mal da dona Lou Anne! — digo. — E ela precisa cuidar do Robert! O que a dona Lou Anne disse?

Aibileen morde o lábio. Ela balança a cabeça pros lados e lágrimas escorrem no seu rosto.

— Ela disse... que ia pensar.

— No quê? Na demissão ou na prisão?

Aibileen dá de ombros.

— Nos dois, acho.

— Jesus Cristo — digo, querendo chutar alguma coisa. *Alguém*.

— Minny, e se a dona Hilly nunca terminar de ler o livro?

— Não sei, Aibileen. Não sei.

Os olhos de Aibileen vão até a porta e lá tá Leroy, nos observando do outro lado da tela. Ele fica ali, quieto, até eu dar tchau pra Aibileen e voltar pra dentro de casa.

ÀS CINCO E MEIA DA MANHÃ, Leroy cai na cama ao meu lado. Acordo com o rangido do estrado e o cheiro de bebida. Cerro os dentes, rezando pra ele não começar uma briga. Tou cansada demais pra isso. Não que eu tivesse dormindo bem, preocupada que tava com Aibileen e suas notícias. Pra dona Hilly, Louvenia seria só outra chave de prisão, pendurada no cinto daquela bruxa.

Leroy se esparrama e fica se revirando na cama, não interessa se a mulher dele, grávida, tá tentando dormir. Quando o panaca finalmente se ajeita, ouço ele sussurrar:

— Qual é o segredo, Minny?

Sinto ele me observando, sinto o hálito alcoólico no meu ombro. Não me mexo.

— Você sabe que eu vou descobrir — murmura ele. — Sempre descubro.

Em cerca de dez segundos, o ritmo da respiração de Leroy diminui até parecer que ele tá morto, e ele joga o braço em cima de mim. *Obrigada por esse bebê*, rezo. Porque foi só isso que me salvou, esse bebê na minha barriga. E essa é a terrível verdade.

Fico ali deitada, rangendo os dentes, imaginando, me preocupando. Leroy tá desconfiando de alguma coisa. E só Deus sabe o que vai acontecer comigo, se ele descobrir. Ele sabe sobre o livro, todo mundo sabe, só não sabe que a mulher dele participou — obrigada. As pessoas provavelmente acham que eu não me importo se ele descobrir — oh, eu sei o que as pessoas pensam. Acham que a Minny é forte, com certeza ela sabe se defender. Mas elas não conhecem a pessoa patética e confusa em que eu me transformo quando Leroy me bate. Tenho medo de revidar. Tenho medo que ele me deixe, se eu revidar. Sei que não faz sentido e fico furiosa comigo por ser tão fraca! Como é que posso amar um homem que me bate sem dó? Por que eu amo um cretino bêbado? Uma vez perguntei pra ele: "Por quê? Por que você tá me batendo?". Ele se abaixou e olhou bem nos meus olhos.

"Se eu não batesse em você, Minny, *sabe Deus* no que você se transformaria."

Fiquei encurralada no canto do quarto, como um cachorro. Ele tava me batendo com o cinto. Foi a primeira vez que eu realmente pensei no assunto:

Quem sabe no que eu me transformaria, se Leroy parasse de me bater, diabos?

NA NOITE SEGUINTE, faço todo mundo ir pra cama cedo, incluindo eu. Leroy fica na fábrica até as cinco, e eu tou me sentindo pesada demais pra essa altura da gravidez. Senhor, vai ver que são gêmeos. Não vou pagar um médico pra me dar essa notícia ruim. Só o que eu sei é que esse nenê já tá maior agora do que os outros quando nasceram, e só tou com seis meses.

Pego no sono pesado. Sonho que tou numa longa mesa de madeira, num banquete. Tou mastigando uma enorme perna assada de peru.

Sento na minha cama, voando. Minha respiração tá rápida.

— Quem tá aí?

Meu coração tá golpeando o peito. Olho ao redor no meu quarto, escuro. É meia-noite e meia. Leroy não tá aqui, graças a Deus. Mas alguma coisa me acordou, isso é certo.

E então me dou conta do que foi que me acordou. Ouvi aquilo que eu tava esperando. O que todo mundo tava esperando.

Ouvi o grito da dona Hilly.

SRTA. SKEETER

CAPÍTULO 33

MEUS OLHOS SE ABREM, num estalo. Meu coração está aos pulos. Estou suando. As videiras do papel de parede verde estão serpenteando ao meu redor. O que foi que me acordou? O que *foi* aquilo?

Saio da cama e escuto com atenção. Não pareceu ser a minha mãe. Era um som muito agudo. Era um grito, como alguma coisa sendo rasgada.

Sento-me na cama e aperto a mão contra o coração. Ainda está batendo forte. Nada está correndo de acordo com o planejado. As pessoas sabem que o livro é sobre Jackson. Não posso acreditar que esqueci como a maldita Hilly lê devagar. Aposto que ela está dizendo às pessoas que leu mais do que, na verdade, leu. Agora as coisas estão fugindo de controle: uma empregada chamada Annabelle foi demitida, mulheres brancas estão sussurrando sobre Aibileen e Louvenia e sobre sabe Deus quem mais. A ironia é: estou roendo as unhas, esperando que Hilly se pronuncie, quando sou a única pessoa nesta cidade que não dá mais bola para o que ela diz.

E se o livro foi um erro terrível?

Respiro fundo, dolorosamente. Tento pensar no futuro, não no presente. Há um mês, coloquei no correio dezenove currículos para Dallas, Memphis, Birmingham e cinco outras cidades, e, mais uma vez, para Nova York. A sra. Stein disse que eu poderia dar o nome dela como referência, o que provavelmente é a única coisa digna de nota na página, ter uma recomendação de alguém do mercado editorial. Acrescentei os trabalhos que desempenhei no último ano:

Colunista semanal sobre cuidados domésticos do Jackson Journal Newspaper
Editora do boletim da Liga Júnior de Jackson
Autora de Ajuda*, um livro controverso sobre empregadas domésticas de cor e seus patrões bancos, Harper & Row.*

Na verdade, não incluí o livro, eu só quis datilografar isso uma vez. Mas agora, mesmo que eu, de fato, consiga uma oferta de emprego em uma cidade grande, não posso abandonar Aibileen no meio dessa confusão. Não com as coisas saindo assim tão errado.

Mas, Deus, preciso sair do Mississippi. Além de mamãe e papai, não tenho mais nada aqui, nem amigos, nem um emprego de que eu goste, nem Stuart. Mas não é só sair daqui. Quando mandei meu currículo para o *New York Post*, para o *The New York Times* e para as revistas *Harper's* e *New Yorker*, senti aquela onda tomar conta de mim outra vez, a mesma que eu sentia na faculdade, de como eu gostaria de estar lá. Não em Dallas, nem em Memphis — *New York City*, onde os escritores devem viver. Mas não recebi nenhuma resposta. E se eu nunca for embora? E se eu estiver presa? Aqui. Para sempre?

Deito-me e vejo os primeiros raios de sol entrando pela janela. Tremo. O grito rascante, me dou conta, era *eu*.

ESTOU NA BRENT'S Drugstore, pegando um pote de Lustre Cream para mamãe e um sabonete Vinolia, enquanto o sr. Roberts avia a receita dela. Mamãe diz que não precisa mais do remédio, que a única cura para o câncer é ter uma filha que não corta o cabelo e que usa vestidos muito acima do joelho até mesmo no domingo, porque quem sabe que cafonice eu não faria comigo mesma se ela morresse?

Dou graças a Deus por mamãe estar melhor. Se o meu noivado de quinze segundos com Stuart provocou nela o desejo de viver, o fato de que estou solteira de novo turbinou a sua força ainda mais. Ela claramente ficou desapontada com o rompimento, mas não demorou a se recuperar admiravelmente. Mamãe chegou a tentar me arranjar com um primo distante de terceiro grau, que tem trinta e cinco anos, é lindo e homossexual. "Mamãe", disse eu, quando ele foi embora depois do jantar, pois como é que ela pôde não ver? "Ele é...", mas parei. Em vez disso, acariciei a mão dela. "Ele disse que eu não era o seu tipo."

Agora estou me apressando para sair da farmácia antes que entre alguém que eu conheça. A esta altura, eu já deveria estar acostumada com o meu isolamento, mas não estou. Sinto falta de ter amigos. Não de Hilly, mas de Elizabeth, às vezes, a velha e doce Elizabeth da época da escola. Ficou mais difícil quando terminei o livro e eu não podia mais visitar nem mesmo Aibileen. Chegamos à conclusão de que era arriscado demais. Sinto falta de ir até a casa dela e, mais do que tudo, de conversar com ela.

A cada poucos dias, falo com Aibileen ao telefone, mas não é o mesmo que conversar ao vivo. *Por favor*, penso quando ela me atualiza sobre o que está acontecendo na cidade, *por favor, faça com que algo de bom resulte disso tudo*. Mas, até agora, nada. Apenas moças fofocando e tratando o livro como um jogo, tentando adivinhar quem é quem, e Hilly acusando as pessoas erradas. Fui eu quem garantiu às empregadas de cor que não seríamos descobertas, e eu sou a responsável por tudo.

O sino da porta da frente tilinta. Olho para lá e quem está entrando são Elizabeth e Lou Anne Templeton. Eu me escondo na seção de cremes de beleza, esperando que não me vejam. Mas então fico na ponta dos pés, para olhar por cima das prateleiras. Estão se dirigindo para o balcão da lanchonete, caminhando juntas que nem meninas em idade escolar. Lou Anne está usando uma blusa de mangas compridas em pleno verão, como sempre, e não larga seu indefectível sorriso. Me pergunto se ela sabe que está no livro.

Elizabeth está com o cabelo todo bufante na frente, e a parte de trás ela cobriu com uma echarpe, a echarpe amarela que eu dei a ela no vigésimo terceiro aniversário. Fico ali em pé um minuto, me permitindo sentir como tudo isso é estranho, observando-as, sabendo o que eu sei. Ela leu até o capítulo dez, Aibileen me contou ontem à noite, e ainda não tem a mais pálida ideia de que está lendo sobre si mesma e sobre as amigas.

— Skeeter? — me chama o sr. Roberts da escada que fica acima do caixa. — O remédio da sua mãe está pronto.

Vou até a parte da frente da loja, e com isso preciso passar por Elizabeth e por Lou Anne, que estão sentadas ao balcão. Elas se mantêm de costas para mim, mas vejo seus olhos no espelho me seguindo. Elas baixam o olhar no mesmo instante.

Pago o remédio e os outros produtos que mamãe pediu, além da maquiagem, e trato de voltar pelo corredor. Enquanto tento escapar para o lado mais distante da loja, Lou Anne Templeton surge de trás da prateleira de escovas de cabelo.

— Skeeter — diz ela. — Você tem um minuto?

Fico ali parada piscando, surpresa. Faz oito meses que ninguém me pede nem mesmo um segundo — o que dirá um minuto.

— Ãhn, claro — digo, desconfiada.

Lou Anne olha para fora da vitrine, e vejo Elizabeth se dirigindo para o seu carro, com um milk-shake na mão. Lou Anne me puxa para mais perto dos xampus e condicionadores.

— A sua mãe, ela continua melhorando, espero? — pergunta Lou Anne. Seu sorriso não é tão escancarado quanto o normal. Ela puxa para baixo as mangas longas do vestido, apesar de uma camada fina de suor cobrir sua testa.

— Ela está bem. Ainda... se recuperando.

— Que bom. — Ela balança a cabeça e ficamos ali, desajeitadas, olhando uma para a outra. Lou Anne respira fundo. — Sei que não conversamos faz tempo, mas — ela baixa a voz — achei que você devia saber o que Hilly anda falando. Ela está dizendo que você escreveu aquele livro... sobre as empregadas.

— Ouvi dizer que esse livro foi escrito anonimamente — é a resposta que dou automaticamente, sem sequer ter certeza se devo fazer de conta que li o livro. Apesar de que todo mundo na cidade está lendo. Todas as três livrarias estão sem nenhum exemplar, e a biblioteca tem uma lista de espera de dois meses.

Ela levanta a mão com a palma virada na minha direção, como um sinal de pare.

— Não quero saber se é verdade ou não. Mas Hilly... — Ela se aproxima mais de mim. — Hilly Holbrook ligou para mim uns dias atrás e disse para eu demitir a minha empregada, Louvenia. — Seu maxilar se tensiona e ela balança a cabeça.

Por favor. Seguro a respiração. *Por favor, não me diga que você a demitiu.*

— Skeeter, a Louvenia... — Lou Anne me olha nos olhos. Diz: — Ela é a única razão que faz eu levantar da cama, certos dias.

Não digo nada. Talvez seja uma armadilha armada por Hilly.

— E tenho certeza de que você vai pensar que sou só uma moça estúpida... que eu concordo com tudo que Hilly diz. — Lágrimas surgem em seus olhos. Os lábios estão tremendo. — Os médicos querem que eu vá para Memphis para um... *tratamento de choque*... — Ela cobre o rosto, mas uma lágrima escapa por entre os dedos. — Por causa da depressão e das... tentativas — sussurra ela.

Olho para baixo, para suas mangas compridas, e me pergunto se é isso que ela esconde. Espero estar enganada, mas me arrepio toda.

— Claro, Henry diz que eu preciso entrar no prumo ou cair fora. — Ela faz mímica de quem está marchando para algum lugar, tenta sorrir, mas o efeito dura pouco, e os lampejos de tristeza voltam logo ao seu rosto.

— Skeeter, a Louvenia é a pessoa mais corajosa que eu conheço. Mesmo com todos os problemas que ela tem, ela se senta e conversa comigo. Ela me ajuda a atravessar os dias. Quando li o que ela escreveu sobre mim, sobre ter ajudado ela e o neto, nunca me senti tão grata em toda a minha vida. Há meses eu não me sentia tão bem.

Não sei o que dizer. Essa é a única coisa boa que ouvi sobre o livro e quero que ela me conte mais. Acho que Aibileen também não ficou sabendo disso. Mas, por outro lado, me preocupo, porque, claramente, Lou Anne sabe.

— Se você, de fato, escreveu o livro, se os rumores de Hilly são verdadeiros, só quero que você saiba que eu nunca vou demitir Louvenia. Eu disse a Hilly que ia pensar a respeito, mas, se Hilly Holbrook algum dia me falar sobre isso de novo, vou dizer na cara dela que ela mereceu aquela torta e muito mais.

— Como é que você... O que faz você pensar que é a Hilly? — *Nossa proteção, nosso seguro se vai, se o segredo da torta vazar.*

— Talvez seja, talvez não. Mas é o que estão dizendo. — Lou Anne balança a cabeça. — Hoje de manhã, ouvi Hilly dizendo a todo mundo que o livro nem é sobre Jackson. Sabe Deus por quê.

Respiro fundo. Sussurro:

— Graças a Deus.

— Bem, Henry vai chegar em casa logo. — Ela coloca a tira da bolsa sobre o ombro e se endireita. O sorriso retorna ao seu rosto, como uma máscara.

Ela se vira na direção da porta, mas me olha de novo enquanto a abre.

— E digo mais: Hilly Holbrook não vai ter o meu voto na eleição para presidente da Liga, em janeiro. Aliás, ela nunca mais vai ter o meu voto.

Nisso ela sai, com o sino da porta batendo logo atrás.

Eu me demoro junto à vitrine. Lá fora, uma chuva fininha começou a cair, molhando os carros reluzentes e tornando o asfalto brilhante. Observo enquanto Lou Anne desaparece no estacionamento, pensando: *Há tanta coisa que não sabemos sobre as pessoas.* Me pergunto se eu poderia ter tornado seus dias um pouco mais fáceis, se eu tivesse tentado. Se eu a tivesse tratado com um pouco mais de gentileza. Não era esse o objetivo do livro, afinal? Que as mulheres se dessem conta de que: *Somos só duas pessoas. Não há tanto assim a nos separar. Nada do que eu havia imaginado.*

Mas Lou Anne, ela entendeu o livro antes mesmo de lê-lo. Quem não estava enxergando as coisas desta vez era eu.

NAQUELA NOITE, liguei quatro vezes para Aibileen, mas sua linha estava sempre ocupada. Desisti e fiquei sentada na despensa durante um tempo, olhando para os vidros de compota de figo que Constantine preparou antes que a figueira morresse. Aibileen me disse que as empregadas conversam o tempo todo sobre o livro e sobre o que está acontecendo. Ela recebe seis ou sete ligações por noite.

Suspiro. É quarta-feira. Amanhã entrego a coluna da sra. Myrna que escrevi há seis semanas. Mais uma vez, acumulei uma dúzia de textos para a coluna, pois não tenho mais nada com que me ocupar. Depois disso, não tenho mais nada em que pensar, exceto preocupações.

Às vezes, quando estou entediada, não posso deixar de pensar em como seria a minha vida se eu não tivesse escrito esse livro. Na segunda-feira, eu teria jogado bridge. E amanhã à noite, eu iria para a reunião da Liga e entregaria o boletim. Então, na sexta-feira à noite, Stuart me levaria para jantar e ficaríamos até tarde na rua e eu estaria cansada ao acordar para o jogo de tênis, no sábado. Cansada e satisfeita e... *frustrada.*

Pois Hilly teria chamado a sua empregada de ladra naquela tarde, e eu simplesmente ficaria quieta, ouvindo tudo. E Elizabeth agarraria o braço da filha de um jeito brusco, e eu desviaria o olhar, faria vista grossa. E eu estaria noiva de Stuart e não usaria vestidos curtos, apenas cabelo curto, e nem consideraria fazer nada arriscado, como escrever um livro sobre empregadas domésticas de cor, com medo demais que ele não aprovasse. E, apesar de que eu jamais mentiria para mim mesma dizendo que mudei de fato a cabeça de gente como Hilly e Elizabeth, pelo menos não preciso mais fingir que concordo com elas.

Saio daquela despensa abafada com um certo sentimento de pânico. Calço minhas sandálias masculinas e caminho noite morna adentro. A noite está iluminada pela lua cheia. Esqueci de verificar a caixa de correspondência hoje, pois sou a única pessoa que faz isso. Eu a abro e lá está um envelope solitário. É da Harper & Row, de modo que deve ser da sra. Stein. Fico surpresa por ela ter enviado algo para cá, já que recebi o contrato do livro em uma caixa postal, por via das dúvidas. Está escuro demais para ler, então enfio o envelope no bolso traseiro da calça jeans.

Em vez de subir pela alameda, corto caminho pelo "pomar", sentindo a grama macia sob os pés, pisando ao redor das peras prematuras que já caíram. É setembro novamente, e aqui estou. Ainda aqui. Até Stuart seguiu em frente. Um artigo publicado há algumas semanas sobre o senador disse que Stuart levou a sua firma de petróleo para Nova Orleans, para poder passar parte do tempo nas plataformas marítimas de novo.

Ouço o barulho de cascalho. Porém, não posso ver o carro que está subindo em direção à nossa casa, pois, por alguma razão, os faróis estão apagados.

VEJO-A ESTACIONAR o Oldsmobile na frente da casa e desligar o motor, mas ela continua lá dentro. As luzes da varanda em frente à casa estão acesas, amarelas e faiscantes de insetos noturnos. Ela está debruçada sobre o volante, como se tentando enxergar quem está em casa.

O que diabos ela quer? Observo por alguns segundos. Então penso: *Vá até ela antes.* Vá até lá, antes que ela faça seja lá o que for que ela está planejando.

Atravesso o quintal com calma. Ela acende um cigarro e joga o fósforo pela janela aberta, na nossa entrada de carros.

Eu me aproximo do carro por trás, e ela não me vê.

— Esperando alguém? — pergunto na janela.

Hilly dá um pulo e deixa o cigarro cair sobre o cascalho. Ela sai esbaforida do carro e fecha a porta com força, recuando alguns passos para longe de mim.

— Não se aproxime mais nem um milímetro — diz ela.

Então, paro onde estou e fico olhando para ela. *Quem* não olharia? Seu cabelo preto está despenteado. Um cacho lá no alto está desarrumado, todo arrepiado. Metade da sua blusa está saindo para fora da saia, sua barriga forçando demais os botões, e dá para ver que ela ganhou peso. E tem... uma ferida. No canto da boca, já seca mas ainda inchada. Não vejo Hilly com uma dessas desde que Johnny brigou com ela, na faculdade.

Ela me examina de cima a baixo.

— O que você é agora, uma hippie ou algo assim? Deus, a pobre da sua mãe deve estar com muita vergonha de você.

— Hilly, o que você está fazendo aqui?

— Vim lhe dizer que falei com o meu advogado, Hibbie Goodman, que vem a ser o especialista número um do estado do Mississippi em causas de difamação e calúnia, e você está em maus lençóis, senhorita. Você vai para a prisão, sabia disso?

— Você não pode provar nada, Hilly. — Já conversei sobre isso com o departamento jurídico da Harper & Row. Fomos muito cuidadosos com o anonimato.

— Bem, eu sei, cem por cento, que foi você quem escreveu, pois não há ninguém tão cafona como você nessa cidade. Fazendo conluio com negras.

É verdadeiramente perturbador pensar que fomos amigas algum dia. Penso em entrar em casa e trancar a porta. Mas tem um envelope na mão dela, e isso me deixa nervosa.

— Sei que tem havido muita fofoca, Hilly, e muitos rumores...

— Oh, essa conversa não me afeta. Todo mundo na cidade sabe que não se trata de Jackson. É alguma cidade que você inventou nessa sua cabecinha doente, e eu também sei quem foi que a ajudou.

Minha mandíbula se cerra. Ela obviamente sabe sobre Minny, e sobre Louvenia, como eu já desconfiava, mas será que ela sabe sobre Aibileen? Ou sobre as outras?

Hilly abana o envelope na minha direção e ele faz barulho.

— Estou aqui para informar à sua mãe o que você *fez*.

— Você vai falar de mim para a minha *mãe*? — Eu rio, mas a verdade é que mamãe não sabe nada a respeito. E quero que continue assim. Ela ficaria mortificada e com vergonha de mim e... baixo os olhos para o envelope. E se isso a deixar doente de novo?

— Pode ter certeza que sim. — Hilly sobe os degraus da casa, a cabeça empinada.

Acelero atrás de Hilly até a porta da frente. Ela a abre e entra como se a casa fosse dela.

— Hilly, não convidei você para entrar — digo, agarrando seu braço. — Saia...

Mas então mamãe aparece, surgindo de algum lugar, e eu a largo.

— Ora, *Hilly* — diz mamãe. Ela está de roupão, e sua bengala ginga enquanto ela caminha. — Há quanto tempo, minha querida.

Hilly pisca várias vezes quando olha para ela. Não sei se Hilly está mais chocada pela aparência da minha mãe, ou vice-versa. O cabelo outrora grosso da minha mãe está branco como a neve, e fino. A mão trêmula sobre a bengala decerto parece a de um esqueleto, para alguém que há tempos não a vê. Mas o pior de tudo: mamãe não tem mais todos os dentes — apenas os da frente. As covas das bochechas são profundas, macabras.

— Sra. Phelan, estou... estou aqui para...

— Hilly, você está doente? Você está com uma cara péssima — diz mamãe.

Hilly passa a língua nos lábios.

— Bem, eu... eu não tive tempo de me arrumar antes de...

Mamãe está balançando a cabeça.

— Hilly, *minha querida*. Nenhum jovem marido quer chegar em casa e ver isso. Olhe só o seu cabelo. E isso... — Mamãe franze o cenho, olhando mais de perto a ferida da herpes. — Isso não é nem um pouco atraente, minha querida.

Não tiro os olhos da carta. Mamãe aponta para mim.

— Vou telefonar para Fanny Mae amanhã mesmo e marcar uma hora para vocês duas.

— Sra. Phelan, isso não é...

— Não precisa me agradecer — diz mamãe. — É o mínimo que posso fazer por você, agora que a sua querida mãe não está por perto para orientá-la. Agora vou para a cama — E mamãe sai manquejando na direção do quarto. — Não fiquem até muito tarde, meninas.

Hilly fica ali parada um segundo, boquiaberta. Finalmente, ela avança até a porta, a escancara e vai embora. A carta ainda está na sua mão.

— Você vai ter uma vida inteira de problemas, Skeeter — sibila ela para mim, a boca tensa como uma mão em punho. — E aquelas suas negras?

— Exatamente a quem você está se referindo, Hilly? — pergunto. — Você não sabe de nada.

— Não sei, é? Aquela Louvenia? Oh, já dei um jeito nela. Lou Anne vai cuidar dela. — O cacho arrepiado no topo da sua cabeça sobe e desce enquanto ela gesticula.

— E diga para aquela Aibileen, na próxima vez que ela quiser escrever sobre a minha querida amiga Elizabeth, sim, senhorita — diz ela, abrindo um sorriso amargo. — Lembra da Elizabeth? Aquela que convidou você para o casamento dela?

Começo a bufar. Ao som do nome de Aibileen, fico com vontade de bater em Hilly.

— Digamos que Aibileen deveria ter sido um pouco mais esperta e não ter mencionado a rachadura em formato de L na mesa da pobre Elizabeth.

Meu coração para. A maldita rachadura. Como é que pude ser tão estúpida a ponto de deixar aquilo passar?

— E não pense que me esqueci de Minny Jackson. Tenho *grandes* planos para essa negra.

— Cuidado, Hilly — digo, entredentes. — É melhor você não se entregar agora. — Pareço muito confiante, mas por dentro estou tremendo, me perguntando que planos são esses.

Seus olhos se abrem num estalo.

— Não fui eu QUEM COMEU AQUELA TORTA!

Ela se vira e sai marchando. Abre a porta do carro bruscamente.

— Diga àquelas negras que é melhor elas ficarem atentas. Que tomem cuidado, pois não perdem por esperar.

MINHAS MÃOS TREMEM enquanto disco o número de Aibileen. Levo o fone até a despensa e fecho a porta. A carta da Harper & Row está aberta na minha outra mão. Parece meia-noite, mas são só oito e meia.

Aibileen atende, e eu despejo tudo de uma vez:

— Hilly veio aqui em casa há pouco e ela *sabe*.

— A dona Hilly? Sabe o quê?

Então, ouço a voz de Minny no fundo:

— Hilly? O que tem a dona Hilly?

— A Minny... tá aqui comigo — diz Aibileen.

— Bem, acho que ela também precisa ouvir o que eu tenho para falar — digo, apesar de desejar que Aibileen pudesse contar a ela mais tarde, sem eu estar junto. Conforme eu relato que Hilly foi até a nossa casa e que entrou fazendo estardalhaço, tenho que esperar enquanto ela repete tudo para Minny. É pior ouvir na voz de Aibileen.

Aibileen volta para o telefone e suspira.

— Foi a rachadura na mesa de jantar de Elizabeth... foi assim que Hilly teve certeza.

— Senhor, aquela *rachadura*. Não acredito que falei nela.

— Não, *eu* deveria ter pego isso. Me desculpe, Aibileen.

— Você acha que a dona Hilly vai contar pra dona Leefolt que eu escrevi sobre ela?

— Ela não pode contar — grita Minny. — Senão ela vai admitir que a cidade é Jackson.

Então me dou conta: como foi bom o plano de Minny.

— Concordo — digo. — Acho que Hilly está morta de medo, Aibileen. Ela não sabe *o que* fazer. Ela disse que ia falar de mim para minha mãe.

Agora que o choque das palavras de Hilly já passou, quase rio à ideia. Essa é a menor das nossas preocupações. Se a minha mãe resistiu ao meu noivado desfeito, ela pode resistir a isso também. Vou simplesmente lidar com o problema quando ele acontecer.

— Acho que não podemos fazer nada a não ser esperar, então — diz Aibileen, mas ela parece nervosa. Provavelmente não é a melhor ideia do mundo contar agora a outra novidade, mas não consigo me conter.

— Eu recebi... uma carta hoje. Da Harper & Row — digo. — Achei que era da sra. Stein, mas não era.

— O que era, então?

— É uma proposta de emprego para trabalhar na *Harper's Magazine*, em Nova York. Como editora de texto assistente. Tenho quase certeza que foi a sra. Stein que conseguiu para mim.

— Isso é ótimo! — diz Aibileen, e então: — Minny, a dona Skeeter recebeu uma proposta pra trabalhar na cidade de Nova York!

— Aibileen, não posso aceitar. Eu só queria contar a você. Eu... — Dou graças aos céus por ter, pelo menos, Aibileen a quem contar.

— Como assim, não pode aceitar? É bem o que você vem sonhando.

— Não posso ir embora agora, quando as coisas estão ficando feias. Não vou deixar você nessa confusão.

— Mas... as coisas ruins vão acontecer estando você aqui ou não.

Deus, só de ouvi-la dizer isso me dá vontade de chorar. Dou um grunhido.

— Não foi isso que eu quis dizer. Nós não sabemos o que vai acontecer. Você precisa aceitar esse trabalho.

Realmente não sei o que fazer, de verdade. Parte de mim acha que eu não deveria nem mesmo ter contado a Aibileen, claro que ela me diria para ir, mas eu precisava contar a alguém. Ouço ela cochichar para Minny:

— Ela disse que não vai aceitar.

De volta ao aparelho, ela diz:

— Não é minha intenção esfregar sal nas suas feridas, mas... você não tem uma vida boa aqui em Jackson. A sua mãe tá melhor e...

Ouço algumas palavras abafadas e o barulho de manuseio do fone e, de repente, é Minny na linha.

— Me ouça bem, dona Skeeter. Eu vou cuidar da Aibileen e ela vai cuidar de mim. Mas você não tem nada aqui a não ser inimigas na Liga Júnior e uma mãe que vai fazer a senhorita começar a beber. Você queimou toda e qualquer ponte. E *nunca* vai conseguir outro namorado nessa cidade, e todo mundo sabe disso. Então, levante essa sua bunda branca e não vá caminhando pra Nova York; *vá correndo*.

Minny desliga o telefone na minha cara, e eu fico sentada, olhando para o fone, mudo, em uma mão, e a carta na outra. *Mesmo?* Penso, na verdade considerando a possibilidade pela primeira vez. *Será que posso mesmo fazer isso?*

Minny está certa, e Aibileen também. Não tenho mais nada aqui a não ser mamãe e papai, e ficar aqui por causa dos meus pais com certeza vai arruinar a nossa relação, mas...

Eu me encosto nas prateleiras e fecho os olhos. Eu vou. Vou para Nova York.

AIBILEEN

CAPÍTULO 34

O SERVIÇO DE PRATA da dona Leefolt ficou com umas manchas engraçadas hoje. Deve ser porque a umidade tá muito alta. Contorno a mesa do clube do bridge, polindo todas as peças de novo, me assegurando que tão todas aqui. O Homenzinho começou a pegar coisas escondido, colheres e moedas e grampos de cabelo. Ele enfia na fralda, pra esconder. Às vezes, trocar fraldas é que nem abrir um tesouro.

O telefone toca, então vou até a cozinha atender.

— Tenho umas notícias — diz Minny, no outro lado da linha.

— O que foi?

— A dona Renfro disse que *sabe* que foi Hilly quem comeu aquela torta. — Minny fala sem rodeios, mas meu coração começa a bater dez vezes mais rápido.

— Senhor, a dona Hilly vai chegar aqui em cinco minutos. É melhor ela apagar rápido esse fogo. — Parece loucura a gente torcer por ela. Confunde a minha cabeça.

— Liguei pra maneta da Ernestine... — Mas, então, Minny fica quieta. A dona Celia deve ter entrado na cozinha.

— Tudo bem, ela já foi embora. Liguei pra maneta da Ernestine e ela disse que a dona Hilly passou o dia todo gritando no telefone. E a dona Clara, ela descobriu sobre a Fanny Amos.

— Demitiu ela? — A dona Clara pagou a faculdade do menino de Fanny Amos, uma das histórias boas.

— Nã-nã. Só ficou ali sentada com a boca aberta e o livro na mão.

— Graças ao Senhor. Me ligue se ficar sabendo de alguma coisa — digo. — Não tem problema se a dona Leefolt atender. Diga a ela que é sobre a minha irmã, que tá doente. — E, Senhor, não me castigue por essa mentira. A última coisa que eu preciso é de uma irmã doente.

Alguns minutos depois da gente desligar, a campainha toca, e eu faço de conta que não ouvi. Tou muito nervosa com a ideia de ver a cara da dona Hilly, depois do que ela disse pra dona Skeeter. Não posso acreditar que escrevi sobre aquela rachadura em formato de L. Saio e vou até o meu banheiro e fico ali, sentada, pensando no que vai acontecer se eu precisar deixar Mae Mobley. Senhor, lhe peço, se eu precisar deixar a Nenezinha, dê pra ela uma pessoa boa. Não deixe ela só com a dona Taylor, dizendo que preto é sujo, e com a vó dela, que lhe arranca obrigados a beliscões, e com a frieza da dona Leefolt. A campainha da casa toca de novo, mas eu fico quieta. Vou fazer isso amanhã, digo a mim mesma. Por precaução, vou dar adeus a Mae Mobley.

QUANDO VOLTO a entrar na casa, ouço todas as madames à mesa, conversando. A voz da dona Hilly é alta. Encosto a orelha na porta da cozinha, morrendo de medo de sair dali.

— ... *não* é sobre Jackson. Esse livro é um lixo, isso é que é. Aposto que foi tudo inventado por alguma negra...

Ouço uma cadeira arranhar o chão e sei que a dona Leefolt tá prestes a vir me chamar. Não posso me demorar mais.

Abro a porta com a jarra de chá gelado na mão. Contorno a mesa, mantendo os olhos nos meus sapatos.

— Ouvi dizer que a personagem chamado Betty pode ser a Charlene — diz a dona Jeanie, com olhos arregalados. Do lado dela, tá a dona Lou Anne, com o olhar perdido, como quem não se importa com isso. Eu gostaria de poder dar um tapinha amigo no ombro dela. Gostaria de poder dizer a ela como tou contente que ela seja a patroa branca de Louvenia sem entregar nada, mas sei que não posso fazer isso. E não posso afirmar nada sobre a dona Leefolt, pois ela tá só franzindo o cenho, como sempre. Mas o rosto da dona Hilly, esse tá roxo como uma ameixa.

— E a empregada do capítulo quatro? — continua a dona Jeanie. — Eu ouvi Sissy Tucker dizer que...

— O livro *não é* sobre Jackson! — meio que grita a dona Hilly, e eu levo um susto enquanto tou servindo. Uma gota de chá cai, por acidente, no prato vazio da dona Hilly. Ela levanta os olhos pra mim e, como um ímã, meus olhos são atraídos pros dela.

Devagar e sem alterar a voz, ela diz:

— Você derramou um pouco, Aibileen.

— Desculpe, eu...

— Limpe.

Tremendo, limpo com o pano que eu tava usando pra segurar a alça da jarra.

Ela tá olhando pra minha cara. Preciso baixar os olhos. Dá pra sentir o segredo, quente, entre nós.

— Pegue um prato limpo para mim. Um que você não tenha sujado com o seu pano imundo.

Pego um prato novo pra ela. Ela estuda o prato, fareja, chega a fazer barulho. Então, ela se vira pra dona Leefolt e diz:

— Não dá nem mesmo para *ensinar* essa gente a ser limpa.

NESSA NOITE, preciso trabalhar até tarde pra dona Leefolt. Enquanto Mae Mobley tá dormindo, pego minha caderneta de rezas e começo a trabalhar na minha lista. Tou tão feliz pela dona Skeeter. Ela me ligou essa manhã e disse que aceitou o emprego. Vai se mudar pra Nova York em uma semana! Mas, Senhor, não consigo parar de pular de susto cada vez que ouço um barulho, pensando que a dona Leefolt vai entrar porta adentro e dizer que sabe de tudo. Quando chego em casa, tou nervosa demais pra ir pra cama. Caminho no breu até a porta dos fundos da casa de Minny. Ela tá sentada à mesa, lendo o jornal. Essa é a única parte do dia em que ela não tá correndo de um lado pro outro pra limpar alguma coisa ou alimentar alguém ou corrigir os modos de alguém. A casa tá tão quieta que desconfio que tem alguma coisa errada.

— Onde tá todo mundo?

Ela dá de ombros:

— Na cama ou no trabalho.

Puxo uma cadeira e me sento.

— Eu só quero saber o que vai acontecer — digo. — Sei que eu devia dar graças a Deus por isso tudo ainda não ter explodido na minha cara, mas essa espera tá me deixando louca.

— Vai acontecer. Logo logo — diz Minny, como quem fala sobre o tipo de café que prefere beber.

— Minny, como você consegue ficar assim tão calma?

Ela olha pra mim e coloca a mão na barriga, que apareceu nas últimas duas semanas.

— Sabe a dona Chotard, pra quem a Willie Mae trabalha? Perguntou ontem pra Willie Mae se trata ela tão mal que nem aquela mulher do livro. — Minny bufa baixinho. — Willie Mae disse que ela ainda pode melhorar, mas que não é das piores.

— Ela perguntou isso mesmo?

— Então, Willie Mae contou pra ela o que as outras patroas tinham feito pra ela, as coisas boas e as coisas más, e a patroa ouviu tudo. Willie May disse que trabalha lá há trinta e sete anos e é a primeira vez que elas sentam na mesa juntas.

Além de Louvenia, essa é a primeira coisa boa que a gente fica sabendo. Tento saborear a notícia. Mas minha cabeça volta logo pro presente.

— E a dona Hilly? E aquilo que a dona Skeeter falou? Minny, você não tá pelo menos um pouco nervosa?

Minny baixa o jornal.

— Olha, Aibileen, não vou mentir. Tenho medo que Leroy me mate, se descobrir. Tenho medo que a dona Hilly ponha fogo na minha casa. Mas — ela balança a cabeça — não consigo explicar direito. Tenho uma sensação. Vai ver as coisas tão acontecendo como devem.

— Mesmo?

Minny sorri.

— Senhor, tou começando a falar que nem você, não tou? Acho que tou ficando velha.

Cutuco ela com o pé. Mas tento entender o raciocínio de Minny. A gente fez uma coisa corajosa e boa. E Minny, talvez ela não queira ser privada das coisas que vêm junto com ser corajosa e boa. Mesmo as coisas ruins. Mas não consigo entender a calma que ela tá sentindo.

Minny volta a olhar pro jornal, mas, depois de um tempo, eu sei que ela não tá lendo. Ela só tá olhando as palavras, pensando noutra coisa. A porta do carro de alguém bate bem pertinho e ela dá um pulo. E então vejo a preocupação que ela tá tentando esconder. Mas por quê?, me pergunto. Por que ela tá escondendo isso de mim?

Quanto mais eu olho, mais começo a entender o que tá se passando aqui, o que Minny fez. Não sei por que só agora tou entendendo isso. Minny fez a gente incluir a história da torta pra nos proteger. Não pra se proteger, mas pra me proteger e também as outras empregadas. Ela sabia que isso só ia piorar as coisas entre ela e Hilly. Mas ela fez, mesmo assim, pelas outras pessoas. Ela não quer que ninguém veja como ela tá assustada.

Eu me inclino na direção dela e aperto a sua mão.

— Você é uma pessoa linda, Minny.

Ela revira os olhos e mostra a língua como se eu tivesse lhe oferecido um prato de biscoitos pra cachorro.

— Eu sabia que você tava ficando senil — diz ela.

A gente ri a valer. Tá tarde e a gente tá cansada, mas ela se levanta e completa a xícara de café e me faz uma xícara de chá e a gente bebe devagar. A gente conversa até bem tarde, noite adentro.

NO DIA SEGUINTE, SÁBADO, tá todo mundo em casa, toda a família Leefolt mais eu. Até o seu Leefolt tá em casa hoje. Meu livro não tá mais na mesinha de cabeceira. Durante algum tempo, não sei onde foi que ela colocou. Então, vejo a bolsa da dona Leefolt no sofá, e o livro tá enfiado lá dentro. Isso significa que ela levou ele pra algum lugar. Dou uma espiada e vejo que o marcador se foi.

Quero olhar nos olhos dela e descobrir o que ela sabe, mas a dona Leefolt passa a maior parte do dia na cozinha, tentando fazer um bolo. Não deixa eu entrar lá pra ajudar. Diz que não é como os meus bolos, que é uma receita chique que tirou da revista *Gourmet*. Ela tá organizando um almoço amanhã pra igreja dela, e a sala de jantar tá atrolhada com coisas pra festa. Ela pegou emprestado três réchauds com a dona Lou Anne e oito jogos do serviço de prata da dona Hilly, pois vão vir quatorze pessoas, e Deus nos livre alguém da igreja usar um garfo comum de metal.

O Homenzinho tá no quarto de Mae Mobley brincando com ela. E o seu Leefolt tá andando pela casa. De tempos em tempos, ele para na porta do quarto da Nenezinha, depois começa a caminhar de novo. Decerto pensa que devia estar brincando com os filhos, já que é sábado, mas acho que ele não sabe como.

Então não tenho muito pra onde ir. São só duas horas, mas já limpei todos os cantos da casa, os banheiros, lavei as roupas. Já passei tudo, menos as rugas da minha cara. Fui expulsa da cozinha, e não gosto que o seu Leefolt pense que só o que eu faço é ficar sentada brincando com as crianças. Até que finalmente também começo a andar de um lado pro outro.

Enquanto o seu Leefolt tá andando pela sala de jantar, vou lá dar uma conferida e vejo que Mae Mobley tá com um papel na mão, ensinando alguma coisa nova pro Ross. Ela adora brincar de escolinha com o irmãozinho.

Vou até a sala de estar, começo a tirar o pó dos livros mais uma vez. Acho que não vou conseguir dar o meu adeus-por-via-das-dúvidas pra ela hoje, com essa multidão em volta.

— Vamos jogar um jogo — ouço Mae Mobley gritar pro irmão. — Agora você fica sentado no canto porque você tá no Woolworf e você é de cor. E você precisa ficar lá de qualquer jeito, senão vai para a cadeia.

Vou até o quarto dela o mais rápido possível, mas o seu Leefolt já tá lá, olhando da porta. Fico atrás dele.

O seu Leefolt cruza os braços por cima da camisa branca. Inclina a cabeça pra um lado. Meu coração tá batendo a mil quilômetros por hora. Nunca, nenhuma vez, ouvi Mae Mobley falar das nossas histórias secretas pra ninguém a não ser pra mim. E isso quando a mãe dela não tá em casa e não tem ninguém na casa pra ouvir. Mas ela tá tão concentrada no que tá fazendo que nem vê que o pai tá ouvindo.

— Entendeu? — diz Mae Mobley e leva seu corpinho rechonchudo até a cadeira. — Ross, você precisa ficar aí no balcão do Woolworf. Nada de se levantar.

Quero falar, mas não consigo fazer nada sair da minha boca. Mae Mobley anda na ponta dos pés atrás de Ross, derrama uma caixa de lápis de cera em cima da cabeça dele, e os lápis caem fazendo barulho. O Homenzinho faz cara feia, mas ela olha séria pra ele e diz:

— Você não pode se mexer. Seja corajoso. E nada de reclamar.

Então ela mostra a língua pra ele e começa a cutucar ele com os sapatos da boneca, e o Homenzinho olha pra ela como quem diz *Por que estou metido nessa maluquice?* e desce da cadeira com um gemido.

— Você perdeu! — diz ela. — Agora vem cá, vamos brincar de no-fundo-do-ônibus. Seu nome é Rosa Parks.

— Quem lhe ensinou essas coisas, Mae Mobley? — pergunta o seu Leefolt, e a Nenezinha gira a cabeça com olhos de quem viu um fantasma.

Sinto até meus ossos amolecerem. Tudo me diz: entre no quarto. Faça com que ela não se meta em apuros, mas mal consigo respirar, que dirá fazer alguma coisa. A Nenezinha olha direto pra mim, atrás do pai, e o seu Leefolt se vira e me vê, então volta de novo pra ela.

Mae Mobley fica olhando pro pai.

— Não sei. — Ela olha então pro tabuleiro de um jogo que tá caído no chão, como se pudesse voltar a jogá-lo. Já vi ela fazer isso, eu sei o que ela tá pensando. Tá pensando que, se ela se ocupar com outra coisa e ignorar ele, talvez ele simplesmente vá embora.

— Mae Mobley, seu pai lhe fez uma pergunta. Onde foi que você aprendeu essas coisas? — Ele se abaixa até ela. Não posso ver o rosto dele, mas sei que ele tá sorrindo, pois Mae Mobley tá toda envergonhada: todas as nenezinhas amam os seus pais. E então ela diz alto e bom tom:

— *A srta. Taylor ensinou.*

Seu Leefolt se levanta. Vai até a cozinha, comigo atrás. Ele vira a dona Leefolt pelo cotovelo e diz:

— Amanhã. Você vai até aquela escola e coloque Mae Mobley em outra turma. Não quero mais saber de srta. Taylor.

— O quê? Eu não posso simplesmente ir lá e mudar a professora dela...

Prendo a respiração e peço: *Sim, a senhora pode. Por favor.*

— Dê um jeito. — E, como fazem os homens, o seu Raleigh Leefolt sai porta afora, pra algum lugar onde ele não precisa dar satisfação pra ninguém.

TODO O DIA DE DOMINGO, não paro de agradecer a Deus por livrar a Nenezinha da srta. Taylor. *Obrigada, Deus, obrigada, Deus, obrigada, Deus* ressoa na minha cabeça como um canto. Na segunda de manhã, a dona

Leefolt vai na escola de Mae Mobley, toda arrumada, e não tenho como não sorrir, sabendo o que ela vai fazer.

Enquanto a dona Leefolt tá fora, eu trabalho na prataria da dona Hilly. A dona Leefolt tinha colocado tudo na mesa da cozinha, depois do almoço de ontem. Eu lavo e passo a próxima hora polindo as peças, me perguntando como a maneta da Ernestine faz. Polir um serviço Grand Barroque com todos esses laços e curvas é um trabalho pra dois braços.

Quando a dona Leefolt volta, ela coloca a bolsa sobre a mesa e faz *tsc, tsc.*

— Oh, eu queria ter devolvido essa prataria agora de manhã, mas precisei ir à escola de Mae Mobley e eu sei que ela vai ficar gripada porque ela passou a manhã toda espirrando e já são quase dez horas...

— Mae Mobley tá ficando doente?

— Provavelmente. — A dona Leefolt revira os olhos. — Oh, estou atrasada para o cabeleireiro. Quando terminar de polir, leve essa prataria até a casa de Hilly para mim. Volto depois do almoço.

Quando termino, enrolo toda a prataria da dona Hilly numa toalha azul. Tiro o Homenzinho da cama. Ele acabou de acordar da soneca, pisca pra mim e sorri.

— Vamos lá, Homenzinho, vamos trocar a fralda. — Coloco ele sobre o trocador e tiro a fralda molhada, e, Deus Todo-Poderoso, não é que tem três pedaços do jogo de montar e um grampo da dona Leefolt ali? Graças ao Senhor era só uma fralda molhada, e com nada mais.

— Menino — rio —, você é como o Fort Knox. — Ele sorri e dá gargalhada. Ele aponta pro berço e eu vou até lá e vasculho o cobertor e, é claro, encontro um bobe de cabelo, uma colher-medida e um guardanapo de mesa. Senhor, a gente vai ter que fazer alguma coisa a respeito. Mas não agora. Preciso ir até a casa da dona Hilly.

Coloco o Homenzinho no carrinho e empurro ele pela rua até a casa da dona Hilly. Tá quente, e ensolarado, e silencioso. A gente sobe a entrada da casa e Ernestine abre a porta. Ela tem um cotoquinho magricela e marrom que tá espiando pela manga esquerda. Não conheço ela bem, só sei que gosta de falar. Ela vai à igreja metodista.

— Oi, Aibileen — diz ela.

— Oi, Ernestine, você deve ter visto eu me aproximando.

Ela faz que sim e olha pra baixo, pro Homenzinho. Ele tá olhando pra aquele cotoco, parece que tá com medo dele.

— Eu vim aqui antes que ela viesse — sussurra Ernestine e então ela continua: —, acho que você ficou sabendo.

— Sabendo do quê?

Ernestine olha pra trás, depois se inclina pra perto de mim.

— A patroa de Flora Lou, dona Hester? Ela aprontou com Flora Lou essa manhã.

— Demitiu ela? — Flora Lou tinha umas histórias muito ruins pra contar. Tava furiosa. A dona Hester, que todo mundo acha muito simpática, dava a Flora um sabonete "especial pras mãos" todas as manhãs. Acontece que era alvejante puro. Flora me mostrou a cicatriz da queimadura.

Ernestine balança a cabeça.

— A dona Hester pegou o livro e começou a gritar, "Essa sou eu? Sou eu, essa sobre quem você escreveu?", e Flora disse, "Não, madame, não escrevi livro nenhum. Nem terminei a quinta série", mas a dona Hester teve um ataque, não parava de gritar, "Eu não sabia que Clorox queimava a pele, eu não sabia que o salário mínimo era um dólar e vinte e cinco centavos. Se Hilly não estivesse dizendo a todo mundo que não é sobre Jackson, eu demitiria você tão rápido que você ia ficar tonta", então Flora Lou disse: "A senhora quer dizer que não tou demitida?", e a dona Hester começou a gritar, "Demitida? Não posso demitir você, senão as pessoas *vão saber* que eu sou o Capítulo Dez. Você vai ter que trabalhar aqui o resto da sua vida." E então a dona Hester deitou a cabeça na mesa e mandou Flora Lou terminar de lavar os pratos.

— Senhor — digo, tonta. — Espero... que todas acabem bem desse jeito.

Lá nos fundos da casa, dona Hilly grita o nome de Ernestine.

— É melhor não contar com isso — fala baixinho Ernestine.

Entrego a ela o pacote pesado de tecido, cheio de talheres de prata. Ela estende a mão boa pra pegar e, acho que por hábito, o cotoco também avança.

NAQUELA NOITE, tem uma tempestade terrível. Trovões caem, e eu tou na mesa da cozinha, suando. Tou tremendo, tentando escrever as minhas rezas. Flora Lou teve sorte, mas o que vai acontecer a seguir? É demais, não saber e se preocupar e...

Pam, pam, pam. Alguém tá batendo na porta da frente.

Quem é? Me endireito na cadeira. O relógio em cima do fogão marca oito e trinta e cinco. Lá fora, a chuva não para de cair. Qualquer pessoa que me conhecesse bem usaria a porta dos fundos.

Vou até a porta da frente na ponta dos pés. Batem de novo, e eu quase pulo pra fora dos sapatos.

— Quem... quem é? — pergunto. Me certifico que a tranca tá fechada.

— Sou *eu*.

Senhor. Respiro aliviada e abro a porta da frente. Lá tá a dona Skeeter, molhada e tremendo. Sua bolsona vermelha tá embaixo da capa de chuva.

— Deus misericordioso...

— Não consegui chegar até a porta dos fundos. O jardim tá todo cheio de lama, e não consegui passar.

Ela tá de pés descalços, segurando os sapatos enlameados na mão. Fecho a porta rápido atrás dela.

— Ninguém viu você, viu?

— Não dá para ver nada aí fora. Eu teria ligado antes, mas o telefone não está funcionando, por causa da tempestade.

Sei que algo deve ter acontecido, mas tou feliz demais em ver o rostinho dela antes dela ir embora pra Nova York. A gente não se vê ao vivo há seis meses. Abraço ela bem forte.

— Senhor, deixa eu ver o seu cabelo. — A dona Skeeter abaixa o capuz e sacode o cabelo longo, que passa dos ombros.

— Tá lindo — digo, e é verdade.

Ela sorri um pouco constrangida e coloca a bolsa no chão.

— A minha mãe detestou.

Eu rio e respiro fundo, tentando me preparar pra seja lá o que for de ruim que ela tem a me dizer.

— As lojas estão pedindo mais livros, Aibileen. A sra. Stein ligou hoje à tarde. — Ela pega nas minhas mãos. — Eles vão fazer outra tiragem. Mais cinco *mil* exemplares.

Olho pra ela.

— Eu não... eu nem sabia que eles podiam fazer isso — digo, e tapo a boca. Nosso livro tá em cinco mil casas, nas prateleiras, nas mesinhas de cabeceira, atrás dos vasos sanitários?

— Vai ter mais dinheiro. Pelo menos cem dólares para cada uma de vocês. E quem sabe? Talvez tenha mais! E tem mais outra coisa. — A dona Skeeter olha pra bolsa. — Fui até a redação do jornal na sexta-feira e me demiti da coluna da sra. Myrna. — Ela respira fundo. — E eu disse ao sr. Golden que achava que a próxima sra. Myrna deveria ser você.

— *Eu*?

— Contei a ele que você vinha me dando as respostas, desde o início. Ele disse que ia pensar e hoje ele me ligou e disse que sim, desde que você não conte a ninguém e escreva as respostas bem como as da sra. Myrna.

Ela puxa um caderno forrado de tecido azul da bolsa e entrega pra mim.

— Ele disse que vai lhe pagar o mesmo que me pagava: dez dólares por semana.

Eu? Trabalhando pra um jornal branco? Eu me sento no sofá e abro o caderno, vejo todas as cartas e os artigos que já foram publicados. A dona Skeeter senta do meu lado.

— Obrigada, dona Skeeter. Por isso, *por tudo*.

Ela sorri e respira fundo, como que combatendo as lágrimas.

— Não posso acreditar que amanhã você vai ser uma nova-iorquina — digo.

— Na verdade, vou para Chicago primeiro. Só por uma noite. Quero visitar Constantine, seu túmulo.

Aceno a cabeça, concordando.

— Fico feliz.

— Mamãe me mostrou o obituário. É logo saindo da cidade. E na manhã seguinte vou para Nova York.

— Diga a ela que Aibileen manda um abraço.

Ela ri.

— Estou tão nervosa. Nunca fui para Chicago, nem para Nova York. Nunca nem andei de avião antes.

Ficamos ali sentadas um momento, ouvindo a tempestade. Penso na primeira vez em que a dona Skeeter veio até a minha casa, como ela tava atrapalhada. Agora parece que a gente é da mesma família.

— Você está com medo, Aibileen? — pergunta ela. — Do que pode vir a acontecer?

Eu me viro, pra ela não ver o meu rosto:

— Tou bem.

— Às vezes, não tenho certeza de que valeu a pena. Se alguma coisa acontecer com você... como é que eu vou viver com isso, sabendo que foi por culpa minha? — Ela pressiona as mãos contra os olhos, como se não quisesse ver o que vai acontecer.

Vou até o meu quarto e trago o pacote do reverendo Johnson. Ela tira o papel e olha o livro, olha pra todas as assinaturas nele.

— Eu ia mandar pra você em Nova York, mas acho que você precisa ficar com ele agora.

— Eu não... entendo — diz ela. — Isso é para mim?

— Sim, senhorita. — Então dou o recado do reverendo, de que ela é parte da nossa família. — Você precisa se lembrar: cada uma dessas assinaturas quer dizer que valeu a pena. — Ela lê os agradecimentos, as pequenas coisinhas que as pessoas escreveram, passa os dedos sobre a tinta. Lágrimas enchem os seus olhos.

— Acho que Constantine ia ficar muito orgulhosa de você.

A dona Skeeter sorri e eu vejo como ela é *jovem*. Depois de tudo que a gente escreveu e das horas que a gente passou cansada, preocupada, há muito, muito tempo eu não percebia a menina que ela ainda é.

— Tem certeza de que está tudo bem? Se eu deixar você aqui, com tudo tão...

— Vá pra Nova York, dona Skeeter. Vá viver a sua vida.

Ela sorri, piscando pra se livrar das lágrimas, e diz:

— *Obrigada.*

NAQUELA NOITE, fico deitada na cama, pensando. Tou tão feliz pela dona Skeeter. Ela tá recomeçando a vida. Lágrimas escorrem pelo meu rosto até as minhas orelhas, enquanto penso nela caminhando pelas avenidas da cidade grande que eu vi na tevê, com o cabelo longo ao vento. Parte de mim queria que eu também pudesse começar de novo. O artigo sobre limpeza, isso é novidade. Mas não sou mais jovem. Minha vida tá quase no fim.

Quanto mais tento dormir, mais sei que vou passar a maior parte da noite acordada. É como se eu conseguisse ouvir o burburinho em toda a cidade, das pessoas falando sobre o livro. Como é que alguém consegue dormir, com todas essas abelhas zunindo? Penso em Flora Lou, sobre como, se Hilly não tivesse contando pra todo mundo que o livro não é sobre Jackson, a dona Hester teria demitido ela. Oh, Minny, penso. Você fez uma coisa muito boa. Tá cuidando de todo mundo, menos de você mesma. Eu queria poder proteger você.

Parece que a dona Hilly tá em frangalhos, se segurando por um fio. Todos os dias outra pessoa diz que sabe que foi ela quem comeu a torta, e a dona Hilly se debate ainda mais. Pela primeira vez na minha vida, tou realmente me perguntando quem é que vai ganhar essa briga. Antes, eu diria que ia ser a dona Hilly, mas agora não sei. Dessa vez, talvez a dona Hilly perca.

Consigo dormir algumas horas, antes do sol nascer. É engraçado, mas quase não tou cansada quando me levanto, às seis horas. Coloco meu uniforme limpo, que lavei na banheira na noite passada. Na cozinha, bebo um grande copo de água da torneira. Apago a luz da cozinha e me dirijo pra porta, e o meu telefone toca. Senhor, ainda é cedo pra isso.

Atendo o telefone e ouço um *lamento*.

— Minny? É você? O que...

— Demitiram o Leroy na noite passada! E quando Leroy perguntou por quê, o chefe dele disse que o seu William *Holbrook* mandou. Holbrook disse pra ele que a *negra* da mulher do Leroy é a razão, e o Leroy chegou em casa e tentou me matar com as próprias mãos! — Minny arqueja e arfa. — Ele jogou as crianças no quintal e me trancou no banheiro e disse que ia pôr fogo na casa comigo trancada lá dentro!

Senhor, tá *acontecendo*. Tapo a boca e me sinto cair naquele buraco negro que a gente cavou pra gente mesma. Todas essas semanas ouvindo Minny, parecendo tão confiante, e agora...

— Aquela *bruxa* — grita Minny. — Ele vai me matar por causa dela.

— Onde você tá agora, Minny, onde tão as crianças?

— No posto de gasolina, vim correndo até aqui de pés descalços! As crianças foram pro vizinho... — Ela tá respirando com dificuldade e soluçando e resmungando. — Octavia tá vindo nos buscar. Disse que vai dirigir o mais rápido que puder.

Octavia mora em Canton, vinte minutos ao norte da casa da dona Celia.

— Minny, vou correndo até aí agora...

— Não desliga, por favor. Só fica no telefone comigo até ela chegar aqui.

— Você tá bem? Tá machucada?

— Não aguento mais, Aibileen. Não posso mais... — Ela cai no choro no telefone.

É a primeira vez que ouço Minny dizer isso. Respiro fundo, sabendo o que eu tenho que fazer. As palavras tão límpidas na minha cabeça e *agora nesse instante* é a minha única chance de que ela me ouça pra valer, parada de pés descalços e na pior, no telefone do posto de gasolina.

— Minny, me escute. Você nunca vai perder o emprego com a dona Celia. O seu Johnny mesmo disse isso a você. E vai ter mais dinheiro do livro, a dona Skeeter descobriu ontem. Minny, me ouça quando eu digo: *Você não precisa mais apanhar do Leroy.*

Minny sufoca um soluço.

— Tá na hora, Minny. Tá me ouvindo? Você é *livre.*

Bem devagar, o choro de Minny se acalma. Até que ela fica em completo silêncio. Se eu não ouvisse a respiração dela, ia pensar que ela tinha desligado o telefone. *Por favor, Minny*, penso. *Por favor, aproveite essa chance e caia fora.*

Ela respira fundo, uma respiração entrecortada. Diz:

— Tou ouvindo o que você tá falando, Aibileen.

— Deixa eu ir até o posto de gasolina e esperar com você. Eu aviso a dona Leefolt que vou me atrasar.

— Não — diz ela. — A minha irmã... vai chegar logo. A gente vai passar a noite com ela.

— Minny, vai ser só essa noite ou...

Ela dá um suspiro longo no telefone.

— Não — diz ela. — Não posso. Já aguentei isso *tempo demais.* — E começo a ouvir Minny Jackson voltar a ser ela mesma. Sua voz tá tremendo, sei que ela tá assustada, mas ela diz: — Deus o ajude, mas o Leroy não sabe *no que* Minny Jackson tá prestes a se transformar.

Meu coração pula.

— Minny, você não pode matar ele. Senão você vai pra cadeia, exatamente onde a dona Hilly quer você.

Senhor, o silêncio que segue é longo, terrível.

— Não vou matar ele, Aibileen. Prometo. A gente vai ficar com a Octavia até encontrar outro lugar.

Respiro aliviada.

— Ela chegou — diz Minny. — Ligo pra você de noite.

QUANDO CHEGO NA dona Leefolt, a casa tá em silêncio. Imagino que o Homenzinho ainda tá dormindo. Mae Mobley já foi pra escola. Deixo a minha bolsa na lavanderia. A porta vaivém que dá pra sala de jantar tá fechada, e a cozinha é um cômodo tranquilo e fresco.

Ligo a cafeteira e rezo por Minny. Ela pode ficar na casa de Octavia durante um tempo. Octavia tem uma casa de campo grande, pelo que Minny me falou. Minny vai ficar mais perto do trabalho, mas é longe das escolas das crianças. Ainda assim, o importante é: Minny tá longe do Leroy. Nunca, nem uma vez, ouvi ela dizer que ia deixar o Leroy, e Minny não diz as coisas duas vezes. Quando ela faz as coisas, faz na primeira vez.

Preparo uma mamadeira pro Homenzinho e respiro fundo. Parece que o meu dia já tá no fim, mas são só oito da manhã. Só que ainda não tou cansada. Não sei por quê.

Empurro a porta vaivém. E lá tão a dona Leefolt e a dona Hilly sentadas na mesa da sala de jantar, uma do lado da outra, me olhando. Por um segundo, fico ali, segurando a mamadeira. A dona Leefolt ainda tá com bobes no cabelo, com o robe azul bordado. Mas a dona Hilly tá toda arrumada, num conjunto de calça e blusa xadrez azul. Aquela herpes nojenta ainda tá no lado da boca.

— Bom dia — digo, e começo a me dirigir pro fundo da casa, pros quartos.

— Ross ainda está dormindo — diz a dona Hilly. — Não tem necessidade de você ir até lá.

Paro onde tou e olho pra dona Leefolt, mas ela tá olhando pra estranha rachadura em formato de L na mesa de jantar.

— Aibileen — diz a dona Hilly, e lambe os beiços. — Quando você devolveu os meus talheres de prata ontem, estavam faltando três peças, naquele pacote de feltro. Um garfo de prata e duas colheres de prata.

Respiro fundo.

— Eu... eu vou olhar na cozinha, talvez eu tenha esquecido algum. — Olho pra dona Leefolt, pra ver se é isso que ela quer que eu faça, mas ela não tira os olhos daquela rachadura. Um arrepio percorre o meu pescoço.

— Você sabe tão bem quanto eu que esses talheres não estão na cozinha, Aibileen — diz a dona Hilly.

— Dona Leefolt, a senhora olhou na cama do Ross? Ele anda pegando coisas e enfiando na...

A dona Hilly dá um riso irônico bem alto.

— Está ouvindo o que ela diz, Elizabeth? Está tentando pôr a culpa num bebê.

Minha cabeça se acelera, tou tentando lembrar se contei os talheres antes de guardar eles no feltro. Acho que contei. Eu sempre conto. Senhor, por favor, me diga que ela não tá dizendo o que eu acho que ela tá dizendo...

— Dona Leefolt, a senhora já olhou na cozinha? Ou no armário dos talheres? Dona Leefolt?

Mas ela continua sem olhar pra mim, e eu não sei o que fazer. Não sei, ainda, a gravidade disso tudo. Talvez o problema não seja os talheres de prata, talvez o problema seja a dona Leefolt e o *capítulo dois*...

— Aibileen — diz a dona Hilly —, você pode me devolver aqueles talheres hoje, senão Elizabeth vai prestar queixa na polícia?

A dona Leefolt olha pra dona Hilly e respira fundo, como quem tá surpresa. E me pergunto de quem foi a ideia disso tudo, se das duas ou se só da dona Hilly?

— Não roubei nenhum talher de prata, dona Leefolt — digo, mas só o som das palavras já me dá vontade de sair correndo.

A dona Leefolt fala baixinho:

— Ela está dizendo que não estão com ela, Hilly.

A dona Hilly faz que nem ouviu. Ela levanta as sobrancelhas pra mim e diz:

— Então, cabe a mim informá-la que você está demitida, Aibileen — diz a dona Hilly, com escárnio. — Vou ligar para a polícia. Eles me conhecem.

— Maa-mãããã — grita o Homenzinho lá do berço, nos fundos. A dona Leefolt olha naquela direção, por cima do ombro, depois pra a dona Hilly, como se não tivesse certeza do que fazer. Acho que só agora ela tá pensando em como vai ser se ela não tiver mais uma empregada.

— *Aaai-beee* — chama o Homenzinho, começando a chorar.

— Aai-bee — grita outra vozinha de criança, e então me dou conta de que *Mae Mobley tá em casa*. Não deve ter ido pra escola hoje. Coloco a mão espalmada sobre o peito, com força. *Senhor, por favor, não deixe ela ver isso. Não deixe ela ouvir o que a dona Hilly tá falando de mim*. Mais adiante no corredor, a porta se abre e Mae Mobley aparece. Ela pisca pra nós e tosse.

— Aibee, a minha garganta tá doendo.

— Eu... eu já vou, nenê.

Mae Mobley tosse de novo, e a coisa parece feia, como um latido de cachorro, e começo a me dirigir pro corredor, mas a dona Hilly diz:

— Aibileen, fique onde está, Elizabeth pode cuidar das crianças.

A dona Leefolt olha pra dona Hilly com ar de quem diz: *Eu preciso mesmo?* Mas então ela se levanta e caminha lentamente pelo corredor. Ela leva Mae Mobley pro quarto do Homenzinho e fecha a porta. Só sobrou nós duas agora: eu e a dona Hilly.

Ela se reclina na cadeira e diz:

— Não vou tolerar gente mentirosa.

Minha cabeça parece que tá mergulhada em água. Quero me sentar.

— Não roubei prataria nenhuma, dona Hilly.

— Não estou falando da prataria — diz ela, se inclinando pra frente. Ela tá sussurrando, pra dona Leefolt não ouvir. — Estou falando daquelas coisas que você escreveu sobre Elizabeth. Ela não faz ideia de que o capítulo dois é sobre ela, e eu sou uma amiga boa demais para contar. E talvez eu não possa mandar você à prisão pelo que você escreveu, mas posso mandá-la para a cadeia por ser uma ladra.

Eu não vou pra penitenciária nenhuma. *Não vou* é só o que consigo pensar.

— E a sua amiga, Minny? Uma surpresinha está sendo preparada para ela. Vou ligar para Johnny Foote e dizer que ele precisa demiti-la imediatamente.

O cômodo tá ficando fora de foco. Minha cabeça treme, e os meus punhos se apertam ainda mais.

— Eu sou bem íntima de Johnny Foote. Ele ouve o que eu...

— Dona *Hilly* — digo, em alto e bom som. Ela para. Aposto que faz uns dez anos que a dona Hilly não é interrompida.

Digo:

— Eu sei uma coisa sobre a senhora, não se esqueça disso.

Ela aperta os olhos na minha direção. Mas não diz nada.

— E, pelo que ouço dizer por aí, na cadeia as pessoas têm bastante tempo pra escrever um monte de cartas. — Tou tremendo. Meu hálito parece fogo. — Tempo pra escrever pra todas as pessoas de Jackson contando a verdade sobre a senhora. Tempo de sobra, e o papel é grátis.

— Ninguém acreditaria em algo escrito por você, crioula.

— Não sei, não. Já me disseram que eu escrevo muito bem.

Ela estica a língua pra fora, pra cutucar a ferida. Então ela para de me encarar e olha pra baixo.

Antes dela poder dizer qualquer outra coisa, a porta se abre lá no fundo do corredor. Mae Mobley sai correndo de camisola e para na minha frente. Ela tá soluçando e chorando, e o seu narizinho tá vermelho como uma rosa. A mãe deve ter dito a ela que tou indo embora.

Deus, eu peço, *me diga que ela não repetiu as mentiras da dona Hilly.*

A Nenezinha se agarra na saia do meu uniforme e não larga. Toco a sua testa e ela tá queimando de febre.

— Nenê, você precisa voltar pra cama.

— Nããão. — Ela chora. — Não vai embora, Aibee.

A dona Leefolt sai do quarto, com o cenho franzido, segurando o Homenzinho no colo.

— Aibee! — grita ele, sorrindo.

— Oi... Homenzinho — sussurro. Dou graças a Deus por ele não entender o que tá se passando. — Dona Leefolt, deixa eu levar ela até a cozinha pra tomar um remédio. A febre tá muito alta.

A dona Leefolt lança um olhar pra dona Hilly, que só fica sentada e quieta, com os braços cruzados.

— Está bem, faça isso — diz a dona Leefolt.

Pego a mãozinha quente da Nenezinha e levo ela até a cozinha. Ela tosse como um cachorro de novo, e eu pego a aspirina infantil e o xarope contra gripe. Só de ficar ali comigo, ela já se acalmou um pouco, mas as lágrimas ainda tão escorrendo pelo seu rostinho.

Coloco ela sentada em cima da bancada e esmago um comprimidinho rosa, misturo com um pouco de purê de maçã e lhe dou a colherada. Ela engole tudo, e eu vejo que dói. Aliso o seu cabelo pra trás. Aquelas mechas que ela cortou com a tesoura de papel tão crescendo de novo, tudo arrepiado. A dona Leefolt mal consegue olhar pra ela, ultimamente.

— Por favor, não vá embora, Aibee — diz ela, começando a chorar de novo.

— Eu preciso, Nenê. Sinto muito. — E é aí que eu começo a chorar. Não quero chorar, só vai piorar as coisas pra ela, mas não consigo parar.

— Por quê? Por que você não quer mais me ver? Você vai cuidar de outra menininha? — A testinha dela tá toda franzida, que nem quando a mãe xinga ela. Senhor, sinto como se meu coração fosse sangrar até morrer.

Pego seu rostinho nas minhas mãos, sentindo o calor assustador que emana das suas bochechas.

— Não, nenê, não é por causa disso. Não quero deixar você, mas... — Como eu explico isso? Não posso dizer a ela que fui demitida, não quero que ela ponha a culpa na mãe e piore tudo entre elas. — Tá na hora de eu me aposentar. Você é a minha última menininha — digo, pois essa é a verdade, mas não pela minha vontade.

Deixo ela chorar um pouquinho contra o meu peito e então pego seu rosto nas minhas mãos de novo. Respiro fundo e digo pra ela fazer o mesmo.

— Nenezinha — digo. — Preciso que você se lembre de tudo que eu falei. Você lembra do que eu disse?

Ela continua chorando num ritmo inalterado, mas os soluços se foram.

— Pra limpar bem o bumbum depois de fazer cocô?

— Não, nenê, a outra coisa. Sobre quem você é.

Olho bem dentro dos seus vivos olhos marrons e ela olha nos meus. Senhor, ela tem olhos de alma velha, como se já tivesse vivido mil anos. E juro que vejo, lá no fundo, a mulher que ela vai ser quando crescer. Um clarão do futuro. Ela é alta e elegante. Tem orgulho de si. Tá com um corte de cabelo mais bonito. E ela *lembra* das palavras que eu coloquei na sua cabeça. Lembra, como uma mulher adulta.

E então ela diz, exatamente como eu preciso ver ela fazer:

— Você é boa — diz ela —, você é esperta. Você é importante.

— Oh, *Senhor.* — Eu abraço o corpinho quente contra o meu. É como se ela tivesse acabado de me dar um presente. — Obrigada, Nenezinha.

— De nada — diz ela, como eu ensinei. Mas então ela deita a cabecinha no meu ombro e a gente chora durante um tempo, até a dona Leefolt entrar na cozinha.

— Aibileen — fala a dona Leefolt, bem baixinho.

— Dona Leefolt, a senhora tem... certeza que é isso o que a senhora... — A dona Hilly entra atrás dela e olha direto pra mim. A dona Leefolt acena a cabeça afirmativamente, parecendo cheia de culpa.

— Sinto muito, Aibileen. Hilly, se você quiser... prestar queixa, você é que sabe.

A dona Hilly funga o nariz na minha direção e diz:

— Meu tempo vale mais que isso.

A dona Leefolt suspira, como quem tá aliviada. Por um segundo, nossos olhos se encontram e vejo que a dona Hilly tinha razão. A dona Leefolt não faz ideia de que o capítulo dois é sobre ela. Mesmo se tivesse uma pista, ela nunca admitiria pra si mesma que aquela lá é ela.

Afasto Mae Mobley de mim com carinho e ela me olha, depois olha pra mãe, com os olhos sonolentos, febris. Parece que ela tá temendo os próximos quinze anos da sua vida, mas ela suspira, como se tivesse cansada demais pra pensar nisso. Coloco ela no chão, em pé, e dou um beijo na testa dela, mas então ela estende os braços na minha direção de novo. Sou obrigada a recuar.

Vou até a lavanderia, pego o meu casaco e a minha bolsa.

Saio pela porta dos fundos, ouvindo o som terrível de Mae Mobley chorando de novo. Começo a descer o caminho até a rua, também chorando, sabendo como vou sentir falta de Mae Mobley, pedindo a Deus que a mãe possa amar ela mais. Mas, ao mesmo tempo, sentindo que, de certa forma, eu tou livre, como Minny. Mais livre do que a dona Leefolt, que tá tão presa dentro da própria cabeça que nem mesmo se reconhece ao ler sobre a sua pessoa. E mais livre do que a dona Hilly. Aquela mulher vai passar o resto da vida tentando convencer as pessoas que não comeu aquela torta. Penso em Yule May sentada na prisão. Pois a dona Hilly, ela tá na sua própria prisão, só que com uma sentença perpétua, pra vida toda.

Eu me dirijo à calçada, já quente às oito e meia da manhã, me perguntando o que vou fazer com o resto do meu dia. Com o resto da minha vida. Tou tremendo e chorando, e uma mulher branca passa por mim e faz cara feia. O jornal vai me pagar dez dólares por semana, e tem também o dinheiro do livro, e mais um pouco que vai entrar. Ainda assim, não é o suficiente pra eu viver disso pelo resto da minha vida. Não vou conseguir outro emprego como empregada, não com a dona Leefolt e a dona Hilly me chamando de ladra. Mae Mobley foi o meu último nenê branco. E acabei de comprar esse uniforme novo.

O sol tá brilhando, mas meus olhos tão bem abertos. Eu me posto na parada de ônibus como tenho feito há quarenta e tantos anos. Em trinta minutos, toda a minha vida... se foi. Talvez eu deva continuar escrevendo, não só pro jornal, mas alguma outra coisa, sobre todas as pessoas que eu conheço e as coisas que eu vi e que eu fiz. Talvez eu não seja velha demais pra recomeçar, penso e rio e choro ao mesmo tempo, com esse pensamento. Porque, ainda na noite passada, pensei que nunca mais ia existir nada de novo na minha vida.

AGRADECIMENTOS

Obrigada a Amy Einhorn, minha editora, sem a qual o ramo de post-it não seria o sucesso que é hoje. Amy, você é muito sábia. Tenho realmente muita sorte por ter trabalhado com você.

Obrigada a: minha agente, Susan Ramer, por se arriscar e ser tão paciente comigo; Alexandra Shelley, por sua tenaz edição de texto e por seus conselhos diligentes; ao The Jane Street Workshop, por serem escritoras tão talentosas; Ruth Stockett, Tate Taylor, Brunson Green, Laura Foote, Octavia Spencer, Nicole Love e Justine Story, pela leitura e pelos risos, mesmo nas partes que não eram engraçadas. Obrigada ao vovô, a Sam, a Barbara e a Robert Stockett por me ajudarem a recordar os velhos tempos de Jackson. E meu profundo obrigada a Keith Rogers e a minha querida Lila, *por tudo*.

Obrigada a todos na Putnam pelo entusiasmo e pelo trabalho árduo. Tomei liberdades com o tempo, usando a música "The Times They Are A-Changin'", apesar de ela só ter sido lançada em 1964, e o Shake'n Bake, produto que só chegou às prateleiras em 1965. As leis Jim Crow citadas no livro foram abreviadas e tiradas da legislação que, de fato, existiu, em várias épocas, no Sul. Muito obrigada a Dorian Hastings e Elizabeth Wagner, as incrivelmente detalhistas copidesques, por apontarem as minhas teimosas discrepâncias e por terem me ajudado a corrigir muitas outras.

Obrigada a Susan Tucker, autora do livro *Telling Memories Among Southern Women*, cujos belos relatos orais de empregadas domésticas e seus patrões me levaram de volta a um tempo e a um lugar que há muito se foram.

Finalmente, meu muito atrasado agradecimento a Demetrie McLorn, que nos carregou a todos do hospital, enrolados em cobertores de nenê, e passou a vida nos alimentando, juntando coisas atrás de nós, nos amando e, graças a Deus, nos perdoando.

MUITO POUCO, MUITO TARDE

Kathryn Stockett, por ela mesma

A empregada da nossa família, Demetrie, costumava dizer que colher algodão no Mississippi, no auge do verão, é o pior passatempo que existe, a menos que também se considere a colheita do quiabo, outra coisa espinhenta que demora a crescer. Demetrie costumava nos contar todo tipo de história sobre colher algodão quando era menina. Ela ria e balançava o dedo para nós, nos alertando, como se um punhado de crianças ricas pudesse sucumbir aos perigos de colher algodão, como ao cigarro e à bebida.

"Durante dias eu colhi e colhi. E então olhei para baixo e a minha pele estava toda em bolhas. Mostrei à minha mãe. Nenhuma de nós jamais tinha visto uma queimadura de sol numa pessoa negra antes. Isso era coisa de branco!"

Eu era jovem demais para entender que o que ela estava nos contando não era muito engraçado. Demetrie nasceu em Lampkin, Mississippi, em 1927. Um ano terrível para se nascer, pouco antes de a Depressão começar. O exato momento para uma criança presenciar, com todos os detalhes, como era ser pobre, de cor e mulher vivendo em uma fazenda arrendada.

Demetrie veio cozinhar e limpar para a minha família com vinte e oito anos. Meu pai tinha quatorze, meu tio, sete. Demetrie era robusta e tinha a pele escura, e, nessa época, era casada com um homem mau, um bebedor contumaz chamado Clyde. Ela não me respondia quando eu perguntava sobre ele. Mas, à parte o assunto Clyde, ela conversava conosco o dia inteiro.

E, Deus, como eu gostava de conversar com Demetrie. Depois da escola, eu sentava com ela na cozinha da minha avó, ouvindo suas histórias e observando ela misturar massa para bolos e fritar galinha. Sua comida era espetacular. Era algo sobre o que as pessoas falavam exaustivamente tempos depois de ter comido à mesa da minha avó. Você se sentia *amado* quando experimentava o bolo de caramelo de Demetrie.

Mas o meu irmão e a minha irmã — que eram mais velhos — e eu não tínhamos permissão para perturbar Demetrie em seu horário de almoço. Nossa avó dizia: "Deixem ela em paz agora, deixem ela comer, esse tempo é só para ela", e eu me postava junto ao portal da cozinha, me coçando para voltar a ficar perto dela. Vovó queria que Demetrie descansasse para poder terminar o trabalho, isso para não falar que os brancos não se sentavam à mesa enquanto uma pessoa de cor estivesse comendo.

Isso era apenas parte normal da vida, as regras entre negros e brancos. Lembro, quando menina, de ver gente negra na parte de cor da cidade e, mesmo que eles estivessem arrumados ou felizes, eu sentia pena deles. Fico constrangida em admitir isso agora.

Mas eu não sentia pena de Demetrie. Passaram-se muitos anos em que eu a considerava imensamente sortuda por nos ter. Um emprego estável em uma boa casa, limpando para cristãos brancos. Mas também porque Demetrie não tinha filhos, e sentíamos que estávamos preenchendo um vazio em sua vida. Se alguém lhe perguntasse quantos filhos tinha, ela levantava os dedos e dizia: três. Ela se referia a nós: minha irmã, Susan; meu irmão, Rob; e eu.

Meus irmãos negam, mas eu era mais próxima de Demetrie do que as outras crianças. Ninguém ficava bravo comigo se Demetrie estivesse por perto. Ela me colocava na frente do espelho e dizia: "Você é linda. Você é uma menina linda", quando claramente eu não era. Eu usava óculos e meu cabelo castanho era muito oleoso. E tinha uma aversão pétrea à banheira. Minha mãe viajava muito. Susan e Rob se cansavam de me ter sempre por perto, e eu me sentia deixada de lado. Demetrie sabia disso e pegava a minha mão e dizia que eu era boa.

MEUS PAIS SE DIVORCIARAM quando eu tinha seis anos. Então, Demetrie se tornou ainda mais importante para mim. Quando minha mãe partia em uma de suas frequentes viagens, papai nos colocava em um dos hotéis de beira de estrada de que ele era dono e trazia Demetrie para ficar conosco. Eu chorava e chorava no ombro de Demetrie, sentindo tanto a falta da minha mãe que chegava a ter febre.

Nessa época, minha irmã e meu irmão haviam, de certa forma, crescido a ponto de não precisarem mais tanto de Demetrie. Ficavam sentados na suíte da cobertura do hotel jogando pôquer com a equipe da recepção, usando canudinhos de bar no lugar de dinheiro.

Lembro de observá-los, com ciúmes porque eles eram mais velhos, e de pensar, certa vez: *Não sou mais um bebê. Não preciso ficar com Demetrie enquanto os outros jogam pôquer.*

Então, entrei no jogo, e claro que perdi todos os meus canudinhos em cerca de cinco minutos. E lá fui eu de volta para o colo de Demetrie, irritada, observando os outros jogarem. Porém, depois de apenas um minuto, minha testa estava contra o seu pescoço macio e ela me embalava como se fôssemos duas pessoas num barco.

"Aqui é o seu lugar. Aqui comigo", disse ela, então, dando uns tapinhas nas minhas pernas quentes. Suas mãos sempre estavam frias. Eu olhava as crianças mais velhas jogando cartas, sem dar tanta bola para o fato de que mamãe estava longe de novo. Lá estava eu, onde era o meu lugar.

A ERUPÇÃO de relatos negativos sobre o Mississippi no cinema, nos jornais, na televisão, fez de nós, nativos do Estado, um bando de ressabiados, defensivos. Somos cheios de orgulho e vergonha, mas, sobretudo, orgulho.

Ainda assim, eu saí de lá. Me mudei para Nova York quando tinha vinte e quatro anos. Descobri que a primeira pergunta que qualquer pessoa fazia a qualquer outra pessoa, numa cidade tão transitória, era "De onde você é?". E eu dizia: "Mississippi". E esperava.

Para as pessoas que sorriam e diziam, "Ouvi dizer que é lindo lá", eu respondia, "A minha cidade natal é a terceira cidade do país em número de assassinatos ligados a gangues". Para as pessoas que diziam, "Nossa, você deve estar feliz de ter saído *desse* lugar", eu me ouriçava e dizia: "Você não sabe de nada. É lindo lá."

Certa vez, numa festa na cobertura de um prédio, um homem rico de uma cidade rica e branca, ao estilo das cidades do norte do estado de Nova York, me perguntou de onde eu era e eu respondi: Mississippi. Ele torceu o nariz e disse: "Sinto muito."

Cravei no pé dele o salto fino do meu sapato e passei os dez minutos seguintes calmamente aprimorando a sua educação sobre as origens de William Faulkner, Eudora Welty, Tennessee Williams, Elvis Presley, B. B. King, Oprah Winfrey, Jim Henson, Faith Hill, James Earl Jones e Craig Clairbone, o editor e crítico de gastronomia do *The New York Times*. Informei a ele que o Mississippi foi palco do primeiro transplante de pulmão e do primeiro transplante de coração, e que a base do sistema legal dos Estados Unidos foi desenvolvida na Universidade do Mississippi.

Eu estava saudosa de casa e estivera só esperando por alguém como ele.

Não fui muito gentil nem elegante, e o pobre sujeito deu no pé e passou o resto da festa nervoso. Mas não pude evitar.

O Mississippi é como a minha mãe. Eu tenho o direito de reclamar dela o quanto quiser, mas Deus ajude quem proferir uma palavra contra ela comigo por perto — a menos que ela seja mãe dessa pessoa também.

ESCREVI *A RESPOSTA* enquanto morava em Nova York, o que acho que foi mais fácil do que escrevê-lo no Mississippi, olhando tudo de frente. A distância me proporcionou perspectiva. No meio de uma cidade borbulhante e rápida, era um alívio deixar meus pensamentos se desacelerarem e relembrar, durante algum tempo.

A Resposta é, na maior parte, ficção. Ainda assim, enquanto escrevia, me questionei muito sobre o que a minha família pensaria do livro, e sobre o que Demetrie pensaria, também, apesar de que ela já havia morrido. Tive medo, uma grande parte do tempo, de estar ultrapassando um limite, ao escrever na voz de uma mulher negra. Eu tinha medo de falhar ao tentar descrever uma relação que era tão intensamente influente na minha vida, tão amorosa, tão grosseiramente estereotipada na história e na literatura americanas.

Fiquei verdadeiramente grata ao ler o artigo de Howell Raine, vencedor do Prêmio Pulitzer, "O presente de Grady":

> *Não há assunto mais difícil para um escritor do Sul do que o do afeto entre uma pessoa negra e uma pessoa branca, no mundo desigual da segregação. Pois a desonestidade sobre a qual uma sociedade é erguida torna suspeita toda emoção, torna impossível saber se aquilo que fluiu entre duas pessoas era sentimento honesto, ou piedade, ou pragmatismo.*

Li e pensei: *Como ele conseguiu exprimir isso em palavras tão concisas?* Lá estava o mesmo assunto fugidio com o qual eu vinha me debatendo e no qual não conseguia pôr as mãos, como um peixe molhado. O sr. Raines conseguiu definir a questão em poucas frases. Fiquei feliz em saber que eu tinha a companhia de outras pessoas que travavam a mesma luta que eu.

Assim como meus sentimentos pelo Mississippi, meus sentimentos por *A Resposta* são muito conflitantes. No que diz respeito aos limites que separavam mulheres negras e brancas, receio ter contado demais. Fui ensinada a não falar sobre coisas desconfortáveis como essas, pois era de mau gosto, falta de educação, e elas poderiam nos ouvir.

Receio ter contado pouco. Não apenas sobre a vida ser péssima para muitas mulheres negras que trabalhavam nas casas do Mississippi, mas também porque havia muito mais amor entre as famílias brancas e as empregadas domésticas negras do que tive os meios ou o tempo de mostrar.

Porém, tenho certeza do seguinte: não pretendo pensar que sei como era ser uma mulher negra no Mississippi, sobretudo nos anos 1960. Acho que é algo que uma mulher branca que paga o salário de uma mulher negra jamais poderá entender completamente. Mas tentar entender é *vital* para a nossa humanidade. Em *A Resposta* há uma frase que me é realmente especial:

> Não era esse o objetivo do livro, afinal? Que as mulheres se dessem conta: *Somos só duas pessoas. Não há tanto assim a nos separar. Nada do que eu havia imaginado.*

Tenho bastante certeza de poder dizer que ninguém da minha família jamais perguntou a Demetrie como era ser negra no Mississippi e trabalhar para a nossa família branca. Nunca nos ocorreu perguntar. Era a vida cotidiana, simplesmente. Não era algo que as pessoas se sentissem compelidas a examinar.

Durante muitos anos desejei ter tido idade e consideração suficientes para ter feito a Demetrie tal pergunta. Ela morreu quando eu tinha dezesseis anos. Passei muito tempo imaginando como seria a sua resposta. E essa é a razão por que escrevi este livro.

Este livro foi impresso na Divisão Gráfica da
DISTRIBUIDORA RECORD DE SERVIÇOS DE IMPRENSA S.A.
Rua Argentina, 171 - Rio de Janeiro/RJ - Tel.: 2585-2000